SPSS
统计分析
从入门到精通

陈胜可 编著

清华大学出版社

北　京

内 容 简 介

　　SPSS 17.0 具有强大的统计分析和绘图功能，其所提供的各种统计模块可用于完成包括基本的描述性统计分析到复杂的专业统计分析在内的各种任务，实现对数据的管理和分析。本书结合具体的统计分析实例，图文并茂地介绍了 SPSS 17.0 中的各种统计分析方法，包括基本统计分析、参数与非参数检验、方差分析、回归分析、多重响应分析、对应分析、聚类分析、判别分析、因子分析、主成分分析、时间序列分析、信度分析、生存分析和缺失值分析的原理和使用方法。本书注重内容的实用性，不仅详细介绍了 SPSS 17.0 软件常用的操作功能，最后还通过一些综合应用案例（在医学、经济、自然科学和社会科学中的）来演示实际统计分析中 SPSS 的使用。

　　本书既可以作为高校经济学、管理学、统计学、公共管理、社会学和卫生统计等专业学生掌握 SPSS 软件的学习用书，也可以为相关研究人员和从业人员参考使用，亦可作为相关培训机构的参考教材。

本书封面贴有清华大学出版社防伪标签，无标签者不得销售
版权所有，侵权必究　侵权举报电话：010-62782989　13701121933

图书在版编目（CIP）数据

SPSS 统计分析从入门到精通/ 陈胜可编著.—北京：清华大学出版社，2010.8

ISBN 978-7-302-23248-3

I. ①S…　II. ①陈…　III. ①统计分析－软件包，SPSS　IV. ①C819

中国版本图书馆 CIP 数据核字（2010）第 144301 号

责任编辑：夏非彼　卢　亮	
责任校对：卢　亮	
责任印制：何　芊	
出版发行：清华大学出版社	
网　　　址：http://www.tup.com.cn，http://www.wqbook.com	
地　　　址：北京清华大学学研大厦 A 座	邮　　编：100084
社 总 机：010-62770175	邮　　购：010-62786544
投稿与读者服务：010-62776969，c-service@tup.tsinghua.edu.cn	
质 量 反 馈：010-62772015，zhiliang@tup.tsinghua.edu.cn	
印 刷 者：北京鑫丰华彩印有限公司	
装 订 者：三河市新茂装订有限公司	
经　　销：全国新华书店	
开　　本：190mm×260mm　　印　张：36.75	字　　数：872 千字
附光盘 1 张	
版　　次：2010 年 8 月第 1 版	印　　次：2012 年 2 月第 3 次印刷
印　　数：6001～8000	
定　　价：69.50 元	

产品编号：031784-01

前　言

为什么学习 SPSS

　　SPSS 全称 Statistical Package for Social Science，即社会科学统计软件。它是当今世界上最优秀的统计软件之一，提供统计方法先进成熟、操作简便，并与其他软件能够很好地交互，因此被广泛应用于经济管理、医疗卫生、自然科学等各个领域。

　　SPSS 软件强大的统计分析过程，可以实现通用统计分析方法、多元统计方法和专业统计分析的绝大部分功能，是用户进行科学研究和数据分析的绝佳利器。掌握 SPSS 软件已成为经济管理、卫生政策、公共政策和工程管理专业的在校研究生和本专科生及这些领域的从业人员所必备的技能。

本书写作和内容

　　本书全面系统地介绍了 SPSS 17.0 的统计分析功能，将统计分析方法、SPSS 操作和实例分析有机结合。在每一章前先简明扼要地阐述 SPSS 17.0 中常用统计方法的基本原理，然后介绍统计方法分析的操作步骤，最后演示具体实例并对其输出结果进行解读，藉此让读者对方法应用与软件操作有一个统一的认识。

　　全书共 20 章，各部分的主要内容如下：

　　第一部分，SPSS 入门。本部分包括第 1 章和第 2 章，主要介绍 SPSS 中的一些基本概念和数据文件的基本操作。

　　第二部分，SPSS 基本统计分析。包括第 3 章至第 15 章，主要包括 SPSS 基本统计分析、参数与非参数检验、方差分析、回归分析、对应分析、聚类分析、判别分析、因子分析、主成分分析和时间序列分析等内容，该部分涵盖了一般统计分析、多元统计分析和回归分析中的主要分析方法。

　　第三部分，SPSS 高级统计分析。内容为第 16 章至第 18 章，主要介绍 SPSS 的高级统计分析功能，包括信度分析、生存分析和缺失值分析等。该部分内容用户可以根据需要进行选择学习。

　　第四部分，SPSS 图形绘制与综合案例操作（第 20 章）。该部分介绍 SPSS 常用统计图形的绘制方法及在实际统计分析中 SPSS 的应用。

　　本书实例典型，内容丰富，有很强的针对性。书中不仅详细介绍了实例的具体操作步骤，而且各章还配有一定数量的练习题供读者练习使用。读者只需按照书中介绍的步骤一步步地实际操作，就能完全掌握本书的内容。

本书有哪些特点

1．概念讲解清晰，操作演示细致实用

在介绍每一种统计方法的应用之前，本书会先将相应统计方法的相关统计知识和注意事项等进行讲解，用户在学习 SPSS 的操作之前可以对此进行简要的复习，做到"知其然也知其所以然"。对于每一个所介绍统计方法在 SPSS 中的操作，作者尽可能地将所有的参数/按钮、对话框的功能进行讲解，读者可以举一反三，全面掌握软件中囊括的统计方法的应用。

2．丰富的案例和上机题

每一介绍统计分析方法都会配以详细的案例讲解，案例具有很强的针对性，并对结果进行剖析。每章后面的上机题可以作为对前面知识讲解的深入和补充，通过上机题来检验对本章的学习程度。上机题提供演示视频。

3．随书赠送丰厚的 DVD 光盘

作者为本书录制了近 800 分钟的配套视频。视频内容全面囊括本书内容，并高于书的内容，在其中我们对书中内容进行了扩展。通过培训机构，学习这些内容，至少则几千元；而在培训网站，购买作者同级别视频，也要 200 元左右，本书将这些视频免费赠送给用户。

本书适合哪些读者

本书既可以作为高校经济学、管理学、统计学、公共管理、社会学和卫生统计等专业学生掌握 SPSS 软件的学习用书，也可以为相关研究人员和从业人员参考使用，亦可作为相关培训机构的参考教材。

本书由陈胜可和丁维岱编写，柏士林参与了部分章节的编写，全书最后由陈胜可和丁维岱统稿审校。在本书编写过程中得到贾东永的热心指导，伊迪、余兴、陈小亮、张国栋、张国华、李华、王林、李志国、陈晨、冯慧、徐红、吴文林、周建国、张建、刘海涛、姚琳、何武和许小荣等也参与了本书的编写，作者向他们的辛勤劳动表示衷心的感谢。

由于作者水平有限，书中的缺点甚至错误在所难免，恳请广大读者批评指正。

编　者
2010年6月

目　　录

第1章 SPSS 17.0 概述

SPSS全称Statistical Package for Social Science，即社会科学统计软件。SPSS是当今世界上最优秀的统计软件之一，其具有统计方法先进成熟、操作简便，与其他软件交互性好等特点，被广泛应用于经济管理、医疗卫生、自然科学等各个方面。

SPSS使用的是图形交互式用户界面，界面友好且操作简单，用户只需要通过菜单即可完成大部分操作。它还提供了与多种应用软件的接口，支持多种格式的数据文件，用户可以方便地将其他格式的数据文件导入SPSS。

除了包含常用的基本统计方法以外，SPSS还可以进行生存分析、信度分析等专业的统计分析方法，SPSS的数据结果可读性强且容易导出，极大方便了用户的应用和保存。

在引入我国后，因其强大的数据分析处理能力和简单友好的界面，SPSS被应用于许多领域进行数据分析与信息管理工作，受到广大科研与应用工作者的广泛好评。

1.1 SPSS 17.0简介

自1968年推出以来，SPSS历经多重改版，现最新版本为SPSS 17.0。SPSS 17.0在保留了以往版本的优良特性的基础上又增加了一些新的功能模块，使得功能更加强大，操作上更突出个性化，更好地适应了不同用户的数据分析需求。

1.1.1 SPSS 17.0 的新增功能

SPSS 17.0 的新增功能有：

- 全新的语法编辑器。SPSS 17.0的语法编辑器经过完全重新设计，有了自动完成、颜色编码、书签和分界点等功能。
- 定制对话框生成器。定制对话框生成器可以让用户为生成命令语法创建和管理定制对话框。用户可以创建定制对话框以从多个命令生成语法，包括在 Python 或 R 中执行的定制扩展命令。
- 码本。码本过程可以报告活动数据集中所有或指定变量和多重响应集的字典信息（如变量名称、变量标签、值标签、缺失值）和摘要统计。
- 增加了多重插补、最近邻元素分析和RFM 分析。最近邻元素分析是一种根据其与其他个案的相似性分类个案的方法；缺失数据值的多重插补可以将输出的一个或多个数据集中的缺失值替换为可能的估计值并且在运行其他过程时获取汇聚结果；RFM分析是一种用于标识最可能对新产品做出反应的现有客户的方法。

- 图形板功能。图形板随SPSS Statistics一起提供内置的直观表示模板，此外用户还可以还可使用独立的产品SPSS Viz Designer创建自己的直观表示模板。
- 增强了分类汇总和导出输出功能。SPSS 17.0提供了更多的输出导出格式选项和更多导出内容；在分类汇总过程中用户无须指定中断变量。

1.1.2　运行环境要求

运行SPSS 17.0对计算机的要求并不高，一般的硬件配置即可。由于SPSS的运算涉及大量数据，一般需要用户配置较大的内存。对于较大的数据处理和复杂的统计运算，计算机至少需要256M内存。

SPSS 17.0 对计算机硬件的基本要求如下：

- Pentium系列或同等性能的处理器。
- 至少256M内存。对于多因素分析、生存分析等有大量数据的复杂统计运算的应用，用户如希望获得理想的速度，则一般需要512M内存。
- 至少800M的剩余硬盘空间。如果安装SPSS 17.0的全部模块，大约需要1.1G的硬盘空间。
- VGA显示器和与Windows2000/XP/Vista兼容的图形适配卡。
- CD-ROM光盘驱动器。用于安装SPSS 17.0，通过网络安装SPSS 17.0则无需。
- 网络适配卡。用于访问SPSS公司的网站获得相应的技术支持和软件升级。

1.2　SPSS启动、退出与常用界面窗口

SPSS软件全面支持Windows操作系统，其基本操作方式和界面窗口与一般软件相同，十分简便。

1.2.1　SPSS 17.0 的启动与退出

SPSS 17.0的启动和退出方式与Windows操作系统下一般软件完全相同。

1. SPSS 17.0 的启动

安装后双击桌面上的SPSS Statistics 17.0图标即可，也可在"开始"菜单中依次选择"程序"|"SPSS Inc"|"Statistics 17.0"|"SPSS Statistics 17.0"命令。启动后会出现如图1-1所示的启动界面，启动界面会给出SPSS的版本等信息。

之后会出现启动选项界面，如图1-2所示。如果出现这个界面，表示SPSS 17.0已经成功启动。

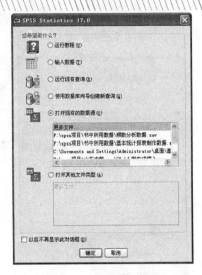

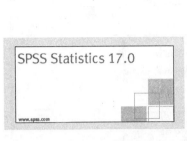

图 1-1　SPSS 17.0 的启动界面　　　　　　图 1-2　SPSS 启动选项

SPSS 启动选项包含六个，分别是："运行教程"、"输入数据"、"运行现有查询"、"使用数据库向导创建新查询"、"打开现有的数据源"和"打开其他类型数据"。

- 运行教程：可以浏览运行指导。
- 输入数据：选择此项，系统将进入数据编辑窗口，用户可以建立新的数据文件或输入数据。
- 运行现有查询：选择此单选按钮后，系统会让用户选择运行一个查询文件。
- 使用数据库向导创建新查询：选择此单选按钮后，系统将进入数据库向导，用户可以利用数据库向导导入数据以创建一个新的数据文件。
- 打开现有数据源：选择此单选按钮后，系统会让用户选择运行一个SPSS数据文件。
- 打开其他类型数据：选择此单选按钮表示要打开一个其他类型的数据文件。

2. SPSS 17.0 的退出

在菜单栏中选择"文件"|"退出"命令或者单击数据编辑窗口右上角的"关闭"按钮，都可以退出SPSS。

1.2.2　SPSS 17.0 的界面与窗口简介

SPSS的基本界面包括主窗口（数据编辑窗口）、结果输出窗口、对象编辑窗口、语法编辑器窗口和脚本编写窗口，下面分别介绍如下：

主窗口（数据编辑窗口）

如果在启动选项中选择"输入数据"或"打开现有数据源"，进入SPSS后的第一个窗口就是数据编辑窗口，如图1-3所示。

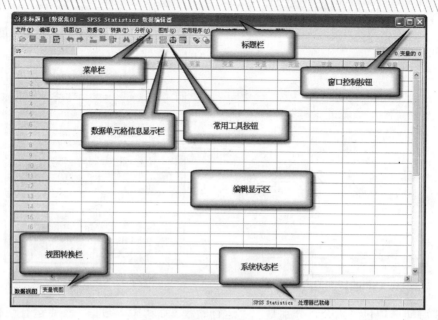

图 1-3 SPSS 的数据编辑窗口

关于数据编辑窗口我们将在第2章详述，这里不多做介绍。

结果输出窗口

结果输出窗口用于输出SPSS统计分析的结果或绘制的相关图表，结果分析窗口如图1-4所示。

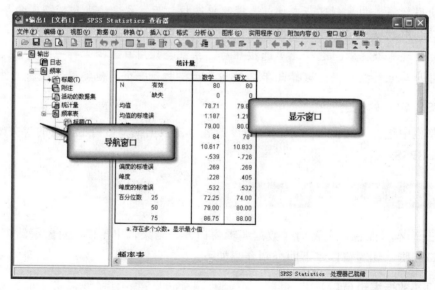

图 1-4 SPSS 的结果输出窗口

结果输出窗口左边是导航窗口，其显示输出结果的目录，单击目录前边的加、减号可以显示或隐藏相关的内容；右面是显示窗口，显示所选内容的细节。

对象编辑窗口

在结果输出窗口的显示窗口中，右击在弹出的菜单中依次选择"编辑内容"|"在新窗口中"命令，或者直接双击其中的表格或图形均可打开该输出结果对应的对象编辑窗口，图1-5所示为几种常见的对象编辑窗口。

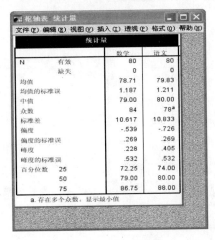

图1-5　几种常见的对象编辑窗口

在对象编辑窗口中我们可以对表格、图表等对象进行相应的编辑操作。具体的编辑操作，本书后面相关的章节将做详细介绍。

语法编辑器窗口

依次选择菜单"文件"|"新建"|"语法"命令或"文件"|"打开"|"语法"命令均可打开语法编辑器窗口，如图1-6所示。

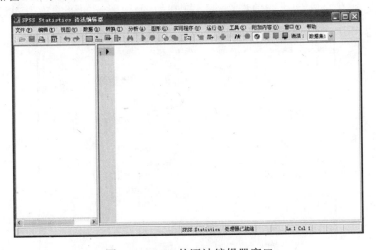

图1-6　SPSS的语法编辑器窗口

用户可以在语法编辑器窗口输入或修改SPSS命令，或单击任何分析对话框上的粘贴按钮将使用对话框设置的各种命令或选项粘贴到语法编辑器窗口。

脚本编写窗口

依次单击菜单"文件"|"新建"|"脚本"或"文件"|"打开"|"脚本"均可打开如图1-7所示的脚本编写窗口。

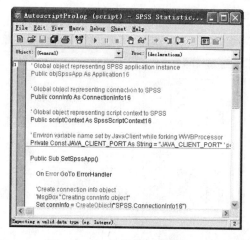

图1-7　SPSS 的脚本编写窗口

用户可以在此窗口编写SPSS内嵌的Sax Basic语言以形成自动化处理数据的程序。

1.3　SPSS 17.0的系统参数设置

完成SPSS 17.0的安装后，首先要通过选项对话框设置SPSS的相关参数，用户所设参数可以自动保存，无须再次进行设置。

依次选择菜单"编辑"|"选项"命令，打开如图1-8所示的"选项"对话框。

图1-8　"选项"对话框

1.3.1 常规参数设置

"常规"选项卡可以设置SPSS的各种通用参数,包括以下5个选项组的内容(所设参数可自动保存,再次启动SPSS时无须重新设置)。

1. 变量列表

"变量列表"选项组用于设置变量在变量表中的显示方式与显示顺序。显示方式可"显示标签"或"显示名称"。如选择"显示标签",则变量标签显示在前;如选择"显示名称",则只显示变量名称。

2. Windows

"观感"下拉框用于设置SPSS的整体外观风格,用户可以选择"Windows"和"SPSS Inc.Standard"两种风格。另外,勾选"在启动时打开语法窗口"复选框,SPSS启动时将打开语法窗口。如勾选"一次只能打开一个数据集",SPSS将关闭多数据集支持功能,用户打开新数据集时必须将原先打开的数据集关闭。

3. 数据和语法的字符编码

该选项组用于设置SPSS的字符编码形式,有"Unicode"和"locale的写入系统"两种。注意,只有在打开空数据集时才可以更改字符编码设置。

4. 输出

该选项组中主要设置SPSS的输出风格,"测量系统"下拉框用于设置SPSS的度量参数,可以选择"英寸"、"厘米"和"磅"等单位;"语言"下拉框用于设置输出语言;勾选"表格中较小的数值没有科学记数法"复选框,则输出结果中将把非常小的小数以0代替。

提示栏包括"弹出浏览窗口"和"滚动到新的输出"两个复选框,勾选"弹出浏览窗口"SPSS会在有新的结果时自动打开视图窗口;勾选"滚动到新的输出"SPSS会自动在视图窗口中滚动到新的输出。

声音栏用于设置产生输出信息的提示声音,用户可以选择无声音、系统蜂鸣声或者自定义声音,通过下方的"浏览"按钮自定义声音文件。

5. 用户界面

这里设置SPSS的界面语言形式。

1.3.2 视图参数设置

"查看器"选项卡主要用于设置输出窗口的字体、图标等选项,"查看器"选项卡如图1-9所示。

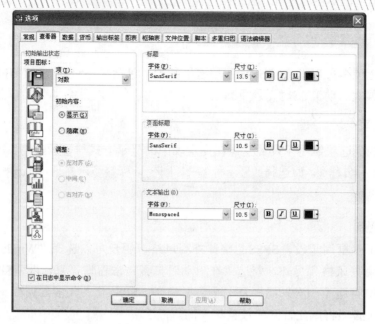

图1-9 "查看器"选项卡

"初始输出状态"选项组

该选项组用于设置输出结果的初始状态参数。首先单击"项"下拉框选择要设置的输出结果，然后在下面设置所选内容的输出参数。

"项"下拉列表中包括日志、警告、注释、标题、页面标题、枢纽表、表格、文本输出、树模型和模型浏览器。初始内容栏可"显示"或"隐藏"；在调整栏中选择对齐方式；如勾选"在日志中显示命令"复选框，SPSS将在日志中输出命令语句。

"标题"、"页面标题"和"文本输出"选项组

分别用于设置标题、页面标题和输出文本的字体、字号、颜色等。

1.3.3 数据参数设置

"数据"选项卡用于设置数据处理过程中的相关参数，"数据"选项卡如图1-10所示。

"转换与选项合并"选项组

选择"立即计算值"，数据转换、文件合并操作将在单击"确定"按钮后立即执行；如选择"使用前计算值"单选按钮，将会延迟转换，只有在遇到命令时，才进行转换和合并，数据文件较大时，一般选用这种格式。

"显示新数值变量的格式"选项组

该选项组包括"宽度"与"小数位"两个微调框，用于设置数值变量的宽度与小数位数。

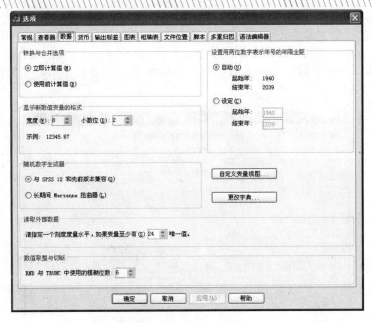

图 1-10　"数据"选项卡

"随机数字生成器"选项组

该选项组用于选择使用的随机数字生成器，选择"与SPSS 12和先前版本兼容"系统使用SPSS12或之前的随机数据生成器，选择"长时间Mersenne扭曲器"系统则使用Mersenne扭曲器作为随机数据生成器。

"读取外部数据"选项组

对于从外部文件格式读取的数据和较旧版本的SPSS数据文件（8.0以前的版本），用户可以在此指定数值变量的数据值的最小数量，以确定将变量分为刻度变量或是名义变量。唯一值的个数少于指定数量的变量划分为名义变量。

"数据取整与切断"选项组

对于 RND 和 TRUNC 函数，此选项组控制该对值进行四舍五入的缺省阈值。

"设置用两位数字表示年号的年限全距"选项组

该选项组用于为使用两位数年份输入和显示的日期格式变量定义年份范围。如选择"自动"，系统年限则基于当年，前推 69 年，后推30年（加上当年，整个范围为 100 年）；用户也可通过选择"设定"单选按钮自定义年份的变动范围。

自定义变量视图

设置变量视图中属性的缺省显示和顺序。

更改字典

设置检查变量视图中项目拼写的字典的语言。

1.3.4 自定义数值变量的格式参数设置

"货币"选项卡用于设定自定义数值变量的输出格式和各种参数，"货币"选项卡如图1-11所示。

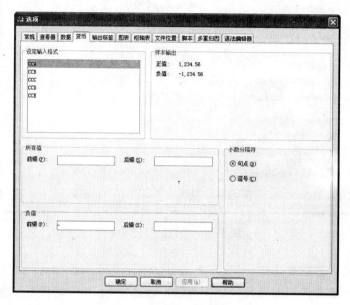

图1-11 "货币"选项卡

"设定输入格式"选项组

此选项组最多可以创建五种自定义数据显示格式，格式可以包括特殊的前缀和后缀字符以及对负值的特殊处理方式。自定义数据显示名称为 CCA、CCB、CCC、CCD 和 CCE，右边的"样本输出"栏会给出相应格式的预览。

"所有值"选项组

该选项组包含"前缀"与"后缀"两个输入框，分别用于输入所有值的前缀与后缀

"负值"选项组

同样包括"前缀"与"后缀"两个输入框，分别用于输入所有负值的前缀与后缀，系统默认前缀为"-"。

"小数分隔符"选项组

该选项组用于设置小数分隔符，有句点和逗号两种分隔符可选。

1.3.5 标签输出窗口的参数设置

输出标签选项主要用于设置输出结果的标签选项，输出标签窗口如图1-12所示。

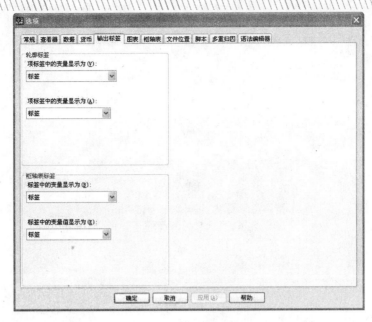

图 1-12　输出标签选项

"轮廓标签"选项组

该选项组包括"项标签中的变量显示为（V）"和"项标签中的变量显示为（A）"两个下拉框，分别用于设置变量标签和变量值的显示方式。两个下拉框中都有三个可选项："标签"，使用变量标签标示每个变量；"名称"，使用变量名称标示每个变量；"标签与名称"，两者都使用。

"枢轴表标签"选项组

该选项组包含内容及其设置方式与"轮廓标签"选项组相同，在此不再赘述。

1.3.6　图形输出参数设置

"图形"选项卡用于设置图形输出时的各种参数，图形选项卡如图1-13所示。

"图表模板"选项组

该选项组包含"使用当前设置"和"使用图表模板"两个单选按钮。如选择"使用当前设置"则图表采用此标签中设置的参数；如选择"使用图表模板"则使用一个图表模板来确定图表的属性，用户可以单击"浏览"按钮来选择图表模板。

"当前设置"选项组

"字体"下拉框用于设置新图表中所有文本的字体。

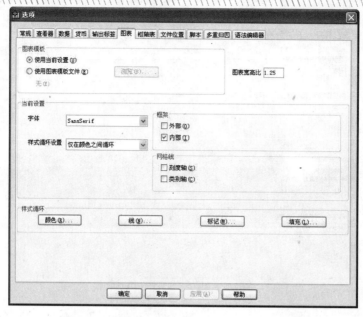

图 1-13　图形选项卡

"样式循环设置"下拉框用于设置新图表的颜色和图案的初始分配,包含两个选项:"仅在颜色之间循环",选择则仅使用颜色区分图表元素,而不使用图案;"仅在图案之间循环",选择则仅使用线条样式、标记符号或填充图案来区分图表元素,而不使用颜色。

"框架"选项组

该选项组用于控制新图表上的内框和外框的显示,用户可以选择显示内框或外框。

"网格线"选项组

该选项组用于设置新图表上的刻度轴网格线和类别轴网格线的显示。

"样式循环"选项组

该选项组包含"颜色"、"线"、"标记"、"填充"4个按钮,分别用于设置新图表的颜色、线条样式、标记符号和填充图案。

1.3.7　枢轴表参数设置

"枢轴表"选项卡用于设置新枢轴表输出的缺省表格外观。选项卡内容如图1-14所示。

"表格外观"选项组

此选项组用于设置表格输出的外观样式以及储存路径。用户可以在列表框中选择一种外观样式,也可以单击"浏览"按钮选择自定义的外观样式。

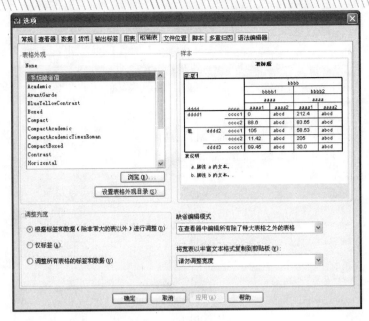

图 1-14　枢组表选项卡

"调整列宽"选项组

该选项组用于控制枢轴表中列宽的自动调整。

- 根据标签和数据进行调整：选择该项SPSS会将不超过10 000个单元格的表的列宽调整为列标签宽度或最大的数据值宽度中的较大者；对于超过 10 000 个单元格的表，SPSS会将列宽调整为列标签的宽度。
- 仅标签：SPSS会将列宽调整为列标签的宽度。这会生成结构更紧凑的表，但宽度超过标签的数据值可能会被截去。
- 调整所有表格的标签和数据：SPSS会将列宽度调整为列标签或最大数据值中较大的宽度。

"缺省编辑模式"下拉列表框

用于控制枢轴表在浏览器窗口或独立窗口中的激活。SPSS默认双击枢轴表即可激活浏览器窗口中所有除特大表之外的表格。除此之外用户还可以选择在独立窗口中激活枢轴表，或设置一个大小，使小于这个设置的枢轴表在浏览器中打开，而大于这个设置的枢轴表在独立的窗口中打开。

"将宽表以丰富文本格式复制宽表格至剪贴板"下拉列表框

该下拉框用于设置以 Word/RTF 格式粘贴枢轴表时，文档宽度较过的表格的处理方式。

1.3.8　文件位置参数设置

"文件位置"选项卡中可设置应用程序在每个会话开始时打开和保存文件的缺省位置、

日志文件位置、临时文件夹位置，以及出现在最近使用的文件列表中的文件数量。选项卡内容如图1-15所示。

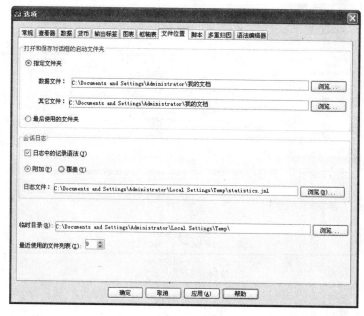

图 1-15　文件位置选项卡

"打开和保存对话框的启动文件夹"选项组

该选项用于将指定的文件夹用作每个会话开头的缺省位置，可以选择"指定文件夹"为数据文件和其他文件指定保存和读取的位置，也可以选择"最后使用的文件夹"将在上一次会话中打开或保存文件的最后一个文件夹，用作下一次会话的默认文件夹。

"会话日志"选项组

用户可以勾选"日志中的记录语法"复选框启用会话日志自动记录会话中运行的命令，可以通过选择"附加"或"覆盖"设置日志文件的记录方式，此外用户还可以选择日志文件的名称和位置。

"临时目录"输入框

该输入框用于设置在会话过程中创建的临时文件的位置。

"最近使用的文件列表"微调框

用于设置出现在"文件"菜单上的最近使用文件的数量。

1.3.9　脚本文件的参数设置

"脚本"选项卡用于设置指定默认脚本语言和使用的自动脚本，"脚本"选项卡如图1-16所示。

图1-16 "脚本"选项卡

"启用自动脚本"复选框

该复选框用于设置自动脚本的启用或禁用，SPSS默认启用自动脚本。

"基础自动脚本"选项组

用于指定用作基础自动脚本的脚本文件和用于运行脚本的语言，用户可以在"文件"输入框中选择基础自动脚本文件。

"单一对象自动脚本"选项组

该选项组用于设置对象应用的自动脚本。首先从"命令识别"列表框中选择一个命令，然后在"对象和脚本"列表框中选择要应用的脚本。

1.3.10 多重归因参数设置

多重归因选项卡用于设置与多重归因相关的参数，多重归因选项卡如图1-17所示。

"归因数据标记"选项组

该选项组用于设置含归因数据的单元格的格式，可以在此设置单元格背景色和单元格字体。

"分析输出"选项组

该选项组用于设置多重归因数据集分析结果的浏览器输出形式，包含"观测值和归因数据结果"、"仅观测值结果"和"仅归因数据结果"三个单选按钮和"汇聚结果"、"诊断统计"两个复选框。用户可以选择相应的单选按钮来选择归因数据分析结果的输出形式。此外，还可以选择当执行单变量汇聚时是否输出汇聚与诊断结果。

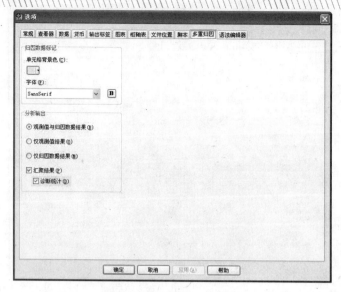

图 1-17　多重归因选项卡

1.3.11　语法编辑器参数设置

"语法编辑器"选项卡用于设置语法编辑器的外观及相关参数，语法编辑器选项卡如图
1-18所示。

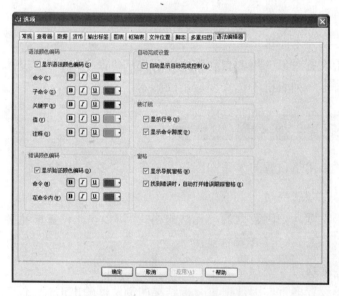

图 1-18　"语法编辑器"选项卡

"语法颜色编码"选项组

在该选项组中，用户可以选择是否显示语法颜色编码并设置"命令"、"子命令"、"关
键字"、"值"及"注释"的字体和颜色。

"错误颜色编码"选项组

在该选项组中，用户可以选择是否显示验证颜色编码并设置在命令和子命令中语法错误的字体和颜色。

"自动完成设置"选项组

该选项组中复选框用于设置自动完成的自动显示，勾选此复选框表示自动完成控制时自动显示。

"装订线"选项组

该选项组包括"显示行号"和"显示命令窗口"两个复选项，用于设置在语法编辑器的装订线内是否显示行号和命令窗口。

1.4　SPSS 17.0运行环境的设置

SPSS允许用户自行设置自定义运行环境，用户可以对状态栏、系统字体、菜单和网格线等进行相应的设置，打造自己的个性化界面。

1.4.1　SPSS 状态栏的显示和隐藏

在SPSS的界面中可自行选择是否显示状态栏，具体操作方法如下：在菜单栏中依次选择"视图"|"状态栏"，将"状态栏"选项前面的勾去掉，SPSS便会自动隐藏状态栏。如果用户在隐藏状态栏后希望SPSS再次显示状态栏，只需重复上面的操作，将"状态栏"选项前面加上勾即可，如图1-19所示。

图 1-19　"状态栏"选项

1.4.2　SPSS 网格线的显示与隐藏

隐藏网格线的具体操作方法如下：在菜单栏中依次单击"视图"|"网格线"，将"网格线"选项前面的勾去掉，SPSS便会自动隐藏网格线。如果用户在隐藏网格线后希望SPSS再次显示网格线，只需重复上面的操作，将"网格线"选项前面加上勾即可，如图1-20所示。

图 1-20 "网格线"选项

1.4.3 SPSS 菜单的增加与删除

SPSS允许用户建立个性化的菜单栏，用户可以根据自己的需要删除现有菜单或增加新的菜单，具体的操作方法如下：在菜单栏中依次选择"视图"|"菜单编辑器"命令，打开如图1-21所示的"菜单编辑器"对话框。在此对话框分别进行设置。

图 1-21 菜单编辑器

"应用到"下拉框

该下拉框用于选择要编辑菜单的窗口，包含"数据编辑器"、"浏览器"和"语法"三个选项，分别用于设置数据编辑器窗口、输出窗口和语法窗口的菜单栏。

"菜单"列表

该列表显示了各个窗口中菜单栏中现有的菜单，单击每项前面的加号可以展开每项菜单下的具体内容。当我们选中菜单项目时"插入菜单"按钮被激活，单击此按钮可以插入新的菜单。此外双击想要对其添加新项的菜单或单击项目加号图标并选择要在其上显示新项的菜单项，"插入项目"按钮便被激活，单击此按钮可插入新的菜单项。

"文件类型"选项组

该选项组包括"脚本"、"语法"和"应用程序"三个单选项，用于为新项选择文件类型，单击"文件名"输入框后的"浏览"按钮选择要附加到菜单项的文件。

此外，在菜单项之间还可以添加全新的菜单和分隔符。

1.4.4　SPSS 中字体的设置

SPSS界面中的字体也可以进行设置，具体操作如下：在菜单栏中依次选择"视图"|"字体"命令，打开如图1-22所示"字体"对话框。

字体对话框包含"字体""字体样式"和"大小"三个选项框，用户可以在其中选择要定义的字形、字体样式和字号，设置完毕后单击"确定"保存设置即可。

图 1-22　字体对话框

1.5　SPSS 17.0的帮助系统

在SPSS 17.0中提供了强大而完善的帮助系统，用户可以藉此快速地适应和掌握SPSS的操作，合理利用这些帮助可使用户方便解决SPSS使用过程中遇到的疑难问题。

1.5.1　联机帮助

在菜单栏中依次选择"帮助"|"主题"，打开如图1-23所示"联机帮助"对话框。

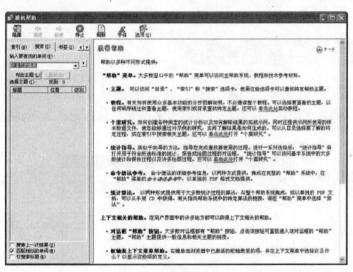

图 1-23　"联机帮助"对话框

"联机帮助"窗口左边包含"目录"、"索引"和"搜索"等标签选项卡。使用"目录"选项卡逐级打开帮助的目录，可获得全面的帮助信息；还可以使用"索引"和"搜索"选项卡从中查找特定帮助主题以获得相应的帮助。

1.5.2 帮助教程

在菜单栏中依次单击"帮助"|"教程",打开如图1-24所示的"教程"对话框。

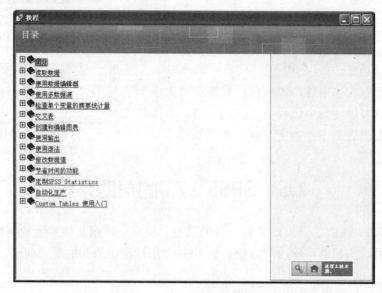

图 1-24 "教程"对话框

"教程"对话框给出了SPSS具体操作步骤的图解知道,是初学者快速熟悉SPSS操作的良好工具。

1.5.3 各种对话框中的"帮助"按钮

在使用SPSS进行信息管理和统计分析时,打开的各种主对话框和相应的子对话框中也都含有"帮助"按钮,见图1-25。用户可以单击这些按钮快速进入该对话框的"帮助"主题并获取相应的帮助。

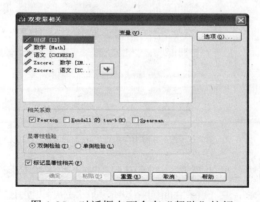

图 1-25 对话框右下含有"帮助"按钮

第2章　SPSS 17.0数据管理

统计数据是进行分析和研究的基础，良好数据管理习惯和建立好数据文件是进行正确科学分析的关键。数据文件建立好之后，还需要对数据进行必要的整理。不同的统计分析方法对数据结构的要求不同，因此我们需要对数据文件的结构进行必要的调整和转换，这就是数据管理。SPSS提供了强大的数据管理能力，可以从变量和观测量的角度对数据进行全面的处理，为统计分析打下良好的基础。本章将对SPSS 17.0的数据管理功能进行介绍。

2.1　SPSS 17.0数据编辑器

SPSS的数据编辑器是用户进行数据处理与分析的主要窗口界面。用户可以在数据编辑器窗口进行数据输入、观察、编辑和统计分析等操作。

在启动选项中选择"输入数据"或"打开现有数据源"，进入SPSS后的第一个窗口就是数据编辑窗口，如图2-1所示。

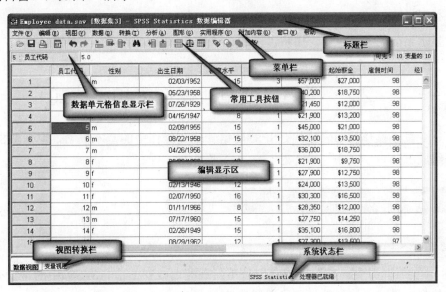

图 2-1　数据编辑窗口

标题栏

显示窗口名称和编辑的数据文件名。如果当前数据编辑器中是一个新建的文件，其显示为"未标题1[数据集0]- SPSS Statistics数据编辑器"。

菜单栏

菜单栏包括"文件"、"编辑"、"视图"、"数据"、"转换"、"分析"、"图形"、"实用程序"、"附加内容"、"窗口"和"帮助"菜单，这些菜单可以实现编辑数据与变量、定义系统参数、设置显示方式、绘制图形、进行各项数据分析和查阅帮助等功能。

数据和单元格信息显示栏

该显示栏用于显示单元格位置和单元格的内容等相关信息。灰色显示的区域为提示区，显示单元格的位置，空白区域为数据编辑区，该区域内显示当前选中的单元格的内容，用户可以在该区域输入或修改相应的内容。

数据编辑显示区

在窗口的中部是编辑显示区，该区最左边列显示单元序列号，最上边一行显示变量名称。选定的单元格呈反色显示，其内容将出现在数据和单元格信息显示栏中，在此输入或修改单元格内容。

视图转换栏

该栏用于进行变量和数据视图的切换，用户只需要单击相应的标签便可以完成变量与数据视图的切换。

系统状态栏

该栏显示当前的系统操作，用户可以通过该栏了解SPSS当前的工作状态。

2.2　常量、变量、操作符和表达式

常量、变量、操作符和表达式是SPSS数据管理与操作中的基本概念，也是SPSS命令语句的重要组成部分。

2.2.1　SPSS 中的常量与变量

1. 常量

SPSS 中的常量是在一定阶段内其取值不随观测而改变的值。SPSS 中的常量有三种类型，即数值型常量、字符型常量和日期型常量。

- 数值型常量：数值型常量是一个数值。数值型常量有两种书写方式：一是普通书写方式（定点方式），如：53、74.2 等；二是科学计数法（浮点方式），使用指数表示数值，通常用于表示特别大或特别小的数值，如：3.16E18表示3.16×10^{18}，7.32E-15 表示7.32×10^{-15}等。

- 字符型常量：字符型常量是被单引号或双引号括起来的一串字符。如果字符串中本身带有单引或半个单引号，则该字符串常量必须使用双引号括起来，如字符串"SPSS"、"This is Tom"。

- 日期型常量：日期型常量是按特定格式输出的日期，日期型常量一般使用较少。

2. 变量

对不同的对象其取值发生变化的量称为变量。SPSS中的变量也包括数值型变量、字符型变量和日期型变量三种。

（1）数值型变量

数值型变量一般由数字、分隔符和一些特殊符号（如美元符号）构成，数值型变量包含以下六种具体的形式：

①标准型　标准数值型变量是SPSS中默认的数值变量格式。其默认长度为8，小数位数为2，小数采用圆点表示。标准数值型变量的变量值可用标准数值格式输入，也可以用科学记数法输入，如2378、44.21等。

②逗号数值型变量　逗号数值型变量的整数部分从右向左每隔三位插入一个逗号作为分隔。逗号数值型变量默认长度为8，小数位数为2，小数点采用圆点表示，如7 467.55。

③圆点数值型变量　圆点数值型变量显示方式与带逗号的数值型变量相反，其整数部分从右向左每隔三位插入一个圆点作为分隔符，默认长度为8，小数位数为2，小数点采用逗号表示，如7.467 55。

④科学计数法型　科学计数法型数值变量的数值采用指数形式表示。科学计数法型数值变量默认长度为8，小数位数为2，通常用于表示很大或很小的数字，如3.43E+002表示$3.43*10^2$。

⑤美元型　美元型数值型变量是在有效数字前添加美元符号的数值型变量，默认长度为8，小数位数为2，系统给出了美元型变量的多种表示形式，用户可以根据需要自行选择相应的形式，如$56 434.277。

⑥自定义货币型　用户也可以创建五种自定义数据显示格式，系统自动将自定义数据显示名称命名为为 CCA、CCB、CCC、CCD 和 CCE，这只是五种命名，用户可以自行设定这五种类型。

（2）字符型变量

字符型变量由字符串组成，可以包含数字、字母和一些特殊符号。字符型变量的默认长度为8，大于8个字符的字符型变量称为长字符型变量，少于等于8个字符的变量称为短字符型变量，字符型变量最长为32767个字符。字符型变量不能参与运算，系统将区分大小写字母。

（3）日期型变量

日期型变量用于表示日期和时间。在图2-2所示的"变量类型"对话框中，选择"日期"单选按钮，可以看到SPSS提供的29种不同的日期和时间格式。可根据需要选择相应的格式，如1-12-2009、29.12.99等。日期型变量不能参与运算，要想使用日期变量的值进行运算必须通过有关的日期函数进行转换。

图 2-2　日期型变量的格式

2.2.2　变量名与变量标签

变量名和变量标签是用户识别变量的标志,定义良好的变量名和变量标签将有助于提高分析的效率。

1. 变量名

变量名用于区分不同的变量,SPSS中变量的命名规则如下:

① SPSS变量的变量名不能超过64个字符。

② 首字符必须是字母、中文或特殊符号"@"、"$"或"#"。

③ 变量名中不能出现"?"、"!"、"-"、"+"、"="、"*"和空格。

④ 末字符不能为"."和"_"。

⑤ 名称不能与SPSS的保留字相同,SPSS的保留字有:AND 、BY、EQ、GE、GT 、LT、NE、NOT、OR、TO、WITH和ALL。

⑥ 系统不区分变量名中的大小写字母。

2. 变量标签

变量标签是对变量名和变量值的辅助说明,包括变量名标签和变量的值标签两类。

（1）变量名标签

变量名标签是对变量名的进一步解释和说明。变量名标签可由不超过256个字符的数字、汉字、字母和特殊符号构成,可以包含空格和SPSS保留字。用户可以自行设置变量名标签和变量名的显示方式,也可以用变量名标签代替变量名显示。变量名标签是一个可选择属性,用户可以不定义变量名标签。

（2）变量值标签

变量值标签是对变量取值的进一步解释和说明,通常用于分类变量。变量值标签最大长度为120个字符,其只对数值型变量、日期型变量和短字符型变量有效,变量值标签是也一个可选择属性,可不定义变量的值标签。

2.2.3　运算符与表达式

SPSS的基本运算有3种：数学运算、关系运算和逻辑运算，相应的运算符及其意义如表2-1所示。

表 2-1　SPSS 中的运算符

数学运算符		关系运算符			逻辑运算符		
符号	意义	符号	运算符	意义	符号	运算符	意义
+	加	<	LT	小于	&	AND	与
-	减	>	GT	大于	|	OR	或
*	乘	<=	LE	小于或等于	~	NOT	非
/	除	>=	GE	大于或等于			
**	乘方	=	EQ	等于			
()	括号	~=	NT	不等于			

将常量变量或函数用运算符进行连接，便形成了表达式，表达式的具体形式有以下三种。

算数表达式

数学运算符连接数值型的常量、变量和函数即形成算数表达式，其运算结果一般为数值，例如表达式23+45，输出结果为68。

比较表达式

利用关系运算符建立两个变量间的比较关系即为比较表达式，比较表达式要求相互比较的两个量类型一致，比较表达式的结果一般为逻辑型，例如，x=2，则表达式"x>0"为真，系统返回1（true）。

逻辑表达式

逻辑表达式由逻辑运算符、逻辑型的变量或取值为逻辑型的比较表达式构成，逻辑表达式的值为逻辑型常量，例如对于表达式"true AND true"系统返回"true"，"true OR false"系统返回"true"。

2.2.4　变量的定义

在图2-1所示的数据编辑窗口中的视图转换栏中选择"变量视图"标签，即进入如图2-3所示的变量视图。变量的定义就是在数据编辑器的变量视图中进行的。

	名称	类型	宽度	小数	标签	值	缺失	列	对齐	度量标准
1										
2										
3										
4										
5										
6										
7										
8										

图 2-3　数据编辑器的变量视图

定义变量名

选中某个变量的"名称"单元格，直接输入变量名便可定义变量名称，输入完成后单击其他单元格或敲回车键即完成设置。如果用户没有预先设置变量名称而直接在数据视图中输入数据，那么变量名称将使用系统的默认名称VAR00001、VAR00002等，用户可以双击变量名称进入变量视图修改变量名称。

定义变量类型

选中某个变量的"类型"单元格，单击[...]按钮弹出如图2-4所示的"变量类型"对话框。

图 2-4　"变量类型"对话框

用户在该对话框中选择相应的单选按钮即可完成变量类型的选择，具体的变量类型及其含义2.2.1节已经进行了详细说明，在此不再赘述。

宽度定义

选中某个变量的"宽度"单元格，直接输入相应数值便可定义变量宽度，可以通过[↕]按钮来调节变量的宽度，系统默认的变量宽度为8，变量宽度的设置对日期型变量无效。

小数位数定义

选中某个变量的"小数"单元格，直接输入相应数值便可定义变量的小数位数，也可以通过[↕]按钮来调节变量的小数位数，系统默认的小数位数为2，变量小数位数的设置对非数值型变量无效。

变量标签定义

选中某个变量的"标签"单元格，直接输入相应的内容便可定义该变量标签。

变量值标签定义

选中某个变量的"值"单元格，单击⋯按钮弹出如图2-5所示的"值标签"对话框。

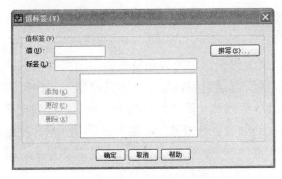 

图2-5 "值标签"对话框   图2-6 "缺失值"对话框

"值"输入框用于输入要定义标签的变量值，在"标签"输入框中输入定义的值标签内容，输入完成后单击"添加"按钮使设置好的值标签进入下方的列表框。单击"更改"和"删除"按钮可修改或删除设置好的值标签。

缺失值的定义

选中某个变量的"缺失"单元格，单击⋯按钮将弹出如图2-6所示的"缺失值"对话框。有3个可定义单选项：

- 没有缺失值：选择此项表示无缺失值，为系统默认方式。
- 离散缺失值：选择此项表示数据中存在离散缺失值，用户可以在其下的输入框中输入不超过三个的缺失值。
- 范围加上一个可选离散缺失值：选择此项表示数据中存在连续缺失值，在"低"和"高"输入框中输入相应的值以确定缺失值的取值范围。此外，用户还可以在"离散值"输入框中指定一个离散形式的缺失值。

列显示宽度设置

选中某个变量的"列"单元格，直接输入相应数值便定义的是列的显示宽度，可以通过按钮来调节列的显示宽度。

对齐方式设置

选中某个变量的"对齐"单元格，在其右侧出现的下拉列表中选择相应的对齐方式即可，系统给出了"左"、"右"和"居中"三种对齐方式。

变量度量尺度设置

选中某个变量的"度量方式"单元格，在其右侧出现的下拉列表中选择相应的度量尺度即可。

2.3 输入数据

数据的输入是数据管理中的最基本操作，本节将对数据输入的方法和文件与变量信息的查看进行相应的介绍。

2.3.1 输入数据的方法

变量定义完成后，在图2-1所示的数据编辑窗口中的视图转换栏中选择"数据视图"标签，进入到数据视图，即可在SPSS的数据管理器的编辑显示区中直接输入和编辑数据。编辑显示区是一个电子表格，其每一行代表一个观测，每一列代表一个变量，行列交叉处称为单元格，单元格中给出观测在相应特性上的取值。单击鼠标左键可激活单元格，被激活的单元格以反色显示；按方向键上下左右移动也可以来激活单元格，单元格被激活后，用户即可向其中输入新数据或修改已有的数据。

2.3.2 文件和变量信息的查看

数据文件建立后，我们可能希望看到数据文件的结构和变量的组成以确定是否需要完善或修改，此时我们就需要用到文件和变量信息查看功能。

1. 查看变量信息

（1）在结果输出窗口中查看变量信息

在菜单栏中依次选择"文件"|"显示数据文件"|"工作文件"命令，就可以将当前工作文件的变量信息输出到结果查看窗口，输出结果如图2-7所示；此外，用户还可以在菜单栏中依次选择"文件"|"显示数据文件"|"外部文件"命令并选择相应的外部文件，将其他工作文件的变量信息输出到结果查看窗口。

变量信息								
变量	位置	标签	度量水平	列宽	对齐方式	打印格式	书写格式	缺失值
员工代码	1	员工代码	刻度	8	右	F4	F4	
性别	2	性别	标称	10	左	A1	A1	
出生日期	3	出生日期	刻度	13	右	ADATE10	ADATE10	
教育水平	4	教育水平（年）	序数	8	右	F2	F2	0
雇佣类别	5	雇佣类别	序数	8	右	F1	F1	0
当前薪金	6	当前薪金	刻度	8	右	DOLLAR8	DOLLAR8	$0
起始薪金	7	起始薪金	刻度	8	右	DOLLAR8	DOLLAR8	$0
雇佣时间	8	雇佣时间（以月计）	刻度	8	右	F2	F2	0
经验	9	经验（以月计）	刻度	8	右	F6	F6	
少数民族	10	少数民族分类	序数	8	右	F1	F1	9

工作文件中的变量

图 2-7　结果输出窗口中输出的变量信息

（2）利用工具栏查看变量信息

在菜单栏中依次选择"实用程序"|"变量"命令，打开如图2-8所示的"变量"对话框。

在"变量"列表中选中相应的变量,即可查看当前数据文件中的变量信息,显示在右侧文本框中。

2. 查看文件信息

在菜单栏中依次选择"文件"|"显示数据文件"|"外部文件"命令并选择相应的外部文件,可以将相应工作文件的文件信息输出到结果查看窗口,输出结果如图2-9所示。

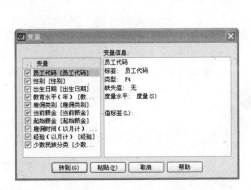

图2-8　"变量"对话框

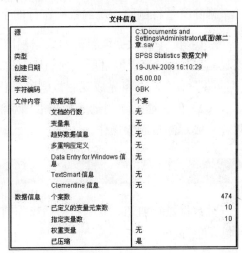

图2-9　文件信息

2.4　编辑数据

在输入数据后,我们需要对数据进行相应的整理或是编辑,SPSS提供了强大的数据编辑功能,可以实现数据的修改、删除、复制和插入等操作。

2.4.1　插入和删除观测量

有时我们需要对数据进行相应的修改。例如,公司新进了一名员工,我们需要将他的信息插入原有的数据库,此时我们需要进行变量的插入操作;一名学生退学则需要从班级名单中将其删除,此时我们需要进行变量的删除操作。

1. 插入观测量

用户可以通过菜单命令插入变量,也可以通过工具栏和鼠标右键菜单插入观测量,这几种方法是等价的。

(1)在SPSS数据编辑器的数据视图下,将任一观测量所在行的任意单元格激活,然后依次选择"编辑"|"插入个案"命令,即可完成观测量插入操作。

(2)在SPSS数据编辑器的数据视图下,将鼠标移动到相应的观测量序号上并单击选中该观测量，此时该观测量所在行的所有单元格都被选中并呈反色显示，单击鼠标右键，在弹出的菜单上选择"插入个案"命令，即可完成变观测量插入操作。

（3）在SPSS数据编辑器的数据视图下，将任一观测量所在行的任意单元格激活，然后单击工具栏上的 ▦ 按钮，也可以完成观测量插入操作。

2. 删除观测量

删除变量将删除该观测量所在行的全部数据，删除观测量有两种等价的方法。

（1）在SPSS数据编辑器的数据视图下，将鼠标移动到相应的观测量序号上并单击选中该观测量，此时该观测量所在列的所有单元格都被选中并呈反色显示，然后依次选择"编辑" | "清除"命令，即可完成观测量删除操作。

（2）同样通过观测量序号选中该观测量，右击然后在弹出的菜单上选择"清除"命令，即可完成观测量删除操作。

2.4.2 数据的剪切、复制和粘贴

对数据进行剪切、复制和粘贴操作前，首先要选中需要操作的数据区域，被选中的数据区域反色显示。

1. 数据的剪切

选中需要操作的数据区域后，在菜单栏中依次选择"编辑" | "剪切"命令或者单击鼠标右键在弹出的菜单中选择"剪切"命令，均可完成数据的剪切操作。

2. 数据的复制

选中需要操作的数据区域后，在菜单栏中依次选择"编辑" | "复制"命令或者单击鼠标右键在弹出的菜单中选择"复制"命令，均可完成数据的复制操作。

3. 数据的粘贴

选中需要操作的数据区域后，在菜单栏中依次选择"编辑" | "粘贴"命令或者单击鼠标右键在弹出的菜单中选择"粘贴"命令，均可完成数据的粘贴操作。

此外，用户还可以通过Ctrl+X、Ctrl+C和 Ctrl+V快捷键分别来实现数据的剪切、复制和粘贴操作。

2.4.3 撤销操作

当用户对数据进行了错误操作并希望返回操作前的状态时，可以在菜单栏中依次选择"编辑" | "撤销"命令或者在工具栏单击 ↶ 按钮来执行撤销任务。

2.5　数据文件操作

当输入数据建立数据文件后，根据统计分析的需要我们可能需要对数据进行分类等处理或对数据文件进行相应的转换。对数据文件的正确操作对于准确地进行分析具有重要的意义。

2.5.1　数据文件的打开与保存

要进行数据分析，首先我们必须打开一个数据文件，数据文件的打开是进行数据分析的前提；在分析结束后我们希望保存分析的结果，此时将会用到数据文件的保存功能。

1．打开数据文件

打开数据文件的具体操作步骤如下：

1）在菜单栏中依次选择"文件"|"打开"|"数据"命令或单击工具栏上的 ▸ 按钮，打开如图2-10所示的"打开数据"对话框。

图 2-10　"打开数据"对话框

2）选择相应的文件。如果需要打开其他数据文件，用户可以在"文件类型"列表框中选择相应的类型，关于数据文件的转换本书后面章节会做详细介绍，这里不做深述。

3）双击需要打开的文件或单击"打开"按钮即可打开文件。从SPSS 15.0开始，系统支持同时打开多个数据文件，这极大地方便了用户在不同的数据文件之间进行操作。

2．保存数据文件

在菜单栏中依次选择"文件"|"保存"命令、"文件"|"另存为"命令或在工具栏中单击 ▪ 按钮都可实现数据文件的保存操作。

如果用户保存的是新建的数据文件，当进行以上操作时，会弹出如图2-11所示的"将数据保存为"对话框。

用户可以保存所有的变量，也可以单击"变量"按钮在弹出的"数据保存为：变量"对话框（如图2-12所示）中只选择要保存的变量。

图 2-11 "将数据保存为"对话框   图 2-12 "数据保存为：变量"对话框

除保存为SPSS数据文件外，数据文件还可以其他的数据格式保存，在"数据保存为：变量"对话框的"保存类型"下拉框中选择数据文件的保存类型即可。

2.5.2 数据排序

杂乱的数据显然不利于分析效率的提升，有时我们希望观测量按照某一个顺序进行排列，例如我们在评比时希望按绩效的高低对员工进行排序，此时我们将用到数据排序的功能。

本节我们将以职工平均工资分析案例讲解数据排序的具体操作。本例中，我们希望了解不同地区职工的平均工资（单位：元）情况，利用数据排序功能对不同地区按照职工评均工资进行排序。排序前的数据文件如图2-13所示。

图 2-13 进行数据排序前的工资数据文件

排序前的数据文件中观测量的排列是混乱的，我们无法从中直观看出不同地区之间平均工资的高地和一个地区的职工平均工资在全国中所处的位置。

下面对工资数据进行排序，具体操作步骤如下：

1）在菜单栏中依次选择"数据"|"排序个案"命令，打开如图2-14所示的"排序个案"

对话框。

图 2-14　"排序个案"对话框

2）选择排序依据变量，然后单击 ➡ 按钮将选中的变量选入 "排序依据"列表中，系统允许选择多个变量，在第一变量取值相同的情况下比较第二变量，依次类推。本例中我们将对不同地区的职工工资进行排序，故将"平均工资"变量选入"排序依据"列表。

3）在"排列顺序"选项组中选择按"升序"或"降序"排列，本例中，我们希望按照由高到低的顺序进行排列，故选择"降序"单选按钮。

4）单击"确定"按钮，即可完成排序操作。

排序完成后的工资数据文件如图 2-15 所示。

	地区	平均工资	国有单位	城镇集体单位	股份合作	有限责任公	股份有限公	港澳台商投资	外商投资	分组号
1	西藏	24766	25675	9761	14409	16624	16430			3
2	上海	23969	24719	14851	15204	21226	25046	19583	30192	1
3	北京	21852	23754	11997	12698	19510	21434	27193	39428	1
4	浙江	18786	22808	14123	12557	14441	18677	15477	14888	1
5	广东	17814	19696	9881	11881	21450	22129	14349	19323	1
6	天津	16258	17059	9360	15486	15852	17097	15865	17643	1
7	青海	14472	15816	7211	9674	9328	9814	13406		3
8	江苏	13609	15030	8638	8983	12067	12907	12655	16033	1
9	福建	13306	15026	10119	10888	12155	15252	11388	12349	1
10	云南	11987	12429	7947	8400	11147	13138	11747	12397	3
11	辽宁	11659	12239	7094	8122	11206	13960	12805	14277	1
12	宁夏	11640	12366	7572	8350	10609	9909	7976	13324	3
13	新疆	11805	11435	9353	10031	11639	19273	11706	11793	3
14	山东	11374	12778	7129	7065	9651	9451	9713	10186	1
15	四川	11183	12368	7396	7977	8671	10020	12125	11600	3
16	甘肃	11147	11791	6967	10661	7555	11582	10139	14012	3
17	湖南	10967	11378	7704	9001	10086	11727	11072	11716	2

图 2-15　进行数据排序后的工资数据文件

由图2-15我们可以看出，观测量已经按照平均工资的降序进行了排列，通过数据排序我们可以看出西藏、青海等艰苦地区与北京、上海等经济发达地区属于平均工资较高的地区，此外我们也可以看出各省市在平均工资排序中的大致位置。

2.5.3　数据文件的分解与合并

有时我们需要将变量按照指定的要求进行分组，例如我们按照地区分析销售人员的业绩，此时我们要用到数据的分解功能；有时我们需要将不同的数据文件组合形成一个新的数据文件，例如要将二班的成绩和一班的成绩放在一起形成总成绩表或者是把生物成绩追加到数学和物理成绩之后，此时我们将用到数据的合并功能。

1．数据文件的分解

所谓数据文件的分解，是指将该数据文件中的所有观测量以某一个或某几个变量为关键字进行分组，以便于集中对比和操作。本节将以销售人员的业绩分析为例讲解数据文件的分解操作，本例中我们希望按照地区划分销售人员的业绩，以分析不同地区的销售情况。分解前的数据文件如图2-16所示。

	销售量	地区	变量	变量	变量	变量	变量	变量
1	1.5	4						
2	1.7	4						
3	1.8	1						
4	2.3	4						
5	2.4	4						
6	2.8	4						
7	3.6	1						
8	3.7	1						
9	4.6	5						
10	4.8	5						
11	4.9	5						
12	5.2	5						
13	6.2	5						
14	6.5	1						
15	7.1	2						

图 2-16　分解前的销售业绩数据文件（销售量单位：万件）

通过图2-16我们可以看出，数据文件是按照销售量进行的排序，对各分区的业绩考核与排序则不够直观。

数据分解的具体操作步骤如下：

1）在菜单栏中依次选择"数据"|"拆分文件"命令，打开如图2-17所示的"分割文件"对话框。

2）选择文件分解方式

如选择"分析所有个案，不创建组" 选项，系统将不进行分组操作；如选择"比较组"，系统将把各组的分析结果放在同一个表格中比较输出；如选择"按组组织输出"，系统则将按分组单独输出分析结果。本例中选择"按组组织输出"。

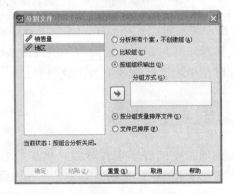

图 2-17　"分割文件"对话框

3）选择分组方式与显示方式

选择“比较组”或“按组组织输出”，分组方式列表和设置文件排序方式的两个单选按钮将被激活。在列表中选择排序依据变量，然后单击➔按钮将选中的变量选入“分组方式”列表中，本例中将按照地区进行销售业绩的评估，故选择“地区”变量进入“分组方式”列表。

4）选择排序方式

选择“按分组变量排序文件”单选按钮，系统会将观测量按分组文件的顺序进行排列；如选择“文件已排序”，则表示文件已经排序，无须系统进行排序操作，本例中的数据文件未按“地区”变量进行分组，故选择“按分组变量排序文件”。

5）单击“确定”按钮，即可进行文件分解操作。

分解完成的数据文件如图2-18所示。

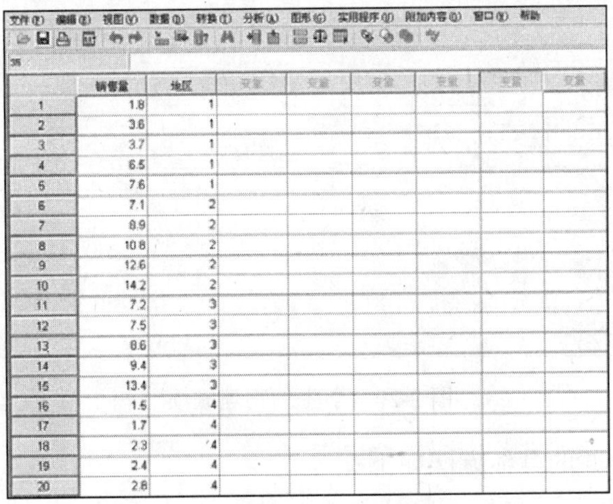

	销售量	地区	变量	变量	变量	变量	变量	变量
1	1.8	1						
2	3.6	1						
3	3.7	1						
4	6.5	1						
5	7.6	1						
6	7.1	2						
7	8.9	2						
8	10.8	2						
9	12.6	2						
10	14.2	2						
11	7.2	3						
12	7.5	3						
13	8.6	3						
14	9.4	3						
15	13.4	3						
16	1.5	4						
17	1.7	4						
18	2.3	4						
19	2.4	4						
20	2.8	4						

图 2-18　分解后的数据文件

由图2-18可以看出，数据已经按照地区进行了划分，我们可以方便地了解各个地区的销售情况并进行业绩评价。

2. 数据文件的合并

数据文件的合并分为横向合并和纵向合并。横向合并是指从外部数据文件中增加变量到当前数据文件；纵向合并是指从外部数据文件中增加观测量到当前的数据文件中。

（1）数据文件的横向合并

数据文件的横向合并也分为两种情况，一种情况是将外部数据文件的变量追加到当前数据文件中；另一种是按共同的关键变量合并。本节以学生成绩添加为例讲解数据文件的横向合并。本例中，我们希望将学生的数学成绩添加到物理成绩之后形成学生的总成绩表。横向合并前的物理成绩与数学成绩的数据文件分别如图2-19和图2-20所示。

图 2-19　学生的物理成绩

图 2-20　学生的物理成绩

数据文件的横向合并的具体方法如下：

1）在菜单栏中依次选择"数据"|"合并文件"|"添加变量"命令，打开如图2-21所示的"将变量添加到"对话框。

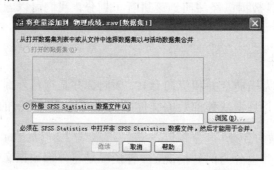

图 2-21　"将变量添加到"对话框

用户可以选择已经打开的数据文件或者从外部选择一个已经保存的SPSS数据文件作为与当前文件合并的文件，选择完毕后单击"继续"按钮，本例中选择"外部SPSS Statistics数据文件"单选按钮然后选择"数学成绩"文件，打开如图2-22所示的"添加变量从"对话框。

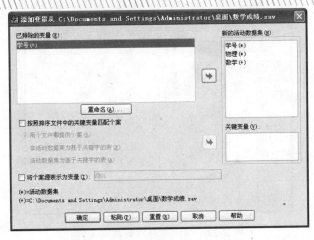

图 2-22　"添加变量从"对话框

2）选择合并后数据文件中的变量

"已排除的变量"列表用于显示不出现在新合并的数据文件中的变量以及当前数据文件和外部数据文件中的重名变量。

"新的活动数据集"列表用于显示合并后的数据集中包含的变量。变量名称后面带有"+"的表示来自外部数据文件的变量，变量名称后面带有"*"的表示当前数据文件中的变量。如果用户希望将重名变量也加入合并后的文件，可以在"已排除的变量"列表中选择该变量并单击"重命名"按钮对其重新命名，再单击 按钮将该变量选入"新的活动数据集"列表中，本例中无须对此进行操作。

3）设置关键变量

如果两个数据文件具有相同的个案数且排列顺序相同，用户无须指定关键变量。否则，需要选择关键变量并以关键变量的升序对两个数据集进行排序。只有当前数据文件和外部数据文件中的重名变量才可以作为关键变量，勾选"按照排序文件中的关键变量匹配个案"复选框并选择该变量，单击 按钮将该其选入"关键变量"列表中，本例中由于学生的成绩均是按照学号进行排序，故不必指定关键变量。

勾选"按照排序文件中的关键变量匹配个案"复选框将激活下面的 3 个单选项：

- 两个文件都提供个案：表示将两个数据文件的所有观测量合并；
- 非活动数据集为基于关键字的表：表示将非活动数据文件作为关键表，即只将外部数据文件中与活动数据集中对应变量值相同的观测并入新的数据文件；
- 活动数据集为基于关键字的表：表示将非活动数据文件作为关键表。

4）单击"确定"按钮，即可完成文件横向合并操作。

由图2-23可以看出数学成绩已经作为一个新的变量被添加入了学生成绩表，我们得到了一个包含数学和物理成绩的成绩总表。

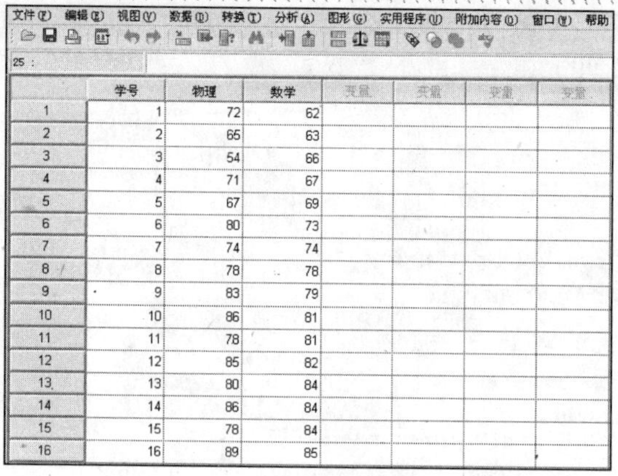

	学号	物理	数学
1	1	72	62
2	2	65	63
3	3	54	66
4	4	71	67
5	5	67	69
6	6	80	73
7	7	74	74
8	8	78	78
9	9	83	79
10	10	86	81
11	11	78	81
12	12	85	82
13	13	80	84
14	14	86	84
15	15	78	84
16	16	89	85

图 2-23　横向合并后的数据文件

（2）数据文件的纵向合并

数据文件的纵向合并只能合并两个数据文件中相同的变量。本节同样以学生成绩添加为例讲解数据文件的纵向合并。与上一例子不同，本例中我们希望将第二考场的学生的数学成绩添加到第一考场学生的成绩之后形成学生的总数学成绩表，其中一考场为学号1~50号的学生，二考场为学号51~80号的学生。纵向合并前的两个考场学生的数学成绩数据分别如图2-24和图2-25所示。

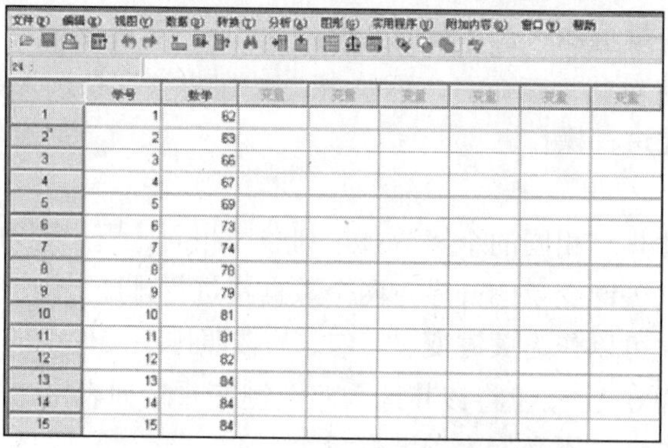

	学号	数学
1	1	62
2	2	63
3	3	66
4	4	67
5	5	69
6	6	73
7	7	74
8	8	78
9	9	79
10	10	81
11	11	81
12	12	82
13	13	84
14	14	84
15	15	84

图 2-24　一考场学生的数学成绩

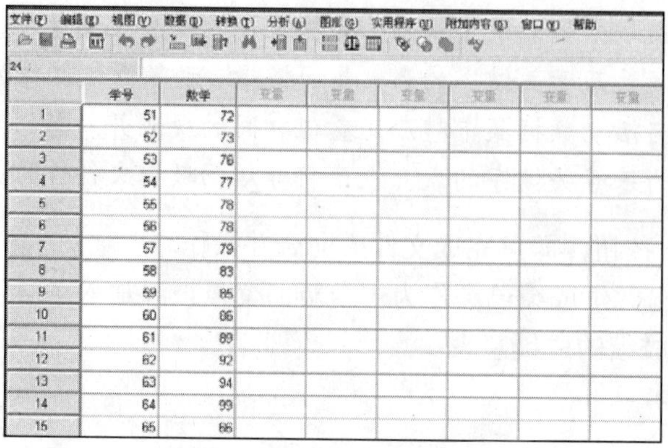

	学号	数学
1	51	72
2	52	73
3	53	76
4	54	77
5	55	78
6	56	78
7	57	79
8	58	83
9	59	85
10	60	86
11	61	89
12	62	92
13	63	94
14	64	99
15	65	66

图 2-25　二考场学生的数学成绩

数据文件的纵向合并的具体方法如下：

1）在菜单栏中依次选择"数据"|"合并文件"|"添加个案"命令，打开如图2-26所示的"将个案添加到"对话框。

本例中选择"外部SPSS Statistics数据文件"选择"二考场数学成绩"文件。然后打开如图2-27所示的"添加个案从"对话框。

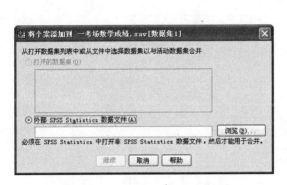

图 2-26　"将个案添加到"对话框　　　　图 2-27　"添加个案从"对话框

2）进行相应的设置

"非成对变量"列表中显示的是未能匹配的变量，"新的活动数据集中的变量"列表中显示的是两个数据文件中文件名和数据类型都相同的变量。对于数据类型相同而名称不同的变量用户可以通过选择这些变量后单击"对"按钮来匹配两个变量。

3）单击"确定"按钮，即可完成文件纵向合并操作。合并后的数据文件如图2-28所示。

	学号	数学	变量	变量	变量	变量	变量	变量
37	37	83						
38	38	83						
39	39	84						
40	40	84						
41	41	87						
42	42	88						
43	43	88						
44	44	90						
45	45	91						
46	46	94						
47	47	98						
48	48	46						
49	49	57						
50	50	64						
51	51	72						
52	52	73						
53	53	76						
54	54	77						
55	55	78						

图 2-28　纵向合并后的数据文件

由图2-28可以看出，一考场的数学成绩和二考场的数学成绩已经被合并了，学号在51~80内的学生的数学成绩已经被合并到了一考场数学成绩的后面，形成了总数学成绩单。

2.5.4 数据文件的转置

不同的分析方法需要不同的数据文件结构，当现有的观测值和变量的分布与分析的要求不一致时，我们就要对数据文件进行转置。数据文件的转置是指将数据文件的观测量与变量互换。本节即讲解数据文件的转置操作，为简便起见，我们选取二十位学生的数学成绩作为其产品调查中被调查者对该产品的评分，我们希望以学号作为变量，将得分作为观测量，从而得到一个调查表，转置前的数据文件如图2-29所示。

	调查者学号	评价得分	变量	变量	变量	变量
1	1	62				
2	2	63				
3	3	66				
4	4	67				
5	5	69				
6	6	73				
7	7	74				
8	8	78				
9	9	79				
10	10	81				
11	11	81				
12	12	82				
13	13	84				
14	14	84				
15	15	84				
16	16	85				
17	17	87				
18	18	88				
19	19	88				
20	20	89				
21	21	90				

图 2-29　转置前的数据文件

数据文件的转置操作具体如下所示：

1）在菜单栏中依次选择"数据"|"转置"命令，打开如图2-30所示的"转置"对话框。

2）选择要转置的变量，单击 ⇨ 按钮将其选入"变量"列表中，如果一个变量的所有观测量的取值各不相同则可以把其作为名称变量，单击 ⇨ 按钮将其选入"名称变量"列表，如图2-31所示。如果用户不指定名称变量，系统将默认以"VAR0000X"命名变量。本例中将"评价"变量选入"变量"列表中，将"调查者编号"选入"名称变量"列表。

图 2-30　"转置"对话框

图 2-31　"转置"对话框的变量选择

3）单击“确定”按钮，即完成进行文件转置操作。转置后的数据文件如图2-32所示。

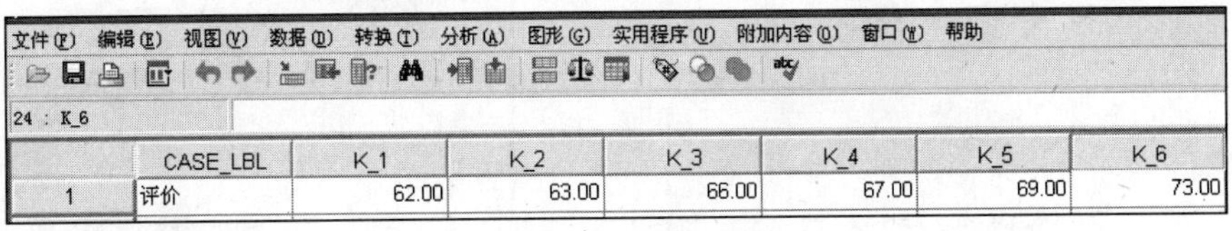

	CASE_LBL	K_1	K_2	K_3	K_4	K_5	K_6
1	评价	62.00	63.00	66.00	67.00	69.00	73.00

图 2-32　转置后的数据文件

从图2-32我们可以看出，调查者编号成为了变量，每一个相应的调查者编号都对应这这个调查者的评价。

2.5.5　观测量的加权

对数据进行加权处理是我们使用SPSS提供的某些分析方法的重要前提。数据在进行加权后，当前的权重将被保存在数据中。当进行相应的分析时，用户无须再次进行加权操作。本节以对广告的效果观测为例，讲解数据的加权操作。本例给出了消费者购买行为与是否看过广告之间的联系，按“是否看过广告”和“是否购买商品”两个标准，消费者被分为四类，研究者对这四类消费者分别进行了调查。由于各种情况下调查的人数不同，如果将四种情况等同进行分析，势必由于各种情况的观测数目不同导致分析的偏误，因此我们需要对观测量进行加权。加权前的数据文件如图2-33所示。

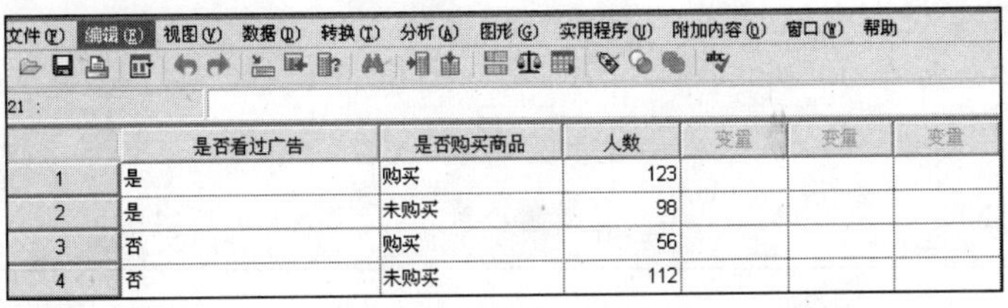

	是否看过广告	是否购买商品	人数	变量	变量	变量
1	是	购买	123			
2	是	未购买	98			
3	否	购买	56			
4	否	未购买	112			

图 2-33　加权前的数据文件

加权操作的具体步骤如下所示：

1）在菜单栏中依次选择“数据”|“加权个案”命令，打开如图 2-34 所示的“加权个案”对话框。

- 请勿对个案加权：表示对当前数据集不进行加权，该项一般用于对已经加权的数据集取消加权。
- 加权个案：选中此项则表示对当前数据集进行加权，同时激活“频率变量”列表。

2）选择加权变量。加权变量用于设定权重，从“变量列表中选择”作为加权变量的变量，单击按钮将其选入“频率变量”列表，如图 2-35 所示，本例中选择“人数”变量作为加权频率变量。

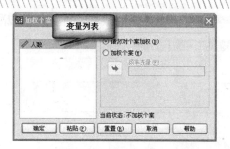
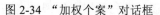

图 2-34 "加权个案"对话框　　　　　　图 2-35 加权变量的选择

3）单击"确定"按钮，即可进行加权操作。加权后状态栏右侧会显示 加权范围 信息，表示数据已经加权，如图2-36所示。

图 2-36 权后的数据文件

2.6 变量的转换与运算

变量是SPSS数据结构中重要的组成部分，是统计分析的主要对象。本节对SPSS 17.0中有关变量的操作进行介绍。

2.6.1 插入与删除变量

有时，当我们需要增加新的信息，如由于对外开放，我们在工资统计中需要加入外资企业的信息，此时会用到插入新的变量操作，一些时候我们也需要删除无用的变量。

与观测量的插入和删除一样，用户可以通过菜单命令插入变量，也可以通过工具栏和鼠标右键菜单插入变量，系统默认插入的新变量为标准数值型变量，变量名为VAR0000X。具体操作方法可参照2.4.1节。

在SPSS数据编辑器的变量视图下，同样可以完成变量的插入和删除操作，方法与在数据视图下基本一致，只是操作对象变成了行。

2.6.2　根据已存在的变量建立新变量

在实际的数据分析过程中我们经常会利用多个变量之间的关系来计算生成新的变量。SPSS的变量生成过程可以方便实现这项功能。本节将以平均成绩的计算为例来讲解根据已存在的变量建立新变量的过程，按照"平均成绩=（数学成绩+物理成绩）/2"的公式计算学生的平均成绩，原始数据文件如图2-37所示。

图 2-37　未产生新变量的数据文件

1）在菜单栏中依次选择"转换"|"计算变量"命令，打开如图2-38所示的"计算变量"对话框。

2）设定目标变量

在"目标变量"输入框中输入目标变量的名称，单击"类型与标签"按钮，在弹出的"计算变量：类型和标签"对话框中设置新生成的变量的变量类型与标签。本例中，选择"标签"单选按钮，并在其后的输入框中输入变量标签"平均成绩"，如图2-39所示。

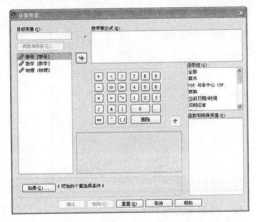

图 2-38　"插入变量"对话框　　　　图 2-39　"计算变量：类型和标签"

3）设置新变量的生成表达式

从源变量列表中选择生成新变量所依据的变量，单击 按钮将选中的变量选入 "数字表达式"列表中参与模型表达式的构建；然后从"函数组"列表中选择相应的函数类型，"函数与特殊变量"列表中会显示出具体的函数类型与特殊变量，用户可以选择相应的函数并单击 按钮将其选入"数字表达式"列表中参与表达式的构建。可以利用"数字表达式"下方的键盘进行数字与符号的输入，见图2-40。

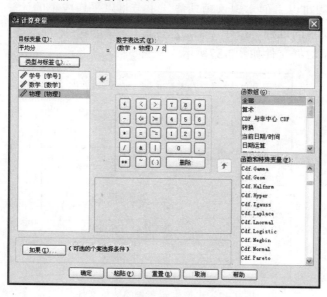

图 2-40　设置新变量的生成表达式

4）设置个案选择条件

单击"如果"按钮，打开如图2-41所示的"计算变量：If个案"对话框。

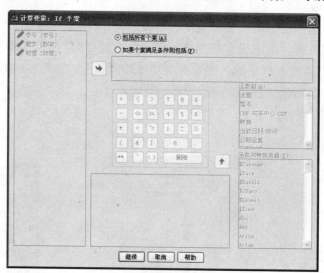

图 2-41　个案选择条件

如选择“包括全部个案”，则表示变量中的全部个案均参与计算；选择“如果个案满足条件则包括”单选按钮，则激活个案选择条件设置部分，该部分与新变量的生成表达式的设置方法基本相同，在此不再赘述。本例中，该处选择“包括所有个案”。

5）单击“确定”按钮，就可以计算新变量。新变量的生成结果如图2-42所示。

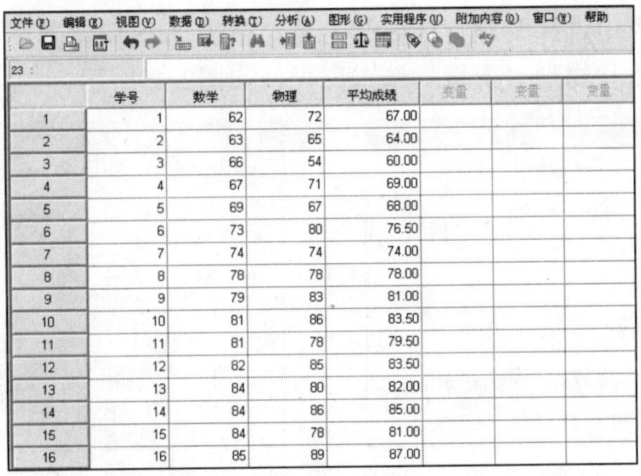

	学号	数学	物理	平均成绩	变量	变量	变量
1	1	62	72	67.00			
2	2	63	65	64.00			
3	3	66	54	60.00			
4	4	67	71	69.00			
5	5	69	67	68.00			
6	6	73	80	76.50			
7	7	74	74	74.00			
8	8	78	78	78.00			
9	9	79	83	81.00			
10	10	81	86	83.50			
11	11	81	78	79.50			
12	12	82	85	83.50			
13	13	84	80	82.00			
14	14	84	86	85.00			
15	15	84	78	81.00			
16	16	85	89	87.00			

图 2-42 产生新变量的输出结果

通过图可以看出，数学和物理的平均成绩被计算出来并作为一个新变量进行保存。

2.6.3 产生计数变量

有时，我们需要统计满足某一个条件的观测的个数，例如对学生党员人数进行统计。计数变量的功能就是对变量中满足一定条件的个案的个数进行统计，并保存计数结果，本节以优秀人次的计算作为为例讲解产生计数变量的过程，该例子要求计算考生的数学和物理成绩优秀人次，判定成绩为优秀的标准为成绩大于等于80分，未产生计数变量的原始数据文件如图2-43所示。

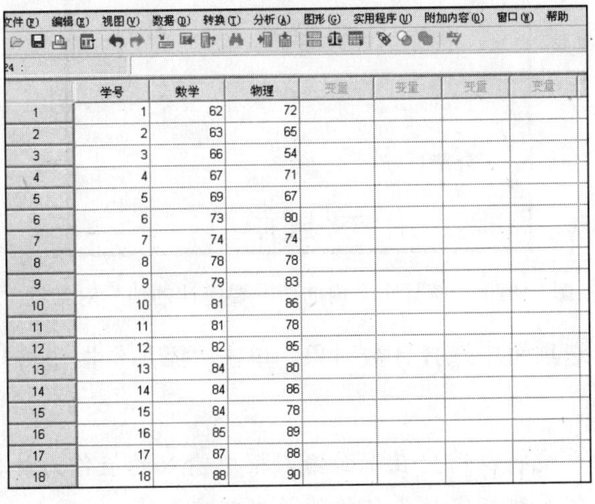

	学号	数学	物理	变量	变量	变量	变量
1	1	62	72				
2	2	63	65				
3	3	66	54				
4	4	67	71				
5	5	69	67				
6	6	73	80				
7	7	74	74				
8	8	78	78				
9	9	79	83				
10	10	81	86				
11	11	81	78				
12	12	82	85				
13	13	84	80				
14	14	84	86				
15	15	84	78				
16	16	85	89				
17	17	87	88				
18	18	88	90				

图 2-43 未产生计数变量的原始数据文件

产生计数变量的过程如下所示：

1）在菜单栏中依次选择"转换"|"对个案内的值计数"命令，打开如图2-44所示的"计算个案内值的出现次数"对话框。

2）选择要进行计数的变量和设置计数变量

在"源变量"列表中选择要进行计数的变量，单击 按钮将其选入 "变量"列表中，本例中将"数学"变量和物理"变量"选入列表，如图2-45所示。

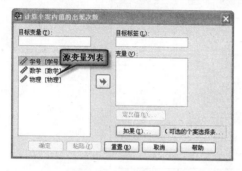
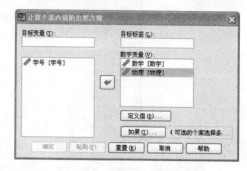

图 2-44 "计算个案内值的出现次数"对话框　　　　图 2-45 计数变量的选择

- "目标变量"输入框用于输入产生的计数变量的名称；
- "目标标签"输入框用于输入产生的计数变量的变量标签，本例中在目标变量输入框中输入"优秀人次"。

3）定义计数对象

单击"定义值"按钮，弹出如图2-46所示的"统计个案内的值：要统计的值"对话框。

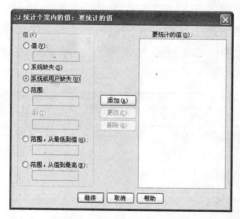

图 2-46 "统计个案内的值：要统计的值"对话框

用户可以在"值"选项组中选择计数对象，单击"添加"按钮将其选入右边的"要统计的值"列表中。

- 值：选择该项系统将以用户在下面输入框中输入的值作为计数对象。
- 系统缺失：将把系统指定缺失值作为计数对象。

- 系统或用户缺失：选择该项将把系统指定缺失值或用户指定缺失值作为计数对象。
- 范围：选择该项后系统将把用户在下面输入框中输入的数值范围内的观测量数作为计数对象。
- 范围，从最低到值：选择该项系统将把负无穷到用户在下面输入框中输入的数值范围内的观测量数作为计数对象。
- 范围，从值到最高：将把用户在下面输入框中输入的数值到正无穷范围内的观测量数作为计数对象。

本例中选择“范围，从值到最高”单选按钮，并在其后的输入框中输入“80”。

4）设置个案选择条件。这里选择包括所有个案。

5）单击“确定”按钮，就可以生成计数变量。生成计数变量后的数据文件如图2-47所示。

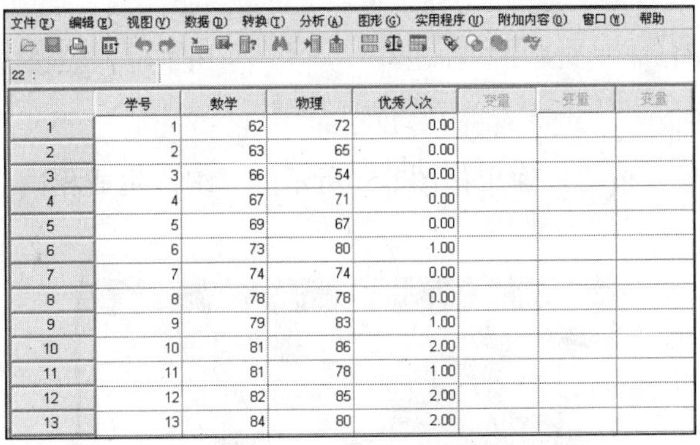

	学号	数学	物理	优秀人次	变量	变量	变量
1	1	62	72	0.00			
2	2	63	65	0.00			
3	3	66	54	0.00			
4	4	67	71	0.00			
5	5	69	67	0.00			
6	6	73	80	1.00			
7	7	74	74	0.00			
8	8	78	78	0.00			
9	9	79	83	1.00			
10	10	81	86	2.00			
11	11	81	78	1.00			
12	12	82	85	2.00			
13	13	84	80	2.00			

图 2-47　计数变量的生成

由图2-47可以看出，SPSS生成了名为“优秀人次”的计数变量，该变量统计了每个观测中符合条件的值的个数，通过生成计数变量我们可以了解各学生的成绩的优秀情况。

2.6.4　变量的重新赋值

对于数值型变量，用户在数据编辑和整理过程中可以对某些变量的一定取值范围内的观测量进行重新赋值。例如，在学生成绩中，由于统计的失误，导致了一部分学生的成绩需要更正，此时我们将用到变量的赋值操作。变量的重新赋值有两种方式：一种是对变量自身重新赋值，另一种是赋值生成新的变量，这两种方法的具体实现过程下面都将介绍。

本节以对学生的成绩评分为例讲解对变量重新赋值的过程，该例子要求将百分制成绩换算为优良、及格与不及格三类，分别用数字1、2、3代替。优秀标准为成绩大于等于80分、及格标准为大于等于60分，原始数据文件可见图2-42。

1. 对变量自身重新赋值

对变量自身的重新赋值不产生新变量，变量的新值直接在原来位置替代变量的原值。

1）在菜单栏中依次选择“转换”|“重新编码为相同变量”命令，打开如图2-48所示的

"重新编码到相同变量中"对话框。

2）选择要重新赋值的变量

选择要重新赋值的变量，单击![](按钮将其选入右侧"数字变量"列表中，本例中将"数学"变量和"物理"变量选入数字变量列表，如图2-49所示。

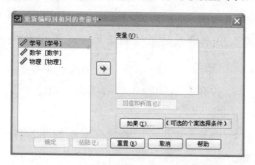
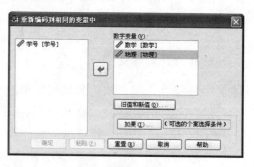

图 2-48　"重新编码到相同变量中"对话框　　　　图 2-49　重新赋值变量的选择

3）定义旧值与新值

单击"旧值和新值"按钮，弹出如图2-50所示的"编码生成相同变量：旧值和新值"对话框。

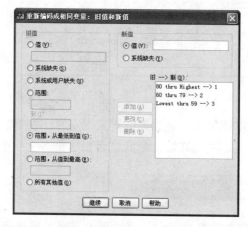

图 2-50　"编码生成相同变量：旧值和新值"对话框

- "旧值"选项组：该选项组用于设置要改变的值的范围，选项组中选项及其含义大致同图2-46中的"值"，只多出一个"所有其他值"选项。
- "新值"选项组：该选项组用于设置变量的新赋值。如选择"值"单选按钮，表示由用户指定该值，用户可以在其后的输入框中输入变量的新赋值；如勾选"系统缺失"单选按钮，表示将把系统指定缺失值作为新赋值。

用户设置完成旧值与新值的赋值配对后，可以单击"添加"按钮将其选入右边的"旧-->新"列表中。对于该列表中的对象，用户可以单击"更改"按钮进行修改或单击"删除"按钮予以删除。

本例中，将成绩大于等于80分（优秀）、小于80分大于等于60分（及格）和小于60分的变量分别定义用数字1、2、3代替。

4）设置个案选择条件

个案选择条件的设置方法与前面章节相同，本书在此不再赘述。本例中依旧选择 “包括所有个案”单选按钮。

5）单击“确定”按钮，就可以对变量重新赋值。

重新赋值后的变量如图2-51所示。

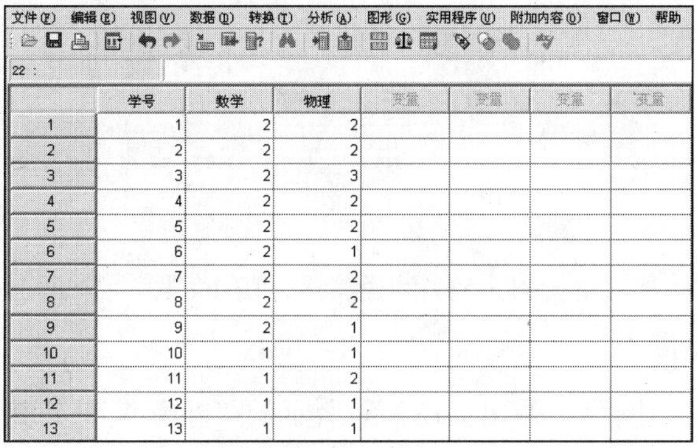

	学号	数学	物理	变量	变量	变量	变量
1	1	2	2				
2	2	2	2				
3	3	2	3				
4	4	2	2				
5	5	2	2				
6	6	2	1				
7	7	2	2				
8	8	2	2				
9	9	2	1				
10	10	1	1				
11	11	1	2				
12	12	1	1				
13	13	1	1				

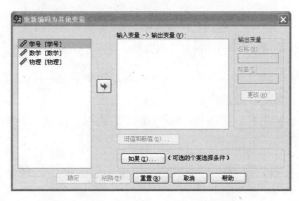

图 2-51　变量自身重新赋值后的数据文件

由图2-53可以看出，原始分数均被表示级别的数字1、2和3代替，变量的新值直接在原来位置替代了变量的原值。

2. 赋值生成新的变量

与变量自身重新赋值不同，赋值生成新的变量操作会将变量的新值作为一个新的变量进行保存。

1）在菜单栏中依次选择“转换”|“重新编码为不同变量”命令，打开如图2-52所示的“重新编码为其他变量”对话框。

图 2-52　“重新编码为其他变量”对话框

2）选择要重新赋值的变量

选择要重新赋值的变量，单击按钮将其选入“输入变量-->输出变量”列表中，并在

"输出变量"选项组中输入输出变量的信息,单击"更改"。本例中建立"物理到物理等级"和"数学到数学等级"两个变量转换,如图2-53所示。

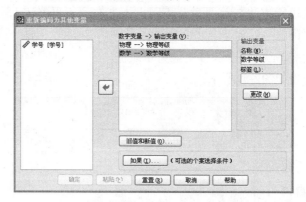

图 2-53　选择重新赋值的变量

3)定义旧值与新值

单击"旧值和新值"按钮,弹出如图2-54所示的"重新编码到其他变量:旧值和新值"对话框。

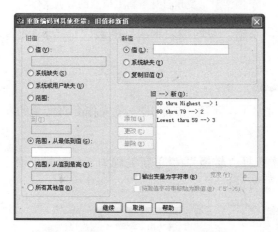

图 2-54　"重新编码到其他变量:旧值和新值"对话框。

- "新值"选项组:"新值"选项组中较图2-50中多出一个"复制旧值"项,若选择该项系统将不改变旧值。
- "输出变量为字符串"复选框:如勾选该复选框,系统将把新赋值生成的变量设定为字符串变量。

4)单击"确定"按钮,就可以对变量重新赋值。赋值产生新的变量的结果如图 2-55 所示。

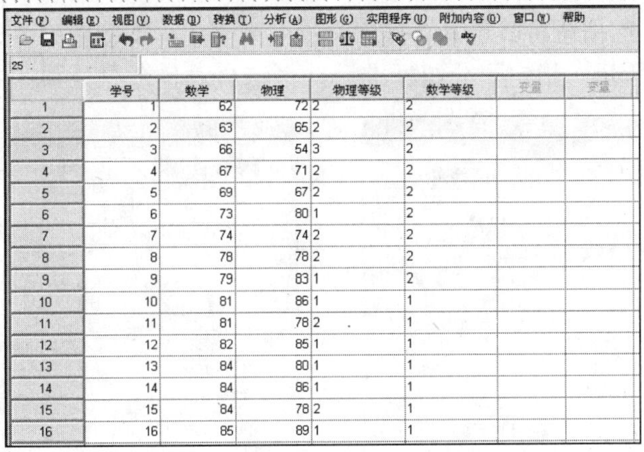

图 2-55 赋值后产生的新变量

由图2-57可以看出，原始分数后面跟随的是科目成绩的等级，变量重新赋值后产生了新变量"数学等级"和"物理等级"。

2.6.5 变量取值的求秩

有时我们想知道某一个观测在知道条件下的观测中的位置，而又不希望打破数据现有的排序，此时我们将用到变量取值求秩的功能。所谓变量取值的秩就是变量在某指定条件下的排列中所处的位置，秩反映了变量在有序序列里的位置信息，本节以学生排名为例介绍变量取值求秩的操作方法，本例中要求按照学生的成绩得到学生的排名信息，如果成绩相同则并列名次，未进行求秩的原始数据文件如图2-56所示。

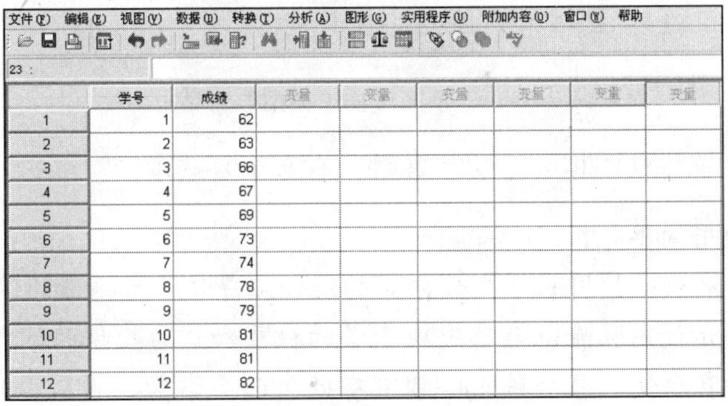

图 2-56 未进行求秩的原始数据文件

变量取值求秩的具体方法如下：

1）在菜单栏中依次选择"转换"|"个案排秩"命令，打开如图2-57所示的"个案排秩"对话框。

2）选择要重新赋值的变量

选择要进行排秩的变量，单击 按钮将其选入 "变量"列表中。如果需要进行分组，则选择分组变量单击按钮将其选入"排序标准"列表中，本例中将"成绩"变量选入"变量"列表，如图2-58所示。指定了分组标准后，系统会对各个组分别计算和输出变量的秩。

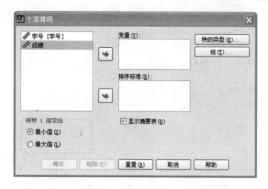

图2-57 "个案排秩"对话框

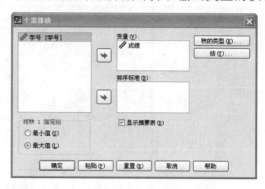

图2-58 "个案排秩"对话框的变量选择

3）进行相应的设置

① "秩的类型"设置 单击"秩的类型"按钮，弹出如图2-59所示的"个案排秩：类型"对话框。

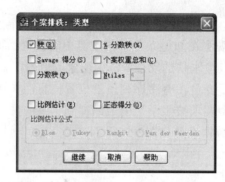

图2-59 "个案排秩：类型"对话框

该对话框用于设置排秩的相关方法和参数。有8个复选项：

- 秩：表示使用简单秩。
- Savage得分：表示使用基于指数分布的Savage得分作为排秩的依据。
- 分数秩：表示使用秩除以非缺失观测量的权重和作为排秩的依据。
- %分数秩：表示使用每个秩除以带有有效值的个案数，再乘以100的结果作为排秩的依据。
- 个案权重总和：表示使用各观测量权重之和作为排秩的依据。
- Ntiles：表示使用百分位数作为排秩的依据，选择该项后用户可以在其后的输入框中输入百分位数的个数。
  - ↳ 比例估计：选择该项系统将估计与特定秩对应的分布的累积比例。
  - ↳ 正态得分：选择该项系统将输出对应于估计的累积比例的 z 得分。

当勾选了"比例估计"或"正态得分"复选框后，"比例估计公式"选项组被激活，用户可以选择使用的比例估计方法。

本例中勾选"秩"复选框。

② 结"设置 单击"结"按钮，弹出如图2-60所示的"个案排秩：结"对话框。

图 2-60 "个案排秩：结"对话框

该对话框用于设置对秩的取值相同的观测值的处理方式。有 4 种方式：

- 均值：表示以秩的均值作为最终的结果。
- 低：表示以相同秩的最小值作为最终的结果。
- 高：表示以相同秩的最大值作为最终的结果。
- 顺序秩到唯一值：表示把相同的观测值作为一个值来求秩。

本例中要求成绩相同者名称并列故选择"高"单选按钮。

③ 将秩1指定给 该选项组用于设置秩的排列顺序，最小值表示使用升序；最大值表示使用降序，本例中选择"最大值"。

④ 显示摘要表 如勾选该复选框，在结果窗口中将输出分析的摘要信息。

4）单击"确定"按钮，就可以对变量取值求秩。个案排秩的结果如图2-61所示。

	学号	成绩	R成绩	变量	变量	变量	变量
1	1	62	77.000				
2	2	63	75.000				
3	3	66	71.000				
4	4	67	68.000				
5	5	69	64.000				
6	6	73	60.000				
7	7	74	57.000				
8	8	78	46.000				
9	9	79	43.000				
10	10	81	39.000				
11	11	81	39.000				
12	12	82	37.000				
13	13	84	31.000				
14	14	84	31.000				
15	15	84	31.000				
16	16	85	25.000				
17	17	87	20.000				

图 2-61 变量排秩后的结果

由图2-61可以看出，变量的秩作为一个新的变量"R成绩"保存，这个变量给出了我们每个学生的排名情况，可以看出，成绩相同的学生的排名是并列的。

2.6.6　缺失数据的处理

在数据分析的过程中，很多种情况会导致缺失值的产生，例如由于某一年的观测资料丢失，缺失值的产生会给数据分析带来的许多问题，这种情况下我们将使用到缺失数据处理的功能。SPSS提供了多种手段进行缺失值的替代操作。本节以人均GDP的计算为例讲解缺失值的操作，数据文件中由于某种原因，我们没有获得1995年的人均GDP的数据（GDP单位：亿元，人均GDP单位：元），因此我们需要对缺失值进行合理的替代以便进行相应的分析。本例的原始数据文件如图2-62所示。

	年份	GDP	人均GDP	变量	变量	变量	变量	变量	变量
13	1990	18667.80	1644.00						
14	1991	21781.50	1893.00						
15	1992	26923.50	2311.00						
16	1993	35333.90	2998.00						
17	1994	48197.90	4044.00						
18	1995	60793.70							
19	1996	71176.60	5846.00						
20	1997	78973.00	6420.00						
21	1998	84402.30	6796.00						
22	1999	89677.10	7159.00						
23	2000	99214.60	7858.00						
24	2001	109655.20	8622.00						

图 2-62　人均 GDP 数据，缺 1995 年的

缺失值的替代的操作步骤如下：

1）在菜单栏中依次选择"转换"|"替换缺失值"命令，打开如图2-63所示的"替换缺失值"对话框。

2）选择要替换缺失值的变量

选择含有缺失值的变量，单击 ⬛ 按钮将其选入"新变量"列表中，系统会自动生成用于替代缺失值的新变量。如果用户希望自定义变量名称，可以在"名称"输入框中输入自定义变量名称，单击"更改"按钮完成设置。本例中将"人均GDP"变量选入列表，生成后的新变量命名为"人均GDP的缺失值替代"，如图2-64所示。

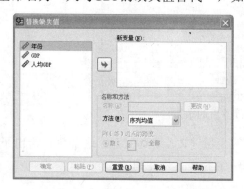

图 2-63　"替换缺失值"对话框

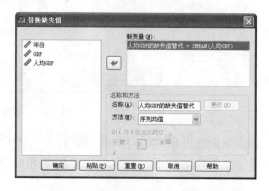

图 2-64　选择要替换缺失值的变量

3）选择缺失值替代的方法

在"方法"下拉列表中选择缺失值替代的相应方法。有以下几种方法：

- 序列均值：系统将使用所有非缺失值的平均数替代缺失值。
- 临近点的均值：系统将使用缺失值临近的非缺失值的均值替代缺失值，用户可以在"附近点的跨度"输入框中定义临近非缺失值的个数。
- 临近点的中位数：系统将使用缺失值临近的非缺失值的中位数替代缺失值，同样可在"附近点的跨度"输入框中定义临近非缺失值的个数。
- 线性插值法：系统将使用缺失值相邻两点的中点处的取值替代缺失值。
- 点处的线性趋势：系统将采取线性拟合的方法确定替代值。

本例中选择"序列均值"选项。

4）单击"确定"按钮，就可以完成缺失值替代操作。缺失值替代的输出结果如图2-65所示。

	年份	GDP	人均GDP	人均GDP的缺失值替代	变量	变量
13	1990	18667.80	1644.00	1644.00		
14	1991	21781.50	1893.00	1893.00		
15	1992	26923.50	2311.00	2311.00		
16	1993	35333.90	2998.00	2998.00		
17	1994	48197.90	4044.00	4044.00		
18	1995	60793.70		5048.21		
19	1996	71176.60	5846.00	5846.00		
20	1997	78973.00	6420.00	6420.00		
21	1998	84402.30	6796.00	6796.00		
22	1999	89677.10	7159.00	7159.00		
23	2000	99214.60	7858.00	7858.00		
24	2001	109655.20	8622.00	8622.00		
25	2002	120332.70	9398.00	9398.00		

图 2-65 进行缺失值替代后的数据

由图2-67可以看出，1995年的缺失值已经有替代，保存在新生成的"人均GDP的缺失值替代"变量中。

2.7 数据的分类汇总

数据的分类汇总就是按指定的分类变量对观测量进行分组并计算各分组中某些变量的描述统计量。本节以按性别进行成绩统计为例，讲解数据的分类操作，案例要求按性别分别输出数学和物理成绩的均值，以此分析不同性别的学生对知识的掌握程度。本例的原始数据如图2-66所示。

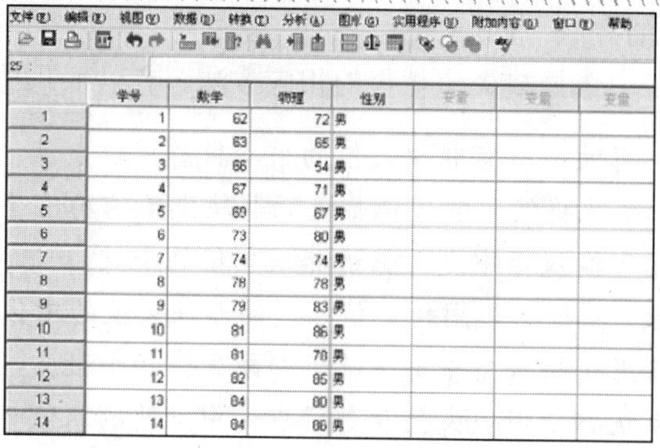

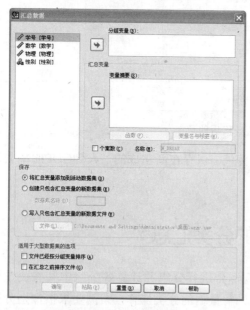

图 2-66　未进行分类汇总的原始数据

数据的分类汇总的操作方法如下所示：

1）在菜单栏中依次选择"数据"|"分类汇总"命令，打开如图2-67所示的"汇总数据"对话框。

2）选择分类变量与汇总变量

选择分类变量，单击▶按钮将其选入"分组变量"列表；选择要进行汇总的变量，单击▶按钮将其选入"变量摘要"列表，本例中将"性别"变量选入"分组变量"，将"数学"和"物理"变量选入"变量摘要"，如图2-68所示。

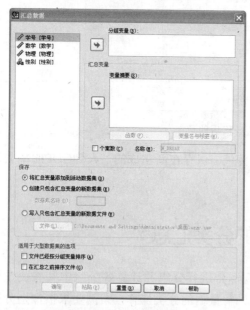

图 2-67　汇总数据对话框

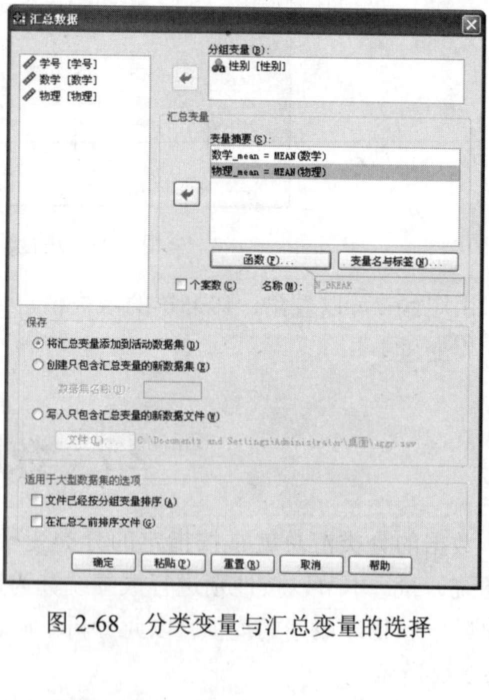

图 2-68　分类变量与汇总变量的选择

3）设置汇总变量

在"变量摘要"列表中选中汇总变量，单击"函数"按钮，在弹出的"汇总数据：汇总函数"对话框（如图2-69所示）中选择汇总函数的类型；单击"变量名与标签"按钮在弹出的"汇总数据：变量名称与标签"对话框（见图2-70）中设置汇总后产生的新变量的变量名与变量标签。

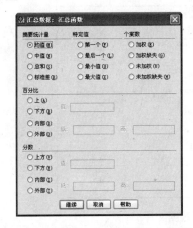

图 2-69　"汇总数据：汇总函数"对话框　　图 2-70　"汇总数据：变量名称与标签"对话框

如果用户希望在新变量中显示每个类别中的观测量的个数，可以勾选"个案数"复选框并在其后的"名称"输入框中输入相应变量的名称。

本例中输出数学和物理变量的均值，分别命名为"数学平均成绩"和"物理平均成绩"。

4）进行相应的设置

①　"保存"设置　该选项组用于设置汇总结果的保存方式。

- 选择"将汇总结果添加到活动数据集"，系统会将分类汇总的结果保存到当前数据集；
- 选择"创建只包含汇总变量的新数据集"，系统将创建一个新的、只包含汇总变量的数据集，用户可以在"数据集名称"输入框中输入新数据集名称；
- 选择"写入只包含分类汇总变量的新数据文件"，系统会将分类汇总后的变量保存到一个新的数据文件。本例中选择"将汇总结果添加到活动数据集"。

②　适用于大型数据集的选项　该选项组用于设置对于较大数据集时的处理方式。

- "文件已按分组变量排序"，表示数据已经按照分组变量进行了排序，系统将不再进行排序操作；
- "在汇总之前排序文件"，系统会在进行分类汇总前按照分组变量对数据进行排序。本例中勾选"文件已按分组变量排序"。

5）单击"确定"按钮，就可以进行分类汇总操作。

图2-71即为按性别分类汇总后的数据文件，SPSS分别给出了男生和女生的数学与物理成绩的均值，并作为新变量保存在数据文件中，我们可以看出，女生的数学成绩和物理成绩都优于男生。

	学号	数学	物理	性别	数学平均成绩	物理平均成绩	变量
37	37	83	80	男	78.64	79.17	
38	38	83	85	男	78.64	79.17	
39	39	84	88	男	78.64	79.17	
40	40	84	82	男	78.64	79.17	
41	41	87	89	男	78.64	79.17	
42	42	88	86	男	78.64	79.17	
43	43	88	95	男	78.64	79.17	
44	44	90	90	男	78.64	79.17	
45	45	91	94	男	78.64	79.17	
46	46	94	88	男	78.64	79.17	
47	47	98	92	男	78.64	79.17	
48	48	46	62	女	78.82	80.76	
49	49	57	67	女	78.82	80.76	
50	50	64	62	女	78.82	80.76	
51	51	72	77	女	78.82	80.76	
52	52	73	78	女	78.82	80.76	
53	53	76	78	女	78.82	80.76	

图 2-71　分类汇总后的数据文件

2.8　数据文件的结构重组

不同的分析方法需要不同的数据文件结构，当现有的数据文件结构与将要进行的分析所要求的数据结构不一致时，我们需要进行数据文件的结构重组。一般来说数据文件的结构分为横向与纵向两种结构。

横向结构

横向结构的数据将一个变量组中的不同分类分别作为不同的变量，例如在示例数据中将施用不同化肥下的作物产量分别作为一个变量进行保存，每一个试验组是一个观测量，如图2-72所示。

	观测组	肥料A	肥料B	肥料C	变量	变量	变量
1	1	80	90	87			
2	2	45	67	46			
3	3	78	87	79			
4	4	78	76	88			

图 2-72　数据文件的横向结构

纵向结构

纵向结构的数据将一个变量组中的不同分类分别作为不同的观测量，例如在示例数据中将每一个试验组在不同肥料作用下的产量分别作为一个观测量，如图2-73所示。

文件(F) 编辑(E) 视图(V) 数据(D) 转换(T) 分析(A) 图形(G) 实用程序(U) 附加内容(O) 窗口(W) 帮助

	观测组	施肥类型	产量	变量	变量	变量
1	1	肥料A	80			
2	1	肥料B	90			
3	1	肥料C	87			
4	2	肥料A	45			
5	2	肥料B	67			
6	2	肥料C	46			
7	3	肥料A	78			
8	3	肥料B	87			
9	3	肥料C	79			
10	4	肥料A	78			
11	4	肥料B	76			
12	4	肥料C	88			

图 2-73　数据文件的纵向结构（产量单位：千克/亩）

本书以施用不同类型肥料的情况下作物的产量为例讲解数据文件的结构重组，图2-74和2-75给出了该数据文件的两种不同的保存方式。

2.8.1　数据重组方式的选择

在菜单栏中依次选择"数据"|"重组"命令，打开如图2-74所示的"重组数据向导"对话框。

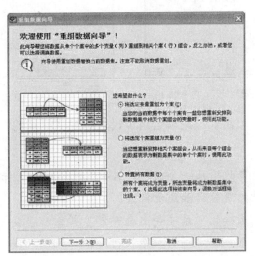

图 2-74　"重组数据向导"对话框

该对话框提供了三种数据重组方式，分别是"将选定变量组重组为个案"、"将选定个案重组为变量"和"转置所有数据"，用户可以根据现有数据的组合方式和将要进行的分析来选择相应的数据重组方式。

2.8.2　由变量组到观测量组的重组

变量组到观测量组的重组将会使数据由横向格式转换为纵向格式，首先打开横向格式保存的数据文件，见图 2-73。

1）选择变量组个数

在图2-74所示的"重组数据向导"对话框中选择"将选定变量组重为个案"单选按钮，单击"下一步"按钮，弹出如图2-75所示的"重组数据向导—第2步（共7步）"对话框。

在此对话框中选择要重组的变量组的个数。本例中只有施肥类型一个变量组，故选择"一个"单选按钮。

2）选择要重组的变量

单击"下一步"按钮，弹出如图2-76所示的"重组数据向导—第3步"对话框。

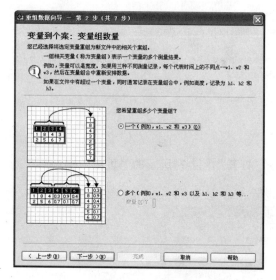

图2-75　重组数据向导—第2步（共7步）　　　　图2-76　重组数据向导—第3步

①"个案组标识"选项组　该选项组用于设置对观测记录的标识变量，在下拉框中有3个选择项：

- 使用个案号，选择此项系统会出现"名称"输入框和"标签"列表，用户可以设置重组后序号变量的变量名和变量标签。

- 使用选定变量，选择此项系统会出现一个✦按钮和"变量"列表，选择标识变量，单击✦按钮将其选入"变量"列表即可。

- 无，则表示不使用标识变量。

②"要转置的变量"选项组　该选项组用于设置需要进行转置的变量组。"目标变量"下拉框用于指定要进行重组的变量组。指定完成后，选择相应变量，单击✦按钮将其选入"目标变量"列表，组成要转置的变量组。

③"固定变量"列表　如果用户不希望一个变量参加重组，只需要选择该变量，单击✦按钮将其选入"固定变量"列表即可。

本例中，将"肥料A"、"肥料B"和"肥料C"变量选入"要转置的变量"列表，在"目标变量"后的输入框中输入"产量"。

3）选择索引变量的个数

单击"下一步"按钮，弹出如图2-77所示的"重组数据向导—第4步"对话框。

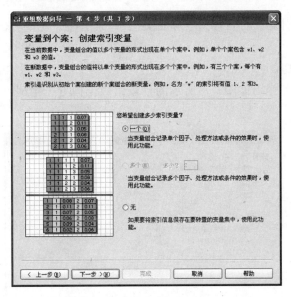

图 2-77 重组数据向导——第 4 步

该对话框用于设置重组后生成的索引变量的个数，一个或是多个，也可以选择无，表示把索引信息保存在某个要转置重组的变量中，不生成索引变量。本例中选择创建"一个"索引变量。

4）设置索引变量的参数

继续单击"下一步"，弹出如图2-78所示的"重组数据向导—第5步"对话框。

图 2-78 重组数据向导—第 5 步

● "索引值是什么类型"选项组：该选项组用于设置索引值的类型，用户可以选择有序数组或变量作为索引值的类型。

- "编辑索引变量的名称和标签"栏：在该栏中设置索引变量的变量名和变量标签。

本例中，设置索引变量的名称为"施肥类型"，索引值为变量名，即"肥料A、肥料B、肥料C"。

5）其他参数的设置

单击"下一步"，弹出如图2-79所示的"重组数据向导—第6步"对话框。该对话框中有3个选项组设置。

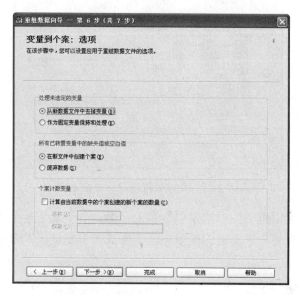

图 2-79 "重组数据向导—第6步"对话框

①"处理未选定的变量"选项组　该选项组用于设置对用户未选定变量的处理方式，如选择"从数据文件中去掉变量"，系统会将这一部分变量删除；如选择"作为固定变量保存和处理"，系统会将这一部分变量作为固定变量处理。

②"所有已转置变量中的缺失值或空白值"选项组　该选项组用于设置对要转置变量中的缺失值和空白值的处理方式，"在新文件中创建个案"，表示系统将为这些变量单独生成观测记录；选择"废弃数据"，则这一部分观测值将被删除。

③"个案计数变量"选项组　该选项组用于设置是否生成计数变量，勾选"计算由当前数据中的个案创建的新个案的数量"复选框，表示生成计数变量，同时将激活"名称"和"标签"输入框，用户可以在其中输入计数变量的变量名和变量标签。本例中，该步保持默认设置即可。

6）完成数据重组

单击"下一步"，弹出如图2-80所示的"重组数据向导—完成"对话框。

这里可选择是否立即进行数据重组，如选择"将本向导生成的已经粘贴到语句窗口"单选按钮，系统会将相应的命令语句粘贴至语句窗口。

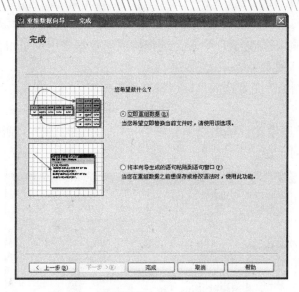

图 2-80　重组数据向导—完成"对话框

　　设置完成后，单击"完成"按钮即可进行数据重组操作。重组后的数据文件将如图2-75所示，横向格式的数据文件转换成了纵向格式的数据文件。

2.8.3　由观测量组到变量组的重组

　　观测量组到变量组的重组使数据由纵向格式转换为横向格式，步骤如下：

　　1）选择重组变量。在图2-74所示的"重组数据向导"对话框中选择"将选定个案重组为变量"单选按钮，单击"下一步"按钮，弹出如图2-81所示的"重组数据向导—第2步（共5步）"对话框。

图 2-81　"重组数据向导—第2步（共5步）"对话框

从"当前文件中的变量"列表框中选择在重组后将在数据集中标识观测记录的变量，单击 按钮将其选入"标识符变量"列表；选择构成新数据集中变量组的变量，单击 按钮将其选入"索引变量"列表。

本例中，将"观测组"变量选入"标识符变量"列表，将"产量"变量选入"索引变量"列表。

2）原始数据的排序设置。单击"下一步"按钮，弹出如图2-82所示的"重组数据向导—第3步（共5步）"对话框。

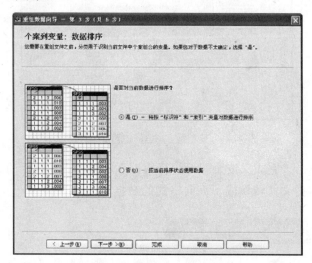

图2-82 "重组数据向导—第3步（共5步）"对话框

该对话框用于设置是否对原始数据进行排序，选择"是"，系统会在数据重组之前按照标识变量对原始数据进行排序，"否"则不进行此项操作。本例中选择"是"按钮。

3）新变量的相关参数设置。单击"下一步"，弹出如图2-83所示的"重组数据向导—第4步（共5步）"对话框。

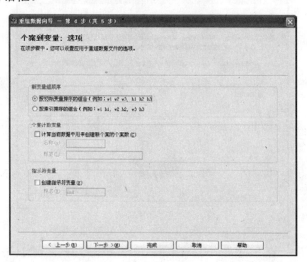

图2-83 重组数据向导—第4步（共5步）"对话框

- “新变量组顺序”选项组：该选项组用于设置新变量组中变量的排序方式，有“按初始变量排序的组合”和“按索引排序的组合”两种。
  - “个案计数变量”选项组：设置是否生成计数变量，如勾选“计算当前数据中用来创建新个案的个案数”复选框，则表示生成计数变量，同时激活“名称”和“标签”输入框，用户可以在其中输入计数变量的变量名和变量标签。
  - “指示符变量”选项组：设置是否生成指示变量，勾选“创建指示符变量”复选框，表示对索引变量的每个取值生成一个指示变量用于记录对应的变量取值是否为空值，用户可以在“根名”文本框中输入指示变量的前缀。

本例中，选择默认设置即可。

4）完成数据重组。继续单击“下一步”，即弹出“重组数据向导—完成”对话框。

2.8.4 转置重组

在图2-74“重组数据向导”对话框中选择“转置所有数据”单选按钮，单击“完成”按钮则将弹出图2-31所示的“转置”对话框。

该对话框的形式和设置方式与2.5.4节“数据文件的转置”中完全相同，读者可以参考该节，在此不再赘述。

2.9 读取其他格式文件数据

在现实的分析应用中，许多数据并不是以SPSS数据格式保存的，因此我们需要能够读取这些不同格式的数据文件。SPSS提供了与多种应用软件的接口，支持多种格式的数据文件，用户可以方便地将其他格式的数据文件导入其中。

2.9.1 读取 Excel 软件文件（.xls）

Excel是当前最常用的电子表格软件之一，SPSS提供了相应的程序接口，使用户可以方便地把Excel电子表格中的数据读入SPSS数据编辑器。Excel文件的数据显示如图2-84所示。

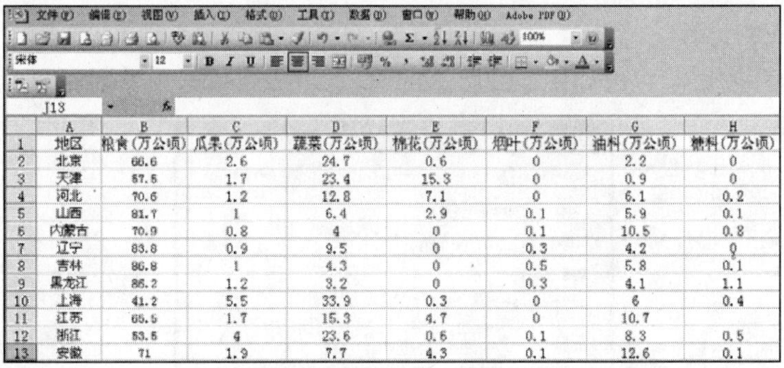

	A	B	C	D	E	F	G	H
1	地区	粮食(万公顷)	瓜果(万公顷)	蔬菜(万公顷)	棉花(万公顷)	烟叶(万公顷)	油料(万公顷)	糖料(万公顷)
2	北京	66.6	2.6	24.7	0.6	0	2.2	0
3	天津	67.5	1.7	23.4	15.3	0	0.9	0
4	河北	70.6	1.2	12.8	7.1	0	6.1	0.2
5	山西	81.7	1	6.4	2.9	0.1	5.9	0.1
6	内蒙古	70.9	0.8	4	0	0.1	10.5	0.8
7	辽宁	83.8	0.9	9.5	0	0.3	4.2	0
8	吉林	86.8	1	4.3	0	0.5	5.8	0.1
9	黑龙江	86.2	1.2	3.2	0	0.3	4.1	1.1
10	上海	41.2	5.5	33.9	0.3	0	6	0.4
11	江苏	65.5	1.7	15.3	4.7	0	10.7	
12	浙江	53.5	4	23.6	0.6	0.1	8.3	0.5
13	安徽	71	1.9	7.7	4.3	0.1	12.6	0.1

图 2-84　Excel 文件

读取 Excel 数据的具体操作如下。

1）在菜单栏中依次选择"文件"|"打开"|"数据"命令，打开如图2-85所示的"打开数据"对话框。

2）在"文件类型"下拉框中选择"Excel（*.xls，*.xlsx，*.xlsm）"选项，打开要读入的Excel文件，如图2-86所示。

图 2-85　"打开数据"对话框

图 2-86　选择一个.xls 文件

3）进行相应的设置

单击"打开"按钮，弹出如图2-87所示的"打开Excel数据源"对话框。

图 2-87　"打开 Excel 数据源"对话框

- "从第一行数据读取变量名"复选框：如勾选该复选框，系统会将Excel数据文件的第一行作为变量名读入。
- "工作表"下拉框：如果读取的Excel数据文件中有多个数据表，用户可以在该下拉框中选择要读取的工作表。
  - "范围"输入框：如果用户希望读取Excel工作表中的部分数据，可以在该输入框中输入相应的数据范围。
  - "字符串列的最大宽度"输入框：该输入框用于设置字符串变量的最大宽度，直接输入自定义宽度即可。

4）设置完成后，单击"确定"按钮即可读入Excel数据。读入后的结果如图2-88所示。

	地区	粮食	瓜果	蔬菜	棉花	烟叶	油料	糖料
1	北京	66.6	2.6	24.7	0.6	0	2.2	0
2	天津	57.5	1.7	23.4	15.3	0	0.9	0
3	河北	70.6	1.2	12.8	7.1	0	6.1	0
4	山西	81.7	1.0	6.4	2.9	0	5.9	0
5	内蒙古	70.9	0.8	4.0	0.0	0	10.5	1
6	辽宁	83.8	0.9	9.5	0.0	0	4.2	0
7	吉林	86.8	1.0	4.3	0.0	1	5.8	0
8	黑龙江	86.2	1.2	3.2	0.0	0	4.1	1
9	上海	41.2	5.5	33.9	0.3	0	6.0	0
10	江苏	65.5	1.7	15.3	4.7	0	10.7	.
11	浙江	53.5	4.0	23.6	0.6	0	8.3	1
12	安徽	71.0	1.9	7.7	4.3	0	12.6	0
13	福建	57.3	1.5	26.2	0.0	3	5.0	1
14	江西	65.9	1.6	10.4	1.2	0	10.9	0

图 2-88 读入 SPSS 的 Excel 数据

2.9.2 读取固定格式的文本文件

固定格式的文本文件要求不同的观测数据之间的变量数目、排列顺序、变量取值长度固定不变，图2-89所示即为一个固定格式的文本文件。

图 2-89 固定格式的文本文件

1）在菜单栏中依次选择"文件"|"打开"|"数据"命令，打开"打开数据"对话框。
2）在"文件类型"下拉框中选择"文本格式（*.txt，*.dat）"选项，打开要读入的文本文件。

3）打开文本导入向导

单击"打开"按钮，弹出如图2-90所示的"文本导入向导—第1步，共6步"对话框。

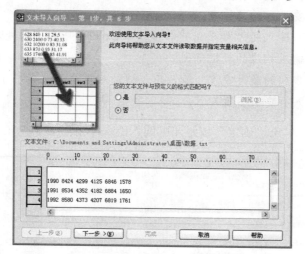

图 2-90   "文本导入向导—第 1 步，共 6 步"对话框

用户可以选择预定义的格式，也可以在向导中创建新格式。本例中为"否"。

（4）设置文本格式

单击"下一步"按钮，弹出如图 2-91 所示的"文本导入向导—第 2 步（共 6 步）"对话框。这里有两个选项要设置。

- 变量是如何排列的：设定读入的文本文件的格式。如选择"分隔"单选按钮，则表示读入的是自由格式的文本文件；如选择"固定宽度"单选按钮，则表示读入的是固定格式的文本文件，本节主要讲解固定格式文本文件的读取，故选择"固定宽度"。

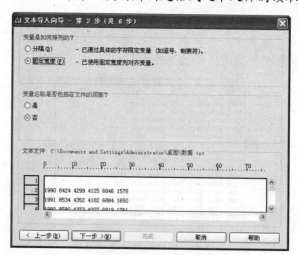

图 2-91   "文本导入向导—第 2 步（共 6 步）"对话框

- 变量名称是否包含在文件的顶部：如果源文件中包含变量名，选择"是"，系统会

将变量名称读入，如果源文件中不包含变量名，选择"否"。本例中由于原始文本文件不包含变量名，故选择"否"。

5）进行观测量的相应设置

单击"下一步"按钮，弹出如图2-92所示的"文本导入向导—第3步（共6步）固定宽度"对话框。

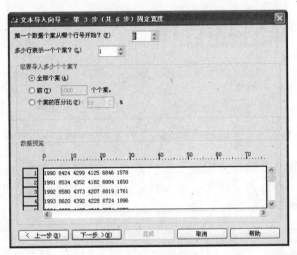

图2-92　"文本导入向导—第3步（共6步）固定宽度"对话框

- "第一个数据个案从哪个行号开始"输入框：该输入框用于选择数据读取的起始行，如果数据文件中包含标签，那么该数据文件的起始行就不是第一行。本例中由于第一行是空行，故输入"2"。

- "多少行表示一个个案"输入框：该输入框用于指定每个个案结束、下一个个案开始的位置，只有指定好每个个案的行数，才能正确读取数据。本例中一行表示一个个案，故输入"1"。

- "您要导入多少个个案"选项组：该选项组用于设置导入个案的数量。如选择"全部个案"单选按钮，系统将把所有观测量导入；如选择"前□个个案"单选按钮，系统会导入从第一个观测到用户定义位置的所有观测量；如选择"个案的百分比"单选按钮，系统将随机导入用户指定百分比的观测量。本例中选择"全部个案"。

6）设置变量起始点

单击"下一步"，弹出如图2-93所示的"文本导入向导—第4步（共6步）固定宽度"对话框。

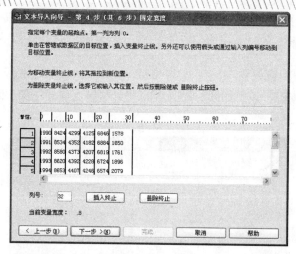

图2-93　"文本导入向导—第4步（共6步）固定宽度"对话框

该对话框用于设置从数据文件读取变量的方式。选择变量开始的位置，单击"插入终止"按钮插入垂直线来表示变量在文件中开始及结束的位置，系统将根据用户设定的位置划分变量。

7）设置变量名称和数据格式

单击"下一步"，弹出如图2-94所示的"文本导入向导—第5步（共6步）"对话框。

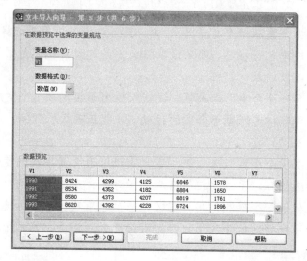

图2-94　"文本导入向导—第5步（共6步）"对话框

该对话框用于设置变量的名称和数据格式，用户"数据预览"表格中选择相应的变量，即可在"变量名称"输入框中输入变量名称，在"数据格式"下拉列表中选择相应的数据格式。

8）完成读取

最后单击"下一步"，弹出如图2-95所示的"文本导入向导—第6步（共6步）"对话框。

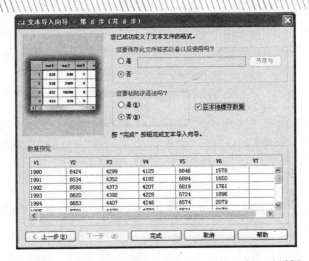

图 2-95　"文本导入向导——第 6 步，共 6 步"对话框

如果用户希望将本次设置的文件格式作为规则保存，以便在导入类似的文本数据文件时无须重新设置，可以在"您要保存此文件格式以备以后使用吗"选项组中选择"是"并在其后的输入框中输入一个文件的保存路径。

设置完成后，单击"完成"按钮即可实现固定格式文本数据的读取，图2.89文件读取的结果如图2-96所示。

	V1	V2	V3	V4	V5	V6	变量
1	1990	8424	4299	4125	6846	1578	
2	1991	8534	4352	4182	6884	1650	
3	1992	8580	4373	4207	6819	1761	
4	1993	8620	4392	4228	6724	1896	
5	1994	8653	4407	4246	6574	2079	
6	1995	8701	4429	4272	6531	2170	
7	1996	8747	4452	4295	6484	2263	
8	1997	8810	4483	4327	6500	2310	
9	1998	8872	4513	4359	6575	2296	
10	1999	8922	4537	4385	6600	2322	
11	2000	8975	4562	4413	6566	2409	
12	2001	9024	4584	4440	6507	2517	
13	2002	9069	4607	4463	6435	2634	
14	2003	9108	4624	4484	6275	2833	
15	2004	9163	4652	4511	6212	2951	

图 2-96　读入 SPSS 的固定格式文本文件

2.9.3　读取自由格式的文本文件

自由格式的文本文件要求不同的观测数据之间的变量数目、排列顺序一定，变量取值长度可以不同。此外，与固定格式的文本文件不同，自由格式的文本文件的数据项之间必须有分隔符，如图2-97所示。

| 文件(F) | 编辑(E) | 格式(O) | 查看(V) | 帮助(H) |

9024,4584,4440,6507,2517
9069,4607,4463,6435,2634
9108,4624,4484,6275,2833
9163,4652,4511,6212,2951

图2-97　自由格式的文本文件

1）在菜单栏中依次选择"文件"|"打开"|"数据"命令，打开"打开数据"对话框。

2）在"文件类型"下拉框中选择"文本格式（*.txt，*.dat）"选项，打开要读入的自由格式文本文件。

3）单击"打开"按钮，进入文本导入向导。

4）设置文本格式。在图2-91所示的"文本导入向导—第2步（共6步）"中选择变量的排列方式为"分隔"。

5）进行观测量的相应设置。

6）设定分隔符与限定符。进入到如图2-98所示的"文本导入向导—第4步（共6步）分隔"对话框。

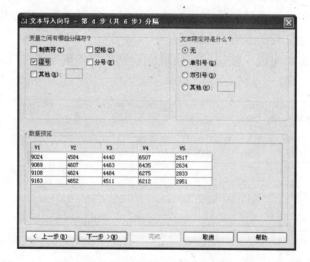

图2-98　"文本导入向导—第4步（共6步）分隔"对话框

- "变量之间有哪些分隔符"选项组：该选项组用于指定文件中数据之间的分隔符。系统提供了制表符、空格、逗号和分号可作为选择，此外用户也可以自定义一个符号作为分隔符。本例中原始文件使用逗号分隔，故勾选"逗号"复选框。

- "文本限定符是什么"选项组：该选项组用于设置文本限定符。"无"，即表示不使用文本限定符；用户可以选择单引号或双引号作为文本限定符，此外用户也可以自定义文本限定符。本例中选择"无"单选按钮，没有限定。

（7）设置变量名称和数据格式。

（8）完成读取。设置完成后，单击"完成"按钮即可实现自由格式文本数据的读取。读入SPSS的该自由格式的文本文件如图2-99所示。

	V1	V2	V3	V4	V5	变量	变量
15 :							
1	9024	4584	4440	6507	2517		
2	9069	4607	4463	6435	2634		
3	9108	4624	4484	6275	2833		
4	9163	4652	4511	6212	2951		

图 2-99　读入 SPSS 的自由格式的文本文件

上机题

	光盘：\多媒体文件\上机题教学视频\chap02.wmv
	光盘：\源文件\上机题\chap02\...

2.1　现有我国31个省、市、自治区的GDP的统计数据，数据中包括"城市"、"GDP"和"人口"三个变量，数据如下表所示（数据路径：光盘:\源文件\上机题\chap02\习题\第二章第一题.sav）。

城市	GDP（亿）	人口（万）	城市	GDP（亿）	人口（万）
上海	5400	1674	山西	2000	3297
北京	3130	1382	黑龙江	2200	3689
天津	1900	1001	宁夏	330	562
浙江	7400	4677	安徽	3500	5986
江苏	10000	7438	重庆	1800	3090
广东	11000	8642	青海	300	518
福建	4100	3471	四川	4800	8329
山东	10500	9079	西藏	150	262
辽宁	4600	4238	陕西	2000	3605
新疆	1600	1925	云南	2300	4288
湖北	5000	6028	江西	2200	4140
河北	5500	6744	广西	2200	4489
吉林	2100	2728	甘肃	1100	2562
海南	600	787	内蒙古	950	2376
湖南	4200	6440	贵州	1100	3525
河南	6000	9256			

试计算给出人均 GDP（人均 GDP=GDP/人口）作为新变量保存。

2.2　为了测量儿童身体发育状况，随机抽查了30名儿童，对他们的肺活量和体重进行了测量，我们建立了三个变量"测试编号"、"肺活量"和"体重"，部分观测数据如下表所示。（数据路径：光盘:\源文件\上机题\chap02\习题\第二章第二题.sav）

测试编号	肺活量（毫升）	体重(公斤)
1	800	15.9
2	1100	15
3	1000	15
4	900	13.1
5	700	19
6	600	17
7	900	16.2
8	700	17.3
9	700	17
10	552	17.5

（1）根据理论，儿童的肺活量与体重呈正比，为正确分析儿童发育状况，试以体重作为加权变量对数据进行加权。

（2）对于体重而言，20公斤以上视为超重、18-20公斤认为发育良好，18公斤以下认为发育情况一般。试对各种超重人数进行统计，并保存计数结果。

（3）试将体重数据换算为超重、发育良好和与发育情况一般三类，分别用数字1、2、3代替（20公斤以上视为超重、18-20公斤认为发育良好，18公斤以下认为发育情况一般）

（4）请输出儿童的体重的排名信息，如果体重相同则并列名次。

2.3　某小学对学生进行体检，测量了90名小学生的身高，根据查体结果建立了"年级"、"性别"和"身高"三个变量，部分测量数据如下表所示（数据路径：光盘:\源文件\上机题\chap02\习题\第二章第三题.sav）。

年级	性别	身高（厘米）
2	女	123.5
2	女	115.8
2	女	115
2	男	107
1	女	125.3
1	女	118.2
2	女	115.2
1	女	119

（1）试按性别分别输出身高均值，分析不同性别的学生的身高情况。

（2）试按照身高的高低对学生数据进行排序。

2.4　研究者观察了某地1978~2004年的人口数量的数据。建立了"年份"和"人口"两个变量，观测数据如下表所示（数据路径：光盘:\源文件\上机题\chap02\习题\第二章第四题.sav）。

年份	人口（万）	年份	人口（万）
1978	1098.28	1992	1289.37
1979	1132.14	1993	1294.74
1980	1146.52	1994	
1981	1162.84	1995	1301.37
1982	1180.51	1996	1304.43
1983	1194.01	1997	1305.46
1984	1204.78	1998	1306.58
1985	1216.69	1999	1313.12
1986	1232.33	2000	1321.63
1987	1249.51	2001	1327.14
1988	1262.42	2002	1334.23
1989	1276.45	2003	1341.77
1990	1283.35	2004	1352.39
1991	1287.2		

因为某些原因，1994 年的数据缺失，我们需要对缺失值进行合理的替代以便进行相应的分析，试采用序列均值的方式进行缺失值的替代操作。

2.5　调查者观测了三种不同工艺下某种产品的产量（单位：件/小时），数据采用了纵向格式保存（数据路径：光盘:\源文件\上机题\chap02\习题\第二章第五题.sav）。

观测组	工艺1	工艺2	工艺3
1	79	35	87
2	45	46	46
3	78	83	57
4	84	27	69

由于分析的需要，我们希望得到横向格式的数据，试将数据转换为横向格式。

2.6　调查者观测了四种不同水源下三种元素的产量，数据采用了横向格式保存（数据路径：光盘:\源文件\上机题\chap02\习题\第二章第六题.sav）。

观测组	元素类型	元素含量（%）
1	元素A	10
1	元素B	12.5
1	元素C	22.3
2	元素A	13.4
2	元素B	12.2
2	元素C	11.9
3	元素A	15.8
3	元素B	12.7
3	元素C	11.3
4	元素A	19.7
4	元素B	12.6
4	元素C	11

现希望得到纵向格式的数据，试将其转换为纵向格式。

2.7 调查者观测了来自不同地区的样本的经济指标和发展指标的数据，这两个地区分别用数字"1"和"2"代替，部分观测数据如下表所示（数据路径：光盘:\源文件\上机题\chap02\习题\第二章第七题.sav）。

地区	经济指标（%）	发展指标（%）
1	123.5	15.9
1	115.8	15
1	115	15
2	107	13.1
1	125.3	19
1	118.2	17
1	115.2	16.2

我们希望按照地区分析这两个指标，以便对地区的综合竞争力给以科学的评价，请对数据按地区分解并组织输出。

2.8 请通过下面三个小题，体会将其他数据文件导入SPSS的方法（数据路径：光盘:\源文件\上机题\chap02\习题\第二章第八题）。

（1）试将EXCEL数据文件"第二章第八题（1）.xls"读入SPSS。

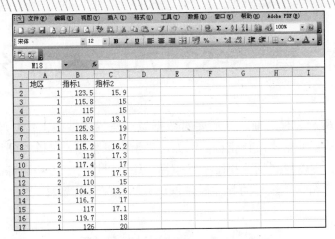

（2）试将文本文件"第二章第八题（2）.txt"读入 SPSS。

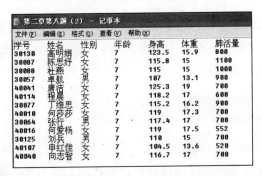

（3）试将文本文件"第二章第八题（3）.txt"读入 SPSS。

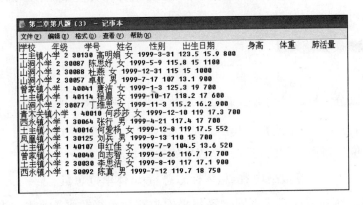

第 3 章　SPSS 17.0 基本统计分析

在进行统计分析和建模之前，一般要对数据做一些描述性的工作。通过调用SPSS的相关过程，可以得到数据的基本统计指标。例如，对于定量数据，可以得到均值和标准差等指标；对于分类数据，可以得到频数和比率等指标，还可以进行卡方检验等。本章将结合大量实例和图形，详细介绍这些过程的具体操作过程并对结果进行解释。

3.1　描述性分析

描述性分析过程主要用于对连续变量做描述性分析，可以输出多种类型的统计量，也可以将原始数据转换成标准Z分值并存入当前数据集。本节将结合实例对几个常用基本统计量的描述性分析过程进行详细介绍。

3.1.1　基本统计量的计算与描述性分析简介

描述性分析主要是对数据进行基础性描述，主要用于描述变量的基本特征。SPSS中的描述性分析过程可以生成相关的描述性统计量，如：均值、方差、标准差、全距、峰度和偏度等，同时描述性分析过程还将原始数据转换为Z分值并作为变量储存，通过这些描述性统计量，我们可以对变量变化的综合特征进行全面的了解。

1. 表示集中趋势的统计量

（1）均值

均值分析可以分为算数平均数、调和平均数及几何平均数三种。

① 算数平均数　算数平均数是集中趋势中最常用、最重要的测度值。它是将总体标志总量除以总体单位总量而得到的均值。算数平均数的基本公式是：

算数平均数=总体标志总量/总体单位总量

根据所掌握资料的表现形式不同，算数平均数有简单算数平均数和加权算数平均数两种。

- 简单算数平均数是将总体各单位每一个标志值加总得到的标志总量除以单位总量而求出的平均指标。其计算方法可以如公式（3-1）所示：

$$\overline{X} = \frac{X_1 + X_2 + \cdots + X_n}{n} = \frac{\sum X}{n}$$

$$(3-1)$$

简单算数平均数适用于总体单位数较少的未分组资料。如果所给的资料是已经分组的次数分布数列，则算数平均数的计算应采用加权算数平均数的形式。

- 加权算数平均数是首先用各组的标志值乘以相应的各组单位数求出各组标志总量，并加总求得总体标志总量，而后再将总体标志总量和总体单位总量对比。其计算过程如公式（3-2）所示：

$$\overline{X} = \frac{f_1 X_1 + f_2 X_2 + \cdots + f_n X_n}{f_1 + f_2 + \cdots + f_n} = \frac{\sum fX}{\sum f} \tag{3-2}$$

其中 f 表示各组的单位数，或者说是频数和权数。

② 调和平均数　调和平均数又称倒数平均数，它是根据各变量值的倒数来计算的平均数。具体地讲，调和平均数是各变量值倒数的算数平均数的倒数。调和平均数的计算方法，根据所掌握的资料不同，也有简单和加权两种形式。

③ 几何平均数　几何平均数是与算数平均数和调和平均数不同的另一种平均指标，它是几何级数的平均数。几何平均数是计算平均比率或平均发展速度的最常用的统计量，几何平均数可以反映现象总体的一般水平。根据所掌握资料的不同，几何平均数也有简单和加权两种形式。

（2）中位数

中位数是将总体单位某一变量的各个变量值按大小顺序排列，处在数列中间位置的那个变量值就是中位数。

在资料未分组的情况下，将各变量值按大小顺序排列后，首先确定中位数的位置，可用公式 $\frac{n+1}{2}$ 确定，n 代表总体单位的项数；然后根据中点位置确定中位数。有两种情况：当 n 为奇数项时，则中位数就是居于中间位置的那个变量值；当 n 为偶数项时，则中位数是位于中间位置的两个变量值的算数平均数。

（3）众数

众数是总体中出现次数最多的标志值，即最普遍、最常见的标志值。众数只有在总体单位较多而又有明确的集中趋势的资料中才有意义。单项数列中，出现最多的那个组的标志值就是众数。若在数列中有两组的次数是相同的，且次数最多，则就是双众数或复众数。

（4）百分位数

如果将一组数据排序，并计算相应的累计百分位，则某一百分位所对应数据的值就称为这一百分位的百分位数。常用的有四分位数，指的是将数据分为四等份，分别位于25%、50%和75%处的分位数。百分位数适合于定序数据及更高级的数据，不能用于定类数据。百分位数的优点是不受极端值的影响。

2. 表示离中趋势的统计量

（1）方差与标准差

方差是总体各单位变量值与其算数平均数的离差平方的算数平均数，用 σ^2 表示，方差的平方根就是标准差 σ。与方差不同的是，标准差是具有量纲的，它与变量值的计量单位相同，其实际意义要比方差清楚。因此，在对社会经济现象进行分析时，往往更多地使用标准差。

根据所掌握的资料不同，方差和标准差的计算有两种形式：简单平均式和加权平均式。

- 在未分组资料情况下，采用简单平均式，如公式（3-3）所示：

$$\sigma^2 = \frac{\sum (X - \overline{X})^2}{n}; \quad \sigma = \sqrt{\frac{\sum (X - \overline{X})^2}{n}} \qquad (3\text{-}3)$$

- 在资料分组的情况下，采用加权平均式，如公式（3-4）所示：

$$\sigma^2 = \frac{\sum f(X - \overline{X})^2}{\sum f}; \quad \sigma = \sqrt{\frac{\sum f(X - \overline{X})^2}{\sum f}} \qquad (3\text{-}4)$$

（2）均值标准误差

均值标准误差就是样本均值的标准差，是描述样本均值和总体均值平均偏差程度的统计量。

（3）极差或范围

极差又称全距，它是总体单位中最大变量值与最小变量值之差，即两极之差，以R表示。根据全距的大小来说明变量值变动范围的大小。如公式（3-5）所示：

$$R = X_{\max} - X_{\min} \qquad (3\text{-}5)$$

极差只是利用了一组数据两端的信息，不能反映出中间数据的分散状况，因而不能准确描述出数据的分散程度，且易受极端值的影响。

（4）最大值

顾名思义，最大值即样本数据中取值最大的数据。

（5）最小值

即样本数据中取值最小的数据。

（6）变异系数

变异系数是将标准差或平均差与其平均数对比所得的比值，又称离散系数。计算公式如（3-6）～（3-7）所示：

$$V_\sigma = \frac{\sigma}{\overline{X}} \qquad (3\text{-}6)$$

$$V_D = \frac{A.D}{\overline{X}} \tag{3-7}$$

V_σ 和 V_D 分别表示标准差系数和平均差系数。变异系数是一个无名数的数值，可用于比较不同数列的变异程度。其中，最常用的变异系数是标准差系数。

3. 表示分布形态的统计量

（1）偏度　*Skewness*

偏度是对分布偏斜方向及程度的测度。测量偏斜的程度需要计算偏态系数，本书仅介绍中心矩偏态测度法。常用三阶中心矩除以标准差的三次方，表示数据分布的相对偏斜程度，用 a_3 表示。其计算公式为式（3-8）：

$$a_3 = \frac{\sum f(X - \overline{X})^3}{\sigma^3 \sum f} \tag{3-8}$$

在公式（3-8）中，a_3 为正，表示分布为右偏；a_3 为负，则表示分布为左偏。

（2）峰度　*Kurtosis*

峰度是频数分布曲线与正态分布相比较，顶端的尖峭程度。统计上常用四阶中心矩测定峰度，其计算公式如（3-9）所示：

$$a_4 = \frac{\sum f(X - \overline{X})^4}{\sigma^4 \sum f} \tag{3-9}$$

当 $a_4 = 3$ 时，分布曲线为正态分布；
当 $a_4 < 3$ 时，分布曲线为平峰分布；
当 $a_4 > 3$ 时，分布曲线为尖峰分布。

4. 其他相关的统计量

Z 标准化得分

Z标准化得分是某一数据与平均数的距离以标准差为单位的测量值。其计算公式如式（3-10）所示：

$$Z_i = \frac{X_i - \overline{X}}{\sigma} \tag{3-10}$$

在公式（3-10）中，Z_i 即为 X_i 的Z标准化得分。Z标准化数据越大，说明它离平均数越远。

标准化值不仅能表明各原始数据在一组数据分布中的相对位置，而且能在不同分布的各组原始数据间进行比较，同时还能接受代数方法的处理。因此，标准化值在统计分析中起着十分重要的作用。

3.1.2 描述性分析的 SPSS 操作

首先打开相应的数据文件，或者建立一个数据文件后，就可以在 SPSS Statistics 数据编辑器窗口进行描述性统计分析。

1）在SPSS Statistics数据编辑器窗口的菜单栏中选择"分析"|"描述统计"|"描述"命令，打开如图3-1所示的"描述性"对话框。

2）选择变量

从源变量列表中首先单击需要描述的变量，然后单击 按钮将需要描述的变量选入"变量"列表中，如图3-2所示。

图 3-1 "描述性"对话框   图 3-2 选入要描述变量

3）进行选项设置

单击右侧"选项"按钮，弹出如图3-3所示的"描述：选项"对话框。

图 3-3 "描述：选项"对话框

"描述：选项"对话框主要用于指定需要输出和计算的基本统计量和结果输出的显示顺序，分为4个部分。

① "均值"和"合计"复选框 选中"均值"复选框表示输出变量的算术平均数。选中"合计"复选框表示输出各个变量的合计数。

②"离散"选项组 该选项组主要用于输出离中趋势统计量，共有六个复选框："标准差"、"方差"、"最小值"、"最大值"、"范围"、"均值的标准误"，选中这些复选框分别表示输出变量的标准差、方差、最小值、最大值、范围、均值的标准误。

③"分布"选项组 该选项组主要用于输出表示分布的统计量：

- "峰度"复选框，选中该复选框表示输出变量的峰度统计量。
- "偏度"复选框，选中该复选框表示输出变量的偏度统计量。

④"显示顺序"选项组 该选项组主要用于设置变量的排列顺序。有以下4种选择：

- 变量列表：选中表示按变量列表中变量的顺序进行排序；
- 字母顺序：选中表示按变量列表中变量的首字母的顺序排序；
- 按均值的升序排序：选中表示按变量列表中变量的均值的升序排序；
- 按均值的降序排序：即表示按变量均值的降序排序。

其中，系统默认的基本统计量是"均值"、"标准差"、"最大值"、"最小值"和显示顺序中的"变量列表"。

设置完毕后，单击"继续"按钮，返回到"描述性"对话框。

4）设置"将标准化得分另存为变量"复选框

如果选中该复选框，则表示为变量列表中的每一个要分析描述的变量都要计算Z标准化得分，并且系统会将每个变量的Z标准化得分保存到数据文件中（其中，新变量的命名方式是在源变量的变量名前加Z，如源变量名为"Math"，则生成的新变量名为"ZMath"）。

5）分析结果输出

单击"确定"按钮，就可以在SPSS Statistics查看器窗口得到所选择的变量描述性分析的结果。

单击"重置"按钮，即可以进行重新选择变量，重新设置"选项"。

3.1.3 实验操作

下面将以"3-1"数据文件为例，说明描述性分析的具体操作过程并对结果进行说明解释。

1. 实验数据的描述

"3-1"数据文件记录了两个班级学生的数学成绩、语文成绩信息，以此数据文件为例，利用描述性分析该数据文件中的一些基本统计量。本数据文件的原始EXCEL数据文件如图3-4所示。

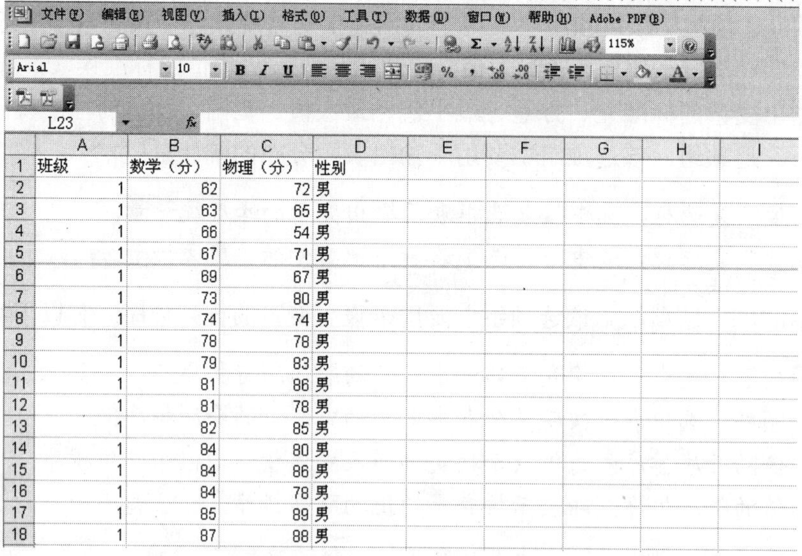

	A	B	C	D
1	班级	数学（分）	物理（分）	性别
2	1	62	72	男
3	1	63	65	男
4	1	66	54	男
5	1	67	71	男
6	1	69	67	男
7	1	73	80	男
8	1	74	74	男
9	1	78	78	男
10	1	79	83	男
11	1	81	86	男
12	1	81	78	男
13	1	82	85	男
14	1	84	80	男
15	1	84	86	男
16	1	84	78	男
17	1	85	89	男
18	1	87	88	男

图 3-4　“3-1”数据文件原始数据

首先在SPSS变量视图中建立变量“id”、“Math和“Chinese”，分别表示班级、数学成绩和语文成绩，三个变量的度量标准都为“度量”，如图3-5所示。

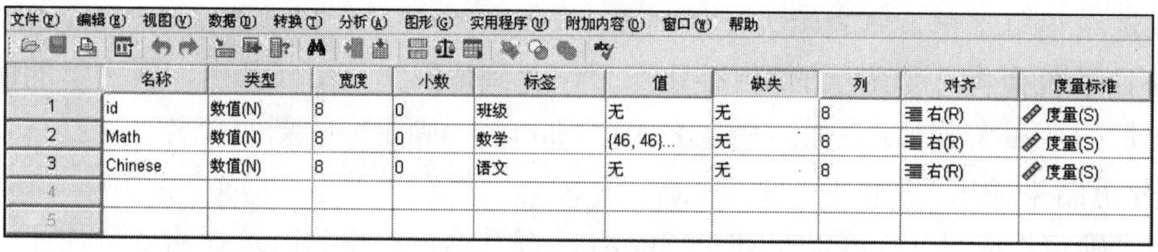

	名称	类型	宽度	小数	标签	值	缺失	列	对齐	度量标准
1	id	数值(N)	8	0	班级	无	无	8	右(R)	度量(S)
2	Math	数值(N)	8	0	数学	{46, 46}...	无	8	右(R)	度量(S)
3	Chinese	数值(N)	8	0	语文	无	无	8	右(R)	度量(S)
4										
5										

图 3-5　“3-1”数据文件的变量视图

然后在SPSS数据视图中，把相关数据输入到各个变量中。其中，“id”变量中“1”表示“一班”、“2”表示“二班”。输入完毕后如图3-6所示。

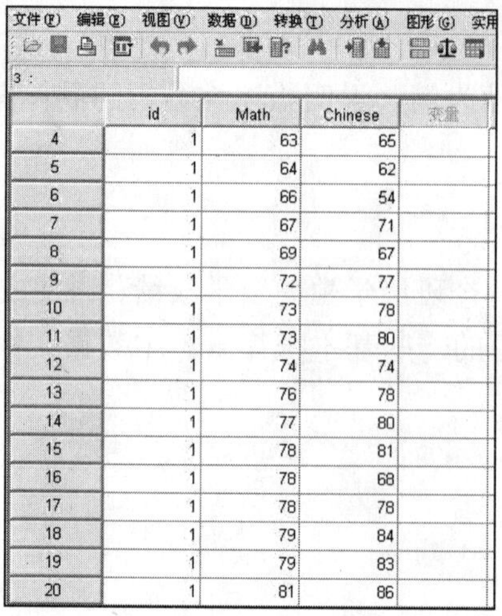

	id	Math	Chinese	变量
4	1	63	65	
5	1	64	62	
6	1	66	54	
7	1	67	71	
8	1	69	67	
9	1	72	77	
10	1	73	78	
11	1	73	80	
12	1	74	74	
13	1	76	78	
14	1	77	80	
15	1	78	81	
16	1	78	68	
17	1	78	78	
18	1	79	84	
19	1	79	83	
20	1	81	86	

图 3-6　“3-1”数据文件的数据视图

2. 实验操作步骤

Step 01 打开"3-1"数据文件，进入 SPSS Statistics 数据编辑器窗口，然后在菜单栏中依次选择"分析"|"描述统计"|"描述"命令，打开"描述"对话框，将"数学 (Math)"、"语文（Chinese)"选入"变量"列表。

Step 02 单击"选项"按钮进入"描述：选项"对话框，选中"最大值"、"最小值"、"平均数"、"标准差"、"峰度"和"偏度"，在"显示顺序"选项组中选中"变量列表"，显示结果将按照数学、语文的顺序排列，然后单击"继续"按钮，返回"描述性"对话框。

Step 03 选中"将标准化得分另存为变量（Z)"复选框，最后单击"确定"按钮。

3. 实验结果及分析

选定需要进行描述分析的变量和设置所需要得到的统计量完毕之后，单击"确定"按钮就可以得到描述性分析的结果，见图3-7和图3-8。

描述统计量

	N	极小值	极大值	均值	标准差	偏度		峰度	
	统计量	统计量	统计量	统计量	统计量	统计量	标准误	统计量	标准误
数学（分）	80	46	99	78.71	10.617	-.539	.269	.228	.532
语文（分）	80	47	99	79.82	10.833	-.726	.269	.405	.532
有效的 N（列表状态）	80								

图 3-7 描述统计量

图3-7给出了描述性分析的主要结果。从该图可以得到各个变量的个数、最大值、最小值等统计量。以"数学"成绩为例，从描述性分析的结果可以看出：数学成绩的最低分是46分，最高分是99分，平均分为78.71，表示成绩波动程度的标准差为10.617，样本成绩的偏度小于零，峰度小于正态分布的峰度3，可见成绩的分布右偏，不服从正态分布。

		id	Math	Chinese	Zid	ZMath	ZChinese
3 : Zid			-1.018892057894763				
	4	1	63	65	-1.01889	-1.47998	-1.36846
	5	1	64	62	-1.01889	-1.38579	-1.64538
	6	1	66	54	-1.01889	-1.19741	-2.38384
	7	1	67	71	-1.01889	-1.10322	-0.81461
	8	1	69	67	-1.01889	-0.91483	-1.18384
	9	1	72	77	-1.01889	-0.63226	-0.26077
	10	1	73	78	-1.01889	-0.53807	-0.16846
	11	1	73	80	-1.01889	-0.53807	0.01615
	12	1	74	74	-1.01889	-0.44388	-0.53769
	13	1	76	78	-1.01889	-0.25549	-0.16846
	14	1	77	80	-1.01889	-0.16130	0.01615
	15	1	78	81	-1.01889	-0.06711	0.10846

图 3-8 "3-1"数据文件的数据视图

从图3-8可以看出，在选中"将标准化得分另存为变量（Z)"复选框后，数据文件中就会增加三个新的变量"Zid"、"ZMath"和"ZChinese"，分别表示"班级"、"数学"、"语文"的Z标准化得分。以"ZMath"为例，通过该统计量可以看出，大于零的数值表示该学生比平均分要高，小于零的数值表示该学生的数学成绩要比平均分低，如第1个数值为-3.08124，即该学生比整个平均分要低3个标准差。

3.2 频数分析

频数分析是描述性统计中最常用的方法之一。SPSS的频数分析过程不但可以分析变量变化的基本趋势，还可以生成相应的统计图表，本书下面介绍其相关操作。

3.2.1 频数分析简介

频数，也称频率，表示一个变量在不同取值下的个案数。频数分析是描述性统计中最常用的方法之一，频数分析可以对数据的分布趋势进行初步分析，为深入分析打下基础。SPSS中的频数分析过程可以方便地产生详细的频数分布表，使数据分析者可以对数据特征与数据的分布有一个直观的认识。此外，SPSS的频数分析过程还可以给出相应百分点的数值，因而其在分类变量和不服从正态分布的变量的描述中具有广泛的应用。

3.2.2 频数分析的 SPSS 操作

打开相应的数据文件或者建立一个数据文件后，即可以在 SPSS Statistics 数据编辑器窗口中进行频数分析，过程如下：

1）在菜单栏中选择"分析"|"描述统计"|"频数"命令，打开如图3-9所示的"频率"对话框。

2）选择变量

在源变量列表中框选择一个或多个变量，单击 ⬇ 按钮使其进入"变量"列表框中作为频数分析的变量。

3）进行相应的设置

"统计量"设置

单击"统计量"按钮，将打开如图3-10所示的"频率：统计量"对话框。

该对话框用于设置需要在输出结果中出现的统计量，主要包括4个选项组：

① 百分位值　该选项组主要用于设置输出的百分位数，包括 3 个复选框：

- "四分位数"复选框，用于输出四分位数。
- "割点"复选框，用于输出等间隔的百分位数，其后的输入框中可以输入介于2~100之间的整数。
- "百分位数"复选框，用于输出用户自定义的百分位数。在其后输入框中输入自定义的百分位数，然后单击"添加"按钮加入相应列表即可在结果中输出。对于已经加入列表的百分位数，用户还可以通过"更改"和"删除"按钮进行修改和删除操作。

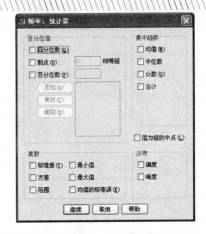

图 3-9　"频率"对话框　　　　　　　图 3-10　"频率：统计量"对话框

② 集中趋势　该选项组主要用于设置输出表示数据集中趋势的统计量，包括"均值"、"中位数"、"众数"和"合计"四个复选框，分别用于输出的均值、中位数、众数和样本数。

③ 离散　该选项组主要用于设置输出表示数据离中趋势的统计量，包括"标准差"、"方差"、"最小值"、"最大值"、"范围"和"均值的标准误"六个复选框，用于输出的标准差、方差、最小值、最大值、全距和均值的标准误。

④ 分布　该选项组主要用于设置输出表示数据分布的统计量，包括"偏态"和"峰度"两个复选框，用于输出样本的偏态和峰度。

⑤ "值为组的中点"复选框　当原始数据采用的是取组中值的分组数据时（例如所有收入在1000~2000元的人的收入都记录为1500元），勾选该复选框。

"图表"设置

单击"图表"按钮，打开如图3-11所示的"频率：图表"对话框。

该对话框用于设置输出的图表，主要包括两个选项组：

① 图表类型　该选项组主要用于设置输出的图表类型，有4种选择："无"，表示不输出任何图表；"条形图"，输出条形图；"饼图"，输出饼状图，"直方图"，输出直方图（仅适用于数值型变量），若勾选"带正态曲线"复选框，则表示在输出图形中包含正态曲线。

② 图表值　该选项组仅对条形图和饼图有效，包括两个复选框：频率和百分比。

"格式"设置

单击"格式"按钮，打开"频率：格式"对话框。如图3-12所示。

 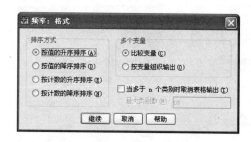

图 3-11　"频率：图表"对话框　　　　图 3-12　"频率：格式"对话框

该对话框用于设置输出格式，主要包括两个选项组。

- 排序方式　该选项组主要用于设置输出表格内容的排序方式，包括"按值的升序排序"、"按值的降序排序"、"按计数的升序排序"和"按计数的降序排序"四个选择，分别表示按变量值和频数的升序或降序排列。
- 多个变量　该选项组主要用于设置变量的输出方式，包括两个复选框："比较变量"复选框，将所有变量在一个表格中输出；"按变量组织输出"复选框，每个变量单独列表输出。

"当多于n个类别时取消表格输出"复选框　勾选此复选框后，可以在下面的"最大类别数"框中输入最大能显示的分组数量，当频数表的分组数量大于此临界值时不做输出。

设置完毕后，单击"继续"按钮，返回到"频率"对话框。

4）分析结果输出

单击"确定"按钮，就可以在SPSS Statistics查看器窗口得到所选择的变量频数分析的结果。

3.2.3　实验操作

下面将以数据文件"3-2"为例，说明频数分析的具体操作过程。

1. 实验数据描述

数据文件"3-2"显示了2002年我国七种不同所有制结构企业的平均工资水平，数据来源于《中国劳动统计年鉴2003》。以该数据文件为例，利用频数分析对不同地区的平均工资情况分析，显示四分位数、均值和标准差，并绘制频率分布直方图和正态曲线，并判断分布形态，本数据文件的原始EXCEL数据文件如图3-13所示。

在SPSS的变量视图中，建立"地区"、"平均工资"、"国有单位"、"城镇集体单位"、"股份合作"、"有限责任公司"、"股份有限公司"、"港澳台商投资"、"外商投资"和"分组号"变量，分别表示企业所属地区、全国平均工资和各种所有制企业的工资。其中，分组号变量中，分别用"1、2、3"表示"东部、中部和西部"，如图3-14所示。

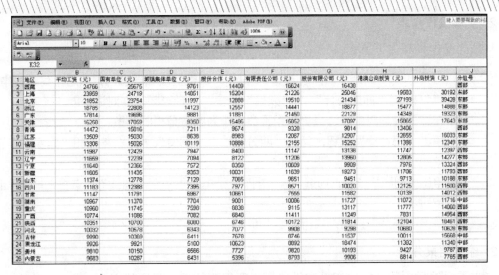

	地区	平均工资（元）	国有单位（元）	城镇集体单位（元）	股份合作（元）	有限责任公司（元）	股份有限公司（元）	港澳台商投资（元）	外商投资（元）	分组号
2	西藏	24766	25675	9761	14409	16624	16430			西部
3	上海	23959	24719	14051	15204	21226	25046	19583	30192	东部
4	北京	21852	23754	11997	12888	19510	21434	27193	39428	东部
5	浙江	18785	22808	14123	12557	14441	18677	15477	14888	东部
6	广东	17814	19696	9881	11881	21450	22129	14349	19323	东部
7	天津	16258	17059	9350	15486	16052	17097	15066	17643	东部
8	青海	14472	15816	7211	9674	9328	9814	13406		西部
9	江苏	13509	15030	8638	8983	12067	12907	12655	16033	东部
10	福建	13306	15026	10119	10888	12155	15252	11386	12349	东部
11	云南	11987	12429	7947	8400	11147	13138	11747	12397	西部
12	辽宁	11659	12239	7094	8122	11206	13960	12806	14277	东部
13	宁夏	11640	12366	7572	8350	10609	9909	7976	13324	西部
14	新疆	11605	11435	9353	10031	11639	19273	11706	11793	西部
15	山东	11374	12778	7129	7065	9651	9451	9713	10188	东部
16	四川	11183	12388	7395	7977	8571	10020	12125	11500	西部
17	甘肃	11147	11791	6967	10661	7566	11582	10139	14012	西部
18	湖南	10967	11378	7704	9001	10086	11727	11072	11716	中部
19	重庆	10960	11745	7598	8038	9115	13117	11777	14060	西部
20	广西	10774	11086	7082	6840	11411	11249	7831	14954	西部
21	陕西	10351	10700	6080	6746	10172	11814	12104	18461	西部
22	河北	10032	10678	6343	7077	9908	9298	10680	10628	东部
23	吉林	9990	10369	6411	7678	8746	11537	10011	15668	中部
24	黑龙江	9926	9921	5100	10623	8892	18474	11382	11340	中部
25	贵州	9810	10150	6566	7727	9820	10193	9427	9787	西部
26	内蒙古	9683	10287	6431	5396	8793	9906	6814	7765	西部

图 3-13　数据文件“3-2”原始数据

	名称	类型	宽度	小数	标签	值	缺失	列	对齐	度量标准
1	地区	字符串	8	0	省、直辖市	无	无	7	左(L)	名义
2	平均工资	数值(N)	8	0		无	无	8	右(R)	度量(S)
3	国有单位	数值(N)	8	0		无	无	8	右(R)	度量(S)
4	城镇集体单位	数值(N)	8	0		无	无	8	右(R)	度量(S)
5	股份合作	数值(N)	8	0		无	无	8	右(R)	度量(S)
6	有限责任公司	数值(N)	8	0		无	无	8	右(R)	度量(S)
7	股份有限公司	数值(N)	8	0		无	无	8	右(R)	度量(S)
8	港澳台商投资	数值(N)	8	0		无	无	8	右(R)	度量(S)
9	外商投资	数值(N)	8	0		无	无	8	右(R)	度量(S)
10	分组号	数值(N)	8	0		{1, 东部}...	无	8	右(R)	度量(S)

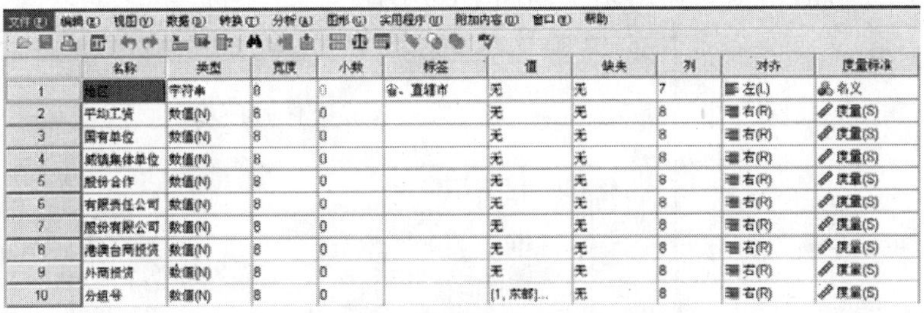

图 3-14　数据文件“3-2”的变量视图

在SPSS活动数据文件中的数据视图中，把相关数据输入到各个变量中，输入完毕如图3-15所示。

	地区	平均工资	国有单位	城镇集体单	股份合作	有限责任公	股份有限公	港澳台商投	外商投资	分组号
1	安徽	9296	9961	5808	5607	9148	11643	8166	11105	2
2	北京	21852	23754	11997	12888	19510	21434	27193	39428	1
3	福建	13306	15026	10119	10888	12155	15252	11386	12349	1
4	甘肃	11147	11791	6967	10661	7565	11582	10139	14012	3
5	广东	17814	19696	9881	11881	21450	22129	14349	19323	1
6	广西	10774	11086	7082	6840	11411	11249	7831	14954	3
7	贵州	9810	10150	6566	7727	9820	10193	9427	9787	3
8	海南	9400	9360	6615	13712	10840	13850	8848	11505	1
9	河北	10032	10678	6343	7077	9908	9298	10680	10628	1
10	河南	9174	9864	6664	7153	9188	10081	10416	9920	2
11	黑龙江	9926	9921	5100	10623	8892	18474	11382	11340	2
12	湖北	9611	10403	6534	6562	8725	8165	8412	12345	2
13	湖南	10967	11378	7704	9001	10086	11727	11072	11716	2
14	吉林	9990	10369	6411	7678	8746	11537	10011	15668	2
15	江苏	.13509	15030	8638	8983	12067	12907	12655	16033	1
16	江西	9262	9607	5859	6257	10177	11468	7880	10671	2
17	辽宁	11659	12239	7094	8122	11206	13960	12805	14277	1
18	内蒙古	9683	10287	6431	5396	8793	9906	6814	7765	3
19	宁夏	11640	12366	7572	8350	10609	9909	7976	13324	3
20	青海	14472	15816	7211	9674	9328	9814	13406	.	3
21	山东	11374	12778	7129	7065	9651	9451	9713	10188	1
22	山西	9357	9931	5524	5914	9994	10163	7694	10185	2
23	陕西	10351	10700	6080	6746	10172	11814	12104	18461	3
24	上海	23959	24719	14851	15204	21226	25046	19583	30192	1
25	四川	11183	12388	7395	7977	8571	10020	12125	11500	3

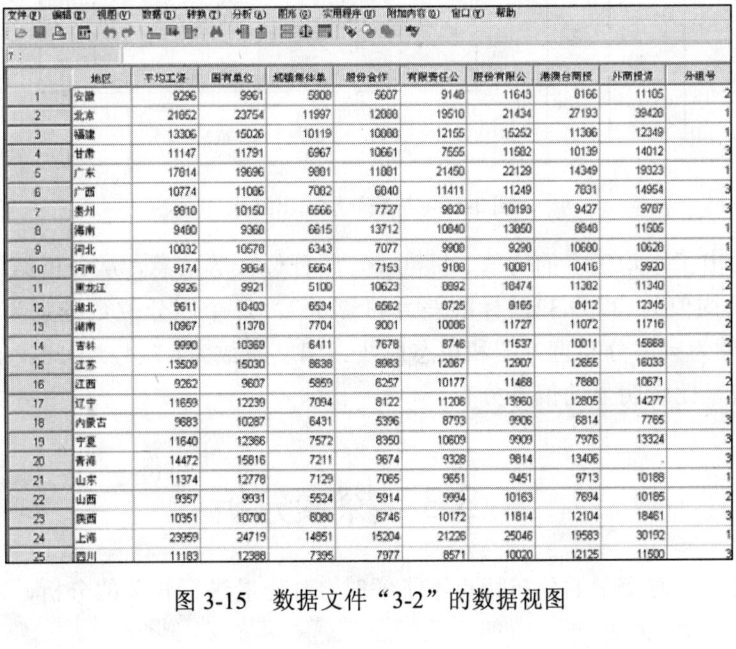

图 3-15　数据文件“3-2”的数据视图

2. 实验操作步骤

具体的操作步骤如下所示：

Step 01 打开"3-2"数据文件，进入SPSS Statistics数据编辑器窗口，然后在菜单栏中选择"分析"|"描述统计" | "频率"命令，打开"频率"对话框。

Step 02 在源变量列表中框选择"平均工资"作为频数分析的变量。

Step 03 单击"统计量"按钮，勾选"四分位数"、"均值"、"标准差"和"偏度"复选框，单击"继续"按钮。

Step 04 单击"图表"按钮，勾选"直方图"复选框与"带正态曲线"复选框，单击"继续"按钮。

Step 05 单击"确定"按钮，执行频数分析。

3. 输出结果分析

选定需要进行频数分析的变量和设置所需要得到的统计量完毕之后，单击"确定"按钮就可以得到频数分析的结果，输出结果如图3-16所示。

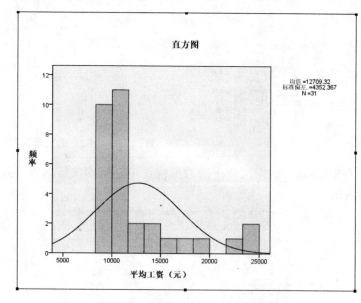

图3-16　频数分析输出结果

统计量表给出了平均工资的均值、标准差、四分位数等信息，从分析结果可以看出，各地区平均工资的均值为12709.32，标准差为4352.367，三个四分位数分别为9810、11147和13509。表的右侧为频率分布直方图和正态曲线。偏度系数为1.714，由此我们可以看出，各地区的平均工资呈比较明显的偏态分布。

3.3 探索分析

探索分析可以在对变量的分布特点不了解时，对变量进行相关的分析，为用户的下一步数据分析提供相应的参考。SPSS提供了方便的探索分析过程，下面介绍其相关操作。

3.3.1 探索分析简介

探索分析主要用于在数据的分布情况未知的情况下，检验数据的特异值或输入错误，并获得数据的基本特征。SPSS的探索分析过程主要包括以下三种主要的功能：（1）通过绘制箱图和茎叶图等图形，直观地反映数据的分布形式，并识别输入的奇异值、异常值和丢失的数据。（2）正态性检验：检测观测数据是否服从正态分布。（3）等方差性检验：利用Levene检验检验不同组数据方差是否相等。

3.3.2 探索分析的 SPSS 操作

打开相应的数据文件或者建立一个数据文件，即可在 SPSS Statistics 数据编辑器窗口进行探索分析，其过程如下：

1）在SPSS Statistics数据编辑器窗口的菜单栏中选择"分析"|"描述统计"|"探索"命令，打开如图3-17所示的"探索"对话框。

图 3-17　"探索"对话框

2）选择变量

从源变量列表中选择需要分析的目标变量，然后单击 ➡ 按钮将选中的变量选入"因变量列表"中；从源变量列表中选择分组变量，然后单击 ➡ 按钮选入"因子列表"中；从源变量列表中选择标注变量，单击 ➡ 按钮选入"标注个案"中。

- "因变量"列表：该列表中的变量为探索分析过程中需要分析的目标变量，变量的属性一般为连续型变量或者比率变量。
- "因子"列表：该列表中的变量为"因变量列表"中目标变量的分组变量，就是对所需要分析的目标变量进行分组表示，该变量的属性可以是字符型或者数值型，但是一般变异较少。
- "标注个案"列表：一般对输出如异常值时，用该变量进行标识，且有且只有一个标识变量。

如将图 3-17 中的源变量分别选入"因变量列表"、"因子列表"、"标注个案"，如

图 3-18 所示。

3）进行相应的设置

"统计量"设置

单击右侧"统计量"按钮，弹出如图3-19所示的"探索：统计量"对话框。

图 3-18　选入各个变量　　　　图 3-19　"探索：统计量"对话框

"探索：统计量"对话框用于设置需要在输出结果中出现的统计量。

①"描述性"复选框　选中该复选框表示输出一些描述性分析中的基本统计量，如均值、标准差、范围等等，该复选框还包括一个"均值的置信区间"输入框，要求设置均值的置信区间的范围，可以选择1%~99%中的任意一个，但系统默认的是95%的置信区间。

②"M-估计量"复选框　选中该复选框表示输出4种均值的稳健极大似然估计量，包括稳健估计量、非降稳健估计量、波估计值、复权重估计量，一般在样本数据非正态分布时如金融时间序列数据的尖峰厚尾分布，用稳健极大似然估计量计算的均值更有稳健性。

③"界外值"复选框　选中该复选框表示输出变量数据的前5个最大值和后5个最小值。

④"百分位数"复选框　选中该复选框表示输出变量数据的百分位数。

"绘制"设置

单击右侧"绘制"按钮，弹出如图3-20所示的"探索：图"对话框。

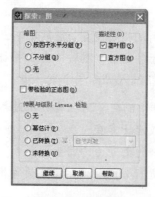

图 3-20　"探索：图"对话框

①"箱图"选项组　该选项组主要用于对箱图的参数进行设置，包括3个单选项："按因子水平分组"，表示多个因变量箱图将按照因变量的个数分别显示；"不分组"，表示多

个因变量箱图将不按照因变量的个数分别显示，而是一起显示在一个框图里面；"无"，表示将不显示因变量的箱图。

②"描述性"选项组　该选项组主要用于对统计图表进行设置，包括两个复选框："茎叶图"，表示将按照因来变量输出相应的茎叶图；"直方图"，表示将按照因来变量输出相应的直方图。

③"伸展与级别 Levene 检验"选项组　该选项组主要用于对数据转换的散部水平图进行设置，可以显示数据转换后的回归曲线斜率和进行方差齐性的 Levene 检验，包括四个单选项：

- "无"，表示将不输出变量的散布水平图；
- "幂估计"，表示对每一个变量数据产生一个中位数的自然对数和四分位数的自然对数的散点图，还可以对各个变量数据方差转化为同方差所需要幂的估计；
- "已转换"，表示对因变量数据进行相应的转换，具体的转换方法有自然对数变换、1/平方根的变换、倒数变换、平方根变换、平方变换、立方变换；
- "未转换"，表示不对原始数据进行任何变换。

④　"带检验的正态图"复选框　选择该复选框可以输出变量数据的正态概率图和离散正态概率图，同时输出变量数据经过 Lilliefors 显著水平修正的 Kolmogorov-Smirnov 统计量和 Shapiro-Wilk 统计量。

"选项"设置

单击右侧"选项"按钮，弹出如图3-21所示的"探索：选项"对话框。

图 3-21　"探索：选项"对话框

"探索：选项"对话框用于对缺失值进行设置，设置方法有3种："按列表排除个案"，表示只要任何一个变量含有缺失值，就要剔除所有因变量或分组变量中有缺失值的观测记录；"按对排除个案"，表示仅仅剔除所用到的变量的缺失值；"报告值"，表示将变量中含有的缺失值单独作为一个类别进行统计，并输出。

设置完毕后，单击"继续"按钮，返回到"探索"对话框。

4）分析结果输出

单击"确定"按钮，就可以在SPSS Statistics查看器窗口得到所选择的变量探索性分析的结果。

3.3.3 实验操作

下面将以“3-3”数据文件为例，说明探索分析的具体操作过程。

1. 实验数据描述

“3-3”数据文件记录了两个班级学生的数学成绩、语文成绩，以此数据文件为例，利用探索分析该数据文件中的数学和语文成绩的最大值、最小值、众数、平均数等，并检验样本数据的正态性。本数据文件的原始EXCEL数据文件如图3-22所示。

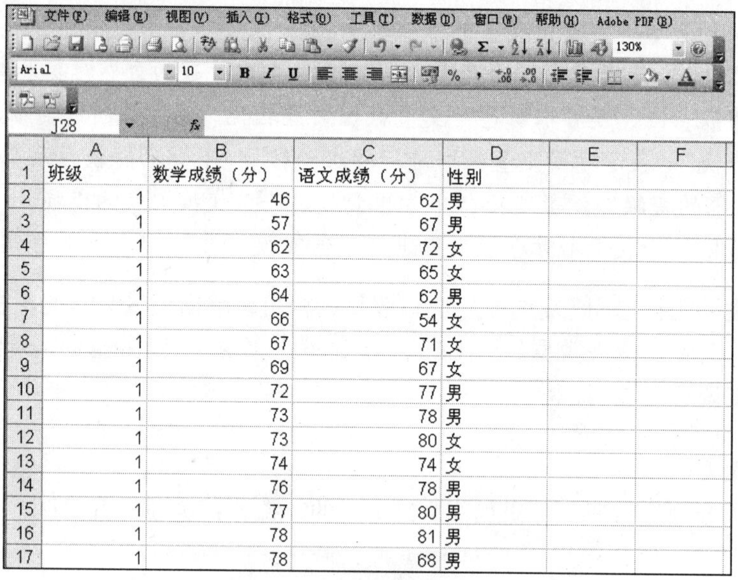

	A	B	C	D	E	F
1	班级	数学成绩（分）	语文成绩（分）	性别		
2	1	46	62	男		
3	1	57	67	男		
4	1	62	72	女		
5	1	63	65	女		
6	1	64	62	男		
7	1	66	54	女		
8	1	67	71	女		
9	1	69	67	女		
10	1	72	77	男		
11	1	73	78	男		
12	1	73	80	女		
13	1	74	74	女		
14	1	76	78	男		
15	1	77	80	男		
16	1	78	81	男		
17	1	78	68	男		

图 3-22 “3-3”数据文件原始数据

在SPSS的变量视图中建立变量“ID”、“Math”、“Chinese”和“SEX”，分别表示学生班级、数学成绩、语文成绩和性别，在“id”变量中将“一班”和“二班”分别赋值为“1”和“2”；在“SEX”变量中将“男”和“女”分别赋值为“1”和“0”，如图3-23所示。

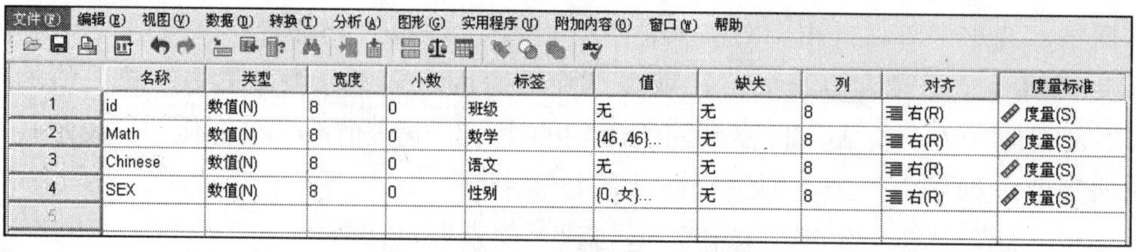

	名称	类型	宽度	小数	标签	值	缺失	列	对齐	度量标准
1	id	数值(N)	8	0	班级	无	无	8	右(R)	度量(S)
2	Math	数值(N)	8	0	数学	{46, 46}...	无	8	右(R)	度量(S)
3	Chinese	数值(N)	8	0	语文	无	无	8	右(R)	度量(S)
4	SEX	数值(N)	8	0	性别	{0, 女}...	无	8	右(R)	度量(S)
5										

图 3-23 “3-3”数据文件的变量视图

在SPSS活动数据文件中的数据视图中，把相关数据输入到各个变量中。输入完毕如图3-24所示。

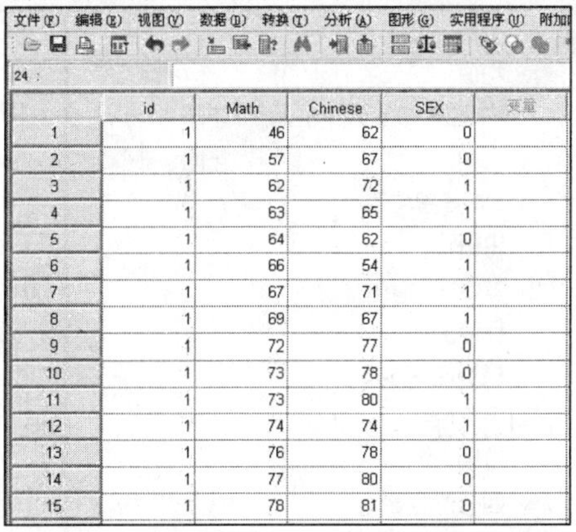

	id	Math	Chinese	SEX	变量
1	1	46	62	0	
2	1	57	67	0	
3	1	62	72	1	
4	1	63	65	1	
5	1	64	62	0	
6	1	66	54	1	
7	1	67	71	1	
8	1	69	67	1	
9	1	72	77	0	
10	1	73	78	0	
11	1	73	80	1	
12	1	74	74	1	
13	1	76	78	0	
14	1	77	80	0	
15	1	78	81	0	

图 3-24 “3-3”数据文件的数据视图

2. 实验操作步骤

Step 01 打开“3-3”数据文件，进入 SPSS Statistics 数据编辑器窗口，然后在菜单栏中选择“分析”|“描述统计”|“探索”命令，打开“探索”对话框。

Step 02 将变量“Math”选入“因变量列表”，将“SEX”选入“因子列表”，将“班级”选入“标注个案”列表。

Step 03 单击“统计量”按钮，选中“描述性”复选框；单击“绘制”按钮，选中“箱图”选项组中的“按因子水平分组”、“描述性”选项组中的“茎叶图”、“带检验的正态图”复选框。

Step 04 在“探索”对话框中选中“输出”选项组中的“两者都”单选按钮，然后单击“确定”按钮就可以输出探索分析的结果。

3. 实验结果及分析

单击“确定”按钮，SPSS Statistics查看器窗口的输出结果如图3-25~图3-31所示。

图3-25给出了探索分析中的变量样本数据的有效个数和百分比、缺失个数和百分比及合计个数和百分比。通过“案例处理摘要”可以看出本实验中无数据缺失。

案例处理摘要

		案例					
		有效		缺失		合计	
	性别	N	百分比	N	百分比	N	百分比
数学（分）	男	47	100.0%	0	.0%	47	100.0%
	女	33	100.0%	0	.0%	33	100.0%

图 3-25 案例处理摘要

图3-26给出了数学成绩按照性别分类的一些统计量，如均值、中值、方差、标准差等。通过该表可以看出女生数学成绩均值要比男生大，而女生数学成绩中值却小于男生的中值。

性别			统计量	标准误
数学（分）男	均值		78.64	1.514
	均值的95%置信区间	下限	75.59	
		上限	81.69	
	5%修整均值		78.78	
	中值		81.00	
	方差		107.714	
	标准差		10.379	
	极小值		53	
	极大值		98	
	范围		45	
	四分位距		16	
	偏度		-.367	.347
	峰度		-.533	.681
女	均值		78.82	1.934
	均值的95%置信区间	下限	74.88	
		上限	82.76	
	5%修整均值		79.35	
	中值		79.00	
	方差		123.403	
	标准差		11.109	
	极小值		46	
	极大值		99	
	范围		53	
	四分位距		13	
	偏度		-.771	.409
	峰度		1.320	.798

图 3-26　描述图

　　图3-27给出了因变量样本数据按照因子变量分类的正态性检验结果。列中"统计量"表示检验统计量的值，"df"表示检验的自由度，"Sig."表示检验的显著水平。对本实验而言，正态检验的原假设是：数据服从正态分布。根据"正态性检验"中Kolmogorov-Smirnov统计量、Shapiro-Wilk统计量可以看出，女生和男生的数学成绩的显著水平都大于5%，接受原假设，即都服从正态分布。

　　图3-28给出了女生数学成绩的茎叶图。图中"Frequency"表示相应数据的频数，"Stem"即茎，"Leaf"即叶，两者分别表示数据的整数部分和小数部分，"Stem width"表示茎宽。

　　图3-29和图3-30分别给出了女生数学成绩的标准Q-Q图和趋降Q-Q图。标准Q-Q图中的观察点都分布在直线附近，趋降Q-Q图中的点除了极个别点外分布在0值横线附近，因此显示样本数据服从正态分布，这个结论和正态性检验的结论一致。

```
数学（分） Stem-and-Leaf Plot for
SEX= 女


Frequency    Stem &  Leaf

   1.00 Extremes    (=<46)
   1.00     5 .  7
   1.00     6 .  4
   3.00     6 .  678
   3.00     7 .  234
   9.00     7 .  566778899
   4.00     8 .  2334
   7.00     8 .  5566789
   2.00     9 .  24
   2.00     9 .  69


Stem width:       10
Each leaf:     1 case(s)
```

正态性检验							
	性别	Kolmogorov-Smirnov[a]			Shapiro-Wilk		
		统计量	df	Sig.	统计量	df	Sig.
数学（分）	女	.097	33	.200[*]	.963	33	.324
	男	.110	47	.200[*]	.971	47	.291
a. Lilliefors 显著水平修正							
*. 这是真实显著水平的下限。							

图 3-27　正态性检验表　　　　　　　　　　　图 3-28　茎叶图

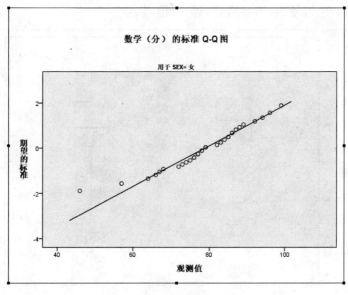

图 3-29　标准 Q-Q 图

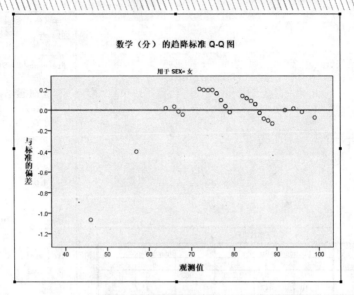

图 3-30　趋降标准 Q-Q 图

图3-31给出了按因子变量性别区分的数学成绩的箱图，其中箱图两头的两条实线分别表示最大值和最小值，中间的黑色实线表示中位数，而箱体的上下两端为四分位数。在本实验中女生数学成绩有一个编号为1的异常点或离群值。

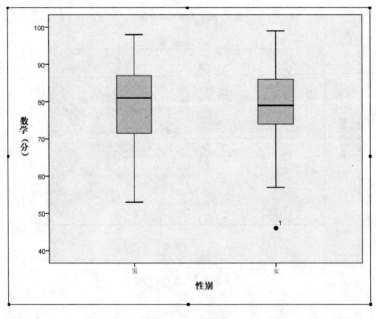

图 3-31　箱图

3.4　列联表分析

列联表分析可以进行非数值性变量的相关性的分析，在理论研究和实际工作中具有广泛的应用。SPSS的交叉表分析过程可以方便地进行列联表分析，本书下面介绍其相关操作。

3.4.1　列联表分析简介

列联表是将观测数据按不同属性进行分类时列出的频数表。列联表分析常用于分析离散变量的名义变量和有序变量是否相关，在市场调查和分析中具有广泛的应用。

SPSS 的交叉表分析过程可以对计数资料和某些等级资料进行列联表分析，并对二维和多维列联表资料进行统计描述和卡方检验，并计算相应的百分数指标。此外，SPSS 的交叉表分析过程还可以进行 Fisher 精确检验、对数似然比检验等统计检验并输出相关的统计量。下面是在列联表分析中用到一些统计量：

①总体分布检验时的卡方检验统计量　计算公式如下：

$$\chi^2 = \sum_{i=1}^{k} \frac{(f_i - E_i)^2}{f_i} \qquad (3\text{-}11)$$

式中 k 为子集个数，f_i 为落入第 i 个子集的实际观测值频数，E_i 是落入第 i 个子集的理论频数，它等于变量值落入第 i 个子集的频率 p_i（按照假设的总体分布计算）与观测值个数 n 的乘积 $E_i = np_i$，如果分布的假设为真，则统计量 x^2 服从自由度为 $k-1$ 的卡方分布。注意：一般要求 E_i 大于5，如果不满足要求，可以与相邻子集合并。

②列联分析中的卡方检验统计量　计算公式如下：

$$\chi^2 = \sum_{i=1}^{k} \sum_{j=1}^{r} \frac{(f_{ij} - E_{ij})^2}{f_{ij}} \qquad (3\text{-}12)$$

式中 k 为列联表行数，r 为列联表列数，f_{ij} 为观测频数，E_{ij} 为期望频数。如果行列间的变量是相互独立的，则统计量 x^2 服从自由度为 $(k-1)(r-1)$ 的卡方分布。

③似然比统计量　似然比卡方统计量适用于名义尺度的变量，其统计量为：

$$T = 2\sum_{i=1}^{k} f_i \ln \frac{f_i}{E_i} \qquad (3\text{-}13)$$

式中的字母的含义同卡方统计量。当样本很大时，与卡方统计量接近，检验结论与卡方检验是一致的。

④列联系数　列联系数适用于名义尺度的变量，其统计量为：

$$C = \sqrt{\frac{\chi^2}{\chi^2 + n}} \qquad (3\text{-}14)$$

x^2含义见卡方检验统计量，n为样本容量。列联系数趋于1时，两类变量相关程度越好。

⑤Ph_i系数　Ph_i系数适用于名义尺度的变量，其统计量为：

$$\varphi = \sqrt{\frac{\chi^2}{n}} \qquad (3\text{-}15)$$

Ph_i系数是对x^2统计量的修正。

3.4.2　列联表分析的 SPSS 操作

打开相应的数据文件或者建立一个数据文件后，可以在 SPSS Statistics 数据编辑器窗口进行列联表分析。

1）在SPSS Statistics数据编辑器窗口的菜单栏中选择"分析"|"描述统计"|"交叉表"命令，打开如图3-32所示的"交叉表"对话框。

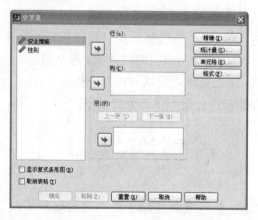

图 3-32　"交叉表"对话框

2）选择变量

在源变量列表中选择行变量，然后单击 按钮将选中的变量选入右侧"行"中，将列变量选入右侧"列"中；如果有分层变量，则将其选入右侧"层1的1"中。

①"行"列表　该列表中的变量为交叉分析表的行变量，变量的属性一般为数值型变量或者字符型变量。

②"列"列表　该列表中的变量为交叉分析表的列变量，变量的属性也一般为数值型变量或者字符型变量。

③"层1的1"列表　该文本框中的变量为交叉表分析中分层变量，该变量主要用于对频数分布表进行分层，对每一层都可以进行行和列的交叉表分析；如果需要加入新的分层变量，

单击"下一张"按钮，需要修改已经加入的分层变量，单击"上一张"按钮返回即可。

3）进行相应设置

"精确检验"设置

单击"精确"按钮，弹出如图3-33所示的"精确检验"对话框。

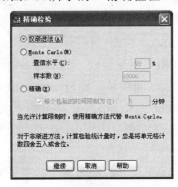

图 3-33　"精确检验"对话框

该对话框主要用于设置计算显著性水平的方法，有3种方法：

①仅渐进法　适用于具有渐进分布的大样本数据，基于统计量的渐进分布计算相应的显著性水平（P值），当输出的显著性水平低于临界值时，认为是显著的且可以拒绝原假设。

②Monte Carlo　即蒙特卡洛估计法，该方法不需要样本数据具有渐进分布的前提假设，为精确显著性水平的无偏估计，是非常有效的计算确切显著性水平的方法，在"置信水平"输入框中输入置信水平来确定置信区间的范围（默认是99%），在"样本数"输入框中输入样本的抽样次数（默认是10000次）。

③精确　表示给定时间限制下计算统计量的显著水平（P值），一般在给定时间限制的情况下，使用精确方法代替蒙特卡洛估计法。另外，对于非渐进方法，计算检验统计量时，总是将单元格计数四舍五入或者舍位。系统默认的精确检验方法为"仅渐进法"。

"统计量"设置

单击右侧"统计量"按钮，弹出如图3-34所示的"交叉表：统计量"对话框。

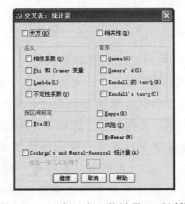

图 3-34　"交叉表：统计量"对话框

"交叉表：统计量"对话框用于设置输出的统计量。各选项（统计量）（组）含义介绍如下：

①卡方　勾选该复选框表示对行变量和列变量的独立性进行卡方检验，主要包括：Pearson卡方检验、似然比检验、线性和线性组合检验、Fisher的精确检验和连续校正检验。其中连续校正检验仅适用于二维表格，是根据卡方分布为连续变量而交叉表中的数据不是连续分布时SPSS自动对交叉表进行连续性校正得到的检验统计量。小样本下主要参考连续校正检验和Fisher的精确检验的结果。

②相关性　主要对变量进行相关系数检验，包括Spearman相关系数检验和Person相关系数检验。Person相关系数检验是按区间检验，而Spearman相关系数检验则是按照顺序检验。

③Kappa　主要通过输出Cohen's Kappa统计量来衡量对同一对象的两种评估是否具有一致性，取值范围在0到1之间，1表示完全一致而0表示完全不一致。该统计量仅仅适用于行变量和列变量取值个数和范围一致时的情况。

④风险　用来衡量某事件（行变量）对某因素（列变量）的影响大小。建议仅对无空单元格的二维表计算。

⑤McNemar　通过输出McNemar-Bowker统计量来对二值变量的非参数检验，利用卡方分布对响应变化进行检验，如可以用来检验车祸前和车祸后，司机对安全意识的变化。该检验仅仅在行变量和列变量相等时才可以做。

⑥Cochran's and Mantel-Hasenszel统计量　该复选框是对一个二值因素变量和一个二值响应变量的独立性进行检验，在"检验一般几率比等于"输入框中输入一个正数（默认为1）。

⑦"名义"选项组　该选项组主要用于名义变量统计量的设定，包括4个复选项：

- 相依系数：表示基于卡方检验的相关性的检验，取值在0到1之间，0表示完全不相关而1表示完全相关；
- Phi和Cramer变量：同样是两个表示相关性的检验统计量；
- Lambda：对有序变量相关性的度量，取值在-1到1之间，-1表示完全负相关、1表示完全正相关、0表示完全不相关；
- 不定性系数：表示用一个变量预测其他变量时的预测误差降低比例，取值在0到1之间，0表示完全不能预测而1表示预测完全准确。

⑧"有序"选项组　该选项组主要用于有序变量统计量的设定，也包括4个复选项：

- Gamma：该统计量是对两个有序变量相关性的对称度量，取值在-1到1之间，-1表示变量之间完全负相关、1表示完全正相关、0表示完全无关。
- Somers'd：该统计量是对两个有序变量相关性的非对称度量，取值在-1到1之间，-1表示变量之间完全负相关、1表示完全正相关、0表示完全无关。
- Kendall的 tau-b：该统计量是对有序变量相关性的非参数检验，取值在-1到1之间，-1表示变量之间完全负相关、1表示完全正相关、0表示完全无关。
- Kendall's tau-c：该统计量同样是对有序变量相关性的非参数检验，不过计算时不考虑相同的观测值，取值同样在-1到1之间。

⑨"按区间标定"选项组　该选项组用于检验一个连续变量和一个分类变量的相关性，仅含有一个复选项："Eta"，输出的是两个值，分别将列变量和行变量作为因变量进行计算，取值在0~1之间，0表示完全不相关而1表示完全相关。

"单元显示"设置

单击右侧"单元格"按钮，弹出如图3-35所示的"交叉表：单元显示"对话框。

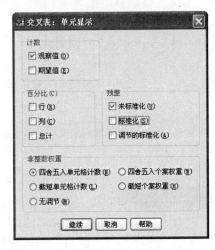

图 3-35　"交叉表：单元显示"对话框

"交叉表：单元显示"对话框也用于设置输出的统计量。

①"计数"选项组　该选项组主要用于对输出的观测值数量进行设置，包括两个复选项："观测值"，表示按照变量观测值的实际数目显示；"期望值"，表示输出的是期望的观察值数目。

②"百分比"选项组　该选项组主要用于对百分比进行设置，包括3个复选项："行"，表示要输出行方向的百分比；"列"，表示要输出列方向的百分比；"总计"，表示要输出行或者列方向总的百分比

③"残差"选项组　该选项组主要用于对残差进行设置，也包括3个复选项："未标准化"，表示输出的残差没有经过标准化处理，为原始残差；"标准化"，表示输出的残差是经过标准化处理后的残差，即原始残差除以标准差后的残差；"调节的标准化"，表示输出的是经过标准误调整之后的残差。

④"非整数"选项组　该选项组主要用于对加权处理的非整数频数进行取整的设置，有5种方法：

- 四舍五入单元格计数，表示对加权处理后的频数进行四舍五入取整。
- 四舍五入个案权重，表示对加权处理前进行四舍五入取整。
- 截短单元格计数，表示对加权处理后的频数进行截短舍位取整。
- 截短个案权重，表示对加权处理前进行截短舍位取整。
- 无调节，表示对频数不做任何调节。

"表格格式"设置

单击右侧"格式"按钮，弹出如图3-36所示的"交叉表：表格格式"对话框。该对话框主要用于设置输出结果的显示顺序。

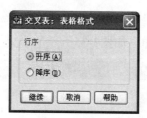

图 3-36　"交叉表：表格格式"对话框

4）分析结果输出

设置完毕后，单击"确定"按钮，就可以在SPSS Statistics查看器窗口得到交叉表分析的结果。

3.4.3 实验操作

下面将以数据文件"3-4"为例，说明交叉表分析的具体操作过程。

1. 实验数据描述

数据文件"3-4"来源于山东人民出版社出版的《常用统计方法》。调研人员为了调查男性和女性购车者在购车方面的观点调查了一百名购车人，分析性别对安全措施的偏好是否有联系。其中，数据文件提供的安全措施有"ABS刹车"、"改良悬架"、"气袋"、"自动门锁"和"电路控制"。本数据文件的原始EXCEL数据文件如图3-37所示。

	A	B	C
1	安全措施	性别	
14	ABS刹车	男	
15	ABS刹车	男	
16	改良悬架	男	
17	改良悬架	男	
18	改良悬架	男	
19	改良悬架	男	
20	改良悬架	男	
21	气袋	男	
22	气袋	男	
23	气袋	男	
24	气袋	男	
25	气袋	男	
26	气袋	男	
27	气袋	女	
28	气袋	女	
29	气袋	女	
30	气袋	女	

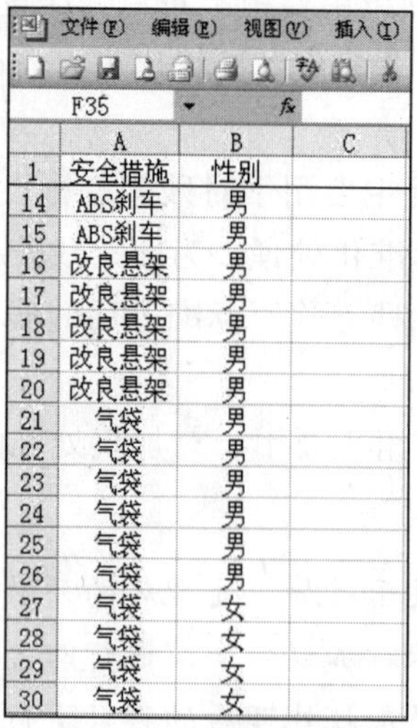

图 3-37　"3-4"数据文件原始数据

在SPSS的变量视图中，建立"安全措施"与"性别"变量，分别表示购车者最注重的安全措施和购车者的性别，如图3-38所示。

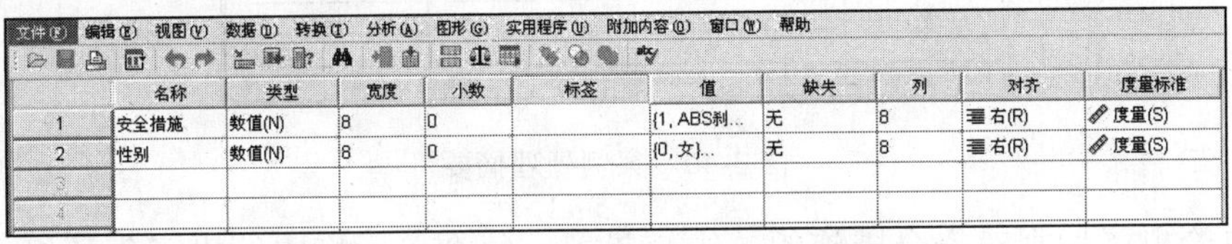

图 3-38　"3-4"数据文件的变量视图

在SPSS活动数据文件中的数据视图中，把相关数据输入到各个变量中。其中，在"安全措施"变量中将"ABS刹车"、"改良悬架"、"气袋"、"自动门锁"和"电路控制"分别赋值为"1"、"2"、"3"、"4"和"5"；在"性别"变量中将"男"和"女"分别赋值为"1"和"0"。输入完毕如图3-39所示。

图 3-39　"3-4"数据文件的数据视图

2. 实验操作步骤

Step 01　打开"3-4"数据文件，进入 SPSS Statistics 数据编辑器窗口，在菜单栏中依次选择"分析"|"描述统计"|"交叉表"命令，打开"交叉表"对话框。

Step 02　将"性别"变量选入"行"列表，将"安全措施"选入"列"列表。

Step 03　单击"精确"按钮，选中"仅渐进法"单选按钮；单击"统计量"按钮，选中"卡方"复选框；单击"单元格"按钮，选择"观测值"、"四舍五入单元格计数"；单击"格式"按钮，选择"升序"。

Step 04　在"交叉表"对话框中选中"显示复式条形图"复选框，然后单击"确定"按钮就可以输出交叉表分析的结果。

3. 实验结果及分析

SPSS Statistics查看器窗口的输出结果如图3-40~图3-43所示。

图3-40给出了交叉表分析中的变量样本数据的有效个数和百分比、缺失个数和百分比及合计个数和百分比。通过"案例处理摘要"可以看出本实验中无数据缺失。

案例处理摘要

	案例					
	有效的		缺失		合计	
	N	百分比	N	百分比	N	百分比
性别 * 安全措施	100	100.0%	0	.0%	100	100.0%

图 3-40　案例处理摘要

图3-41给出了性别对安全措施的二维交叉表，每个单元格中给出了每种组合的实际频数，即对原始数据的表示。通过"性别*安全措施交叉表"可以看出样本数据中女性有5人选择了ABS刹车而男性有15人选择了ABS刹车，总共有20人选择了ABS刹车。

性别* 安全措施 交叉制表

计数

		安全措施					合计
		ABS刹车	改良桥架	气袋	自动门锁	电路控制	
性别	女	5	5	10	20	10	50
	男	15	5	20	5	5	50
合计		20	10	30	25	15	100

图 3-41　性别*安全措施交叉制表

图3-42给出了对行变量和列变量是否独立的卡方检验。对于本实验而言，卡方检验的原假设是：不同性别对选择安全措施无显著影响。"值"表示检验统计量的值，"df"表示检验的自由度，"渐进Sig.（双侧）"表示双侧检验的显著水平。从"卡方检验"表可以看出，Pearson卡方检验、似然比检验、线性和线性组合检验都显示为0.001，显然拒绝原假设，即认为性别对选择安全措施有显著的影响，女性和男性在选择安全措施方面显著不同。

图3-43给出了按性别分类的频数分布条形图，每个条形给出了相应性别选择不同安全措施的频数。通过"条形图"可以看出不同的性别对安全措施的选择显著不同，如女性选择最多的安全措施是自动门锁，而男性却选择自动门锁的人数则最少。

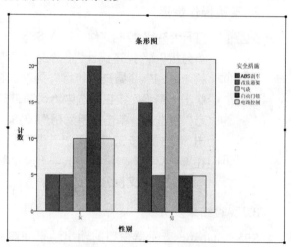

卡方检验

	值	df	渐进 Sig.（双侧）
Pearson 卡方	19.000ᵃ	4	.001
似然比	19.967	4	.001
线性和线性组合	11.472	1	.001
有效案例中的 N	100		

a. 0 单元格(.0%)的期望计数少于 5。最小期望计数为 5.00。

图 3-42　卡方检验表　　　　　　　　　　图 3-43　条形图

3.5　比率分析

比率分析，又称为比率统计量过程，提供了一个描述两个数值变量间比率的摘要统计量的综合列表。

3.5.1　比率分析简介

比率分析提供了一个描述两个数值变量间比率的摘要统计量的综合列表。该分析不仅可以提供中位数、均值、加权均值、范围、最小和最大值等基本统计指标，还可以提供离差系数（COD）、以均值为中心的变异系数、价格相关微分（PRD）、标准差、平均绝对偏差（AAD）、对用户指定的范围或中位数比率中的百分比所计算的集中指数等等。如果对某城市不同地段房产的估价和实际售价之间差异感兴趣，就可以利用SPSS 17.0提供的比率统计量进行分析。

3.5.2　比率分析的 SPSS 操作

打开相应的数据文件或者建立一个数据文件后，可以在 SPSS Statistics 数据编辑器窗口进行比率分析。

1）在菜单栏中选择"分析"|"描述统计"|"比率"命令，打开图3-44所示的"比值统计量"对话框。

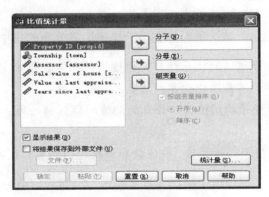

图 3-44　"比值统计量"对话框

2）选择变量

对话框右侧有 3 个输入框：

- 分子：该文本框中的变量为比率分析中需要计算比率统计量的分子部分，分子变量的度量标准一般为度量变量（或者说刻度变量），且必须取正值。
- 分母：该文本框中的变量为比率分析中需要计算比率统计量的分母部分，分母变量的度量标准也是度量变量（或者说刻度变量），且必须取正值。
- 组变量：该文本框中的变量为比率分析中进行分组的变量，一般是名义或序数度量，使用数值代码或字符串以对分组变量进行编码。

从源泉变量列表中选择相应的"分子"、"分母"、"组变量"，以图 3-44 中的变量为例，完毕之后，如图 3-45 所示。

3）进行相应设置

"统计量"设置

单击右下的"统计量"按钮，弹出如图3-46所示的"比率统计量：统计量"对话框：

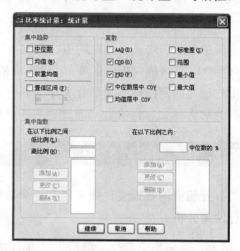

图 3-45   "比值统计量"对话框   图 3-46   "比率统计量：统计量"对话框

"比率统计量：统计量"对话框主要用于设置需要输出的统计量，包括3个选项组。

①"集中趋势"选项组   该选项组主要用于描述比率分布的集中趋势：

- 中位数，表示小于该值的比率数与大于该值的比率数相等；
- 均值，表示比率的总和除以比率的总数所得到的结果；
- 权重均值，表示分子的均值除以分母的均值所得到的结果，也是比率按分母加权之后的均值；
- 置信区间，表示用于显示均值、中位数和加权均值的置信区间，取值范围是0到100。

②"离散"选项组   该选项组中的统计量主要用于测量观察值中的变差量或分散量，包括9个统计量：

- AAD，即平均绝对偏差，表示中位数比率的绝对离差求和并用值除以比率总数所得的值；
- COD，即离差系数，表示将平均绝对偏差表示为中位数的百分比的值；
- PRD，即价格相关微分，也称为回归指数，表示均值除以加权均值所得到的值；
- 中位数居中 COV，即中位数居中的方差系数，表示将与中位数偏差的均方根表示为中位数百分比的值；
- 均值居中COV，即均值居中的方差系数，表示将标准差表示为均值百分比的值；

- 标准差，表示比率与比率均值间偏差的平方之和，再除以比率总数减一，取正的平方根所得到的值；
- 范围，表示数据中最大的比率减去最小的比率所得的值；
- 最小值，即最小的比率；
- 最大值，即最大的比率。

③"集中指数"选项组　该选项组主要用于度量落在某个区间中的比率的百分比，包括3个输入框：

- 低比例，表示指定度量区间的最低比率值，一般指定小于1。
- 高比例，表示指定度量区间的最高比率值，一般指定大于1。
- 在以下比例之内，表示通过指定中位数的百分比而隐式定义区间大小，输入范围在 0 到 100 之间，由此计算的区间下界等于$(1-0.01\times$ 值$)\times$ 中位数，上界等于$(1+0.01\times$ 值$)\times$ 中位数。

按组变量排序

选中该复选框表示输出结果将按照组变量的顺序排序。"升序"，表示按组变量升序排序；"降序"，表示按组变量降序排序。

显示结果

选中该复选框，表示仅在SPSS Statistics查看器窗口得到比率分析的结果；"将结果保存到外部文件"，表示可以将比率分析的结果以其他文件形式保存，具体操作可以单击该复选框下方的"文件"按钮进行保存，如图3-47所示。

图3-47　将分析结果保存到外部文件

4）分析结果输出

设置完毕后，单击"确定"按钮，就可以在SPSS Statistics查看器窗口得到比率分析的结果。

3.5.3 实验操作

下面将以"3-5"数据文件为例，说明比率分析的具体操作过程和对结果进行说明解释。

1. 实验数据描述

"3-5"数据文件来源于SPSS 17.0自带的数据文件"property_assess.sav"，该假设数据文件涉及某县资产评估员资产价值评估方面的记录，下面将利用比率分析来评估该县五个地点自从上次资产评估后资产价值的变化。个案对应过去一年中县里所出售的资产。数据文件中的每个个案记录资产所在的镇、最后评估资产的评估员、该次评估距今的时间、当时的估价以及资产的出售价格。本数据文件的原始EXCEL数据文件如图3-48所示。

	A	B	C	D	E	F
1	编号	城镇编号	评估员编号	资产的出售价格(万)	上次估价(万)	该次评估距今的时间(月)
2	1	4	16	110.6	107	1
3	2	3	11	171.4	104.8	4
4	3	1	7	276.5	209	3
5	4	3	10	273.6	179.5	2
6	5	1	27	175.1	156.4	3
7	6	3	16	258.6	146.6	5
8	7	4	6	95	86.4	4
9	8	4	16	98.8	87.9	2
10	9	2	1	195.1	167	2
11	10	5	11	141.3	127.8	2
12	11	5	8	116	116.8	5
13	12	3	12	251.5	95.2	15

图 3-48 "3-5"数据文件原始数据

在SPSS变量视图中建立变量"propid"、"town"、"assessor"、"saleval"、"lastval"、"time"，分别表示记录的资产、资产所在的镇、最后评估资产的评估员、当时的估价以及资产的出售价格、该次评估距今的时间，如图3-49所示。

	名称	类型	宽度	小数	标签	值	缺失	列	对齐	度量标准
1	propid	数值(N)	8	2	Property ID	无	无	8	右(R)	度量(S)
2	town	数值(N)	4	0	Township	{1, Eastern}...	无	8	右(R)	名义
3	assessor	数值(N)	8	2	Assessor	无	无	8	右(R)	度量(S)
4	saleval	数值(N)	8	2	Sale value of ho...	无	无	8	右(R)	度量(S)
5	lastval	数值(N)	8	2	Value at last ap...	无	无	8	右(R)	度量(S)
6	time	数值(N)	4	0	Years since las...	无	无	8	右(R)	度量(S)
7										

图 3-49 "3-5"数据文件的变量视图

然后在SPSS活动数据文件的数据视图中，把搜集的数据输入到各个变量中，输入完毕后如图3-50所示。

	propid	town	assessor	saleval	lastval	time
1	1.00	4	16.00	110.60	107.00	1
2	2.00	3	11.00	171.40	104.80	4
3	3.00	1	7.00	276.50	209.00	3
4	4.00	3	10.00	273.60	179.50	2
5	5.00	1	27.00	175.10	156.40	3
6	6.00	3	16.00	258.60	146.60	5
7	7.00	4	6.00	95.00	86.40	4
8	8.00	4	16.00	98.80	87.90	2
9	9.00	2	1.00	195.10	167.00	2
10	10.00	5	11.00	141.30	127.80	2
11	11.00	5	8.00	116.00	116.80	5
12	12.00	3	12.00	251.50	95.20	15
13	13.00	1	4.00	277.40	225.70	3
14	14.00	2	28.00	223.20	226.60	1
15	15.00	5	6.00	168.90	164.90	2

图 3-50 "3-5"数据文件的数据视图

2. 实验操作步骤

具体操作步骤如下：

Step 01 打开"3-5"数据文件，进入 SPSS Statistics 数据编辑器窗口，在菜单栏中选择"分析"|"描述统计"|"比率"命令，打开图"比值统计量"对话框。然后将"lastval"选入"分子"，将"sale"选入"分母"；将"town"选入"组变量"。

Step 02 单击"统计量"按钮，选中"集中趋势"选项组中的"均值"复选框；选中"离散"选项组的"PRD"、"均值居中 COV"；在"集中指数"选项组中的"低比例"中输入 0.8、在"高比例"中输入 1.2，并单击"添加"按钮，最后单击"继续"按钮，保存设置结果。

Step 03 单击"确定"按钮，执行比率分析。

3. 实验结果及分析

单击"确定"按钮，SPSS Statistics查看器窗口的输出结果如图3-51和图3-52所示。

图3-51给出了"3-5"数据文件的案例处理摘要，从该表可以看出该县五个地点资产的数目和相应的百分比情况。

图3-52给出了lastval/saleval的各个比率统计量数值。从该表可以得到每个地点资产价值上次评估值与售价之间比率的均值、价格相关系数、均值居中的方差系数和百分比介于0.8和1.2之间的集中系数。具体而言，可以发现每个地点的比率均值都小于1，可见售价都小于资产价值的上次评估价值；价格相关微分都略大于1，表示资产价值的比率均值与比率权重均值相差不大；南部的均值居中方差系数最大，表示南部的资产价格评估值与售价之间的比率变动最大；北部的集中系数最大，说明北部的资产评估值与售价比率最为集中。

案例处理摘要

		计数	百分比
Township	Eastern	177	17.7%
	Central	187	18.7%
	Southern	205	20.5%
	Northern	220	22.0%
	Western	211	21.1%
总数		1000	100.0%
排除的		0	
总计		1000	

Value at last appraisal / Sale value of house 的比率统计量

			方差系数	集中系数
组	均值	价格相关微分	均值居中	百分比介于 0.8 和 1.2 之间（包含 0.8 和 1.2）
Eastern	.860	1.013	16.6%	67.2%
Central	.899	1.010	15.9%	75.9%
Southern	.759	1.027	25.7%	36.1%
Northern	.959	1.004	9.0%	95.9%
Western	.805	1.002	15.2%	55.5%
总数	.857	1.025	18.5%	66.3%

图 3-51　案例处理摘要　　　　　图 3-52　lastval/saleval 的比率统计量

上机题

	光盘：\多媒体文件\上机题教学视频\chap03.wmv
	光盘：\源文件\上机题\chap03\...

3.1 某劳动人事机构统计了某地成年人体重的抽样调查数据，其中"性别"中"0"和"1"分别表示"女生"和"男生"。部分相关数据如下表所示。

观测编号	体重（千克）	性别
1	64	0
2	66	1
3	67	1
4	68	0
5	68	0
6	69	1
7	70	1
8	70	1
9	71	0
10	72	1
11	72	0
12	73	0
13	73	0
14	73	1
15	73	1

（1）试给出体重的均值、标准差、四分位点。

（2）统计并绘制频数分布直方图。

3.2 现有我国31个省、市、自治区的GDP的统计数据。下表列出了部分数据。

省份	GDP（亿）
上海	5400
北京	3130
天津	1900
浙江	7400
江苏	10000
广东	11000
福建	4100
山东	10500
辽宁	4600
新疆	1600
湖北	5000
河北	5500
吉林	2100
海南	600
湖南	4200

试给出 GDP 的平均值、中位数、标准差、偏态和峰度

3.3 为分析学生理科学习的情况，调查者观察了两个班级学生的数学和物理成绩。试先对学生的成绩按照五级制划分等级并做出等级的交叉分析表分析数学和物理成绩之间是否存在关联。

班级	数学	物理	性别
1	85	89	男
1	87	88	男
1	88	90	男
1	88	87	男
1	89	92	男
1	90	87	男
1	96	97	男
2	53	53	男
2	62	63	男
2	63	76	男
2	64	58	男

班级	数学	物理	性别
2	66	47	男
2	68	68	男
2	71	70	男
2	72	78	男

（1）试用 SPSS 对学生的成绩按照五级制划分等级。

（2）试做出等级的交叉分析表分析数学和物理成绩之间是否存在关联。

3.4 某地对小学生的身体发育状况进行了抽样调查，得到了106名小学生的肺活量数据。部分相关数据如下表所示。

学号	肺活量（毫升）
30130	800
30087	1100
30088	1000
30057	900
40041	700
40114	600
30077	900
40010	700
30064	700
40016	552
30125	700
40107	520
40040	700
30030	900
30092	750

试采用探索性分析方法，分析小学生的肺活量是否呈正态分布。

第4章 基本统计分析报表制作

在统计分析的过程中有时我们会需要包含多个统计量的分析报表，以获得变量的相关信息，为进一步的数据分析打下基础。SPSS的报告功能可以按照一定的要求，以列表的形式输出数据的相关统计量。

4.1 在线分析处理报告（OLAP）

在线分析处理报告（OLAP）可以对数据进行描述性分析，并给出交互性表格以方便用户自主选择报告的内容与形式。SPSS的的OLAP（联机分析处理）立方过程可以方便地生成在线分析处理报告，本书下面对其操作做详细介绍。

4.1.1 OLAP 简介

OLAP（联机分析处理）立方过程可以计算一个或多个分类分组变量类别中连续摘要变量的总和、均值和其他单变量统计量。其可以为每个分组变量的每个类别创建单独的层，表中的每一个层是依据一个分组变量的结果输出。在线分析处理报告（OLAP）最大的特点就是交互性强，用户可自主选择报告的内容与形式。

4.1.2 在 SPSS 中建立在线分析处理报告

打开相应的数据文件或者建立一个数据文件后，就可以在 SPSS Statistics 数据编辑器窗口建立在线分析处理报告。

1）在菜单栏中依次选择"分析"|"报告"|"OLAP立方"命令，打开如图4-1所示的"OLAP立方体"对话框。

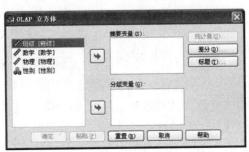

图 4-1 "OLAP 立方体"对话框

2）选择变量

对话框中间有两个空白列表框，介绍如下：

①摘要变量　该列表框中的变量为需要进行摘要分析的的目标变量，变量要求为数值型变量。

②分组变量　该列表框中的变量为"摘要变量"中目标变量的分组变量，该变量的属性可以是字符型或者取有限值的数值型变量。

3）进行相应的设置。

"统计量"设置

单击"统计量"按钮，弹出如图4-2所示"OLAP立方：统计量"对话框。

"OLAP立方：统计量"对话框由"统计量"和"单元格统计量"两个列表框组成。"统计量"列表框中给出了SPSS在线处理分析报告中可以计算的统计量，包括中位数、方差、偏度、峰度等。"单元格统计量"框中的统计量将显示在最终输出的表格里。

"差分"设置

单击"差分"按钮，弹出如图4-3所示的"OLAP立方：差分"对话框。

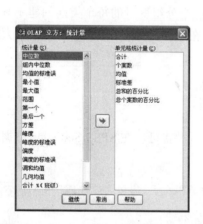

图 4-2　"OLAP 立方：统计量"对话框

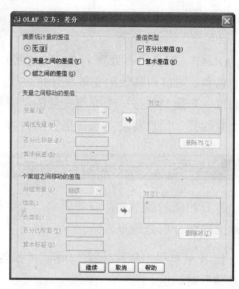

图 4-3　"OLAP 立方：差分"对话框

该对话框用于设置差异统计方式，主要包括以下4个选项组：

①摘要统计量的差值　该选项组包括"无"、"变量之间的差值"和"组之间的差值"3个单选按钮，分别表示不进行差异计算、计算变量之间的差异和计算分组之间的差异。若选择后面两项，将分别激活"变量之间移动的差值"和"个案组之间移动的差值"选项组。

②差异类型　该选项组包括"百分比差值"与"算数差值"两个复选框，用于选择要计算的差异统计量。

③变量之间移动的差值 该选项组设置关于变量之间差异的选项，需要至少两个汇总变量。该选项组包括"变量"、"减法变量"两个下拉框和"百分比标签"、"算数标签"两个输入框，分别用于设置对比的变量和差异形式。同时，SPSS支持多对变量比较，设置完成后单击箭头按钮使之进入"对"文本框即可，也可单击"删除对"按钮取消该变量对的比较。

④个案组之间移动的差值 用于设置关于组之间差异的选项，需要至少一个分组变量。该选项组包括一个"分组变量"下拉框和"类别"、"负类别"、"百分比标签"和"算数标签"4个输入框，分别用于设置分组变量、比较的各类别取值和差异方式。

"标题"设置

单击"标题"按钮，弹出如图4-4所示的"OLAP立方：标题"对话框。

该对话框用于设置输出表格标题，包括"标题"和"题注"两个文本框，分别用于输入表格标题和表格脚注。

4）分析结果输出

设置完毕后，单击"确定"按钮，就可以在SPSS Statistics查看器窗口得到在线分析处理报告。

在线分析处理报告最大的特点就是其交互性操作，双击如图4-5所示表格，便可以对表格进行交互式编辑。

	合计	N	均值	标准差	总和的 %	合计 N 的 %
数学	6297	80	78.71	10.617	100.0%	100.0%
物理	6386	80	79.82	10.833	100.0%	100.0%

图 4-4 "OLAP 立方：标题"对话框　　图 4-5 "OLAP 立方"交互式数据表

4.1.3 实验操作

下面以数据文件"4-1"为例，来制作一个在线分析处理报告。

1. 实验数据描述

数据文件"4-1"是两个班级学生的数学与物理成绩，本实验以该数据文件为例，绘制线分析处理报告（OLAP），本数据文件的原始EXCEL数据文件如图4-6所示。

在SPSS的变量视图中建立变量"ID"、"Math"、"PHY"和"SEX"，分别表示学生班级、数学成绩、语文成绩和性别，其中，性别变量中分别用"0，1"代表"女、男"，如图4-7所示。

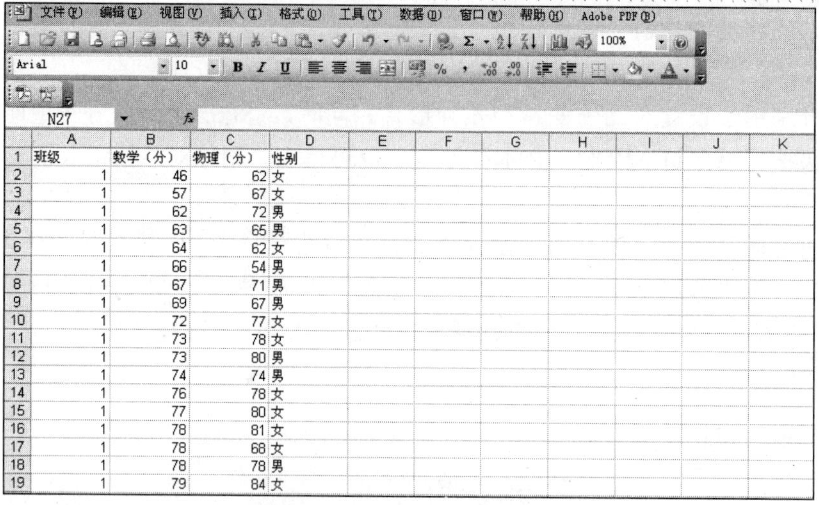

	A	B	C	D
1	班级	数学（分）	物理（分）	性别
2	1	46	62	女
3	1	57	67	女
4	1	62	72	男
5	1	63	65	男
6	1	64	62	女
7	1	66	54	男
8	1	67	71	男
9	1	69	67	男
10	1	72	77	女
11	1	73	78	女
12	1	73	80	男
13	1	74	74	男
14	1	76	78	女
15	1	77	80	女
16	1	78	81	女
17	1	78	68	女
18	1	78	78	男
19	1	79	84	女

图 4-6　数据文件 4-1 原始数据

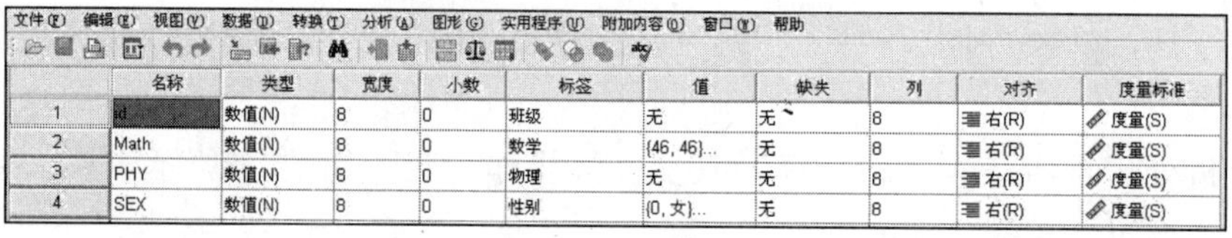

	名称	类型	宽度	小数	标签	值	缺失	列	对齐	度量标准
1	id	数值(N)	8	0	班级	无	无	8	右(R)	度量(S)
2	Math	数值(N)	8	0	数学	{46, 46}...	无	8	右(R)	度量(S)
3	PHY	数值(N)	8	0	物理	无	无	8	右(R)	度量(S)
4	SEX	数值(N)	8	0	性别	{0, 女}...	无	8	右(R)	度量(S)

图 4-7　数据文件 4-1 的变量视图

在SPSS活动数据文件中的数据视图中，把相关数据输入到各个变量中，输入完毕如图4-8所示。

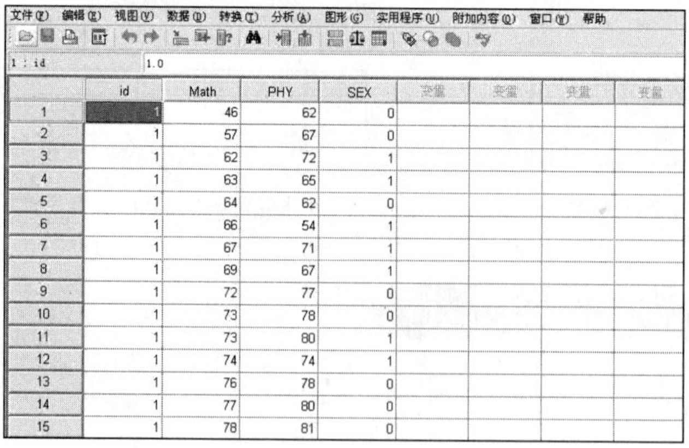

	id	Math	PHY	SEX
1	1	46	62	0
2	1	57	67	0
3	1	62	72	1
4	1	63	65	1
5	1	64	62	0
6	1	66	54	1
7	1	67	71	1
8	1	69	67	1
9	1	72	77	0
10	1	73	78	0
11	1	73	80	1
12	1	74	74	1
13	1	76	78	0
14	1	77	80	0
15	1	78	81	0

图 4-8　数据文件 4-1 的变量视图

2. 实验操作步骤

实验的具体操作步骤如下：

Step 01 在菜单栏中选择“分析”|“报告”|“OLAP 立方”命令，打开“OLAP 立方体”对话框。

Step 02 从源变量列表中选择"数学"变量和"物理"变量，然后单击 按钮将其选入"摘要变量"列表中；又从源变量列表中选择"班级"和"性别"，单击 按钮将其选入"分组变量"列表中。

Step 03 单击"统计量"按钮，弹出"OLAP立方：统计量"对话框，将"个案数"、"均值"、"标准差"、"峰度"和"偏度"选入"单元格统计量"框中。单击"继续"。

Step 04 单击"标题"对话框，弹出"OLAP立方：标题"对话框，在标题输入框中输入"学生成绩表"，单击"继续"。

Step 05 单击"确定"按钮，即输出在线处理分析报告。

3. 实验结果分析

图4-9的前半部分为案例处理摘要信息，它给出了分析中用到的案例个数和比例。我们可以看出，所有80个案例都被用于分析。

图4-9的后半部分是输出的OLAP统计表。我们可以从表格中看出相关的统计量的取值。此外我们还可以通过双击表格进行OLAP统计表的交互操作。

案例处理摘要

	案例					
	已包含		已排除		总计	
	N	百分比	N	百分比	N	百分比
数学 * 班级 * 性别	80	100.0%	0	.0%	80	100.0%
物理 * 班级 * 性别	80	100.0%	0	.0%	80	100.0%

学生成绩表

班级:总计
性别:总计

	合计	N	均值	标准差	总和的 %	合计 N的 %
数学（分）	6297	80	78.71	10.617	100.0%	100.0%
物理（分）	6386	80	79.82	10.833	100.0%	100.0%

图 4-9 在线处理分析报告输出结果

4.2 个案摘要报告

个案摘要报告可以将数据按用户的指定要求进行整理和报告，方便用户的分析过程。SPSS的个案汇总过程即可以方便地生成个案摘要报告，本书下面对其操作做详细介绍。

4.2.1 个案汇总过程简介

SPSS的个案汇总过程可以为一个或多个分组变量类别中的变量计算子组统计量并将各级别的统计量进行列表以形成个案摘要报告。在个案摘要报告中，每个类别中的数据值可以列出也可以不列出，对于大型数据集，可以选择只列出部分个案。

4.2.2 在 SPSS 中生成个案摘要报告

打开相应的数据文件或者建立一个数据文件后，可以在 SPSS Statistics 数据编辑器窗口中建立个案摘要报告。

1）在菜单栏中选择"分析"|"报告"|"个案汇总"命令，打开如图4-10所示的"摘要个案"对话框。

2）选择变量

从源变量列表中选择需要摘要分析的目标变量，然后单击 按钮将选中的变量选入"变量"列表中；选择分组变量，将其选入"分组变量"列表中。如图4-12所示。

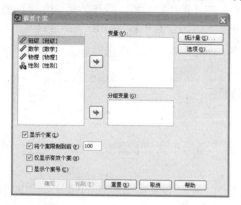

图4-10　"摘要个案"对话框

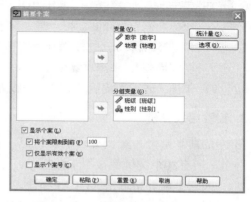

图4-11　"摘要个案"的变量选择

3）进行相应的设置

"统计量"设置

单击"统计量"按钮，弹出如图4-12所示"摘要个案：统计量"对话框。

"摘要个案：统计量"对话框与"OLAP立方体：统计量"对话框中所含统计量和设置方式上基本相同，在此不再赘述。

"选项"设置

单击"选项"按钮，弹出如图4-13所示的"选项"对话框。

图4-12　"摘要个案：统计量"对话框

图4-13　"选项"对话框

该对话框用于设置输出表格的相关选项，包括"标题"和"题注"两个文本框，分别用于输入表格标题和表格脚注。

如勾选"总计副标题"复选框，则表示把统计量的名称作为子标题显示在单元格内；如果勾选"按列表排除含有缺失值的个案"则表示只要分析中有一个变量取值缺失，就把这条记录从分析中删除；"缺失统计量显示为"输入框用于设置代表缺失值的符号。

4）分析结果输出

设置完毕后，单击"确定"按钮，就可以在SPSS Statistics查看器窗口得到个案摘要报告。

4.2.3 实验操作

下面同样以数据文件"4-1"为例,说明个案摘要报告的制作。

1. 实验数据描述

数据文件"4-1"是两个班级学生的数学与物理成绩。本实验以该数据文件为例,绘制个案摘要报告。

变量的建立和数据的输入与4.1.3节相同,在此不再赘述。

2. 实验操作步骤

实验的具体操作步骤如下:

Step 01 在菜单栏中选择"分析"|"报告"|"个案汇总"命令,打开"摘要个案"对话框。

Step 02 从源变量列表中选择"数学"变量和"物理"变量,然后单击⮕按钮选入"变量"列表中;选择"班级"和"性别"变量,选入"分组变量"列表中。

Step 03 单击"统计量"按钮,弹出"摘要报告:统计量"对话框,将"个案数"、"均值"、"标准差"、"峰度"和"偏度"选入"单元格统计量"框中,单击"继续"。

Step 04 单击"选项"对话框,弹出"选项"对话框,在标题输入框中输入"学生成绩表个案汇总表",单击"继续"。

Step 05 单击"确定",输出个案汇总表。

3. 实验结果分析

同样,图4-14的前半部分为案例处理摘要信息,它给出了分析中用到的案例个数和比例。我们可以看出,所有80个案例都用于了分析。

图4-14的后半部分是输出的个案摘要报告统计表,由于本书篇幅所限,只取一班男生部分进行分析。我们可以从表格中看出所有符合分类条件的变量以及相关统计量的取值以及分组情况。

个案汇总[a]				数学(分)	物理(分)
班级 1	性别 女		1	46	62
			2	57	67
			3	64	62
			4	72	77
			5	73	78
			6	76	78
			7	77	80
			8	78	81
			9	78	68
			10	79	84
			11	83	88
			12	85	88
			13	86	84
			14	89	90
			15	92	96
			16	94	94
			17	99	99
		总计 N		17	17
	男		1	62	72

案例处理摘要[a]						
	案例					
	已包含		已排除		总计	
	N	百分比	N	百分比	N	百分比
数学 * 班级 * 性别	80	100.0%	0	.0%	80	100.0%
物理 * 班级 * 性别	80	100.0%	0	.0%	80	100.0%
a. 限于前 100 个案例。						

图 4-14 个案摘要报告输出结果

4.3 行形式摘要报告

与个案摘要报告相比，行形式的摘要报告可以生成更复杂的报告形式。下面就来介绍SPSS的行形式摘要报告过程。

4.3.1 行形式摘要报告简介

行形式的摘要分析报告可以将数据重新组织，并按用户的要求列表在输出窗口输出。此外，行形式的摘要报告还可以进行相关的统计分析并给出相应的统计量。

4.3.2 行形式摘要报告的 SPSS 操作

打开相应的数据文件或者建立一个数据文件后，可以在 SPSS Statistics 数据编辑器窗口建立行形式摘要报告。

1）在菜单栏中选择"分析"|"报告"|"按行汇总"命令，打开如图4-15所示的"报告：行摘要"对话框。

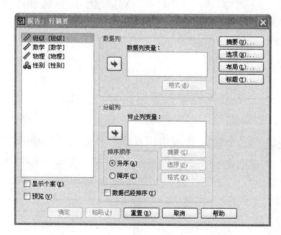

图 4-15 "报告：行摘要"对话框

2）选择变量

从源变量列表中选择需要摘要分析的目标变量，单击 按钮选入"数据列变量"列表中；从源变量列表中选择分组变量，单击 按钮选入"终止列变量"列表中，如图4-16所示。

3）对指定变量的参数设置

对于被选入"数据列"框的变量，可以单击其中的"格式"按钮打开对话框来设置变量的显示格式，如图4-17所示。

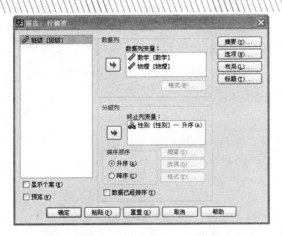

图 4-16　"报告：行摘要"的变量选择　　　　图 4-17　"报告：列格式"对话框

在"报告：列格式"对话框中，我们可以输入并调整列标题，调整列中位数的位置和列的内容以及列宽。

而对于被选入"分组列"的变量，除了可以设置其格式外还可以设置统计量、排列顺序和页面参数。

"摘要"设置

单击"分组列"中的"摘要"按钮，弹出如图4-18所示的"报告：摘要行"对话框。

可选的统计量包括：和、均值、最大值、最小值、标准差、峰度、方差、偏度、个案数、大于某个值的比例、小于某个值的比例和取值某个区间的比例（临界值在后面的输入框内输入）。

"选项"设置

单击"选项"按钮，弹出如图4-19所示的"报告：中断选项"对话框。

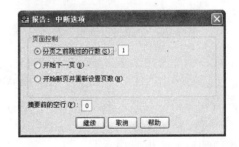

图 4-18　"报告：摘要行"对话框　　　　图 4-19　"报告：中断选项"对话框

"报告：中断选项"对话框包括"页面控制"选项组与"摘要前的空行"输入框。"页面控制"选项组用于设置分组类别输出的页面参数，有3种选择："分页之前跳过的行数"、"开始下一页"和"开始新页并重新设置页数"。

数据已经排序

如果使用分组变量分析前，数据已经按分组变量值进行排序，则可勾选此项以节省运行时间。

4）全部数据的参数设置

"摘要"设置

单击对话框右侧的"摘要"按钮，弹出的界面与分组变量下相同，参数选项和设置方法也一致，在此不再赘述。

"选项"设置

单击"选项"按钮，弹出如图4-20所示的"报告：选项"对话框。

"报告：选项"对话框中包括"按列表排除含有缺失值的个案"复选框以及"缺失值显示为"和"计算页数的起点"两个输入框。勾选"按列表排除含有缺失值的个案"，表示只要分析中有一个变量取值缺失，就把这条记录从分析中删除；"缺失统计量显示为"输入框用于设置代表缺失值的符号，"计算页数的起点"输入框用于指定输出结果的起始页码。

"布局"设置

单击"布局"按钮，弹出如图4-21所示的"报告：布局"对话框。

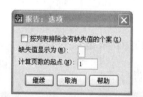

图4-20 "报告：选项"对话框

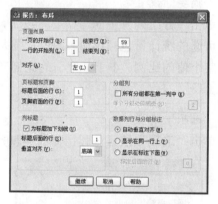

图4-21 "报告：布局"对话框

该对话框主要用于设置输出结果的格式。包括5个选项组：

①"页面布局"选项组 该选项组用于设置每页的行数和每行的列数以及对齐方式，设置时只需要在相应的输入框或下拉框中进行输入或选择。

②"页标题和页脚"选项组 该选项组用于设置标题后面和页脚前面的行，设置时只需要在相应的输入框中进行输入。

③"列标题"选项组 该选项组用于设置列标题的相关参数。

④"分组列"选项组 该选择组用于设置分组变量的输出位置，勾选"所有分组值都在第一列中"复选框，表示所有分组变量都在第一列给出；"每个分组处的缩进"输入框用于设置每一级分组向右缩进的字数。

⑤"数据列行与分组标注"选项组 该选择组用于设置数据列与分组表中的对齐方式，

共有"自动垂直对齐"、"显示在同一行上"和"显示在标注下面"三种方式可供选择。

"标题"设置

单击"标题"按钮,弹出如图4-22所示的"报告:标题"对话框。

图4-22 "报告:标题"对话框

该对话框包括变量列表及"页面标题行"与"页面页脚行"两个选项组。

①"页面标题行"选项组 "左"、"中心"、"右"输入框可以分别输入显示内容,最多可以指定十页的标题,各页的设置通过"上一张"和"下一张"按钮调节。

②"页面页脚行"选项组 该选项组用于设置页脚,设置方法同"页面标题行"选项组。

③"变量"列表 变量列表中给出了数据集中的变量。"特殊变量"列表中给出了两个系统变量"DATE"和"PAGE",选中它们后单击箭头按钮就可以把它们选入相应的显示位置。

显示个案

勾选此复选框表示在结果中显示所有的单个记录行。

预览

勾选此复选框后,SPSS将只输出第一页的显示结果作为预览,如果用户满意输出格式,只需取消该选项便可输出全部的显示结果。

5)分析结果输出

设置完毕后,单击"确定"按钮,就可以在SPSS Statistics查看器窗口得到行形式摘要报告。

4.3.3 实验操作

下面同样以数据文件"4-1"为例,说明行形式摘要报告的制作。

1. 实验数据描述

数据文件"4-1"是两个班级学生的数学与物理成绩。本实验以该数据文件为例，绘制行形式摘要报告。

变量的建立和数据的输入与4.1.3节相同，在此不再赘述。

2. 实验操作步骤

实验的具体操作步骤如下：

Step 01 在菜单栏中选择"分析"|"报告"|"按行汇总"命令，打开"报告：行摘要"对话框。

Step 02 从源变量列表中选择"数学"变量和"物理"变量，然后单击➡按钮将其选入"数据列变量"列表中；从源变量列表中选择"性别"变量，单击➡按钮将其选入"终止列变量"列表中。

Step 03 单击"分组列"下方的"摘要"按钮，弹出"报告：摘要行性别"对话框，勾选"个案数"、"均值"、"标准差"、"峰度"和"偏度"复选框，单击"继续"按钮。

Step 04 单击右侧"摘要"按钮，弹出"报告：摘要行"对话框。勾选"均值"和"标准差"复选框，单击"继续"按钮。

Step 05 单击"确定"，即输出行形式摘要报告，如图 4-23 所示。

性别	数学（分）	物理（分）
女		
均值(M)	79	81
N	33	33
StdDev	11	10
峰度	1.32	-.45
偏度	-.77	-.14
男		
均值(M)	79	79
N	47	47
StdDev	10	12
峰度	-.53	.49
偏度	-.37	-.93

图 4-23 行形式摘要报告输出信息

通过行形式的摘要报告，我们可以看出SPSS对数学和英语成绩按性别进行了汇总，此外我们还可以得到相关的统计量的取值。

4.4　列形式摘要报告

与行形式摘要报告对应的还有列形式摘要报告，下面对其操作做详细介绍。

4.4.1　列形式摘要报告简介

列形式摘要报告与行形式摘要报告功能基本相同，只是在输出格式上略有差异。

4.4.2　列形式摘要报告的 SPSS 操作

列形式摘要报告生成操作与行形式摘要报告类似，本节重点介绍其独特的特点。

1）在菜单栏中依次选择"分析"|"报告"|"按列汇总"命令，打开如图4-24所示"报告：列摘要"对话框。

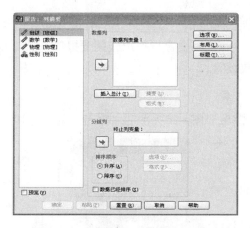

图 4-24　"报告：列摘要"对话框

2）选择变量

从源变量列表中选中需要摘要分析的目标变量，选入"数据列变量"列表；选择分组变量，选入"终止变量"列表。

3）对汇总变量的参数设置

对选入"数据列"的变量，可以设置输出统计量和输出格式。

"摘要"设置

选中相关变量，单击"摘要"按钮，弹出如图4-25所示的"报告：摘要行"对话框。

"报告：摘要行"对话框可以为每个汇总变量分别设置输出的统计量，这里可以输出的统计量与行形式摘要报告中相同，只不过为单选项。返回主界面后，变量名后会显示相应的输出变量。

图 4-25   "报告：摘要行"对话框

插入总计

单击此按钮，SPSS会将一个名为"总计"的变量加入"数据列变量"列表，在结果中以列的形式对其他列的数据进行汇总。

4）"分组列"对话框中也包括"选项"、"格式"按钮和"排列顺序"与"数据已经排序"复选框。对分类变量的参数设置与行形式摘要报告一致，在此不再赘述。

5）对全部变量的参数设置

"选项"设置

单击"选项"按钮，弹出如图4-26所示的"报告：选项"对话框。

图 4-26   "报告：选项"对话框

勾选"显示总计"复选框表示在输出结果的最后增加对所有行进行汇总的新行，"标签"输入框用于指定这个汇总行的行标签。其他选项的设置与行形式摘要报告中相同。

6）分析结果输出

设置完毕后，单击"确定"按钮，就可以在SPSS Statistics查看器窗口得到列形式摘要报告。

4.4.3 实验操作

下面同样以数据文件"4-1"为例，说明列形式摘要报告的制作。

1. 实验数据描述

数据文件"4-1"内容包括变量的建立和数据输入都已在4.1.3节介绍，在此不再赘述。

2. 实验操作步骤

实验的具体操作步骤如下：

Step 01 在菜单栏中选择"分析"|"报告"|"按列汇总"命令，打开"报告：列摘要"对话框。

Step 02 从源变量列表中选择"数学"变量和"物理"变量，然后单击 按钮将其选入"数据列变量"文本框中；选择"性别"变量，单击 按钮将其选入"终止列变量"文本框中。

Step 03 选中"数学"变量，单击下面的"摘要"按钮，在"报告：摘要行"对话框中选中"标准差"单选按钮；选中"物理"变量，单击"摘要"按钮，在"报告：摘要行"对话框中选中"值的均值"单选按钮，单击"继续"按钮。

Step 04 单击"选项"按钮，打开"报告：选项"对话框，勾选"总计"复选框，标签栏中填入"汇总"，单击按钮"继续"。

Step 05 单击"确定"，即输出列形式摘要报告，如图4-27所示。

性别	物理 均值(M)	数学 StdDev
男	79	10
女	81	11
总计	80	11

图 4-27 列形式摘要报告的输出结果

图4-27中给出了数学与物理成绩的不同组的均值，以及汇总数据。

上机题

	光盘：\多媒体文件\上机题教学视频\chap04.wmv
	光盘：\源文件\上机题\chap04\...

4.1 数据文件给出了两个地区不同销售小组销售电视和空调的相关统计数据，两个地区的地区名称用数字"1"和"2"代替，部分数据如下表所示（数据路径：光盘:\源文件\上机题\chap04\习题\第四章第一题.sav）。

地区	电视（台）	空调（台）	销售组
1	62	72	1
1	63	65	1
1	66	54	1

（续表）

地区	电视（台）	空调（台）	销售组
1	67	71	1
1	69	67	1
1	73	80	1
1	74	74	1
1	78	78	1
1	79	83	2
1	81	86	2
1	81	78	2
1	82	85	2
1	84	80	2
1	84	86	2
1	84	78	2
1	85	89	2
1	87	88	3
1	88	90	3
1	88	87	3
1	89	92	3
1	90	87	3
1	96	97	3
2	53	53	1

（1）试根据上表中数据，绘制在线处理分析报告（OLAP）。

（2）试根据上表中数据，绘制个案摘要报告。

4.2 某农业大学对三种化肥的缓释施肥效果进行试验，样本作物采用双季稻，我们观测了产量和施肥类型两个变量，部分数据如下表所示（数据路径：光盘:\源文件\上机题\chap04\习题\第四章第二题.sav）。

试验田	第一季产量（吨）	第二季产量（吨）	化肥
1	197	100	1
1	207	90	1
1	210	75	1
1	213	99	1
1	219	93	1

（续表）

试验田	第一季产量（吨）	第二季产量（吨）	化肥
1	232	111	1
1	235	103	1
1	248	108	1
1	251	115	2
1	258	120	2
1	258	108	2
1	261	118	2
1	267	111	2
1	267	120	2
1	267	108	2
1	270	124	2
1	277	122	3
1	280	125	3
1	280	121	3
1	283	128	3
1	286	121	3

（1）试根据上表中数据，绘制行形式的摘要报告。

（2）试根据上表中数据，绘制列形式的摘要报告。

第 5 章　均值比较和 T 检验

在统计分析中，经常遇到这样的问题：要对抽取的样本按照某个类别进行分别计算相应的常见统计量，如平均数、标准差等；或者检验两个相关的样本是否来自具有相同均值的总体或者检验两个有联系的正态总体的均值是否显著差异等。本章介绍的均值比较过程及T检验过程可以解决此类统计分析问题。

如果样本数据只有一组，通常用到均值比较过程和单样本T检验；如果样本数据有两组且两组样本是随机独立的，则通常用到独立样本T检验；如果样本数据有两组且两组样本不是随机独立的，则通常用到配对样本T检验；如果样本数据有两组以上，则需要用到方差分析的方法。

5.1　均值过程

均值过程计算一个或多个自变量类别中因变量的分组均值和相关的单变量统计。本节将对SPSS中的均值过程及相关操作进行讲解。

5.1.1　均值过程的简介

与第四章中描述性统计分析相比，若仅仅计算单一组别的均数和标准差，均值过程并无特别之处；但若用户要求按指定条件分组计算均数和标准差，如分班级同时分性别计算各组的均数和标准差等，则用均值过程更显简单快捷。另外，均值过程中可以执行单因素方差分析，查看均值是否不同。

5.1.2　均值过程的 SPSS 操作

打开相应的数据文件或者建立一个数据文件后，可以在SPSS Statistics数据编辑器窗口进行均值比较分析。

1）在菜单栏中选择"分析"|"比较均值"|"均值"命令，打开如图 5-1 所示的"均值"对话框。

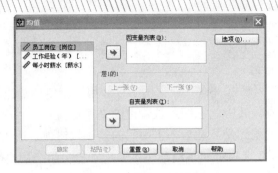

图 5-1 "均值"对话框

2）选择变量

将变量分别选入"因变量"和"自变量"两个列表框：

- 因变量列表：该列表框中的变量为要进行均值比较的目标变量，又称为因变量，且因变量一般为度量变量。如要比较两个班的数学成绩的均值是否一致，则数学成绩变量就是因变量，班级就是自变量。

- 自变量列表：该列表框中的变量为分组变量，又称为自变量。自变量为分类变量，其取值可以为数字，也可以为字符串。一旦指定了一个自变量，"下一张"按钮就会被激活（如图5-1所示），此时单击该按钮可以在原分层基础上进一步再细分层次，也可以利用"上一张"回到上一个层次。如果在层 1 中有一个自变量，层 2 中也有一个自变量，结果就显示为一个交叉的表，而不是对每个自变量显示一个独立的表。

3）进行相应的设置

"选项"设置

单击右侧"选项"按钮，弹出如图5-3所示的"均值：选项"对话框。

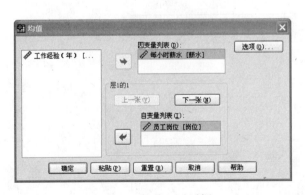

图 5-2 "均值"对话框

图 5-3 "均值：选项"对话框

"均值：选项"对话框主要用于设置输出统计量，包括：

①"统计量"列表框 该列表框用于存放可供输出的常用统计量，主要包括："中位数"、

“组内中位数”、“均值的标准误”、“合计”、“最小值”、“最大值”、“范围”、“第一个”、“最后一个”、“方差”、“峰度”、“偏度”、“调和均值”等，这些统计量在“描述性分析”中均有介绍。

②“单元格统计量”列表框　该列表框用于存放用户指定要输出的统计量，其主要来源于左侧“统计量”列表框。其中，系统默认输出的是“均值”、“个案数”、“标准差”，用户可以选择需要输出的统计量，然后单击中间的箭头按钮使之进入“单元格统计量”。

③“第一层的统计量”选项组　该选项组主要用于检验第一层自变量对因变量的影响是否显著，包括两个复选项：

- Anova表和eta，表示对第一层自变量和因变量进行单因素方差分析，然后输出Anova表和Eta的值；
- 线性相关检验，表示对各组平均数进行线性趋势检验，实际上是对因变量的均值对自变量进行线性回归，并计算该回归的判决系数和相关系数，该检验仅在自变量有三个以上层次时才能进行。

设置完毕后，单击“继续”按钮，可以返回到“均值”对话框。

4）分析结果输出

单击“确定”按钮，就可以在SPSS Statistics查看器窗口得到均值过程的结果。

5.1.3 实验操作

下面将以“5-1”数据文件为例，说明均值过程的具体操作过程和对结果进行说明解释。

1. 实验数据描述

“5-1”数据文件展示的是某公司600名技术和管理岗位的员工的工作经验和工资情况，下面将利用均值过程来分析不同的工作经验是否导致薪水的不同，本数据文件的原始EXCEL数据文件如图5-4所示。

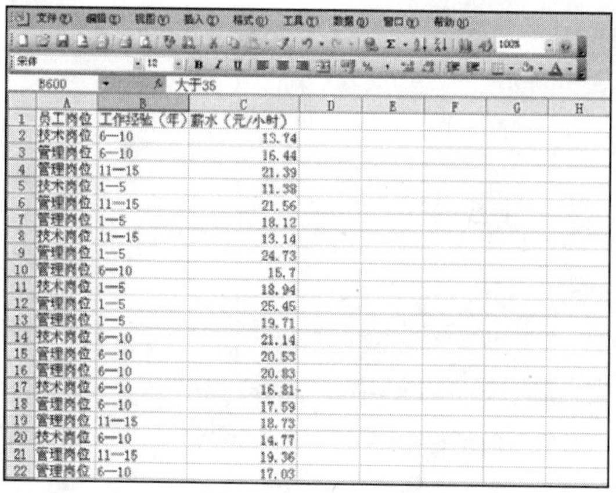

	A	B	C
1	员工岗位	工作经验（年）	薪水（元/小时）
2	技术岗位	6—10	13.74
3	管理岗位	6—10	16.44
4	管理岗位	11—15	21.39
5	技术岗位	1—5	11.38
6	管理岗位	11—15	21.56
7	管理岗位	1—5	18.12
8	技术岗位	11—15	13.14
9	管理岗位	1—5	24.73
10	管理岗位	6—10	15.7
11	技术岗位	1—5	18.94
12	管理岗位	1—5	25.45
13	管理岗位	1—5	19.71
14	技术岗位	6—10	21.14
15	管理岗位	6—10	20.53
16	管理岗位	6—10	20.83
17	技术岗位	6—10	16.81
18	管理岗位	6—10	17.59
19	管理岗位	11—15	18.73
20	技术岗位	6—10	14.77
21	管理岗位	11—15	19.36
22	管理岗位	6—10	17.03

图 5-4　“5-1”数据文件原始数据

在SPSS变量视图中建立变量“岗位”、“工作经验”和“薪水”，分别表示员工岗位、工作经验和每小时薪水。在“值”中对变量取值进行设置：“岗位”变量将“管理岗位”和“技术岗位”分别赋值为“1”和“0”；“工作经验”变量将工作经验在1~5、6~10、11~15、16~20、21~35及大于35年段的分别赋值为“1”、“2”、“3”、“4”、“5”和“6”，如图5-5所示。

文件(F) 编辑(E) 视图(V) 数据(D) 转换(T) 分析(A) 图形(G) 实用程序(U) 附加内容(O) 窗口(W) 帮助

	名称	类型	宽度	小数	标签	值	缺失	列	对齐	度量标准
1	岗位	数值(N)	1	0	员工岗位	{0, 管理岗位...	无	8	右(R)	度量(S)
2	工作经验	数值(N)	1	0	工作经验（年）	{1, 小于等于...	无	8	右(R)	度量(S)
3	薪水	数值(N)	6	2	每小时薪水	无	无	8	右(R)	度量(S)

图 5-5 “5-1”数据文件的变量视图

在SPSS活动数据文件的数据视图中，把搜集的数据输入到各个变量中，输入完毕后如图5-6所示。

文件(F) 编辑(E) 视图(V) 数据(D) 转换(T) 分析(A) 图形(G) 实用程序(U) 附加内容(O) 窗口(W) 帮助

24 :

	岗位	工作经验	薪水	变量	变量	变量	变量
1	1	2	13.74				
2	0	2	16.44				
3	0	3	21.39				
4	1	1	11.38				
5	0	3	21.56				
6	0	1	18.12				
7	1	3	13.14				
8	0	1	24.73				
9	0	2	15.70				
10	1	1	18.94				
11	0	1	25.45				
12	0	1	19.71				
13	1	2	21.14				
14	0	2	20.53				
15	0	2	20.83				
16	1	2	16.81				
17	0	2	17.59				
18	0	3	18.73				
19	1	2	14.77				
20	0	3	19.36				

图 5-6 “5-1”数据文件的变量视图

2. 实验操作步骤

具体操作步骤如下：

Step 01 打开“5-1”数据文件，进入SPSS Statistics数据编辑器窗口，在菜单栏中选择“分析”|“比较均值”|“均值”命令，然后将“每小时薪水”选入“因变量”，将“工作经验”选入“自变量列表”。

Step 02 单击“选项”按钮，选中“均值”、“个案数”、“标准差”进入“单元格统计量”列表框，单击“继续”按钮，保存设置结果。

3. 实验结果及分析

单击“确定”按钮，SPSS Statistics查看器窗口的输出结果如图5-7和图5-8所示。

图5-7给出了均值过程的案例处理摘要。该表显示了均值过程中的个案数、已经排除的

个案数目及总计的数据和相应的百分比，可以看出在此次均值过程共涉及了96.3%的个案。

图5-8给出了均值比较结果报告。该表中列出了所有工作经验级别（共6个级别）的员工每小时薪水的均值情况和相应的个案数目、标准差，可以发现随着工作经验的增长，员工的每小时薪水的均值呈稳定上升趋势，但这种差异是否显著需要进一步借助方差分析的方法才能确定。

报告

每小时薪水（元）

工作经验（年）	均值	N	标准差
小于等于5	17.9088	90	3.83747
6-10	18.5160	146	3.61313
11-15	19.6319	165	3.88628
16-20	20.5715	113	3.76894
21-35	21.1796	59	4.14743
大于等于36	19.7425	5	6.59941
总计	19.4244	578	3.97317

案例处理摘要

	案例					
	已包含		已排除		总计	
	N	百分比	N	百分比	N	百分比
每小时薪水 * 员工岗位	578	96.3%	22	3.7%	600	100.0%

图 5-7　案例处理摘要

图 5-8　均值比较报告

5.2　单样本T检验

"单样本T检验"过程检验单个变量的均值是否与指定的常数不同。本节将对SPSS中的"单样本T检验"过程及相关操作进行讲解。

5.2.1　单样本 T 检验的简介

"单样本T检验"过程将单个变量的样本均值与假定的常数相比较，通过检验得出预先的假设是否正确的结论。如：利用"单样本T检验"可以检验某班级的某次期末考试数学成绩平均分是否等于去年考试的平均成绩。对于每个检验变量将输出均值、标准差和均值的标准误，每个数据值和假设的检验值之间的平均差、检验此差为0的t检验、以及此差的置信区间。

另外，"单样本T检验"过程一般要求检验假设数据正态分布。但是，此检验对偏离正态性也是相当稳健的。

5.2.2　单样本 T 检验的 SPSS 操作

打开相应的数据文件或者建立一个数据文件后，可以在 SPSS Statistics 数据编辑器窗口进行单样本 T 检验。

1）在菜单栏中选择"分析"|"比较均值"|"单样本T检验"命令，打开如图5-9所示的"单样本T检验"对话框。

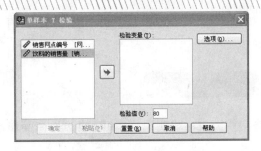

图 5-9 "单样本 T 检验"对话框

2）选择变量

从源变量列表中选择需要检验的变量，然后单击 ➡ 按钮将选中的变量选入右测"检验变量"中，可以同时选择多个检验变量。其中，"检验变量"的度量标准为度量变量，数据类型为数值型。

3）进行相应的设置

"选项"设置

单击右侧"选项"按钮，弹出如图5-10所示的"单样本T检验：选项"对话框。

图 5-10 "单样本 T 检验：选项"对话框

"单样本T检验：选项"对话框主要对置信区间和缺失值进行设置，包括：

①"置信区间"输入框 该输入框主要用于指定输出结果中的均值置信区间，输入范围是1~99，系统默认为95。

②"缺失值"选项组 该选项组主要用于当检验多个变量，有一个或多个变量的数据缺失时，可以指定 T 检验剔除哪些个案，主要含有两个单选项：

- 按分析顺序排除个案，表示每个 t 检验均使用对于检验的变量具有有效数据的全部个案，此时样本大小可能随T检验的不同而不同；
- 按列表排除个案，表示每个 t 检验只使用对于在任何请求的 t 检验中使用的所有变量都具有有效数据的个案，此时样本大小在各个T检验之间恒定。

检验值

"单样本T检验"对话框中的"检验值"文本框是用来输入一个假设的检验值，如果要检验一个高中所有男生的平均身高是否与去年全国男高中生的平均身高一致，那么此处应该输入的检验值就是去年全国男高中生的平均身高数。

4）结果输出

设置完毕后，单击“确定”按钮，就可以在SPSS Statistics查看器窗口得到单样本T检验的结果。

5.2.3 实验操作

下面将以“5-2”数据文件为例，说明单样本T检验的具体操作过程并对结果说明解释。

1. 实验数据描述

“5-2”数据文件显示的是某饮料三月份在80个销售网点的销售量，根据市场预测模型的分析，该饮料在各销售网点的平均销量为80箱。下面将利用单样本T检验来分析该饮料的实际销量与市场预测模型的预测是否一致，本数据文件的原始EXCEL数据文件如图5-11所示。

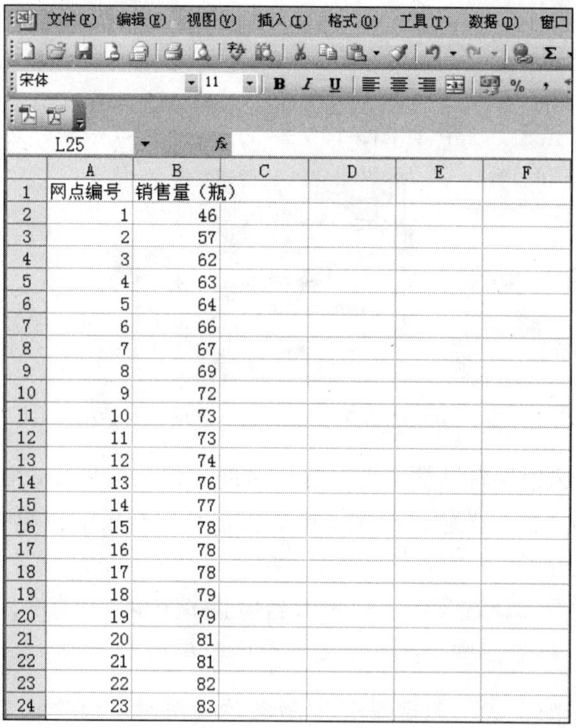

	A	B	C	D	E	F
1	网点编号	销售量（瓶）				
2	1	46				
3	2	57				
4	3	62				
5	4	63				
6	5	64				
7	6	66				
8	7	67				
9	8	69				
10	9	72				
11	10	73				
12	11	73				
13	12	74				
14	13	76				
15	14	77				
16	15	78				
17	16	78				
18	17	78				
19	18	79				
20	19	79				
21	20	81				
22	21	81				
23	22	82				
24	23	83				

图 5-11 “5-2”数据文件的原始数据

在SPSS变量视图中建立变量“网点编号”和“销售量”，分别表示销售网点和销售数量，如图5-12所示。

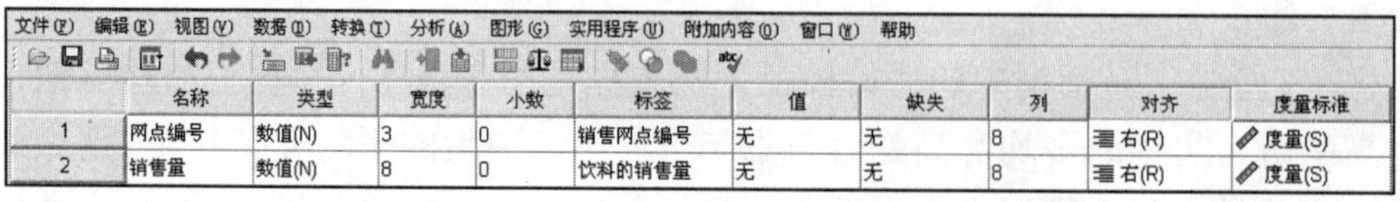

	名称	类型	宽度	小数	标签	值	缺失	列	对齐	度量标准
1	网点编号	数值(N)	3	0	销售网点编号	无	无	8	右(R)	度量(S)
2	销售量	数值(N)	8	0	饮料的销售量	无	无	8	右(R)	度量(S)

图 5-12 “5-2”数据文件的变量视图

在SPSS活动数据文件的数据视图中，把搜集的数据输入到各个变量中，输入完毕后如图5-13所示。

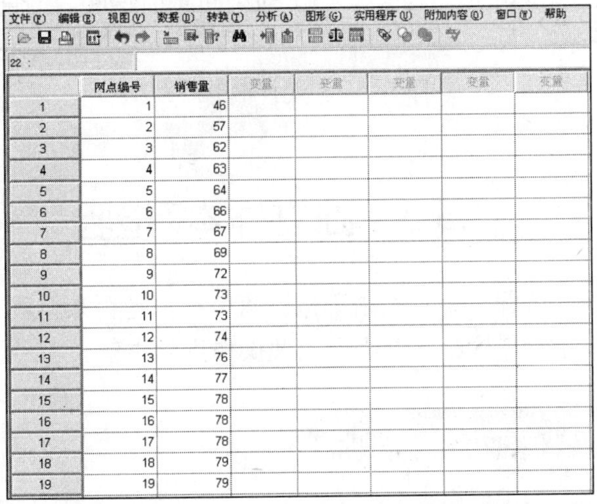

	网点编号	销售量	变量	变量	变量	变量	变量
1	1	46					
2	2	57					
3	3	62					
4	4	63					
5	5	64					
6	6	66					
7	7	67					
8	8	69					
9	9	72					
10	10	73					
11	11	73					
12	12	74					
13	13	76					
14	14	77					
15	15	78					
16	16	78					
17	17	78					
18	18	79					
19	19	79					

图 5-13　“5-2”数据文件的数据视图

2. 实验操作步骤

Step 01 打开“5-2”数据文件，进入 SPSS Statistics 数据编辑器窗口，在菜单栏中选择“分析”|“比较均值”| “单样本 T 检验”，然后将“销售量”选入“检验变量”，在“检验值”输入框输入预测销量 80。

Step 02 单击“选项”按钮，在“置信区间”输入框中输入 95，单击“继续”按钮，保存设置结果。

3. 实验结果及分析

单击“确定”按钮，SPSS Statistics查看器窗口的输出结果如图5-14和图5-15所示。

图5-14给出了关于销售量的单个样本统计量情况。从该图可以看出，参与统计的样本个数为80，平均销售量为78.71箱。

单个样本统计量

	N	均值	标准差	均值的标准误
饮料的销售量（瓶）	80	78.71	10.617	1.187

图 5-14　单个样本统计量

图5-15给出了饮料销售数量的单个样本T检验结果。从该图可以看出， T检验的P值分别是0.281，大于显著水平0.05，因此不能够拒绝原假设。所以认为此次实际销售数量与销售模型的预测无显著差异。

	检验值 = 80					
					差分的 95% 置信区间	
	t	df	Sig.(双侧)	均值差值	下限	上限
饮料的销售量（瓶）	-1.085	79	.281	-1.287	-3.65	1.08

图 5-15　单个样本 T 检验

5.3　独立样本T检验

"独立样本 T检验"过程检验主要用于检验两个样本是否来自具有相同均值的总体。本节将对SPSS中的"独立样本T检验"过程及相关操作进行讲解。

5.3.1　独立样本 T 检验的简介

"独立样本T检验"过程比较两个样本或者两个分组个案的均值是否相同。如：糖尿病病人随机地分配到旧药组和新药组。旧药组病人主要接受原有的药丸，而新药组病人主要接受一种新药。在主体经过一段时间的治疗之后，使用独立样本T检验比较两组的平均血压。

另外，个案样本应随机地分配到两个组中，从而使两组中的任何差别是源自实验处理而非其他因素。但是很多情况下却不然，如：比较男性和女性的平均教育年龄则不能应用"独立样本T检验"过程，因为人不是随机指定为男性或女性的。

5.3.2　独立样本 T 检验的 SPSS 操作

打开相应的数据文件或者建立一个数据文件后，就可以在 SPSS Statistics 数据编辑器窗口进行独立样本 T 检验。

1）在菜单栏中依次单击"分析"|"比较均值"|"独立样本T检验"命令，打开如图5-16所示的"独立样本T检验"对话框。

图 5-16　"独立样本 T 检验"对话框

2）选择变量

从左侧源变量列表中选择需要检验的变量，然后单击 按钮将选中的变量选入右侧"检验变量"中；从左侧源变量列表中选择分组变量，单击 按钮将选中的变量选入右侧"分组变量"中。

①检验变量　该文本框中的变量为要进行T检验的目标变量，一般为度量变量，变量属性为数值型。

②分组变量　该文本框中的变量为分组变量，主要用于对检验变量进行分组。分组变量为分类变量，其取值可以为数字，也可以为字符串。一旦指定分组变量后"定义组"按钮就会被激活，打开"定义组"对话框，如图 5-17 所示，其用于对分组变量进行设置。

- 如果分组变量是名义变量，可利用"使用指定值"进行分组设定，对于短字符串分组变量，"组 1"中输入一个字符串，"组 2"中输入另一个字符串，具有其他字符串的个案将从分析中排除；

- 如果分组变量是连续的度量变量，也可利用"使用指定值"进行分组设定，在"组 1"输入一个值，在"组 2"输入另一个值，具有任何其他值的个案将从分析中排除，若使用"割点"单选框进行设置分割点，输入一个将分组变量的值分成两组的数字，值小于割点的所有个案组成一个组，值大于等于割点的个案组成另一个组。

设置完"定义组"后，单击"继续"按钮，返回到"独立样本 T 检验"对话框，如图 5-18 所示。

图 5-17　"定义组"对话框

图 5-18　"独立样本 T 检验"对话框

3）进行相应的设置

"选项"设置

单击右侧"选项"按钮，弹出"独立样本T检验：选项"对话框，如图5-19所示。

图 5-19　"独立样本 T 检验：选项"对话框

“独立样本T检验：选项”对话框也包括一个输入框和一个选项组，选项与含义完全同单样本T检验。

4）分析结果输出

设置完毕后，单击“确定”按钮，就可以在SPSS Statistics查看器窗口得到独立样本T检验的结果。

5.3.3 实验操作

下面将以“5-3”数据文件为例，说明独立样本T检验的具体操作过程和对结果进行说明解释。

1. 实验数据描述

“5-3”数据文件记录了两个班级学生的数学成绩、语文成绩信息，以此数据文件为例，利用描述性统计分析分析该数据文件中的一些基本统计量。本数据文件的原始EXCEL数据文件如图5-20所示。

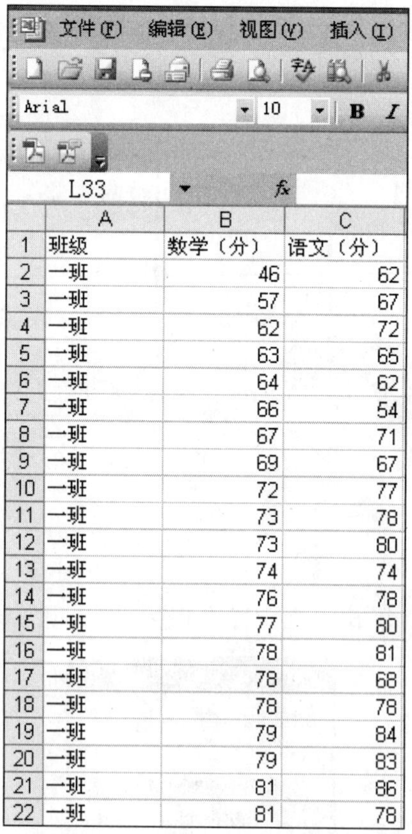

	A	B	C
1	班级	数学（分）	语文（分）
2	一班	46	62
3	一班	57	67
4	一班	62	72
5	一班	63	65
6	一班	64	62
7	一班	66	54
8	一班	67	71
9	一班	69	67
10	一班	72	77
11	一班	73	78
12	一班	73	80
13	一班	74	74
14	一班	76	78
15	一班	77	80
16	一班	78	81
17	一班	78	68
18	一班	78	78
19	一班	79	84
20	一班	79	83
21	一班	81	86
22	一班	81	78

图5-20 “5-1”数据文件的原始数据

在SPSS变量视图中建立变量“id”、“Math和“Chinese”，分别表示班级、数学成绩和语文成绩，三个变量的度量标准都为“度量”。如图5-21所示。

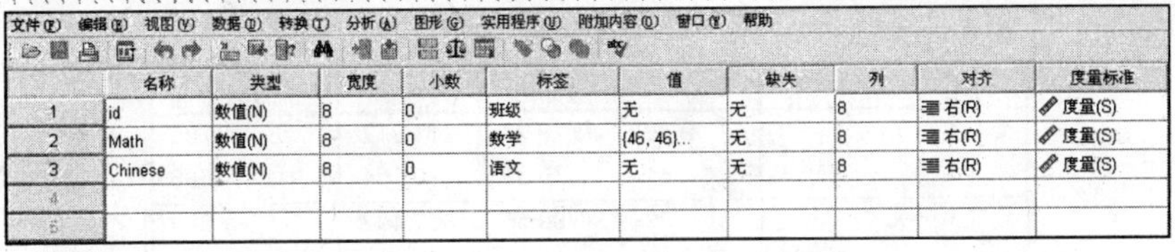

	名称	类型	宽度	小数	标签	值	缺失	列	对齐	度量标准
1	id	数值(N)	8	0	班级	无	无	8	右(R)	度量(S)
2	Math	数值(N)	8	0	数学	{46, 46}...	无	8	右(R)	度量(S)
3	Chinese	数值(N)	8	0	语文	无	无	8	右(R)	度量(S)
4										
5										

图 5-21 “5-1”数据文件的变量视图

在SPSS数据视图中，把相关数据输入到各个变量中。其中，“id”变量中“1”表示“一班”、“2”表示“二班”。输入完毕后如图5-22所示。

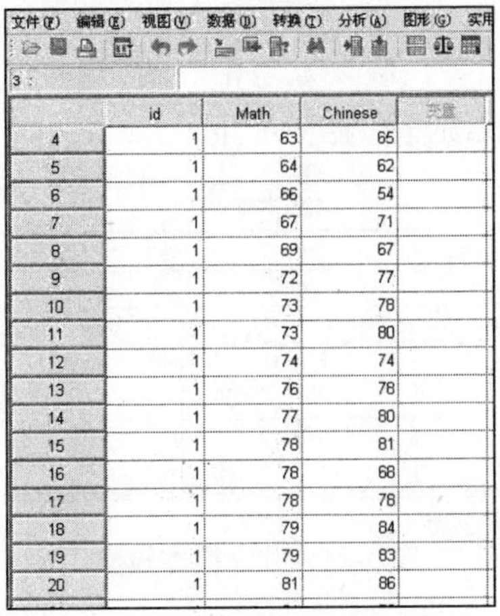

	id	Math	Chinese
4	1	63	65
5	1	64	62
6	1	66	54
7	1	67	71
8	1	69	67
9	1	72	77
10	1	73	78
11	1	73	80
12	1	74	74
13	1	76	78
14	1	77	80
15	1	78	81
16	1	78	68
17	1	78	78
18	1	79	84
19	1	79	83
20	1	81	86

图 5-22 “5-1”数据文件的数据视图

2. 实验操作步骤

具体操作步骤如下：

Step 01 打开“5-3”数据文件，进入 SPSS Statistics 数据编辑器窗口，在菜单栏中依次单击“分析”|“比较均值”| “独立样本 T 检验”，打开“独立样本 T 检验”对话框。然后将“数学”、“语文”选入“检验变量”，将“班级”选入“分组变量”，并单击“定义组”按钮，在“定义组”对话框的“组 1”中输入 1、“组 2”中输入 2，单击“继续”按钮。

Step 02 单击“选项”按钮，在“置信区间”输入框中输入 95，然后单击“继续”按钮，保存设置结果。

3. 实验结果及分析

单击“确定”按钮，SPSS Statistics查看器窗口的输出结果见图5-23和图5-24。

图5-23给出了分组的一些统计量。从该图可以看出两个班的数学和语文成绩的平均值、标准差和均值标准误等统计量。例如，1班的数学和语文的平均成绩要大于2班的平均成绩。

组统计量					
	班级	N	均值	标准差	均值的标准误
数学（分）	1	39	78.92	11.212	1.795
	2	41	78.51	10.154	1.586
语文（分）	1	39	80.59	10.492	1.680
	2	41	79.10	11.229	1.754

图 5-23　组统计量

图5-24给出了对本实验的独立样本T检验的结果，包括有方差齐次性的Levene检验结果和均值方程的T检验结果。从数学成绩和语文成绩的方差齐次性Levene检验结果可以看出两个班的数学和语文成绩的方差相等；假设方差相等的T检验结果即P值都大于显著水平0.05，可以判断两个班的数学和语文成绩没有显著差异。

独立样本检验										
		方差方程的 Levene 检验		均值方程的t检验						
									差分的95% 置信区间	
		F	Sig.	t	df	Sig.(双侧)	均值差值	标准误差值	下限	上限
数学	假设方差相等	.059	.808	.172	78	.864	.411	2.389	-4.346	5.168
	假设方差不相等			.172	76.303	.864	.411	2.395	-4.360	5.181
语文	假设方差相等	.041	.839	.613	78	.541	1.492	2.433	-3.351	6.335
	假设方差不相等			.614	77.977	.541	1.492	2.429	-3.343	6.327

图 5-24　独立样本检验

5.4 · 配对样本T检验

"配对样本 T 检验"过程用于检验两个有联系的正态总体的均值是否显著差异。本节对SPSS中的"配对样本 T 检验"过程及相关操作进行讲解。

5.4.1 配对样本 T 检验的简介

"配对样本 T 检验"过程可以检验两个相关的样本是否来自具有相同均值的总体或者检验两个有联系的正态总体的均值是否显著差异。"配对样本 T 检验"可以检验两种类型的配对样本。第一种是对同一组测试对象进行测试前后的配对比较，如：在对糖尿病病人的研究中，对同一组病人在使用新治疗方法前进行测量血液含糖量，在治疗之后再次测量血液含糖量；此时对于该组病人就会形成两组测量数据样本。第二种是对测试对象按照属性相同的两个个体进行配对，然后对配对后的个体分布施加不同的处理。如：对糖尿病病人按照体重进行配对（60岁的两个病人配对，65岁的两个病人配对，……），然后对配对的病人分别采用不同的治疗方法，这样就会形成两组不同的测量数据。另外，每对的观察值应在相同的条件下得到，得到均值差应是正态分布的，而每个变量的方差可以相等也可以不等。

5.4.2　配对样本 T 检验的 SPSS 操作

打开相应的数据文件或者建立一个数据文件后，可以在 SPSS Statistics 数据编辑器窗口进行配对样本 T 检验。

1）在菜单栏中依次单击"分析"|"比较均值"|"配对样本T检验"命令，打开如图5-25所示的"配对样本T检验"对话框。

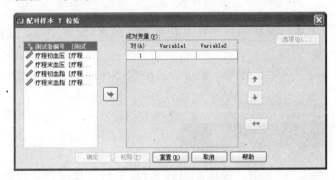

图 5-25　"配对样本 T 检验"对话框

2）选择变量

从左侧源变量列表中选择需要检验的成对变量，然后单击箭头按钮将选中的变量选入右侧"成对变量"中，对于每个配对检验，指定两个定量变量（定距测量级别或定比测量级别）。对于匹配对或个案控制研究，每个检验主体的响应及其匹配的控制主体的响应必须在数据文件的相同个案中。选定一组成对变量后，可以继续选定下一组要分析的成对变量，如图5-26所示。

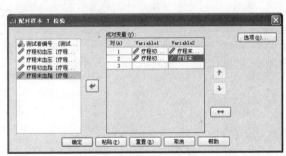

图 5-26　"配对样本 T 检验"对话框

如果选定两组或两组以上的成对变量，可以通过 ⬆ 或者 ⬇ 按钮进行成对变量之间顺序的调换。另外，可以通过 ↔ 按钮调换成对变量中的两个变量之间的顺序。

3）"选项"设置

单击右侧"选项"按钮，进入"配对样本T检验：选项"对话框，如图5-27所示。

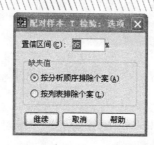

图 5-27 "配对样本 T 检验：选项"对话框

"选项"对话框中选项及含义与单样本和独立样本的T检验一致，在此不再赘述。

4）分析结果输出

设置完毕后，单击"确定"按钮，就可以在SPSS Statistics查看器窗口得到配对样本T检验的结果。

5.4.3 实验操作

下面以"5-4"数据文件为例，说明配对样本T检验的具体操作过程和对结果说明解释。

1. 实验数据描述

"5-4"数据文件是一种保健食品的效果测试。16名高血压和高血脂患者服用了一个疗程的该保健食品，测试人员测量了疗程前和疗程后患者的相关数据。下面将利用配对样本T检验来检测该保健食品对高血压和高血脂的治疗是否有辅助作用。本数据文件的原始EXCEL数据文件如图5-28所示。

	A	B	C	D	E	F	G
1	测试编号	疗程初血压	疗程末血压	疗程初血脂	疗程末血脂		
2	1	180	100	198	192		
3	2	139	92	237	225		
4	3	152	118	233	226		
5	4	112	82	179	172		
6	5	156	97	219	214		
7	6	167	171	169	161		
8	7	138	132	222	210		
9	8	160	123	167	161		
10	9	107	174	199	193		
11	10	156	92	233	226		
12	11	94	121	179	173		
13	12	107	150	158	154		
14	13	145	159	157	143		
15	14	186	101	216	206		
16	15	112	148	257	249		
17	16	104	130	151	140		
18							
19							
20							

图 5-28 "5-4"数据文件的原始数据

首先在SPSS变量视图中建立变量"测试编号"、"疗程初血压"、"疗程末血压"、"疗程初血脂"和"疗程末血脂",分别表示测试者的编号以及疗程初与疗程末的情况,如图5-29所示。

	名称	类型	宽度	小数	标签	值	缺失	列	对齐	度量标准
1	测试编号	数值(N)	4	0	测试者编号	无	无	8	遭右(R)	名义
2	疗程初血压	数值(N)	4	0	疗程初血压	无	无	8	遭右(R)	度量(S)
3	疗程末血压	数值(N)	4	0	疗程末血压	无	无	8	遭右(R)	度量(S)
4	疗程初血脂	数值(N)	4	0	疗程初血脂	无	无	8	遭右(R)	度量(S)
5	疗程末血脂	数值(N)	4	0	疗程初血脂	无	无	8	遭右(R)	度量(S)

图 5-29 "5-4"数据文件的变量视图

然后在SPSS数据视图中,把相关数据输入到各个变量中。输入完毕后如图5-30所示。

	A 测试编号	B 疗程初血压(mmhg)	C 疗程末血压(mmhg)	D 疗程初血脂(mmol/1)	E 疗程末血脂(mmol/1)	F
1						
2	1	180	100	198	192	
3	2	139	92	237	225	
4	3	152	118	233	226	
5	4	112	82	179	172	
6	5	156	97	219	214	
7	6	167	171	169	161	
8	7	138	132	222	210	
9	8	160	123	167	161	
10	9	107	174	199	193	
11	10	156	92	233	226	
12	11	94	121	179	173	
13	12	107	150	158	154	
14	13	145	159	157	143	
15	14	186	101	216	206	
16	15	112	148	257	249	
17	16	104	130	151	140	

图 5-30 "5-4"数据文件的数据视图

2. 实验操作步骤

具体操作步骤如下:

Step 01 打开"5-4"数据文件,进入 SPSS Statistics 数据编辑器窗口,在菜单栏中依次单击"分析"|"比较均值"|"配对样本 T 检验",然后将"疗程初血压"和"疗程末血压"作为一对选入"成对变量"列表框、将"疗程初血脂"和"疗程末血脂"作为一对选入"成对变量"列表框。

Step 02 单击"选项"按钮,在"置信区间"输入框中输入 95,单击"继续"按钮保存设置结果。

3. 实验结果及分析

单击"确定"按钮,SPSS Statistics查看器窗口的输出结果见图5-31~图5-33。

图5-31给出了本实验成对样本的一些统计量。从该图可以得到病人血压和血脂在疗程前

后的均值、标准差和均值标准误等统计量。直观上看，病人在疗程前后的血压和血脂有显著的差别。

图5-32给出了本实验成对样本的相关系数。从该图可以得到疗程前后血压的相关系数为负值，但相应的概率值有0.283，表示这个相关系数并不可靠；而治疗前后血脂的相关系数为正，响应的概率值为0.000，血脂相关系数十分显著。

成对样本统计量		均值	N	标准差	均值的标准误
对1	疗程初血压（mmHg）	138.44	16	29.040	7.260
	疗程末血压（mmHg）	124.38	16	29.412	7.353
对2	疗程初血脂（mg/dl）	198.38	16	33.472	8.368
	疗程末血脂（mg/dl）	190.31	16	33.508	8.377

图 5-31　成对样本统计量表

成对样本相关系数		N	相关系数	Sig.
对1	疗程初血压（mmHg）& 疗程末血压（mmHg）	16	-.286	.283
对2	疗程初血脂（mg/dl）& 疗程末血脂（mg/dl）	16	.996	.000

图 5-32　成对样本相关系数表

图5-33给出了本实验成对样本的配对样本T检验结果。从该图中可以得到疗程前后的血压和血脂之差的均值、标准差、均值标准误、95%的置信区间以及T检验的值、自由度和双侧概率值。由于治疗前后的血压T检验的概率值是0.249，大于0.05的显著水平，所以可以认为这种保健食品对病人血压状况的改善并没有多大作用；而治疗前后的血脂T检验的概率值是0.000，小于0.05的显著水平，所以可认为保健食品品可以有效地改善病人的血脂状况。

成对样本检验		成对差分					t	df	Sig.(双侧)
		均值	标准差	均值的标准误	差分的95%置信区间 下限	上限			
对1	疗程初血压（mmHg）- 疗程末血压（mmHg）	14.063	46.875	11.719	-10.915	39.040	1.200	15	.249
对2	疗程初血脂（mg/dl）- 疗程末血脂（mg/dl）	8.063	2.886	.722	6.525	9.600	11.175	15	.000

图 5-33　成对样本检验表

上机题

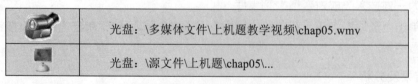

	光盘：\多媒体文件\上机题教学视频\chap05.wmv
	光盘：\源文件\上机题\chap05\...

5.1　为了比较两种新材料的抗拉伸性能，分别对两种材料在不同情况下进行了15次实验，观测数据如下表所示（数据路径：光盘:\源文件\上机题\chap05\习题\第五章第一题.sav）。

测试编号	材料a（牛顿）	材料b（牛顿）
1	7.6	8.0
2	7.0	6.4
3	8.3	8.8
4	8.2	7.9
5	5.2	6.8
6	9.3	9.1
7	7.9	6.3
8	8.5	7.5
9	7.8	7.0
10	7.5	6.5
11	6.1	4.4
12	8.9	7.7
13	6.1	4.2
14	9.4	9.4
15	9.1	9.1

（1）分别计算两种材料的均值、标准差和均值标准误等统计量。

（2）试在5%的显著性水平下，对两种材料进行独立样本T检验，检验两种材料的抗拉伸性能是否有显著差异。

5.2 已知某地区水样中某种元素的含量为72毫克/升，现从某化工厂下游水域中抽取了20个水样，观测数据如下表所示（数据路径：光盘:\源文件\上机题\chap05\习题\第五章第二题.sav）。

测试标号	水质元素含量（毫克/升）
1	75
2	74
3	72
4	74
5	79
6	78
7	76
8	69
9	77
10	76

（续表）

测试标号	水质元素含量（毫克/升）
11	70
12	73
13	76
14	71
15	78
16	77
17	76
18	74
19	79
20	77

对样本数据进行单样本 T 检验，判断化工厂是否造成了下游水域水质的变化。

5.3 为验证某种药物的疗效，对35位患者进行了观察。首先记录了治疗前的测试数据，然后记录了治疗后的测试数据。部分观测数据如下表所示（数据路径：光盘:\源文件\上机题\chap05\习题\第五章第三题.sav）。

测试编号	服药前（mmHg）	服药后（mmHg）
1	75.00	71.50
2	95.00	90.00
3	82.00	80.30
4	91.00	87.00
5	100.00	93.60
6	87.00	75.40
7	91.00	67.00

（1）计算测试前后的成对样本的相关系数及各组的描述统计量。

（2）采用配对样本T检验，在5%的显著性水平下，分析该药品是否具有显著的疗效。

5.4 已知某金融单位所有员工的工龄和年终奖金的数据，某人力咨询机构需要统计分析该单位人员工作资历和年终奖金的关系，试分析单位员工工龄和奖金的关系。部分观测数据如下表所示（数据路径：光盘:\源文件\上机题\chap05\习题\第五章第四题.sav）。

测试编号	工龄（年）	奖金（千元）
1	2.00	13.74
2	2.00	16.44

（续表）

测试编号	工龄（年）	奖金（千元）
3	3.00	21.39
4	1.00	11.38
5	3.00	21.56
6	1.00	18.12
7	3.00	13.14
8	1.00	24.73

试利用均值过程来分析该单位员工工龄和奖金的关系。

第6章 非参数检验

前面章节所介绍的参数检验，是在已知或假设总体分布情况下对总体的相关参数进行估计和检验。但是在许多情况下，我们无法获得总体分布情况的相关信息，于是出现了许多通过样本检验关于总体的相关假设的建议方法，非参数检验就是主要的方法之一。非参数检验是相对于参数检验而言的，非参数检验由于一般不涉及总体参数而针对总体的某些一般性假设而得名，又称分布自由检验。在统计分析和实际工作中非参数检验具有广泛的应用。

6.1 非参数检验简介

参数检验的最重要的前提就是关于总体分布的假设成立，很多情况下我们无法获得有关总体分布的相关信息。于是，统计学家提出了许多不需要对总体分布情况进行严格限定的统计推断方法，这类检验方法的假设前提比参数检验要少得多并且容易满足。由于这些检验方法一般不涉及总体参数，故称为非参数检验。

非参数检验具有检验条件宽松、对样本数据要求较低、计算相对简单等优点，故得到了广泛的应用，SPSS的非参数检验过程提供了二项检验、卡方检验、两对立样本检验、两配对样本检验、多独立样本检验、多配对样本检验、游程检验和单样本K-S检验八种检验方法，下面本书将对各种方法进行详细的介绍。

6.2 卡方检验

卡方检验是一种用于判断样本是否来自于特定分布的总体的检验方法，其根据样本的频数来推断总体分布与理论分布是否有显著差异。

6.2.1 卡方检验的基本原理

卡方检验的零假设为：样本所属的总体的分布与理论分布无显著差异。卡方检验的检验统计量如公式（6-1）所示：

$$\chi^2 = \sum_{i=1}^{k} \frac{(N_{oi} - N_{ei})^2}{N_{ei}} \tag{6-1}$$

其中 N_{oi} 表示观测频数，N_{ei} 表示理论频数。x^2 值越小，表示观测频数与理论频数越接近，该 x^2 统计量在大样本条件下渐进服从自由度为k-1的卡方分布。如果该 x^2 统计量小于由显著性水平和自由度确定的临界值，则认为样本所属的总体的分布与理论分布无显著差异。

6.2.2　卡方检验的 SPSS 操作

建立或打开相应的数据文件后，可以在 SPSS Statistics 数据编辑器窗口进行卡方检验。

1）在菜单栏中选择"分析"|"非参数检验"|"卡方"命令，打开如图6-1所示的"卡方检验"对话框。

2）选择变量

从源变量列表中选择要进行卡方检验的变量，单击 按钮使之进入检验变量列表，如图6-2所示。检验变量可以选择多个，SPSS会分别对各个变量进行卡方检验。

图 6-1　"卡方检验"对话框

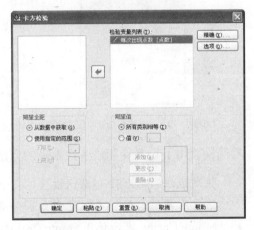
图 6-2　卡方检验的变量选择

3）设置相应选项

在对话框中还有两个选项组和一"精确"及"选项"按钮。

"期望全距"选项组

该选项组用于确定进行卡方检验的数据范围。如选择"从数据中获取"SPSS将使用数据中的最大值和最小值作为检验范围，此外用户也可选择"使用指定的范围"并在"上限"和"下限"输入框中输入设定的范围。

"期望值"选项组

该选项组用于设置总体中各分类所占的比例，包括"所用类别相等"和"值"两个单选项。系统默认选择"所有类别相等"，即检验总体是否服从均匀分布；用户也可以选择"值"选项并在其后的输入框中输入指定分组的期望概率值。注意：值输入的顺序要与检验变量递增的顺序相同。

"选项"按钮

单击"选项"按钮，打开如图6-3所示的"卡方检验：选项"对话框。"卡方检验：选项"对话框包含"统计量"和"缺失值"两个选项组。

①"统计量"选项组　该选项组用于设置输出的统计量，其包含"描述性"和"四分位

数"两个复选项,分别用于输出描述性统计量和四分位数。

②"缺失值"选项组 该选项组用于设置缺失值的处理方式,其包含两个单选项:"按检验排除个案",表示如果指定多个检验,将分别独立计算每个检验中的缺失值;"按列表排除个案",表示从所有分析中排除任何变量具有缺失值的个案。

"精确"按钮

单击"精确"按钮,打开如图6-4所示的"精确检验"对话框。

图 6-3 "卡方检验:选项"对话框

图 6-4 "精确检验"对话框

精确检验用于设置计算显著性水平的方法,有3种方法:

- 仅渐进法:此为SPSS默认设置,表示显著性水平的计算基于渐进分布假设。渐进方法要求足够大的样本容量,如果样本容量偏小,该方法将会失效。
- Monte Carlo:表示使用Monte Carlo模拟方法计算显著性水平。一般应用于不满足渐进分布假设的巨量数据。使用时,在该单选按钮后的输入框中输入相应的置信水平和样本数。
- 精确:该方法可以得到精确的显著性水平,但是其缺点是计算量过大。用户可以设置相应的计算时间,如果超过该时间,SPSS将自动停止计算并输出结果。

4)分析结果输出

设置完毕后,单击"确定"按钮,就可以在SPSS Statistics结果窗口得到卡方检验的结果。

6.2.3 实验操作

下面将以数据文件"6-1"为例,说明卡方检验的操作。

1. 实验数据描述

数据文件"6-1"是将一骰子投掷300次所得到的各种点数的情况。以该数据文件为例,进行卡方检验,检验骰子的投掷结果是否服从均匀分布,本数据文件的原始EXCEL数据文件如图6-5所示。

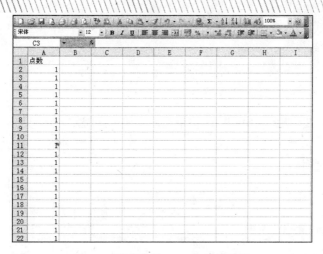

图 6-5 数据文件"6-1"原始数据

在SPSS变量视图中建立变量"点数",表示掷骰子所得到的点数,如图6-6所示。

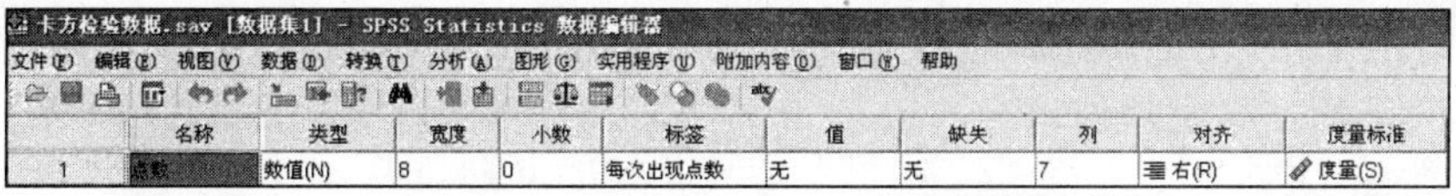

图 6-6 数据文件"6-1"的变量视图

在SPSS活动数据文件中的数据视图中,把相关数据输入到各个变量中,输入完毕如图6-7所示。

图 6-7 数据文件"6-1"的数据视图

2. 实验操作步骤

实验的具体操作步骤如下:

Step 01 在菜单栏中依次选择"分析"|"非参数检验"|"卡方"命令,打开"卡方检验"对话框。

Step 02 从源变量列表中选择"点数"变量,单击 ▣ 按钮使之进入检验变量列表。

Step 03　单击"选项"按钮，打开"卡方检验：选项"对话框，勾选"描述性"复选项，单击"继续"。

Step 04　单击"确定"按钮，输出检验结果。

3. 实验结果分析

单击"确定"按钮，SPSS Statistics结果查看器窗口的输出结果见图6-8~图6-10。

图6-8给出了"样本数"、"均值"、"标准差"、"极小值"和"极大值"等描述性统计量，以表格形式列出。

描述性统计量

	N	均值	标准差	极小值	极大值
每次出现点数	300	3.55	1.644	1	6

图 6-8　描述性统计量表

图6-9给出了各种结果的观察数、期望数和残差。

图6-10给出了相关的检验统计量。从表中可以看出，P值为0.111，我们不能拒绝原假设，故认为投掷骰子的结果服从均匀分布。

每次出现点数

	观察数	期望数	残差
1	43	50.0	-7.0
2	49	50.0	-1.0
3	56	50.0	6.0
4	45	50.0	-5.0
5	66	50.0	16.0
6	41	50.0	-9.0
总数	300		

图 6-9　卡方检验频数表

检验统计量

	每次出现点数
卡方	8.960[a]
df	5
渐近显著性	.111

a. 0 个单元 (.0%) 具有小于 5 的期望频率。单元最小期望频率为 50.0。

图 6-10　检验统计量表

6.3　二项检验

二项检验是用于检验样本是否来自二项分布总体的一种检验方法。

6.3.1　二项检验的基本原理

卡方检验的零假设为：样本所属的总体的与所指定的某个二项分布无显著差异。二项检验的检验统计量计算如公式（6-2）所示：

$$p_1 = \frac{n_1 - np}{\sqrt{np(1-p)}} \tag{6-2}$$

其中 n_1 表示第一个类别的样本个数，p 表示指定二项分布中第一个类别个体在总体中所占的比重。统计量在大样本条件下渐进服从于正态分布。如果该统计量小于临界值，则认为样本所属的总体的分布与所指定的某个二项分布无显著差异。

6.3.2 二项检验的 SPSS 操作

建立或打开相应的数据文件后，在 SPSS 中便可以进行二项检验。

1）在菜单栏中依次选择"分析"|"非参数检验"|"二项式"命令，打开如图6-11所示的"二项式检验"对话框。

2）选择变量

从源变量列表中选择要进行卡方检验的变量，单击 ⬇ 按钮使之进入检验变量列表，如图6-12所示。检验变量可以选择多个，SPSS会分别对各个变量进行二项检验。

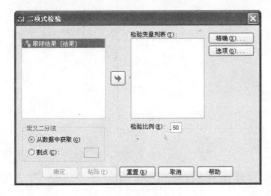

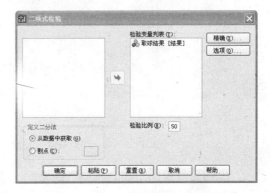

图 6-11 "二项式检验"对话框   图 6-12 二项检验的变量选择

3）进行相应的设置

定义二分法

该选项组用于设定将数据分类的方式。系统默认选择是"从数据中获取"，此种方式适用于按照二分类方式录入的数据；"割点"方式可设置一个分类临界值，大于此值的数据将作为第一组，小于此值的作为第二组。

"检验比例"设置

"检验比例"输入框用于设置检验概率，系统默认为0.5，即均匀分布。

"精确检验"与"选项"设置

单击"精确"与"选项"按钮，打开"精确检验"与"二项式检验：选项"对话框。对话框的内容与设置方式与卡方检验的相同，读者可以参考6.2节的内容，在此不再赘述。

4）分析结果输出

设置完毕后，单击"确定"按钮，就可以在SPSS Statistics结果窗口得到二项检验的结果。

6.3.3 实验操作

下面将以数据文件"6-2"为例，说明二项检验的操作。

1．实验数据描述

袋中有黑白球若干，从袋中取球。数据文件6-2是取1000次小球所得到的黑白球的次数。以该数据文件为例，进行二项检验，求黑白球出现的概率是否服从二项分布，本数据文件的原始EXCEL数据文件如图6-13所示。

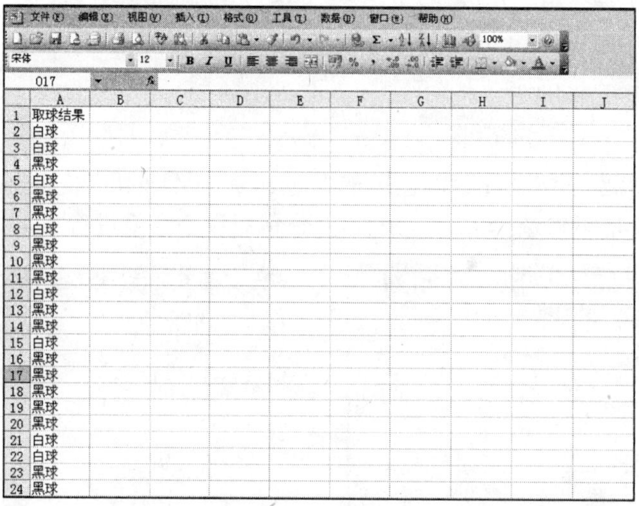

图 6-13　数据文件 6-2 原始数据

在SPSS变量视图中建立变量"结果"，表示取球所得的结果，用"0、1"分别代替"黑球、白球"，如图6-14所示。

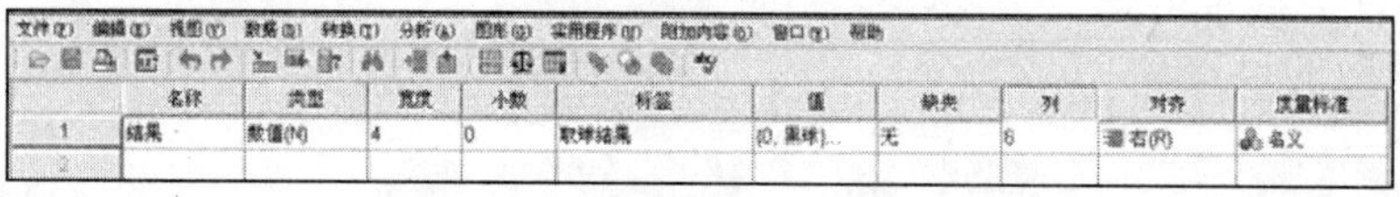

图 6-14　数据文件 6-2 的变量视图

在SPSS活动数据文件中的数据视图中，把相关数据输入到各个变量中，输入完毕如图6-15所示。

图 6-15　数据文件 6-2 的数据视图

2. 实验的操作步骤

实验的具体操作步骤如下：

Step 01　在菜单栏中依次单击"分析"|"非参数检验"|"二项式"命令，打开"二项式检验"对话框。

Step 02　从源变量列表中选择"结果"变量，单击 ➡ 按钮使之进入检验变量列表。

Step 03　单击"选项"按钮，打开"卡方检验：选项"对话框，勾选"描述性"复选项，单击"继续"。

Step 04　单击"确定"按钮，输出检验结果。

3. 实验结果分析

单击"确定"按钮，SPSS Statistics结果查看器窗口的输出结果如图6-16和图6-17所示。

图6-16给出的是"样本数"、"均值"、"标准差"、"极小值"和"极大值"等描述性统计量。

描述性统计量

	N	均值	标准差	极小值	极大值
取球结果	1000	.27	.446	0	1

图 6-16　描述性统计量表

图6-17给出了相关的检验统计量。从表中可以看出，P值为0.000，故拒绝原假设，认为取球的结果不服从二项分布。

二项式检验

		类别	N	观察比例	检验比例	渐近显著性(双侧)
取球结果	组 1	Yes	274	.27	.50	.000[a]
	组 2	No	726	.73		
	总数		1000	1.00		
a. 基于 Z 近似值。						

图 6-17　检验统计量表

6.4　两独立样本检验

两独立样本检验用于在总体分布未知的情况下检验两个样本是否来自于相同分布的总体。

6.4.1　两独立样本检验的基本原理

两独立样本检验主要通过对两个独立样本的集中趋势、离中趋势、偏度等指标进行差异性检验从而分析该两独立样本是否来自于相同分布的总体。SPSS提供了Mann-Whitney U检验法、Kolmogorov-Smirnov Z双样本检验法、Moses极限反应检验法和Wald-Wolfowitz游程检验法四种方法进行两独立样本检验。在进行检验前，先来了解下这几种检验方法的基本思想。

（1）Mann-Whitney U 检验法

Mann-Whitney U检验法的思想是检验两个样本的总体在某些位置上是否相同，其基于对平均秩的分析实现推断。其检验思路是，首先对两个样本合并并按升序排列得出每个数据的秩，然后对这两个样本求平均秩并计算第一组样本的每个秩优于第二组样本的每个秩的个数 N_1 和第二组样本的每个秩优于第一组样本的每个秩的个数 N_2。如果平均秩和 N_1、N_2 之间的差距过大，则认为两个样本来自于不同的总体。

（2）Kolmogorov-Smirnov Z 双样本检验法

Kolmogorov-Smirnov Z双样本检验法检验思路是，首先对两个样本合并并按升序排列得出每个数据的秩，然后得出样本秩的累积频率与样本点的累积频率的差值序列并计算该序列的K-S Z统计量，如果该统计量的伴随概率P值小于显著性水平则认为两个样本的总体分布具有显著性差异。

（3）Moses 极限反应检验法

Moses极限反应检验法将一个样本作为实验样本而另一个样本作为控制样本，将两个样本合并按升序排列得出每个数据的秩并计算控制组的跨度（即控制组样本中最大秩和最小秩之间包含的样本个数）。然后，忽略取值极高和极低的各5%数据后计算截头跨度，如果跨度和截头跨度相差较大，则认为两个样本存在极限反应，其总体分布具有显著性差异。

（4）Wald-Wolfowitz 游程检验法

Wald-Wolfowitz游程检验法的思想是检验两个样本是否被随机赋秩。其检验思路是，首先对两个样本合并并按升序排列，然后对样本标志值序列求游程，如果得到的游程数较小则认为两个样本的总体分布具有显著性差异。

6.4.2 两独立样本检验的 SPSS 操作

建立或打开相应的数据文件后，在 SPSS 中便可以进行两独立样本检验。

1）在菜单栏中依次选择"分析"|"非参数检验"|"2个独立样本"命令，打开如图6-18所示"两个独立样本检验"对话框。

2）选择变量

从源变量列表中选择要进行两独立样本检验的变量，单击 🔽 按钮使之进入检验变量列表；同时，选择分组变量，单击 🔽 按钮使之进入分组变量列表。此时"定义组"按钮被激活，如图6-19所示。

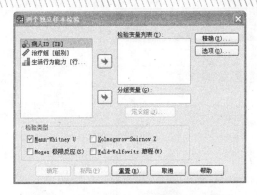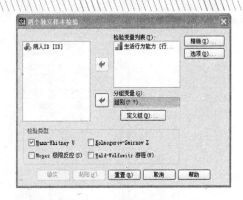

图 6-18 "两个独立样本检验"对话框   图 6-19 选择变量

单击"定义组"按钮，弹出如图6-20所示"两独立样本：定义组"对话框。

图 6-20 "两独立样本：定义组"对话框

"组1"输入框用于输入代表第一组变量的数值，"组2"输入框用于输入代表第二组变量的数值。输入完毕后单击"继续"按钮返回主对话框。

3）进行相应的设置

"检验类型"设置

"检验类型"选项组用于设置所进行的检验：Mann-Whitney U、Kolmogorov-Smirnov Z 双样本检验法、Moses极限反应和Wald-Wolfowitz游程检验法。

"精确检验"和"选项"设置

内容与设置方式同样与卡方检验的相同，可参考6.2节的内容，在此不再赘述。

4）分析结果输出

设置完毕后，单击"确定"按钮，就可以在SPSS Statistics结果窗口得到两独立样本检验的结果。

6.4.3 实验操作

下面以数据文件"6-3"为例，说明两独立样本检验的操作。

1. 实验数据描述

数据文件"6-3"是两组中风患者治疗结果的数据。其中，第一组患者接受标准的药物治疗，而第二组患者则接受附加物理治疗，分析两种治疗方法的结果是否有显著差异。实验的原始数据如图6-21所示。

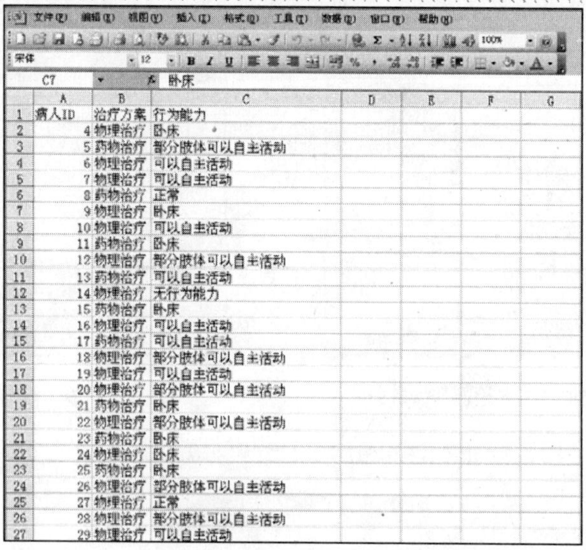

	A	B	C
1	病人ID	治疗方案	行为能力
2	4	物理治疗	卧床
3	5	药物治疗	部分肢体可以自主活动
4	6	物理治疗	可以自主活动
5	7	物理治疗	可以自主活动
6	8	药物治疗	正常
7	9	物理治疗	卧床
8	10	物理治疗	可以自主活动
9	11	药物治疗	卧床
10	12	物理治疗	部分肢体可以自主活动
11	13	药物治疗	可以自主活动
12	14	物理治疗	无行为能力
13	15	药物治疗	卧床
14	16	物理治疗	可以自主活动
15	17	药物治疗	可以自主活动
16	18	物理治疗	部分肢体可以自主活动
17	19	物理治疗	可以自主活动
18	20	物理治疗	部分肢体可以自主活动
19	21	药物治疗	卧床
20	22	物理治疗	部分肢体可以自主活动
21	23	药物治疗	卧床
22	24	物理治疗	卧床
23	25	药物治疗	卧床
24	26	物理治疗	部分肢体可以自主活动
25	27	物理治疗	正常
26	28	物理治疗	部分肢体可以自主活动
27	29	物理治疗	可以自主活动

图 6-21　数据文件“6-3”原始数据

在SPSS变量视图中建立变量“ID”、“组别”和“行为能力”，分别表示病人编号、所属治疗组和行为能力，其中用“0、1”分别代替“药物治疗、物理治疗”，用“0、1、2、3、4”分别表示“正常、可以自主活动、部分肢体可以自主活动、卧床、无自理能力”，如图6-22所示。

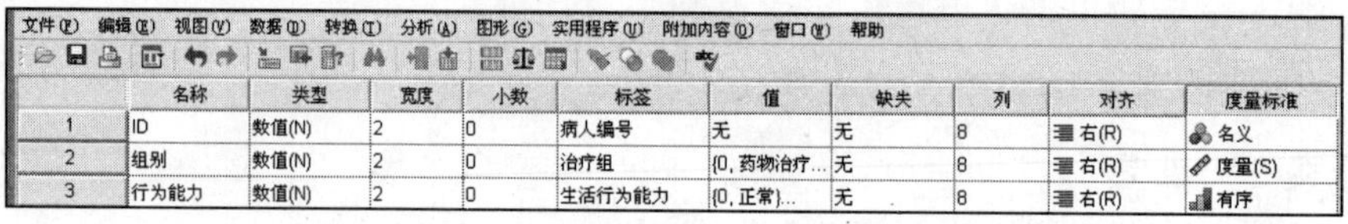

	名称	类型	宽度	小数	标签	值	缺失	列	对齐	度量标准
1	ID	数值(N)	2	0	病人编号	无	无	8	右(R)	名义
2	组别	数值(N)	2	0	治疗组	{0, 药物治疗...	无	8	右(R)	度量(S)
3	行为能力	数值(N)	2	0	生活行为能力	{0, 正常}...	无	8	右(R)	有序

图 6-22　数据文件“6-3”的变量视图

在SPSS活动数据文件中的数据视图中，把相关数据输入到各个变量中，输入完毕如图6-23所示。

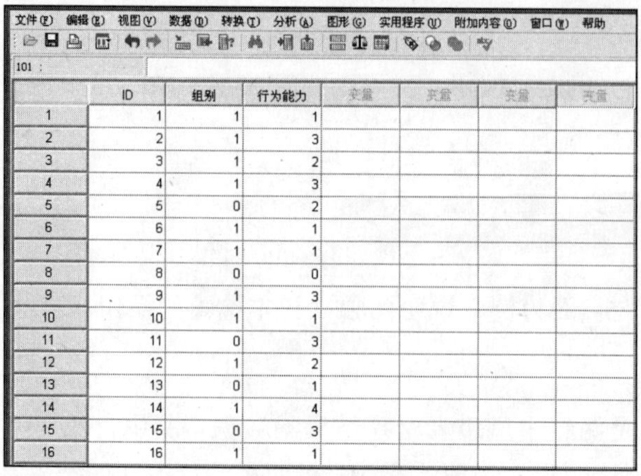

	ID	组别	行为能力
1	1	1	1
2	2	1	3
3	3	1	2
4	4	1	3
5	5	0	2
6	6	1	1
7	7	1	1
8	8	0	0
9	9	1	3
10	10	1	1
11	11	0	3
12	12	1	2
13	13	0	1
14	14	1	4
15	15	0	3
16	16	1	1

图 6-23　数据文件“6-3”的数据视图

2. 实验的操作步骤

实验的具体操作步骤如下：

Step 01 在菜单栏中依次单击"分析"|"非参数检验"|"2 个独立样本"命令，打开"两个独立样本检验"对话框。

Step 02 从源变量列表中选择"行为能力"变量，单击➡按钮使之进入检验变量列表；选择"组别"变量，使之进入分组变量列表；单击"定义组"按钮，弹出"两独立样本：定义组"对话框，输入两组的组标记值。

Step 03 单击"选项"按钮，在"两独立样本检验：选项"对话框中勾选"描述性"复选项，单击"继续"。

Step 04 在检验类型选项组中，勾选"Mann-Whitney U"、"Moses 极限反应"和"Kolmogorov-Smirnov Z"选项。

Step 05 单击"确定"，输出检验结果。

3. 实验结果分析

单击"确定"按钮，SPSS Statistics结果查看器窗口的输出结果如图6-24~图6-26所示。

图6-24给出了两个变量的"样本数"、"均值"、"标准差"、"极小值"和"极大值"描述性统计量。

图6-25给出了Mann-Whitney U检验相关的检验统计量。从表中可以看出，P值为0.03，小于显著性水平。故拒绝原假设，认为两种治疗方法的结果具有显著性差异。

描述性统计量

	N	均值	标准差	极小值	极大值
生活行为能力	100	2.31	1.134	0	4
治疗组	100	.54	.501	0	1

图 6-24　描述性统计量表

检验统计量[a]

	生活行为能力
Mann-Whitney U	940.000
Wilcoxon W	2425.000
Z	-2.165
渐近显著性(双侧)	.030

a. 分组变量：治疗组

图 6-25　Mann-Whitney U 检验表

图6-26给出了Moses极限反应检验相关的检验统计量。从表中可以看出，在排除极端值后，P值为0.387，大于显著性水平。故不能拒绝原假设，认为两种治疗方法的结果无显著性差异。

检验统计量[a,b]

	生活行为能力
控制组观察跨度	90
显著性（单侧）	.002
修整的控制组跨度	90
显著性（单侧）	.387
从每个末端修整的离群者	2

a. Moses 检验
b. 分组变量：治疗组

图 6-26　Moses 极限反应检验法的检验统计量表

图6-27给出了Kolmogorov-Smirnov Z双样本检验法的检验统计量。从表中可以看出，P值为0.302，也大于显著性水平。故不能拒绝原假设，认为两种治疗方法的结果无显著性差异。

检验统计量[a]		生活行为能力
最极端差别	绝对值	.195
	正	.195
	负	.000
Kolmogorov-Smirnov Z		.971
渐近显著性(双侧)		.302

a. 分组变量:治疗组

图 6-27   Kolmogorov-Smirnov Z 双样本检验法的检验统计量表

从本例的分析对比可以看出,不同的检验方法会导致不同的结论,这提示我们一定要根据数据的性质和各检验方法的侧重点合理地选择检验方法,建议在检验前进行探索性分析获取相关信息。

在本例中,"Mann-Whitney U"检验法常用于判别两独立样本所属的总体是否具有相同的分布,"Moses极限反应"检验和"Kolmogorov-Smirnov Z"检验主要用于检验两个样本是否来自于相同总体的假设。因此结合本研究的实际,建议选择"Mann-Whitney U"检验法。

6.5 多独立样本检验

多独立样本检验用于在总体分布未知的情况下检验多个样本是否来自于相同分布的总体。

6.5.1 多独立样本检验的基本原理

多独立样本检验的基本原理与两独立样本相同,两独立样本检验是多独立样本检验的特殊情况。SPSS提供了Kruskal-Wallis H方法、Jonckheere-Terpstra检验法和推广的中位数检验法三种方法进行多独立样本检验。

（1）Kruskal-Wallis H 检验

Kruskal-Wallis H检验是Mann-Whitney U检验法的扩展,是一种推广的评价值检验。其基本思路是,首先对所有样本合并并按升序排列得出每个数据的秩,然后对这各组样本求平均秩。如果平均秩相差很大,则认为两组样本所属的总体有显著差异。

（2）Jonckheere-Terpstra 检验法

Jonckheere-Terpstra检验法在总体具有先验的排序的前提下具有较高的检验效率,其检验思路与两独立样本下的Mann-Whitney U检验法相似,计算某组样本的每个秩优于其他组样本的每个秩的个数。如果这些数据差距过大,则认为两组样本所属的总体有显著差异。

（3）推广的中位数检验法

推广的中位数检验法的基本思路是,首先将所有样本合并并计算中位数,然后计算各组样本中大于或小于这个中位的样本的个数。如果这些数据差距过大,则认为两组样本所属的总体有显著差异。

6.5.2　多独立样本的 SPSS 操作

建立或打开相应的数据文件后，在 SPSS 中便可以进行多独立样本检验。

1）在菜单栏中依次选择"分析"|"非参数检验"|"K个独立样本"命令，打开如图6-28所示的"多个独立样本检验"对话框。

2）选择变量

从源变量列表中选择要进行多独立样本检验的变量，单击⏩按钮使之进入检验变量列表；选择分组变量，如图6-29所示。

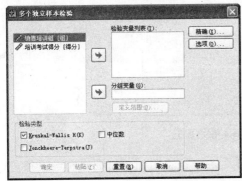
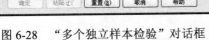
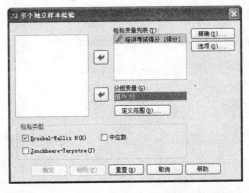

图 6-28　"多个独立样本检验"对话框　　　　图 6-29　多个独立样本检验的变量选择

单击"定义范围"按钮，弹出如图6-30所示的"多自变量样本：定义范围"对话框。

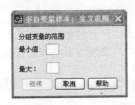

图 6-30　"多自变量独立样本：定义范围"对话框

该对话框中包含两个输入框："最小值"和"最大值"，用于设置分组变量的范围。

3）进行相应的设置。与两独立样本检验一样，选择所要进行检验的类型和其他设置。

4）分析结果输出。设置完毕后，单击"确定"按钮，就可以在SPSS Statistics结果窗口得到多独立样本检验的结果。

6.5.3　实验操作

下面以数据文件"6-4"为例，说明多独立样本检验的操作。

1．实验数据描述

数据文件"6-4"是三组采用不同销售人员的培训得分的数据，利用多独立样本检验分析三组销售人员的培训得分是否有显著差异，本实验的原始数据如图6-31所示。

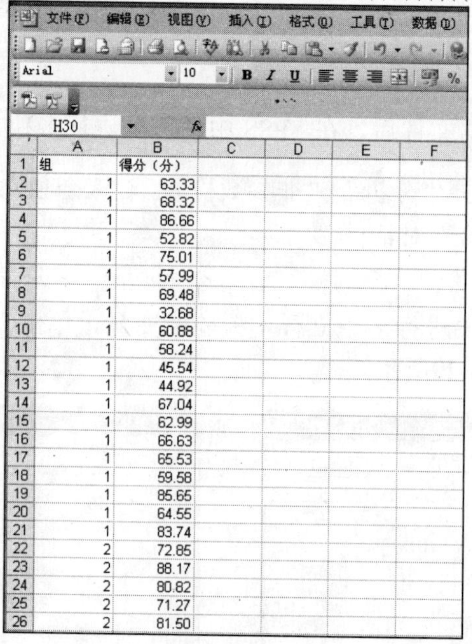

	A	B
1	组	得分（分）
2	1	63.33
3	1	68.32
4	1	86.66
5	1	52.82
6	1	75.01
7	1	57.99
8	1	69.48
9	1	32.68
10	1	60.88
11	1	58.24
12	1	45.54
13	1	44.92
14	1	67.04
15	1	62.99
16	1	66.63
17	1	65.53
18	1	59.58
19	1	85.65
20	1	64.55
21	1	83.74
22	2	72.85
23	2	88.17
24	2	80.82
25	2	71.27
26	2	81.50

图 6-31　数据文件 6-4 原始数据

在SPSS变量视图中建立变量“组”和“得分”，分别表示销售培训组和考试得分，如图6-32所示。

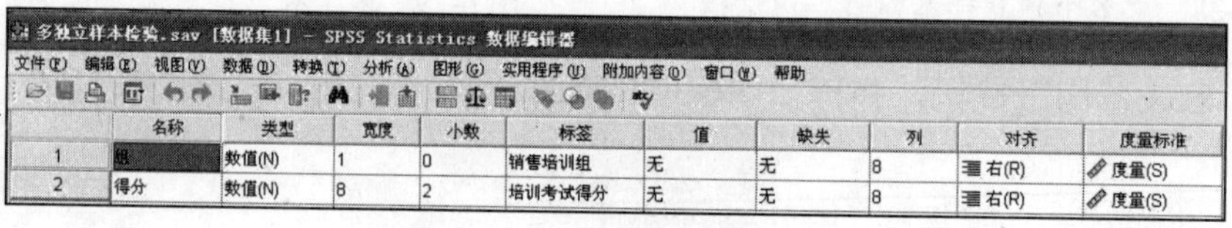

	名称	类型	宽度	小数	标签	值	缺失	列	对齐	度量标准
1	组	数值(N)	1	0	销售培训组	无	无	8	右(R)	度量(S)
2	得分	数值(N)	8	2	培训考试得分	无	无	8	右(R)	度量(S)

图 6-32　数据文件 6-4 的变量视图

在SPSS活动数据文件中的数据视图中，把相关数据输入到各个变量中，输入完毕如图6-33所示。

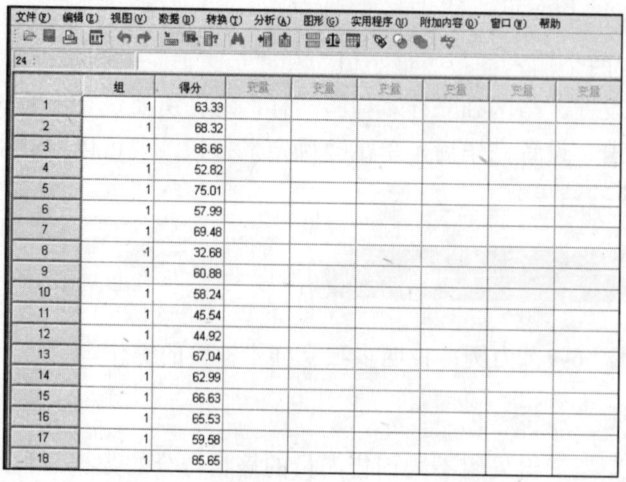

	组	得分
1	1	63.33
2	1	68.32
3	1	86.66
4	1	52.82
5	1	75.01
6	1	57.99
7	1	69.48
8	1	32.68
9	1	60.88
10	1	58.24
11	1	45.54
12	1	44.92
13	1	67.04
14	1	62.99
15	1	66.63
16	1	65.53
17	1	59.58
18	1	85.65

图 6-33　数据文件 6-4 的数据视图

2. 实验操作步骤

实验的具体操作步骤如下：

Step 01 在菜单栏中依次选择"分析"|"非参数检验"|"K 个独立样本"命令，打开"多个独立样本检验"对话框。

Step 02 从源变量列表中选择"得分"变量，单击➡按钮使之进入检验变量列表；选择"组"变量，单击➡按钮使之进入分组变量列表；单击"定义范围"按钮，在"多独立样本：定义组"对话框中输入组标记值的取值范围。

Step 03 单击"选项"按钮，打开"多独立样本检验：选项"对话框，勾选"描述性"复选项，单击"继续"。

Step 04 在检验类型选项组中，勾选全部选项。

Step 05 单击"确定"，输出检验结果。

3. 实验结果分析

单击"确定"按钮，SPSS Statistics结果查看器窗口的输出结果如图6-34~图6-37所示。

图6-34给出了两个变量的"样本数"、"均值"、"标准差"、"极小值"和"极大值"描述性统计量。

图6-35给出了Kruskal-Wallis H检验相关的检验统计量。从表中可以看出，P值为0.000，小于显著性水平。故拒绝原假设，认为三组销售人员的培训得分存在显著差异。

描述性统计量					
	N	均值	标准差	极小值	极大值
培训考试得分(分)	60	72.1422	12.00312	32.68	89.69
销售培训组	60	2.00	.823	1	3

检验统计量[a,b]	
	培训考试得分
卡方	15.783
df	2
渐近显著性	.000
a. Kruskal Wallis 检验	
b. 分组变量：销售培训组	

图 6-34 描述性统计量表 图 6-35 Kruskal-Wallis H 检验的检验统计量表

图6-36给出了推广的中位数检验相关的检验统计量。从表中看出，P值为0.002，小于显著性水平。故拒绝原假设，认为三组销售人员的培训得分存在显著差异。

图6-37给出了Jonckheere-Terpstra检验相关的检验统计量。P值为0.000，小于显著性水平。故拒绝原假设，认为三组销售人员的培训得分存在显著差异。

检验统计量[b]	
	培训考试得分
N	60
中值	74.9330
卡方	12.400[a]
df	2
渐近显著性	.002
a. 0 个单元 (.0%) 具有小于 5 的期望频率。单元最小期望频率为 10.0。	
b. 分组变量：销售培训组	

Jonckheere-Terpstra 检验[a]	
	培训考试得分
销售培训组 中的水平数	3
N	60
J-T 观察统计量	898.000
J-T 统计量均值	600.000
J-T 统计量的标准差	73.711
标准J-T统计量	4.043
渐近显著性(双侧)	.000
a. 分组变量：销售培训组	

图 6-36 推广的中位数检验的检验统计量表 图 6-37 Jonckheere-Terpstra 检验的检验统计量表

一般来说，Kruskal-Wallis H检验用于检验多个独立样本是否来自于同一个总体，而Jonckheere-Terpstra和推广的中位数检验用于检验多个独立样本所来自的不同总体是否具有相同的分布。本例建议选取Jonckheere-Terpstra或推广的中位数检验。

6.6 两配对样本检验

两配对样本的非参数检验是指在总体分布未知的条件下对样本来自的两相关配对总体是否具有显著差异进行的检验，所谓两配对样本是指两样本具有相同或相似的非处理因素。

6.6.1 两配对样本检验的基本原理

两配对样本的非参数检验一般用于对配对研究对象给予不同处理并进行处理前后是否具有显著性差异的分析。SPSS提供了Wilcomxon配对符秩检验、符号检验、McNemar变化显著性检验和边际齐性检验四种检验方法进行两配对样本的检验。

（1）符号检验

符号检验是一种利用正、负号的数目对某种假设作出判定的非参数检验方法。符号检验的基本思路是，将第二组样本的每个观测值减去第一个样本的对应观测值，观测所得到的差值的符号，如果差值中正数的个数和负数的个数差距较大，则认为两样本来自的两相关配对总体具有显著差异。

（2）Wilcomxon 配对符秩检验

Wilcomxon配对符秩检验是一种扩展的符号检验。其基本思路是，如果两样本来自的两相关配对总体没有显著差异的话，不但差值中正数的个数和负数的个数应大致相等，而且正值和负值的秩和也大致相等。

（3）McNemar 变化显著性检验

McNemar变化显著性检验的思想是以其自身为对照，进行二项分布检验。其通过初始的观测比率和事后的观测比率的变化计算二项分布的概率值，McNemar变化显著性检验要求数据必须为两分类数据。

（4）边际齐性检验

边际齐性检验是McNemar变化显著性检验从两分类数据向多分类数据的推广，通过卡方分布检验的观测比率和事后的观测比率的变化来计算。

6.6.2 两配对样本检验的 SPSS 操作

建立或打开相应的数据文件后，在 SPSS 中便可以进行两配对样本检验。

1）在菜单栏中依次选择"分析"|"非参数检验"|"2个相关样本"命令，打开如图6-38

所示的"两个关联样本检验"对话框。

图6-38　"两个关联样本检验"对话框

2）选择变量

从源变量列表中选择要进行两独立样本检验的变量，单击按钮使之进入检验对列表，如图6-39所示。变量必须成对引入，SPSS允许引入多对变量，系统会分别进行分析。

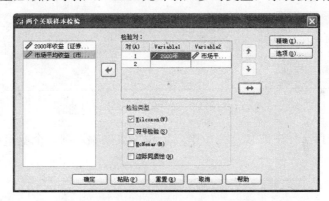

图6-39　两配对样本检验的变量选择

3）选择检验类型并进行精确及其他选项设置。读者可以参考前几节的内容，在此不再赘述。

4）分析结果输出

设置完毕后，单击"确定"按钮，就可以在SPSS Statistics结果窗口得到两配对样本检验的结果。

6.6.3　实验操作

下面将以数据文件"6-5"为例，说明两配对样本检验的操作。

1．实验数据描述

数据文件"6-5"涉及在标准普尔500指数上列出的各支技术股的2000年的股票行情，利用数据文件"6-5"分析个股的收益与市场平均收益率是否存在系统性差异，实验的原始数据如图6-40所示。

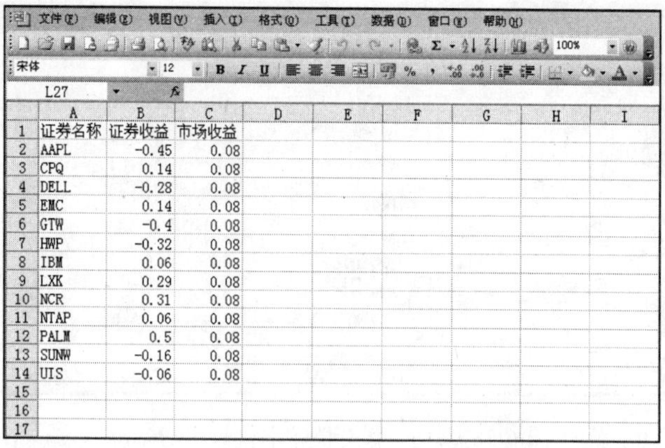

图 6-40 数据文件"6-5"原始数据

在SPSS变量视图中建立变量"证券名称"、"证券收益"和"市场收益",分别表示证券代码、单个证券收益和市场平均收益,如图6-41所示。

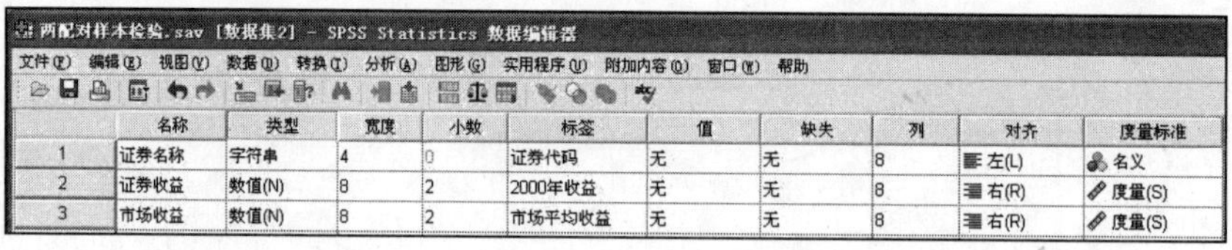

图 6-41 数据文件"6-5"的变量视图

在SPSS活动数据文件中的数据视图中,把相关数据输入到各个变量中,输入完毕如图6-42所示。

图 6-42 数据文件"6-5"的数据视图

2. 实验的操作步骤

实验的具体操作步骤如下:

Step01 在菜单栏中依次选择"分析"|"非参数检验"|"2 个相关样本"命令,打开"两

个关联样本检验"对话框。

Step 02 从源变量列表中选择"证券收益"和"市场收益"变量,单击 ⬇ 按钮使之进入"检验对"列表。

Step 03 单击"选项"按钮,打开"两个相关样本检验:选项"对话框,勾选"描述性"复选项,单击"继续"。

Step 04 在"检验类型"选项组中,勾选"Wilcomxon"和"符号检验"选项。

Step 05 单击"确定",输出检验结果。

3. 实验结果分析

单击"确定"按钮,SPSS Statistics结果查看器窗口的输出结果如图6-43~图6-45所示。

图6-43给出了两个变量的"样本数"、"均值"、"标准差"、"极小值"和"极大值"等描述性统计量。

描述性统计量					
	N	均值	标准差	极小值	极大值
2000年收益	13	-.0144	.29563	-.45	.50
市场平均收益	13	.0783	.00000	.08	.08

图 6-43 描述性统计量表

图6-44给出Wilcomxon检验相关的检验统计量。从表中可以看出,P值为0.311,大于显著性水平。故不能拒绝原假设,认为个股收益率与市场收益率无系统性差异。

图6-45给出符号检验相关的检验统计量。从表中可以看出,P值为0.311,大于显著性水平。故不能拒绝原假设,认为个股收益率与市场收益率无系统性差异。

检验统计量[b]	
	市场平均收益 - 2000年收益
Z	-1.013[a]
渐近显著性(双侧)	.311
a. 基于负秩。	
b. Wilcoxon 带符号秩检验	

检验统计量[b]	
	市场平均收益 - 2000年收益
精确显著性(双侧)	.581[a]
a. 已使用的二项式分布。	
b. 符号检验	

图 6-44 Wilcomxon 检验的检验统计量表　　　图 6-45 符号检验的检验统计量表

一般来说,Wilcomxon检验和符号检验用于检验两个配对样本是否来自于相同的总体,McNemar变化显著性检验用于进行二分变量的检验,临界一致性检验用于定序变量的检验。本例中,由于样本数量的限制,系统无法进行临界一致性检验和McNemar变化显著性检验,根据数据类型,使用Wilcomxon检验和符号检验。

6.7 多配对样本检验

多配对样本检验用于在总体分布未知的情况下检验多个相关样本是否来自于相同分布的总体。

6.7.1 多配对样本检验的基本原理

多配对样本检验的基本原理与两配对样本相同，两配对样本检验是多配对样本检验的特殊情况。SPSS提供了 Friedman双向评秩方差检验、Kendall'W协同系数检验和Cochran Q检验三种方法进行多配对样本检验。

（1）Friedman 双向评秩方差检验

Friedman双向评秩方差检验与Kruskal-Wallis H检验的思路相似，Friedman双向评秩方差检验还考虑到区组的影响。其首先对所有样本合并并按升序排列，然后求各观测量在各自行中的秩，然后对这各组样本求平均秩和秩和。如果平均秩或秩和相差很大，则认为两组样本所属的总体有显著差异。

（2）Kendall'W 协同系数检验

Kendall'W协同系数检验的思想是考察多次评价中的排序是否随机。Kendall'W协同系数反应了各行数据的相关程度。如果其取值接近于1，则认为评价中的排序不是随机的，即样本来自的多个配对总体的分布存在显著差异。

（3）Cochran Q 检验

Cochran Q检验用于处理二值数据，Cochran Q统计量的计算如公式（6-3）所示。

$$Q = \frac{k(k-1)\sum_{j=1}^{k}(N_j - \overline{N})^2}{k\sum_{i=1}^{n}M_i - \sum_{i=1}^{n}M_i^2} \tag{6-3}$$

其中，N_j表示第j列中取值为1的个数，M_i表示第i行中取值为1的格式，Q统计量近似服从于卡方分布。

6.7.2 多配对样本检验的 SPSS 操作

建立或打开相应的数据文件后，在 SPSS 中便可以进行多配对样本检验。

1）在菜单栏中依次选择"分析"|"非参数检验"|"K个相关样本"命令，打开如图6-46所示的"多个关联样本检验"对话框。

2）选择变量

从源变量列表中选择要进行多配对样本检验的变量，单击⬛按钮使之进入检验变量列表，这里的"数学"、"物理"和"生物"。

3）进行相应的设置。设置所进行的检验与计算显著水平的方法。

"统计量"设置

单击"统计量"按钮，打开如图6-47所示的"多个相关样本：统计量"对话框。

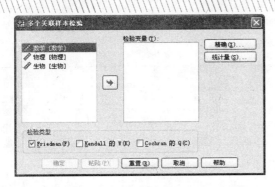

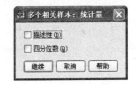

图 6-46　“多个关联样本检验”对话框

图 6-47　“多个相关样本：统计量”对话框

该对话框用于设置是否输出描述性统计量和四分位数。与前几节中不同，多配对样本检验中无需处理缺失值。

4）分析结果输出

设置完毕后，单击“确定”按钮，就可以在SPSS Statistics结果窗口得到多配对样本检验的结果。

6.7.3　实验操作

下面将以数据文件“6-6”为例，说明多独立样本检验的操作。

1. 实验数据描述

数据文件“6-6”是三门不同课程学生得分的数据，利用多配对样本检验分析三门课程得分是否存在显著差异，本实验的原始数据如图6-48所示。

	A	B	C	D	E	F
1	数学（分）	物理（分）	生物（分）			
2	46	62	77			
3	57	67	78			
4	62	72	78			
5	63	65	78			
6	64	62	79			
7	66	54	79			
8	67	71	81			
9	69	67	81			
10	72	77	82			
11	73	78	78			
12	73	80	84			
13	74	74	83			
14	76	78	86			
15	77	80	78			
16	78	81	85			
17	78	68	88			
18	78	78	80			
19	79	84	79			
20	79	83	82			
21	81	86	83			
22	81	78	83			
23	82	85	68			

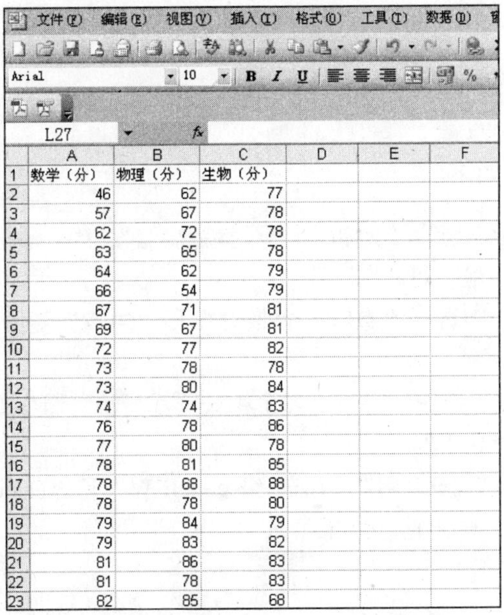

图 6-48　数据文件“6-6”原始数据

在SPSS的变量视图中，建立"数学"、"生物"和"物理"变量，变量的内容分别为各门不同课程的得分，如图6-49所示。

	名称	类型	宽度	小数	标签	值	缺失	列	对齐	度量标准
1	数学	数值(N)	8	0	数学	{46, 46}...	无	8	右(R)	度量(S)
2	物理	数值(N)	8	0	物理	无	无	8	右(R)	度量(S)
3	生物	数值(N)	8	0	生物	{0, 女}...	无	8	右(R)	度量(S)

图6-49　数据文件"6-6"的变量视图

在SPSS活动数据文件中的数据视图中，把相关数据输入到各个变量中，输入完毕如图6-50所示。

	数学	物理	生物	变量	变量	变量	变量
1	46	62	77				
2	57	67	78				
3	62	72	78				
4	63	65	78				
5	64	62	79				
6	66	54	79				
7	67	71	81				
8	69	67	81				
9	72	77	82				
10	73	78	78				
11	73	80	84				
12	74	74	83				
13	76	78	86				
14	77	80	78				
15	78	81	85				
16	78	68	88				
17	78	78	80				
18	79	84	79				
19	79	83	82				
20	81	86	83				

图6-50　数据文件"6-6"的数据视图

2. 实验操作步骤

实验的具体操作步骤如下：

Step 01　在菜单栏中依次选择"分析"|"非参数检验"|"K 个相关样本"命令，打开"多个相关样本检验"对话框。

Step 02　从源变量列表中选择"数学"、"物理"和"生物"变量，单击➡按钮使之进入检验变量列表。

Step 03　单击"统计量"按钮，打开"多个相关样本：统计量"对话框，勾选"描述性"复选项，单击"继续"。

Step 04　在"检验类型"选项组中，勾选"Kendall'W"和"Friedman"选项。

Step 05　单击"确定"，输出检验结果。

3. 实验结果分析

单击"确定"按钮，SPSS Statistics结果查看器窗口的输出结果如图6-51~图6-53所示。

图6-51给出了两个变量的"样本数（N）"、"均值"、"标准差"、"极小值"和"极大值"描述性统计量。

描述性统计量

	N	均值	标准差	极小值	极大值
数学（分）	80	78.71	10.617	46	99
物理（分）	80	79.83	10.833	47	99
生物（分）	80	83.16	5.903	68	98

图 6-51　描述性统计量表

图6-52给出了Friedman检验相关的检验统计量。从表中可以看出，P值为0.002，小于显著性水平0.05。故拒绝原假设，认为三门课的成绩具有系统性差异。

图6-53给出了Kendall'W协同系数检验相关的检验统计量。P值同样为0.002，小于显著性水平0.05。故拒绝原假设，认为三门课的成绩具有系统性差异。

检验统计量[a]

N	80
卡方	12.088
df	2
渐近显著性	.002

a. Friedman 检验

检验统计量

N	80
Kendall W[a]	.076
卡方	12.088
df	2
渐近显著性	.002

a. Kendall 协同系数

图 6-52　Friedman 检验的检验统计量表　　图 6-53　Kendall'W 协同系数检验的检验统计量表

一般来说，Friedman检验用于检验样本是否来自于同一总体，Kendall'W协同系数检验用于检验配对样本的总体是否具有相同的分布，Cochran Q检验用于二分变量的检验。本例中，由于变量不全是具有相同取值的二分变量，故系统无法进行Cochran Q检验，结合本例的研究，建议使用Friedman检验。

6.8 游程检验

游程检验用于检验样本的随机性和两个总体的分布是否相同。

6.8.1 游程检验简介

游程检验的思路是将连续的相同取值的记录作为一个游程。如果序列是随机序列，那么游程的总数应当不太多也不太少，过多或过少的游程的出现均可以为这相应的变量值的出现并不是随机的。

6.8.2　游程检验的 SPSS 操作

1）在菜单栏中依次选择"分析"|"非参数检验"|"游程"命令，打开如图6-54所示的"游程检验"对话框。

2）选择变量

从源变量列表中选择要进行游程检验的变量，单击 按钮使之进入检验变量列表。

3）进行相应的设置

"割点"设置

设置分类的标准。"中位数"、"众数"和"均值"三个复选项分别表示使用变量的中位数、众数和均值作为分类的标准，此外用户也可以选择"设定"并从其后的输入框中来自定义分类标准。

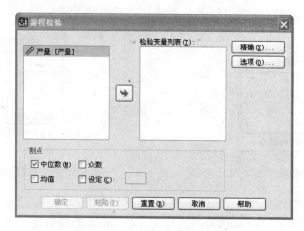

图 6-54　"游程检验"对话框

"精确检验"与"选项"设置

内容与选项含义可参考6.2节的卡方检验，在此不再赘述。

4）分析结果输出

设置完毕后，单击"确定"按钮，就可以在SPSS Statistics结果窗口得到游程检验的结果。

6.8.3　实验操作

下面将以数据文件"6-6"为例，说明游程检验的操作。

1. 实验数据描述

数据文件"6-6"是某农场不同地块某种农作物产量的数据，我们抽取了20块地并观察其产量，利用游程检验对该农场的观察地块的抽取检查是否是随机的，实验的原始数据如图6-55所示。

图 6-55 数据文件"6-6"的原始数据

在SPSS的变量视图中，建立"产量"变量，表示各地块上该农作物的产量，如图6-56所示。

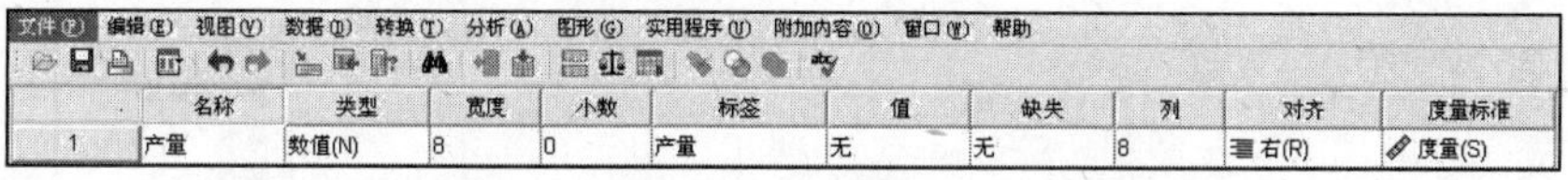

图 6-56 数据文件"6-6"的变量视图

在SPSS活动数据文件中的数据视图中，把相关数据输入到各个变量中，输入完毕如图6-57所示。

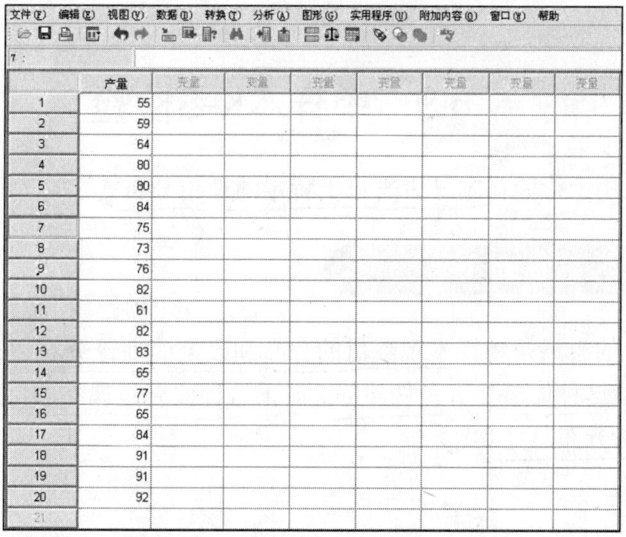

图 6-57 数据文件"6-6"的数据视图

2. 实验操作步骤

实验的具体操作步骤如下：

Step 01 在菜单栏中依次单击"分析"|"非参数检验"|"游程"命令，打开"游程检验"对话框。

Step 02 从源变量列表中选择"产量"变量，单击 按钮使之进入检验变量列表。

Step 03 单击"选项"按钮，在"游程：选项"对话框中勾选"描述性"复选项，单击"继续"。

Step 04 在"割点"选项组中，勾选"均值"选项。

Step 05 单击"确定"，输出检验结果。

3. 实验结果分析

单击"确定"按钮，SPSS Statistics结果查看器窗口的输出结果，如图6-58和图6-59所示。

图6-58给出了两个变量的"样本数"、"均值"、"标准差"、"极小值"和"极大值"描述性统计量信息。

图6-59给出了相关的检验统计量。从表中可以看出，渐进显著性P值为0.962，远大于显著性水平0.05。故接受原假设，认为从该农场查看产量的地块的抽取是随机的。

游程检验

	产量
检验值[a]	75.95
案例 < 检验值	8
案例 >= 检验值	12
案例总数	20
Runs 数	10
Z	-.048
渐近显著性(双侧)	.962

a. 均值

描述性统计量

	N	均值	标准差	极小值	极大值
产量（千克）	20	75.95	11.095	55	92

图 6-58 描述性统计量表

图 6-59 检验统计量表

6.9 单样本K-S检验

单样本K-S检验用于检验样本是否来自于特定的理论分布。

6.9.1 单样本 K-S 检验简介

单样本K-S检验的思路是将样本观察值的分布和设定的理论分布进行比较，求出它们之间的最大偏离并检验这种偏离是否是偶然的。如果这种偏离是偶然的，则认为样本的观察结果来自所设定的理论分布总体。

6.9.2 单样本 K-S 检验的 SPSS 操作

建立或打开相应的数据文件后，可以在 SPSS Statistics 数据编辑器窗口进行单样本 K-S 检验。

1）在菜单栏中依次选择"分析"|"非参数检验"|"1样本K-S"命令，打开如图6-60所示的"单样本Kolmogorov-Smirnov检验"对话框。

2）选择变量

从源变量列表中选择要进行单样本K-S检验的变量，单击按钮使之进入检验变量列表。

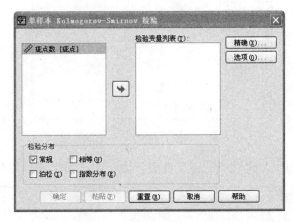

图 6-60 "单样本 Kolmogorov-Smirnov 检验"对话框

3）进行相应的设置

检验分布

该选项组用于设置指定检验的分布类型的标准，系统可以检验正态分布、均匀分布、泊松分布和指数分布。

4）分析结果输出

设置完毕后，单击"确定"按钮，就可以在SPSS Statistics结果窗口得到单样本K-S检验的结果。

6.9.3 实验操作

下面将以数据文件"6-7"为例，说明游程检验的操作。

1．实验数据描述

数据文件"6-7"是某工艺品上出现疵点的数目，我们抽取了50件产品进行观察，利用单样本K-S检验检验疵点的分布是否服从泊松分布，本实验的原始数据如图6-61所示。

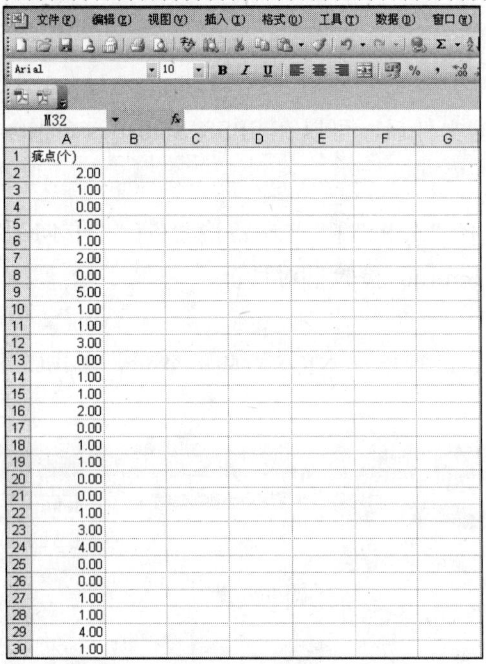

图 6-61　数据文件"6-7"原始数据

在SPSS的变量视图中，建立"疵点"变量，表示工艺品上疵点的数量，如图6-62所示。

	名称	类型	宽度	小数	标签	值	缺失	列	对齐	度量标准
1	疵点	数值(N)	8	2	疵点数	无	无	8	右(R)	度量(S)

图 6-62　数据文件"6-7"变量的基本情况

在SPSS活动数据文件中的数据视图中，把相关数据输入到各个变量中，输入完毕如图6-63所示。

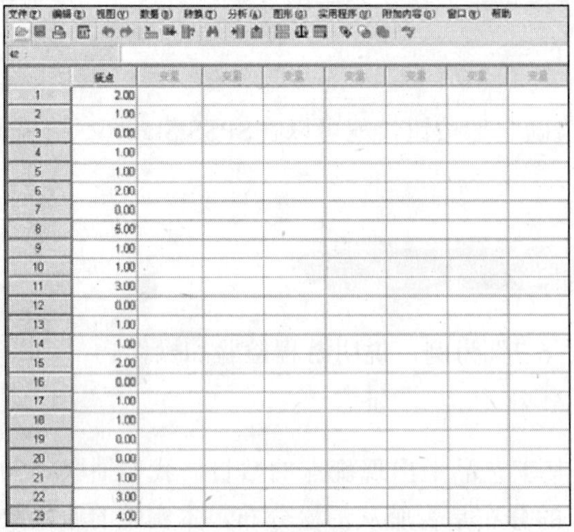

图 6-63　数据文件"6-7"的数据视图

2. 实验操作步骤

实验的具体操作步骤如下：

Step 01 在菜单栏中依次单击"分析"|"非参数检验"|"1样本K-S"命令，打开"单样本Kolmogorov-Smirnov检验"对话框。

Step 02 从源变量列表中选择"疵点"变量，单击按钮使之进入检验变量列表。

Step 03 单击"选项"按钮，打开"单样本K-S：选项"对话框，勾选"描述性"复选项，单击"继续"。

Step 04 在"检验分布"选项组中，勾选"泊松"选项。

Step 05 单击"确定"，输出检验结果。

3. 实验结果分析

SPSS Statistics结果查看器窗口的输出结果如图6-64和图6-65所示。

图6-64给出两个变量的"样本数"、"均值"、"标准差"、"极小值"和"极大值"描述性统计量。

图6-65给出相关的检验统计量。从表中可以看出，渐进显著性P值为0.902，远大于显著性水平0.05。故接受原假设，认为此工艺品的疵点分布服从泊松分布。

单样本 Kolmogorov-Smirnov 检验

		疵点数
N		50
Poisson 参数	均值	1.6800
最极端差别	绝对值	.081
	正	.081
	负	-.052
Kolmogorov-Smirnov Z		.569
渐近显著性(双侧)		.902

a. 检验分布为 Poisson 分布。
b. 根据数据计算得到。

描述性统计量

	N	均值	标准差	极小值	极大值
疵点数(个)	50	1.6800	1.54444	.00	6.00

图 6-64 描述性统计量表 图 6-65 检验统计量表

上机题

	光盘：\多媒体文件\上机题教学视频\chap06.wmv
	光盘：\源文件\上机题\chap06\...

6.1 本题调查了某车型24辆车的耗油量的数据，数据文件如下表所示（数据路径：光盘:\源文件\上机题\chap06\习题\第六章第一题.sav）。

耗油量（升/百公里）	耗油量（升/百公里）
9.8	9.7
10.9	9.7
9.9	10.3
10.5	10.5

（续表）

耗油量（升/百公里）	耗油量（升/百公里）
9.6	9.9
10.2	10.6
9.8	9.6
10.7	10.1
10.4	10.3
11.1	9.9
11.2	9.6
10.1	10.1

试在 5%显著性水平下，检验该型车的耗油量是否服从正态分布。

6.2 本题给出了某种产品装箱重量的数据，调查者抽查了20件商品，建立"编号"和"重量"两个变量，数据文件如下表所示，（数据路径：光盘:\源文件\上机题\chap06\习题\第六章第二题.sav）。

编号	重量（千克）	编号	重量（千克）
1	3.6	11	3.9
2	3.9	12	4
3	4.1	13	3.8
4	3.6	14	4.2
5	3.8	15	4.1
6	3.7	16	3.7
7	3.4	17	3.8
8	4	18	3.6
9	3.8	19	4
10	4.1	20	4.1

试在 5%显著性水平下检验该种产品的包装重量差异是否是随机的？

6.3 某工厂使用两台机床加工零件，调查者调查了两台机床加工的零件直径，数据文件如下表所示（数据路径：光盘:\源文件\上机题\chap06\习题\第六章第三题.sav）。

机床A（厘米）	机床B（厘米）
1.04	1.08
1.15	1
1.86	1.9

（续表）

机床A（厘米）	机床B（厘米）
1.75	1.9
1.82	1.8
1.14	1.2
1.65	1.7
1.92	1.86
1.87	1.85
1.76	1.78

试在 5%显著性水平下，检验两台机床的加工出来的零件是否存在显著差异。

6.4 某工厂改进了技术，调查者随机抽取了15名工人，调查他们在工艺改进前后生产100件产品的时间，数据文件如下表所示（数据路径：光盘:\源文件\上机题\chap06\习题\第六章第四题.sav）。

改进前（小时/百件）	改进后（小时/百件）
70	48
76	54
58	60
63	64
63	48
56	55
58	54
60	45
65	51
65	48
75	56
66	48
56	64
59	50
70	54

试在 5%显著性水平下，检验零件加工时间是否显著减少。

6.5 随机抛一枚硬币，记录正反面出现的顺序，出现正面时我们记作"1"，出现反面

183

时我们记作"0",数据文件如下表所示(数据路径:光盘:\源文件\上机题\chap06\习题\第六章第五题.sav)。

序号	结果	序号	结果
1	1	31	0
2	1	32	0
3	0	33	1
4	0	34	1
5	1	35	1
6	0	36	1
7	0	37	0
8	1	38	0
9	0	39	0
10	0	40	1
11	0	41	1
12	1	42	0
13	1	43	1
14	0	44	0
15	1	45	1
16	1	46	0
17	1	47	1
18	0	48	0
19	0	49	1
20	0	50	0
21	0	51	0
22	1	52	1
23	0	53	1
24	0	54	0
25	1	55	1
26	0	56	0
27	0	57	0
28	1	58	1
29	1	59	1
30	0	60	1

试在 5%显著性水平下检验硬币正反面的出现是否服从二项分布？

6.6 某市环保局负责对十个监测点的空气质量进行检测，现在采用新方法对总悬浮颗粒物进行测量，空气中总悬浮颗粒物的含量分布未知（数据路径：光盘:\源文件\上机题\chap06\习题\第六章第六题.sav）。

序号	老方法（%）	新方法（%）
1	3.46	3.47
2	2.18	2.29
3	5.34	5.04
4	9.15	9.35
5	1.13	0.98
6	51.34	50.28
7	21.3	22.59
8	4.35	4.08
9	0.02	0.01
10	5.62	5.28

试在 5%显著性水平下检验新旧方法是否存在显著差异？

6.7 某社区医院在查体中对40名居民的血清总胆固醇含量进行了测量，测量数据如下表所示（数据路径：光盘:\源文件\上机题\chap06\习题\第六章第七题.sav）。

序号	血清总胆固醇（mmol/L）	序号	血清总胆固醇（mmol/L）
1	4.76	21	4.78
2	3.36	22	5.12
3	6.13	23	5.19
4	3.94	24	5.09
5	3.55	25	4.69
6	4.22	26	4.73
7	4.30	27	3.50
8	4.70	28	4.37
9	5.68	29	4.88
10	4.55	30	6.24
11	4.37	31	5.31

（续表）

序号	血清总胆固醇（mmol/L）	序号	血清总胆固醇（mmol/L）
12	5.38	32	4.49
13	6.29	33	4.62
14	5.20	34	3.60
15	7.21	35	4.44
16	5.53	36	4.42
17	3.92	37	4.03
18	5.20	38	5.84
19	5.17	39	4.08
20	5.76	40	3.34

试在 5%显著性水平下检验该社区居民的血清胆固醇含量是否服从指数分布。

6.8 某市进行公务员公开招考，面试的考试分为三个分组，由不同的面试组专家进行面试，各组考生的面试得分如下表所示（数据路径：光盘:\源文件\上机题\chap06\习题\第六章第八题.sav）。

分组一	分组二	分组三
4.76	6.29	4.73
3.36	5.20	3.50
6.13	7.21	4.37
3.94	5.53	4.88
3.55	3.92	6.24
4.22	5.20	5.31
4.30	5.17	4.49
4.70	5.76	4.62
5.68	4.78	3.60
4.55	5.12	4.44
4.37	5.19	4.42
5.38	5.09	4.03
4.08	4.69	5.84

试在 5%显著性水平下，检验该三组面试专家的打分有无显著差异。

第 7 章　方差分析

方差分析是一种假设检验，它把观测总变异的平方和与自由度分解为对应不同变异来源的平方和和自由度，将某种控制性因素所导致的系统性误差和其他随机性误差进行对比，从而推断各组样本之间是否存在显著性差异以分析该因素是否对总体存在显著性影响。方差分析法采用离差平方和对变差进行度量，从总离差平方和分解出可追溯到指定来源的部分离差平方和。方差分析要求样本满足以下条件：

（1）可比性。资料中各组均数本身必须具有可比性，这是方差分析的前提。

（2）正态性。方差分析要求样本来源于正态分布总体，偏态分布资料不适用方差分析。对偏态分布的资料应考虑用对数变换、平方根变换、倒数变换、平方根反正弦变换等变量变换方法变为正态或接近正态后再进行方差分析。

（3）方差齐性。方差分析要求各组间具有相同的方差，即满足方差齐性。

方差分析在经济学、管理学、医学、心理学和生物学等方面具有广泛的应用，SPSS也提供了强大的方差分析功能，本章将对几种常用的方差分析的SPSS实现过程进行介绍。

7.1　单因素方差分析

单因素方差分析用于分析单一控制变量影响下的多组样本的均值是否存在显著性差异。

7.1.1　单因素方差分析的原理

单因素方差分析也称为一维方差分析，用于分析单个控制因素取不同水平时因变量的均值是否存在显著差异。单因素方差分析基于各观测量来自于相互独立的正态样本和控制变量不同水平的分组之间的方差相等的假设。单因素方差分析将所有的方差划分为可以由该因素解释的系统性偏差部分和无法由该因素解释的随机性偏差，如果系统性偏差显著地超过随机性偏差，则认为该控制因素取不同水平时因变量的均值存在显著差异。

7.1.2　单因素方差分析的 SPSS 操作

打开相应的数据文件或者建立一个数据文件后，在 SPSS Statistics 数据编辑器窗口就可以进行单因素方差分析。

1）在菜单栏中依次选择"分析"|"比较均值"|"单因素ANOVA"命令，打开如图7-1所示的"单因素方差分析"对话框。

图 7-1　"单因素方差分析"对话框

2）选择变量

从源变量列表中选择需要进行方差分析的因变量，然后单击 ![button] 按钮将选中的变量选入"因变量列表"中；选择因子变量，选入"因子"列表中。

- "因变量"列表框：该列表框中的变量为要进行方差分析的目标变量，称为因变量，且因变量一般为度量变量，类型为数值型。
- "因子"列表框：该列表框中的变量为因子变量，又称自变量，主要用来分组。如要比较两种教学方法下学生的数学成绩是否一致，则数学成绩变量就是因变量，教学方法就是因子变量。自变量为分类变量，其取值可以为数字，也可以为字符串。因子变量值应为整数，并且为有限个类别。

图 7-1 中，"亩产量"应选入因变量列表，"施肥类型"为因子，如图 7-2 所示。

3）进行相应的设置

"对比"设置

单击 "对比"按钮，弹出如图7-3所示的"单因素ANOVA：对比"对话框。

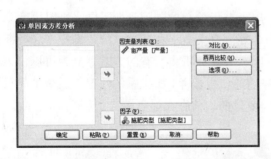

图 7-2　"单因素方差分析"对话框的变量选择

图 7-3　"单因素 ANOVA：对比"对话框

①"多项式"复选框　该复选框主要用于对组间平方和划分成趋势成分，或者指定先验对比，按因子顺序进行趋势分析。一旦用户选中"多项式"复选框，则"度"下拉列表框就会被激活，然后就可以对趋势分析进行指定多项式的形式，如"线性"、"二次项"、"立方"、"四次项"、"五次项"。

②"**系数**"输入框 该输入框主要用于对组间平均数进行比较设定，即指定的用 t 统计量检验的先验对比。为因子变量的每个组（类别）输入一个系数，每次输入后单击"添加"按钮。每个新值都添加到系数列表的底部。要指定其他对比组，请单击"下一张"按钮。用"下一张"按钮和"上一张"按钮在各组对比间移动。系数的顺序很重要，因为该顺序与因子变量的类别值的升序相对应。列表中的第一个系数与因子变量的最低组值相对应，而最后一个系数与最高值相对应。

"**两两比较**"设置

单击"两两比较"按钮，弹出如图7-4所示的"单因素ANOVA：两两比较"对话框。

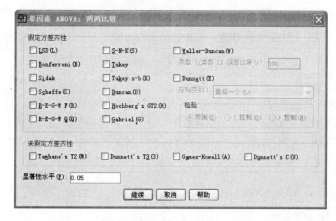

图 7-4 "单因素 ANOVA：两两比较"对话框

①"**假定方差齐性**"选项组 该选项组主要用于在假定方差齐性下两两范围检验和成对多重比较，含有14种检验方法，方法介绍如表7-1所示。

表 7-1 假定方差齐性下两两范围检验的检验方法

方法	简介
LSD	最小显著性差异法，主要使用 t 检验对组均值之间的所有成对比较，检验敏感度较高，对多个比较的误差率不做调整
Bonferroni	修正LSD方法，同样是使用 t 检验在组均值之间执行成对比较，但通过将每次检验的错误率设置为实验性质的错误率除以检验总数来控制总体误差率
Sidak	基于 t 统计量的成对多重比较检验，可以调整多重比较的显著性水平，相对于修正LSD方法提供更严密的边界
Scheffe	使用 F 取样分布，为均值的所有可能的成对组合进行并发的联合成对比较，可用来检查组均值的所有可能的线性组合，而非仅限于成对组合，但该方法敏感度不高
R-E-G-W F	基于 F 检验的Ryan-Einot-Gabriel-Welsch多步进过程
R-E-G-W Q	基于T极差的 Ryan-Einot-Gabriel-Welsch 多步进过程
S-N-K	使用T范围分布在均值之间进行所有成对比较，同时使用步进式过程比较具有相同样本大小的同类子集内的均值对。均值按从高到低排序，首先检验极端的差分值

（续表）

方法	简介
Tukey	使用T范围统计量进行组间所有成对比较，并将实验误差率设置为所有成对比较的集合的误差率
Tukey's b	使用T范围分布在组之间进行成对比较
Duncan	用与Student-Newman-Keuls检验所使用的完全一样的逐步顺序成对比较，但为单个检验的错误率设置保护水平
Gabriel	使用学生化最大模数的成对比较检验，并且当单元格大小不相等时，它通常比Hochberg's GT2更为强大，但当单元大小变化过大时，Gabriel 检验可能会变得随意
Hochberg's GT2	使用学生化最大模数的多重比较和范围检验，与Tukey's真实显著性差异检验相似
Waller-Duncan	基于 t 统计的多比较检验，使用Bayesian方法，需要在输入框中指定类型I与类型II的误差比
Dunnett	将一组处理与单个控制均值进行比较的成对多重比较 t 检验，在"检验"中选择检验方法："双侧"，检验任何水平（除了控制类别外）的因子的均值是否不等于控制类别的均值；"<控制"，检验任何水平的因子的均值是否小于控制类别的均值；">控制"，检验任何水平的因子的均值是否大于控制类别的均值

这 14 种假定方差齐性下的两两范围检验和成对多重比较检验方法中，比较常用的是Bonferroni、Tukey 和 Scheffe 方法。

②"未假定方差齐性"选项组　该选项组主要用于在没有假定方差齐性下两两范围检验和成对多重比较，选项组中含有 4 个复选框：

- Tamhane's T2，勾选该复选框表示输出基于 t 检验的保守成对比较结果。
- Dunnett's T3，勾选该复选框表示执行学生化最大值模数的成对比较检验。
- Games-Howell，勾选该复选框表示执行方差不齐的成对比较检验，且该方法比较常用。
- Dunnett's C，勾选该复选框表示执行基于学生化范围的成对比较检验。

③"显著性水平"输入框　该输入框主要用于指定两两范围检验和成对多重比较检验的显著水平，输入范围是 0.01 到 0.99，系统默认为 0.05。

"选项"设置

单击"选项"按钮，弹出如图7-5所示的"单因素ANOVA：选项"对话框。

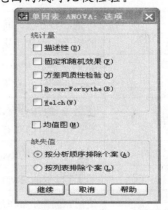

图 7-5　"单因素 ANOVA：选项"对话框

"统计量"选项组 该选项组主要用于指定输出的统计量，包括：

- 描述性：表示要输出每个因变量的个案数、均值、标准差、均值的标准误、最小值、最大值和 95% 置信区间。
- 固定和随机效果：表示把数据看做面板数据进行回归，来计算固定效应模型的标准差、标准误和 95% 置信区间，以及随机效应模型的标准误、95% 置信区间和成分间方差估计。
- 方差同质性检验：即Levene方差齐性检验。
- Brown-Forsythe：表示计算 Brown-Forsythe 统计量以检验组均值是否相等，特别当Levene方差齐性检验显示方差不等时，该统计量优于 F 统计量。
- Welch：计算 Welch 统计量以检验组均值是否相等，和Brown-Forsythe类似，当Levene方差齐性检验显示方差不等时，该统计量优于 F 统计量。

②"缺失值"选项组 该选项组主要用于当检验多个变量，有一个或多个变量的数据缺失时，可以指定检验剔除哪些个案，有两种方法：

- 按分析顺序排除个案：表示给定分析中的因变量或因子变量有缺失值的个案不用于该分析，也不使用超出为因子变量指定的范围的个案。
- 按列表排除个案：表示因子变量有缺失值的个案，或包括在主对话框中的因变量列表上的任何因变量的值缺失的个案都排除在所有分析之外，如果尚未指定多个因变量，那么这个选项不起作用。

③"均值图"复选框

该复选框主要用于绘制每组的因变量均值分布图，组别是根据因子变量控制。

设置完毕后，单击"继续"按钮，返回到"单因素方差分析"对话框。

4）分析结果输出

单击"确定"按钮，就可以在SPSS Statistics查看器窗口得到单因素方差分析的结果。

7.1.3 实验操作

下面将以"7-1"数据文件为例，说明单因素方差分析的具体操作过程和对结果进行说明解释。

1. 实验数据描述

"7-1"数据文件是某农业大学对使用不同肥料的对比实验的数据，实验对同一种作物的不同实验田分别施用普通钾肥、控释肥和复合肥并观测产量。下面将利用单因素方差分析来分析不同的施肥量对亩产的影响，本实验的原始数据如图7-6所示。

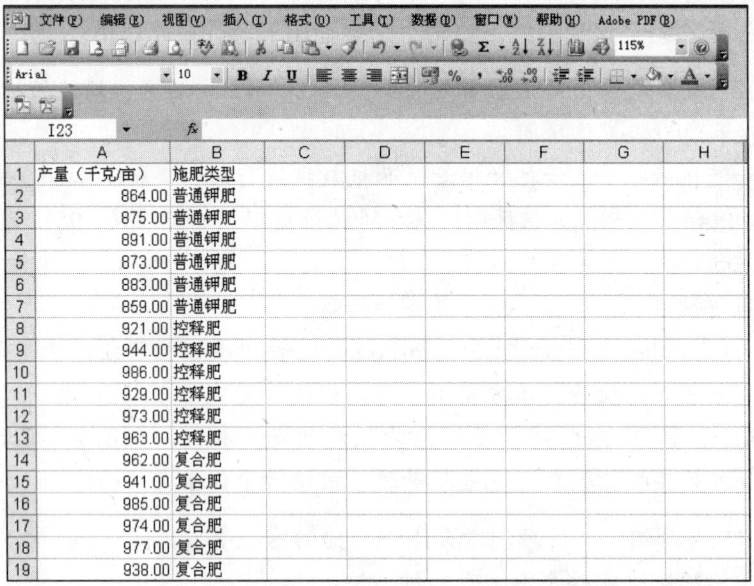

	A	B
1	产量（千克/亩）	施肥类型
2	864.00	普通钾肥
3	875.00	普通钾肥
4	891.00	普通钾肥
5	873.00	普通钾肥
6	883.00	普通钾肥
7	859.00	普通钾肥
8	921.00	控释肥
9	944.00	控释肥
10	986.00	控释肥
11	929.00	控释肥
12	973.00	控释肥
13	963.00	控释肥
14	962.00	复合肥
15	941.00	复合肥
16	985.00	复合肥
17	974.00	复合肥
18	977.00	复合肥
19	938.00	复合肥

图 7-6　数据文件“7-1”原始数据

在SPSS的变量视图中建立变量“产量”和“施肥类型”，分别表示实验田产量和实验田的施肥类型。“施肥类型”变量中分别用“1、2、3”代表“普通钾肥、控释肥、复合肥”，如图7-7所示。

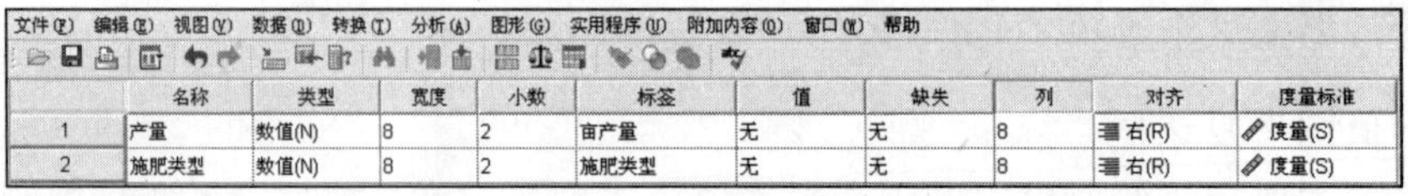

	名称	类型	宽度	小数	标签	值	缺失	列	对齐	度量标准
1	产量	数值(N)	8	2	亩产量	无	无	8	右(R)	度量(S)
2	施肥类型	数值(N)	8	2	施肥类型	无	无	8	右(R)	度量(S)

图 7-7　数据文件“7-1”的变量视图

在SPSS活动数据文件中的数据视图中，把相关数据输入到各个变量中，输入完毕如图7-8所示。

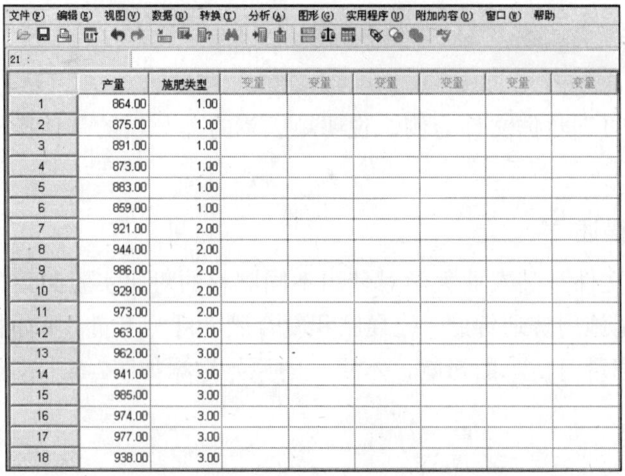

	产量	施肥类型
1	864.00	1.00
2	875.00	1.00
3	891.00	1.00
4	873.00	1.00
5	883.00	1.00
6	859.00	1.00
7	921.00	2.00
8	944.00	2.00
9	986.00	2.00
10	929.00	2.00
11	973.00	2.00
12	963.00	2.00
13	962.00	3.00
14	941.00	3.00
15	985.00	3.00
16	974.00	3.00
17	977.00	3.00
18	938.00	3.00

图 7-8　数据文件“7-1”的数据视图

2. 实验操作步骤

实验的具体操作步骤如下:

Step 01 在菜单栏中依次选择"分析"|"比较均值"|"单因素ANOVA"命令,打开"单因素方差分析"对话框。

Step 02 将"亩产量"选入"因变量"列表,将"施肥类型"选入"因子"列表。

Step 03 单击"选项"按钮,选中 "方差同质性检验"、"均值图"复选框,然后单击"继续"按钮,保存设置结果。

Step 04 单击"两两比较"按钮,选中"Bonferroni"复选框,单击"继续"。

Step 05 单击"对比"按钮,选中"多项式"复选框,并将"度"设为"线性",单击"继续"。

Step 06 单击"确定"按钮,输出分析结果。

3. 实验结果及分析

单击"确定"按钮,SPSS Statistics查看器窗口的输出结果如图7-9~图7-12所示。

图7-9给出了方差齐性检验的结果。从该表可以得到Levene方差齐性检验的P值为0.08,大约显著水平0.05,因此基本可以认为样本数据之间的方差是齐次的。

图7-10给出了单因素方差分析的结果。从表中我们可以看出,组间平方和是28254、组内平方和是5877,其中组间平方和的F值为36.058,相应的概率值是0.000,小于显著水平0.05,因此我们认为不同的施肥类型对亩产量有显著的影响。另外,这个表中也给出了线性形式的趋势检验结果,组间变异被施肥类型所能解释的部分是23585,被其他因素解释的有4669,并且组间变异被施肥类型所能解释的部分是非常显著的。

方差齐性检验

亩产量

Levene 统计量	df1	df2	显著性
3.009	2	15	.080

图 7-9　方差齐性检验表

ANOVA

亩产量

		平方和	df	均方	F	显著性
组间	(组合)	28254.778	2	14127.389	36.058	.000
	线性项 对比	23585.333	1	23585.333	60.197	.000
	偏差	4669.444	1	4669.444	11.918	.004
组内		5877.000	15	391.800		
总数		34131.778	17			

图 7-10　单因素方差分析表

图7-11给出了多重比较的结果,*表示该组均值差是显著的。因此,从表可以看出,第一组和第二组、第三组的亩产量均值差是非常明显的,但是第二组与第三组的亩产量均值差却不是很明显。另外,还可以得到每组之间均值差的标准误、置信区间等信息。

多重比较

亩产量
Bonferroni

(I) 施肥类型	(J) 施肥类型	均值差 (I-J)	标准误	显著性	95% 置信区间 下限	上限
1.00	2.00	-78.50000*	11.42804	.000	-109.2841	-47.7159
	3.00	-88.66667*	11.42804	.000	-119.4508	-57.8825
2.00	1.00	78.50000*	11.42804	.000	47.7159	109.2841
	3.00	-10.16667	11.42804	1.000	-40.9508	20.6175
3.00	1.00	88.66667*	11.42804	.000	57.8825	119.4508
	2.00	10.16667	11.42804	1.000	-20.6175	40.9508

*. 均值差的显著性水平为 0.05。

图 7-11　多重比较结果表

图7-12给出了各组的均值图。从图可以清楚地看到不同的施肥类型对应的不同的亩产量均值。可见，第一组的亩产最低，且与其他两组的亩产均值相差较大，而第二组和第三组之间的亩产均值差异不大，这个结果和多重比较的结果非常一致。

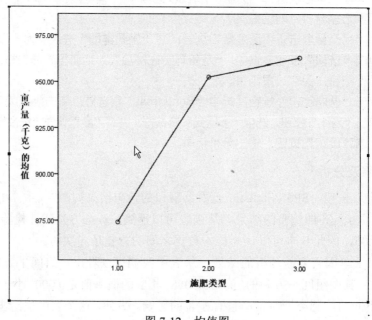

图 7-12　均值图

7.2　多因素方差分析

多因素方差分析用于分析两个或两个以上因素是否对不同水平下样本的均值产生显著的影响。

7.2.1　多因素方差分析的原理

多因素方差分析用于分析两个或两个以上控制变量影响下的多组样本的均值是否存在显著性差异。多因素方差分析不但可以分析单个因素对因变量的影响作用，也可以对因素之间的交互作用进行分析，还可以进行协方差分析。

7.2.2　多因素方差分析的 SPSS 操作

打开相应的数据文件或者建立一个数据文件后，在 SPSS Statistics 数据编辑器窗口就可以进行单因变量的多因素方差分析。

1）在菜单栏中依次选择"分析"|"一般线性模型"|"单变量"命令，打开如图7-13所示的"单变量"对话框。

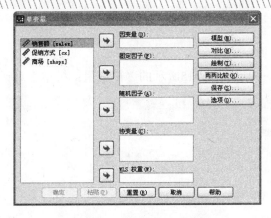

图 7-13　"单变量"对话框

2）选择变量

对话框中间有 5 个列表框，包括（协变量的分析此处不做深入介绍，将在本章第四节中讨论）：

- 因变量：该列表中的变量为要进行方差分析的目标变量，"因变量"列表只能选择唯一一个变量。
- 固定因子：该列表中的变量为固定控制变量，主要用来分组。固定控制变量的各个水平一般是可以人为控制的，如实验的温度、水分等等。因子自变量为分类变量，其取值可以为数字，也可以为字符串。因子变量值应为整数，并且为有限个类别。
- 随机因子：该列表中的变量为随机控制变量，也用来分组。与固定控制变量不同的是，随机控制变量的各个水平一般是不可以人为控制的，如体重、身高等等。
- 协变量：该列表中的变量是与因变量相关的定量变量，用来控制其他与因子变量有关且影响方差分析的目标变量的其他干扰因素，类似于回归分析中的控制变量。
- WLS权重：该列表框为加权最小二乘分析指定权重变量。如果加权变量的值为 0、负数或缺失，则将该个案从分析中排除。已用在模型中的变量不能用作加权变量。

将图 7-13 中的变量选入上述列表，则如图 7-14 所示。

图 7-14　"单变量"对话框变量选择

3）进行相应的设置

"模型"设置

单击"模型"按钮，弹出如图7-15所示的"单变量：模型"对话框。

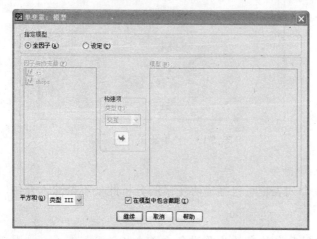

图7-15 "单变量：模型"对话框

①"指定模型"选项组 在此选项组中为单因变量多因素分析指定方差分析的模型，有两种：一是"全因子"，即全因子模型，包含所有因子主效应、所有协变量主效应以及所有因子间交互，但它不包含协变量交互；二为"设定"，表示可以仅指定其中一部分的交互或指定因子协变量交互，必须指定要包含在模型中的所有项。

一旦选择"设定"单选按钮，则下方"因子与协变量"、"构建项"、"模型"项均被激活。"因子与协变量"列表中列出了所有参与分析的因子与协变量。"构建项"的下拉菜单中有五种模型形式可供选择：

- "交互"，表示模型中含有所选变量的交互项。
- "主效应"，表示模型中仅仅考虑各个控制变量的主效应而不考虑变量之间的交互项。
- "所有二阶"、"所有三阶"、"所有四阶"，表示模型中要考虑所有的二维、三维、四维的交互效应。

②"平方和"下拉列表框 该下拉列表框用于指定计算平方和的方法，主要有四种类型：

- "类型I"表示分层处理平方和，仅仅处理主效应项。
- "类型II"表示处理所有其他效应。
- "类型III"表示可以处理类型I和类型II中的所有效应。
- "类型IV"表示对任何效应都处理。但对于没有缺失单元的平衡或非平衡模型，类型III平方和方法最常用，也是系统默认的。

③"在模型中包含截距"复选框

该复选框用于决定是否在模型中包含截距，如果认为数据回归线可以经过坐标轴原点的话，就可以在模型中不含截距，但是一般系统默认含有截距项。

"对比"设置

单击"对比"按钮，弹出如图7-16所示的"单变量：对比"对话框。

①"因子"列表框　该列表框用于存放多因素方差分析中的因子变量，单击需要对比的因子就可以激活"更改对比"选项组，对要进行对比的因子设置对比方式。

②"更改对比"选项组　该选项组用于检验因子的水平之间的差值，可以为模型中的每个因子指定对比，包括7种对比的方法：

- 无，表示不进行因子个水平间的任何对比；
- 偏差，表示因子变量每个水平与总平均值进行对比；
- 简单，表示对因子变量各个水平与第一个水平和最后一个水平的均值进行对比；
- 差值，表示对因子变量的各个水平都与前一个水平进行做差比较，当然第一个水平除外；
- Helmert，表示对因子变量的各个水平都与后面的水平进行做差比较，当然最后一个水平除外；
- 重复，表示重复比较，除第1类之外，因素变量的每个分类都与后面所有所有分类的平均效应进行比较；
- 多项式，表示对每个水平按因子顺序进行趋势分析。对于"偏差"对比和"简单"对比，可以选择参照水平是"最后一个"或"第一个"。

"绘制"设置

单击"绘制"按钮，弹出如图7-17所示的"单变量：轮廓图"对话框。

图7-16　"单变量：对比"对话框

图7-17　"单变量：轮廓图"对话框

- "因子"列表框：该列表中主要存放各个因子变量。
- "水平轴"输入框：从"因子"列表中选择进入，"水平轴"输入框的变量是均数轮廓图中的横坐标。
- "单图"输入框：从"因子"列表中选择进入，"单图"输入框的变量水平是用来绘制分离线的。
- "多图"输入框：从"因子"列表中选择进入，"多图"输入框的变量的每个水平可用来创建分离图。

当"水平轴"、"单图"或"多图"中有变量后,下方的"添加"、"更改"、"删除"按钮就会被激活,单击"添加"按钮即可以将选择的变量进入"图"输入框。

"两两比较"设置

单击"两两比较"按钮,弹出如图7-18所示的"单变量:观测均值的两两比较"对话框。

"单变量:观测均值的两两比较"对话框的作用在于一旦确定均值间存在差值,两两范围检验和成对多重比较就可以确定哪些均值存在差值,同样包含假定方差齐性和未假定方差齐性两种,与单因素方差分析中的"假定方差齐性"选项组和"未假定方差齐性"选项组一样,此处不再重复。

"保存"设置

单击"保存"按钮,弹出如图7-19所示的"单变量:保存"对话框。

"单变量:保存"对话框用于在数据编辑器中将模型预测的值、残差和相关测量量另存为新变量,包括四个选项组内容:

① "预测值"选项组 该选项组用于保存模型为每个个案预测的值,含有 3 个复选项:

- "未标准化",表示模型为因变量预测的值;

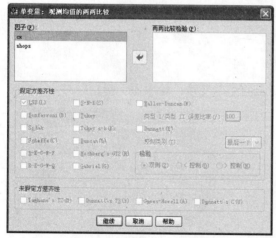
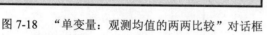

图 7-18 "单变量:观测均值的两两比较"对话框   图 7-19 "单变量:保存"对话框

- 加权,表示加权未标准化预测值,仅在已经选择了WLS变量的情况下可用;
- 标准误,表示对于自变量具有相同值的个案所对应的因变量均值标准差的估计。

② "残差"选项组 该选项组用于保存模型的残差,含有5个复选项:

- 未标准化,表示因变量的实际值减去由模型预测的值;
- 加权,表示在选择了 WLS 变量时提供加权的未标准化残差;
- 标准化,表示对残差进行标准化的值;
- 学生化,表示Student化的残差;

● 删除，表示剔除残差。

③"诊断"选项组 该选项组用于标识自变量的值具有不寻常组合的个案和可能对模型产生很大影响的个案的测量，包括两个复选项：

● Cook距离，表示在特定个案从回归系数的计算中排除的情况下，所有个案的残差变化幅度的测量，较大的 Cook 距离表明从回归统计量的计算中排除个案之后，系数会发生根本变化。

● 杠杆值，表示未居中的杠杆值，每个观察值对模型拟合的相对影响。

④"系数统计"选项组 该选项组主要用于保存模型中的参数估计值的协方差矩阵，一旦选中"创建系数统计"，则下面的两个单选按钮就会被激活：

● 创建新数据集，表示将参数估计值的协方差矩阵写入当前会话中的新数据集；

● 写入新数据文件，表示将参数估计值的协方差矩阵写入外部 SPSS Statistics 数据文件。其中，对于每个因变量，都有一行参数估计值、一行与参数估计值对应的 t 统计量的显著性值以及一行残差自由度。

"选项"设置

单击 "选项"按钮，弹出如图7-20所示的"单变量：选项"对话框。

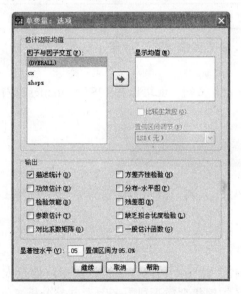

图 7-20 "单变量：选项"对话框

该对话框提供一些基于固定效应模型计算的统计量，包括：

①"因子与因子交互"列表框 在"因子与因子交互"列表框中的是所有因子变量和"OVERALL"变量，从"因子与因子交互"列表框选择变量单击箭头按钮就可以使之进入"显示均值"列表框。

②"显示均值"列表框 该列表框中的变量是用来输出该变量的估算边际均值、标准误等统计量。当"显示均值"列表框中含有变量时，下方"比较主效应"复选框就会被激活，

该复选项表示为模型中的任何主效应提供估计边际均值未修正的成对比较,但必须在"显示均值"列表框中含有主效应变量。

③"输出"选项组 该选项组主要用于指定输出的统计量,有10个选项,各选项的功能如表7-2所示。

表 7-2 "输出"选项组中复选项的功能

选项	功能
描述统计	因变量的观察到的均值、标准差和计数
方差齐性检验	输出进行方差齐性的Levene的检验
功效估计	输出每个功效和每个参数估计值的偏eta方值
分布-水平图	输出不同水平因变量均值对标准差和方差的图
检验功效	输出功效显著的Alpha值,系统默认的显著水平为0.05
残差图	输出模型残差图
参数估计	输出参数估计值、标准误、t 检验、置信区间和检验效能
缺乏拟合优度检验	检查因变量和自变量之间的关系是否能由模型充分地描述
对比系数矩阵	输出对比系数L矩阵
一般估计函数	进行基于常规可估计函数构造定制的假设检验

④"显著性水平"输入框 该输入框主要用于指定上述统计量的显著水平。

4)分析结果输出

设置完毕后,单击"确定"按钮,就可以在SPSS Statistics查看器窗口得到单因变量多因素方差分析的结果。

7.2.3 实验操作

下面将以数据文件"7-2"为例,说明多因素方差分析的具体操作过程和对结果进行说明解释。

1. 实验数据的描述

数据文件"7-2"是某种果汁在不同地区的销售数据,调查人员统计了易拉罐包装和玻璃瓶包装的饮料在三个地区的销售金额,利用多因素方差分析,分析销售地区和包装方式对销售金额的影响,本实验的原始数据如图7-21所示。

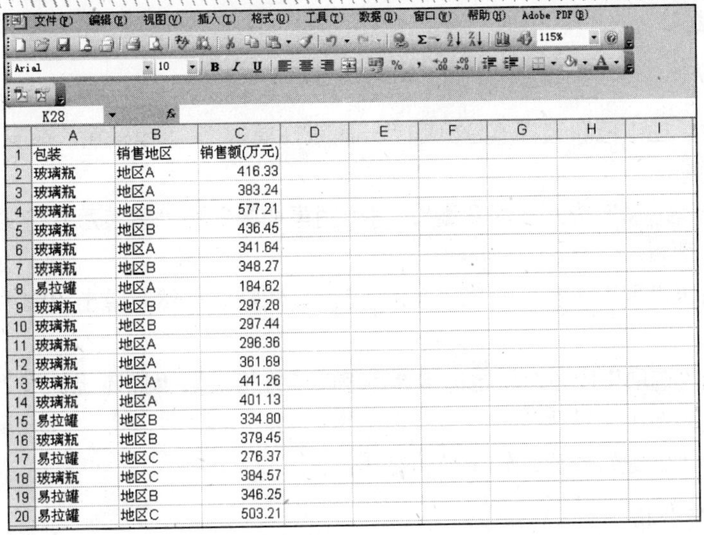

	A	B	C	D	E	F	G	H	I
1	包装	销售地区	销售额(万元)						
2	玻璃瓶	地区A	416.33						
3	玻璃瓶	地区A	383.24						
4	玻璃瓶	地区B	577.21						
5	玻璃瓶	地区B	436.45						
6	玻璃瓶	地区A	341.64						
7	玻璃瓶	地区B	348.27						
8	易拉罐	地区A	184.62						
9	玻璃瓶	地区B	297.28						
10	玻璃瓶	地区B	297.44						
11	玻璃瓶	地区A	296.36						
12	玻璃瓶	地区A	361.69						
13	玻璃瓶	地区A	441.26						
14	玻璃瓶	地区A	401.13						
15	易拉罐	地区B	334.80						
16	玻璃瓶	地区B	379.45						
17	易拉罐	地区C	276.37						
18	玻璃瓶	地区C	384.57						
19	易拉罐	地区B	346.25						
20	易拉罐	地区C	503.21						

图 7-21 数据文件“7-2”原始数据

在SPSS的变量视图中建立变量“包装”、“销售地区”和“销售额”，分别表示饮料的包装、不同的销售地区和销售额。其中，“销售地区”变量中分别用“1、2、3”代表“地区A、地区B、地区C”，“包装”变量中分别用“1、2”代表“易拉罐、玻璃瓶”，如图7-22所示。

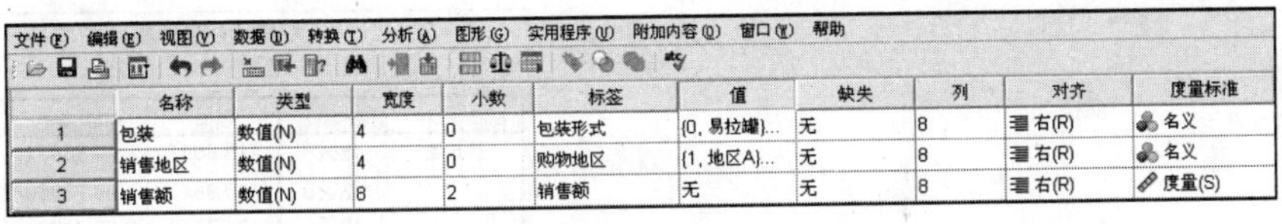

	名称	类型	宽度	小数	标签	值	缺失	列	对齐	度量标准
1	包装	数值(N)	4	0	包装形式	{0, 易拉罐}...	无	8	右(R)	名义
2	销售地区	数值(N)	4	0	购物地区	{1, 地区A}...	无	8	右(R)	名义
3	销售额	数值(N)	8	2	销售额	无	无	8	右(R)	度量(S)

图 7-22 数据文件“7-2”的变量视图

在SPSS活动数据文件中的数据视图中，把相关数据输入到各个变量中，输入完毕如图7-23所示。

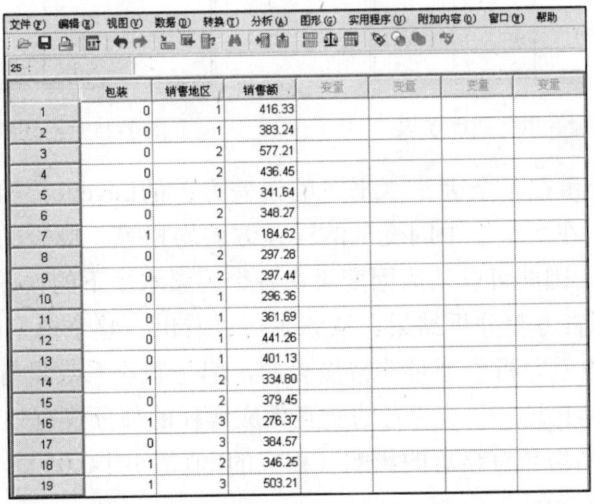

	包装	销售地区	销售额	变量	变量	变量	变量
1	0	1	416.33				
2	0	1	383.24				
3	0	2	577.21				
4	0	2	436.45				
5	0	1	341.64				
6	0	2	348.27				
7	1	1	184.62				
8	0	2	297.28				
9	0	2	297.44				
10	0	1	296.36				
11	0	1	361.69				
12	0	1	441.26				
13	0	1	401.13				
14	1	2	334.80				
15	0	2	379.45				
16	1	3	276.37				
17	0	3	384.57				
18	1	2	346.25				
19	1	3	503.21				

图 7-23 数据文件“7-2”的数据视图

2. 实验操作步骤

实验的具体操作步骤如下：

Step 01 在菜单栏中依次选择"分析"|"一般线性模型"|"单变量"命令，打开"单变量"对话框。

Step 02 将"销售额"选入"因变量"，将"销售地区"和"包装方式"变量选入"固定因子"列表。

Step 03 单击"模型"按钮，选择"全因子"，其他默认，然后单击"继续"按钮保存设置结果。

Step 04 单击"选项"按钮，然后选中"方差同质性检验"、"描述统计"、"水平分布图"复选框，单击"继续"。

Step 05 单击"确定"按钮，输出分析结果。

3. 实验结果及分析

单击"确定"按钮，SPSS Statistics查看器窗口的输出结果如图7-24~图7-29所示。

图7-24给出了主要的因子列表。从该表可以得到两个因子变量的各个水平及每个水平上的观测值数目。

图7-25给出了因变量在各个因素下的一些描述性统计量。从该表可以得到不同包装形式和销售地区的销售额的均值、标准差及样本观察值数目。

主体间因子

		值标签	N
包装形式	0	易拉罐	185
	1	玻璃瓶	166
购物地区	1	地区A	70
	2	地区B	222
	3	地区C	59

图 7-24　主体间因子表

描述性统计量

因变量:销售额

包装形式	购物地区	均值	标准 偏差	N
易拉罐	地区A	413.0657	90.86574	35
	地区B	440.9647	98.23860	120
	地区C	407.7747	69.33334	30
	总计	430.3043	93.47877	185
玻璃瓶	地区A	343.9763	100.47207	35
	地区B	361.7205	90.46076	102
	地区C	405.7269	80.57058	29
	总计	365.6671	92.64058	166
总计	地区A	378.5210	101.25839	70
	地区B	404.5552	102.48440	222
	地区C	406.7681	74.42114	59
	总计	399.7352	98.40821	351

图 7-25　描述性统计量表

图7-26给出了因变量在各个因素水平下的误差方差的Levene检验结果。从该表可以看出，检验的零假设是：在所有组中因变量的误差方差均相等。检验的概率值是0.330，大于显著性水平0.05或0.10，因此可以认为因变量在各个因素水平下的误差方差相等。

图7-27给出了多因素方差分析结果。从该表可以看出，整个模型的F统计量为11，概率水平是0.000，可见此方差分析模型是非常显著的，但是判决系数只有0.138，说明销售额的变异能被"包装"、"销售地区"及两者的交互效应解释的部分仅有13.8%。其中，"包装"、"包装*销售地区"对销售额有显著的影响（相应的P值都小于0.05），但"销售地区"对销售额却没有显著的影响。

误差方差等同性的 Levene 检验[a]

因变量:销售额

F	df1	df2	Sig.
1.157	5	345	.330

检验零假设,即在所有组中因变量的误差方差均相等。

a.设计:截距 + 包装 + 销售地区 + 包装 * 销售地区

主体间效应的检验

因变量:销售额

源	III 型平方和	df	均方	F	Sig.
校正模型	469402.996[a]	5	93880.599	11.092	.000
截距	3.936E7	1	3.936E7	4650.274	.000
包装	158037.442	1	158037.442	18.672	.000
销售地区	33506.210	2	16753.105	1.979	.140
包装 * 销售地区	69858.325	2	34929.163	4.127	.017
误差	2920058.824	345	8463.939		
总计	5.948E7	351			
校正的总计	3389461.820	350			

a.R 方 = .138（调整 R 方 = .126）

图 7-26 误差方差的 Levene 检验表　　　图 7-27 多因素方差分析结果表

图7-28给出了销售额关于标准差额的分布和水平图。该图绘制了标准差对各个水平上均值的分布图,来源于图7-25表中的描述性统计量的均值和标准差。从该图中可以看出,各个水平均值下的标准差并没有递增或递减的趋势,进一步验证了图7-26表误差方差的Levene检验结果。

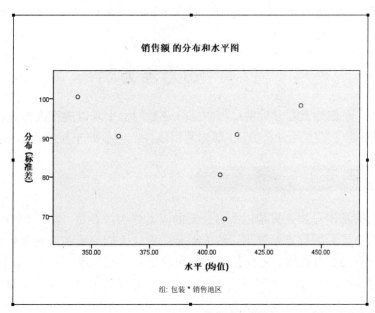

图 7-28 消费额的分布和水平图

图7-29给出了销售额在各个因素水平下的估算边际均值,该图是以包装方式为分线的对销售地区的边际均图,并根据图7-25的表的均值所绘制。从该图可以看出,易拉罐和玻璃瓶两个水平并没有交叉,说明包装方式对销售额的影响十分显著,这与图7-27中的多因素方差分析表对"包装"的分析结果具有一致性。

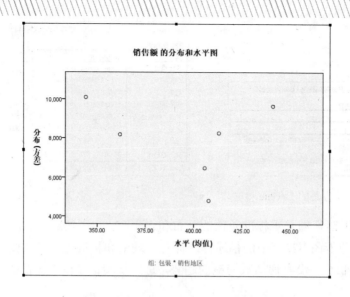

图 7-29　消费额的估算边际均值

7.3　协方差分析

某些情况下，在进行方差分析的过程中部分变量的水平难以进行人为控制。针对这种情况，统计学家发展出了协方差分析方法，即先利用线性回归剔除干扰因素后再进行方差分析。

7.3.1　协方差分析的原理

协方差分析的基本思想是将难以人为控制的因素作为协变量，首先通过线性回归方法消除干扰因素影响，之后进行方差分析。协方差分析中认为因变量的变化受四个因素的影响，即控制变量的独立与交互作用、协变量的作用和随机因素的作用，协方差分析在消除了协变量的影响后再分析控制变量对观测变量的作用，从而可以适用于更一般的研究和分析场合。

7.3.2　协方差分析的 SPSS 操作

打开相应的数据文件或者建立一个数据文件后，在 SPSS Statistics 数据编辑器窗口就可以进行协方差分析。

1）在菜单栏中依次选择"分析"|"一般线性模型"|"单变量"命令，打开如图7-30所示的"单变量"对话框。

2）选择变量

从源变量列表中选择需要进行方差分析的因变量，然后单击箭头按钮将选中的变量选入"因变量"中；选入"固定因子"变量、"随机因子"变量、协变量，如图7-31所示。

"因变量"、"固定因子"、"随机因子"、"协变量"、"WLS权重"列表的功能和用法与多因素方差分析一样，此处不再赘述，读者可以参考相关章节。

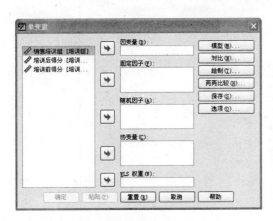
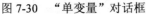
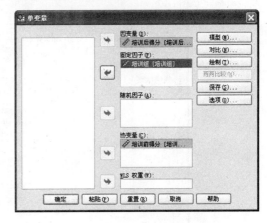

图7-30 "单变量"对话框   图7-31 "单变量"对话框的变量选择

3）进行相应的设置

"单变量"对话框中的"模型"、"对比"、"绘制"、"两两比较"、"保存"、"选项"的具体设置方法与多因素方差分析相同，因此不再赘述。

4）分析结果输出

设置完毕后，单击"确定"按钮，就可以在SPSS Statistics查看器窗口得到协方差分析的结果。

7.3.3 实验操作

下面将以数据文件"7-3"为例，说明协方差分析的具体操作过程和对结果进行说明解释。

1. 实验数据描述

数据文件"7-3"是对三个小组采用不同的培训方法进行培训前后的测试得分数据。尽管研究的是3种培训方法对学员成绩的影响，但是学员培训后的成绩不仅与相应的培训方法有关，而且受到自身条件的影响，因此必须考虑培训前学员的得分情况。下面将利用协方差分析方法对该数据文件进行分析，实验的原始数据如图7-32所示。

在SPSS的变量视图中建立变量"培训组"、"培训后得分"和"培训前得分"，分别表示销售人员所在的培训组和培训前后的得分，如图7-33所示。

在SPSS活动数据文件中的数据视图中，把相关数据输入到各个变量中，输入完毕如图7-34所示。

图 7-32 数据文件"7-3"原始数据

	名称	类型	宽度	小数	标签	值	缺失	列	对齐	度量标准
1	培训组	数值(N)	1	0	培训组	无	无	8	右(R)	度量(S)
2	培训后得分	数值(N)	8	2	培训后得分	无	无	8	右(R)	度量(S)
3	培训前得分	数值(N)	8	2	培训前得分	无	无	8	右(R)	度量(S)
4										

图 7-33 数据文件"7-3"的变量视图

	培训组	培训后得分	培训前得分	变量	变量	变量	变量
1	1	63.33	58.33				
2	1	68.32	63.32				
3	1	86.66	81.66				
4	1	52.82	47.82				
5	1	75.01	70.01				
6	1	57.99	52.99				
7	1	69.48	64.48				
8	1	32.68	26.68				
9	1	60.88	54.88				
10	1	58.24	52.24				
11	1	45.54	39.54				
12	1	44.92	38.92				
13	1	67.04	61.04				
14	1	62.99	56.99				
15	1	66.63	60.63				
16	1	65.53	57.53				
17	1	59.58	51.58				
18	1	85.65	77.65				
19	1	64.55	56.55				

图 7-34 数据文件"7-3"的数据视图

2. 实验操作步骤

实验的具体操作步骤如下：

Step 01 在菜单栏中依次单击"分析"|"一般线性模型"|"单变量"命令,打开"单变量"对话框。

Step 02 将"培训后得分"选入"因变量","培训组"选入"固定因子"列表,"培训前得分"选入"协变量"列表。

Step 03 单击"模型"按钮,选择"全因子",其他默认,单击"继续"按钮。

Step 04 单击"选项"按钮,选中"描述统计"项,然后单击"继续"按钮,保存设置结果。

Step 05 单击"确定"按钮,输出分析结果。

3. 实验结果及分析

单击"确定"按钮,SPSS Statistics查看器窗口的输出结果如图7-35和图7-36所示。

图7-35给出了本实验的一些基本的描述性统计量。从表可以看到三个培训组经过培训后的平均分、标准偏差和每组的个案数数据。如在三个培训组中得分最高的是第三小组,而最低的是第一小组。

描述性统计量

因变量:培训后得分

培训组	均值	标准 偏差	N
1	63.5798	13.50858	20
2	73.5677	10.60901	20
3	79.2792	4.40754	20
总计	72.1422	12.00312	60

图 7-35 描述性统计量表

图7-36给出了本实验的协方差分析结果。同时为了对比研究,图7-36右边也给出了没有协变量的方差分析结果。从表可以看出,整个模型的F值是1355.643,概率水平是0.000,可见此方差分析模型是非常显著的,并且判决系数是0.986,说明培训后得分的变异能被"培训前得分"、"培训组"解释的部分有98.6%,而若不考虑,协变量"培训前得分"的方差分析模型的判决系数只有29.7%。协变量"培训前得分"的概率值只有0.000,小于显著水平0.05,可见是非常显著的,并且能被协变量"培训前得分"解释的离差平方和有5859,而被"培训组"解释的只有441,因此忽略协变量"培训前得分"是不合适的。

主体间效应的检验

因变量:培训后得分

源	III 型平方和	df	均方	F	Sig.
校正模型	8384.958[a]	3	2794.986	1355.643	.000
截距	174.744	1	174.744	84.755	.000
培训前得分	5859.267	1	5859.267	2841.902	.000
培训组	441.026	2	220.513	106.955	.000
误差	115.458	56	2.062		
总计	320770.453	60			
校正的总计	8500.415	59			

a. R 方 = .986（调整 R 方 = .986）

主体间效应的检验

因变量:培训后得分

源	III 型平方和	df	均方	F	Sig.
校正模型	2525.691[a]	2	1262.846	12.048	.000
截距	312270.037	1	312270.037	2979.115	.000
培训组	2525.691	2	1262.846	12.048	.000
误差	5974.724	57	104.820		
总计	320770.453	60			
校正的总计	8500.415	59			

a. R 方 = .297（调整 R 方 = .272）

图 7-36 协方差分析结果表

7.4 多因变量方差分析

多因变量方差分析用于研究控制变量对多个因变量的影响。

7.4.1　多因变量方差分析的原理

多因变量方差分析的基本原理与单因变量方差分析的原理相似,用于分析控制因素取不同水平时因变量的均值是否存在显著差异。但是,多因变量方差分析在分析过程中还利用了各因变量协方差的相关信息。

7.4.2　多因变量方差分析的 SPSS 操作

打开相应的数据文件或者建立一个数据文件后,在 SPSS Statistics 数据编辑器窗口就可以进行多因变量方差分析。

1)在菜单栏中依次选择"分析"|"一般线性模型"|"多变量"命令,打开"多变量"对话框,如图7-37所示。

2)选择变量

从源变量列表中选择需要进行方差分析的因变量、固定因子、协变量。此处的"因变量"列表可以选择多个因变量,如图7-38所示。

3)进行相应的设置

"多变量"对话框中的"模型"、"对比"、"绘制"、"两两比较"、"保存"、"选项"的具体设置方法与单变量多因素方差分析相同,不再赘述。

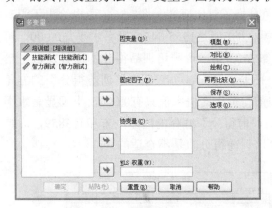

图 7-37　"多变量"对话框

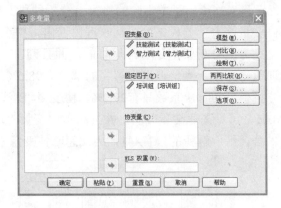

图 7-38　进行变量选择

4)分析结果输出

设置完毕后,单击"确定"按钮,就可以在SPSS Statistics查看器窗口得到多因变量方差分析的结果。

7.4.3　实验操作

下面将以数据文件"7-4"为例,说明些多因变量方差分析的具体操作过程和对结果的说明解释。

1. 实验数据描述

数据文件“7-4”是某培训机构对三个小组采用不同的培训方法进行培训后的技能测试和智力测试得分数据。下面将利用多因变量方差分析方法分析三种培训方法对学员的技能和智力两个因变量进行分析，实验的原始数据如图7-39所示。

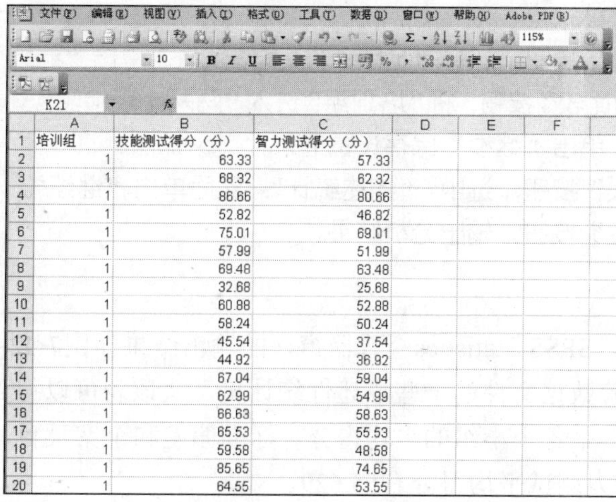

	A	B	C
1	培训组	技能测试得分（分）	智力测试得分（分）
2	1	63.33	57.33
3	1	68.32	62.32
4	1	86.66	80.66
5	1	52.82	46.82
6	1	75.01	69.01
7	1	57.99	51.99
8	1	69.48	63.48
9	1	32.68	25.68
10	1	60.88	52.88
11	1	58.24	50.24
12	1	45.54	37.54
13	1	44.92	36.92
14	1	67.04	59.04
15	1	62.99	54.99
16	1	66.63	58.63
17	1	65.53	55.53
18	1	59.58	48.58
19	1	85.65	74.65
20	1	64.55	53.55

图 7-39　数据文件“7-4”原始数据

在SPSS的变量视图中建立变量“培训组”“技能测试”和“智力测试”，分别表示培训组别以及技能和智力测试的得分，如图7-40所示。

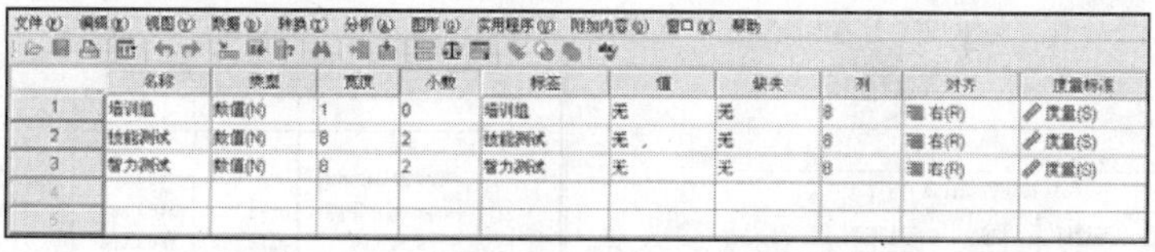

	名称	类型	宽度	小数	标签	值	缺失	列	对齐	度量标准
1	培训组	数值(N)	1	0	培训组	无	无	8	右(R)	度量(S)
2	技能测试	数值(N)	8	2	技能测试	无	无	8	右(R)	度量(S)
3	智力测试	数值(N)	8	2	智力测试	无	无	8	右(R)	度量(S)

图 7-40　数据文件“7-4”的变量视图

在SPSS活动数据文件中的数据视图中，把相关数据输入到各个变量中，输入完毕如图7-41所示。

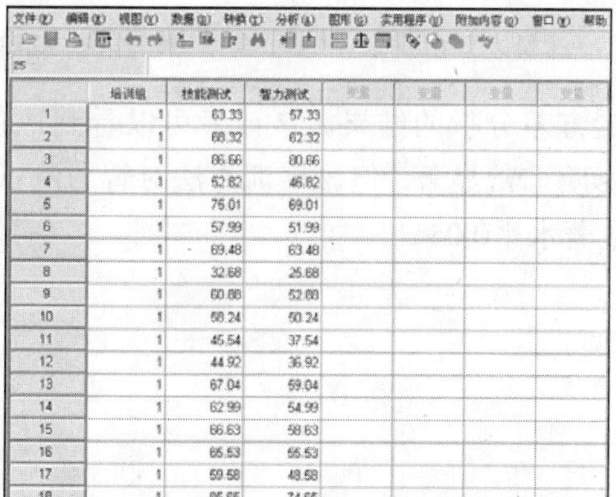

	培训组	技能测试	智力测试
1	1	63.33	57.33
2	1	68.32	62.32
3	1	86.66	80.66
4	1	52.82	46.82
5	1	75.01	69.01
6	1	57.99	51.99
7	1	69.48	63.48
8	1	32.68	25.68
9	1	60.88	52.88
10	1	58.24	50.24
11	1	45.54	37.54
12	1	44.92	36.92
13	1	67.04	59.04
14	1	62.99	54.99
15	1	66.63	58.63
16	1	65.53	55.53
17	1	59.58	48.58
18	1	85.65	74.65
19	1	64.55	53.55

图 7-41　数据文件“7-4”的数据视图

2. 实验操作步骤

Step 01 在菜单栏中依次单击"分析"|"一般线性模型"|"多变量"命令,打开"多变量"对话框。

Step 02 将"技能测试"和"智力测试"选入"因变量",将"培训组"选入"固定因子"列表。

Step 03 单击"模型"按钮,选择"全因子",其他默认,单击"继续"按钮。

Step 04 单击"两两比较"按钮,将"培训组"选入"两两比较检验"列表框,再选中"LSD"检验方法,单击"继续"保存设置结果。

Step 05 单击"选项"按钮,选中 "描述统计",然后单击"继续"。

Step 06 单击"确定"按钮,输出分析结果。

3. 实验结果及分析

单击"确定"按钮,SPSS Statistics查看器窗口的输出结果如图7-42~图7-45所示。

图7-42给出了本实验数据文件的一些描述性统计量。从该表可以得到,两个因变量"技能测试"和"智力测试"中各个小组的平均得分、标准偏差和个案数目。如第一组的技能测试平均分有63.5798,智力测试平均得分有55.629。

图7-43给出了多变量检验的一些结果。从该表可以看出,各个检验的概率值都小于0.05,因此各种培训方法的影响是非常显著的。另外,比较"培训组"中的Pillai跟踪值和Hotelling的跟踪值,可见两者的值分别是0.905和8.822,之间差距较大,说明各组对模型的影响较大。

描述性统计量

	培训组	均值	标准 偏差	N
技能测试	1	63.5798	13.50858	20
	2	73.5677	10.60901	20
	3	79.2792	4.40754	20
	总计	72.1422	12.00312	60
智力测试	1	55.6290	13.27082	20
	2	59.5680	10.88796	20
	3	59.6300	5.40158	20
	总计	58.2757	10.38507	60

图 7-42 描述性统计量表

多变量检验[c]

效应		值	F	假设 df	误差 df	Sig.
截距	Pillai 的跟踪	.992	3463.964[a]	2.000	56.000	.000
	Wilks 的 Lambda	.008	3463.964[a]	2.000	56.000	.000
	Hotelling 的跟踪	123.713	3463.964[a]	2.000	56.000	.000
	Roy 的最大根	123.713	3463.964[a]	2.000	56.000	.000
培训组	Pillai 的跟踪	.905	23.577	4.000	114.000	.000
	Wilks 的 Lambda	.101	60.043[a]	4.000	112.000	.000
	Hotelling 的跟踪	8.822	121.300	4.000	110.000	.000
	Roy 的最大根	8.814	251.210[b]	2.000	57.000	.000

a. 精确统计量。

b. 该统计量是 F 的上限,它产生了一个关于显著性级别的下限。

c. 设计:截距 + 培训组

图 7-43 多变量检验结果表

图7-44给出了多因变量方差分析的结果。从该表可以看到,在0.05的显著水平下,该3种培训方法对技能测试的影响非常显著,但该培训方法对智力测试的影响却并不显著,因为相应的P值是0.384,大于显著水平0.05。

主体间效应的检验

源	因变量	III 型平方和	df	均方	F	Sig.
校正模型	技能测试	2525.691ᵃ	2	1262.846	12.048	.000
	智力测试	210.184ᵇ	2	105.092	.974	.384
截距	技能测试	312270.037	1	312270.037	2979.115	.000
	智力测试	203763.200	1	203763.200	1887.633	.000
培训组	技能测试	2525.691	2	1262.846	12.048	.000
	智力测试	210.184	2	105.092	.974	.384
误差	技能测试	5974.724	57	104.820		
	智力测试	6152.946	57	107.946		
总计	技能测试	320770.453	60			
	智力测试	210126.330	60			
校正的总计	技能测试	8500.415	59			
	智力测试	6363.130	59			

a. R 方 = .297（调整 R 方 = .272）
b. R 方 = .033（调整 R 方 = -.001）

图 7-44　多因变量方差分析的结果

图7-45给出了多重比较结果。*表示该组均值差是显著的。从该表可以看出，对技能的培训上，3种培训方法之间有显著的差别和影响能力。但是这些培训方法对智力的影响既不显著也没有明显的差别。

多个比较

LSD

因变量	(I) 培训组	(J) 培训组	均值差值 (I-J)	标准 误差	Sig.	95% 置信区间 下限	上限
技能测试	1	2	-9.9879*	3.23759	.003	-16.4711	-3.5047
		3	-15.6995*	3.23759	.000	-22.1826	-9.2163
	2	1	9.9879*	3.23759	.003	3.5047	16.4711
		3	-5.7116	3.23759	.083	-12.1947	.7716
	3	1	15.6995*	3.23759	.000	9.2163	22.1826
		2	5.7116	3.23759	.083	-.7716	12.1947
智力测试	1	2	-3.9390	3.28552	.236	-10.5181	2.6401
		3	-4.0010	3.28552	.228	-10.5801	2.5781
	2	1	3.9390	3.28552	.236	-2.6401	10.5181
		3	-.0620	3.28552	.985	-6.6411	6.5171
	3	1	4.0010	3.28552	.228	-2.5781	10.5801
		2	.0620	3.28552	.985	-6.5171	6.6411

基于观测到的均值。
误差项为均值方（错误）= 107.946。
*. 均值差值在 .05 级别上较显著。

图 7-45　多重比较结果表

上机题

	光盘：\多媒体文件\上机题教学视频\chap07.wmv
	光盘：\源文件\上机题\chap07\...

7.1　现有甲、乙、丙三个工厂分别生产某种零件，现在从每个厂家生产的产品中各抽取12个零件检验其寿命。试在5%的显著性水平下，检验三个厂家的产品寿命是否具有显著差异。部分相关数据如下表所示（数据路径：光盘:\源文件\上机题\chap07\习题\第七章第一题.sav）。

观测编号	寿命（月）	企业编号
1	40	1
2	48	1
3	38	1

（续表）

观测编号	寿命（月）	企业编号
4	42	1
5	45	1
6	43	1
7	42	1
8	39	1

（1）试采用 Levene 方差齐性检验对该数据进行方差齐次检验。

（2）对三个厂家的数据进行单因素方差分析，分析三个厂家产品寿命的差异。

（3）对三个厂家数据进行多重比较，结合方差分析的结果判断产品寿命差异。

7.2 某农场进行农药喷洒实验，分别在不同的浓度情况下采用不同的方式进行喷洒，其中"检测效果"为农药喷洒24小时后农作物叶子表面农药含量，喷洒方式分别为人工（1）、大型农机作业（2）、飞机作业（3）。试在5%的显著性水平下，检验不同的浓度和喷洒方式下的效果是否相同，看交互作用的效应是否显著。部分数据如下表所示（数据路径：光盘:\源文件\上机题\chap07\习题\第七章第二题.sav）。

检测结果	百分比（%）	喷洒方式
14	1	1
10	1	1
9	2	1
7	2	1
5	3	1
11	3	1
11	1	2
11	1	2
10	2	2
8	2	2
13	3	2
14	3	2
13	1	3
9	1	3
7	2	3

（1）试计算因变量在各个因素下的描述性统计量及在各个因素水平下的误差方差的 Levene 检验。

（2）对数据进行多因素方差分析，分析不同的浓度和喷洒方式下的效果是否相同，及交互作用的效应是否显著。

7.3 某研究所为测试三种不同的饲料对生猪体重增加的影响，将生猪随机分为三组，使用这不同的饲料喂养。理论上认为，生猪体重的增加受到原始体重的影响，试采用协方差分析方法，以生猪原始体重作为协变量，分析三种饲料的作用是否存在显著差异。部分数据如下表所示（数据路径：光盘:\源文件\上机题\chap07\习题\第七章第三题.sav）。

测试前体重（千克）	测试后后体重（千克）	饲料
15.00	85.00	1.00
13.00	83.00	1.00
11.00	65.00	1.00
12.00	76.00	1.00
12.00	80.00	1.00
16.00	91.00	1.00
14.00	84.00	1.00
17.00	90.00	1.00
17.00	97.00	2.00
16.00	90.00	2.00
18.00	100.00	2.00
18.00	95.00	2.00
21.00	103.00	2.00
22.00	106.00	2.00
19.00	99.00	2.00

（1）区分该数据分析的自变量和协变量，判断协变量对因变量的影响。

（2）对生猪测试后体重的数据进行协方差分析，判断不同饲养方式对体重的影响。

7.4 某集团对旗下三个子公司采用不同的绩效评估方法进行评估绩效后的产值和利润的数据。下面将利用多因变量方差分析方法分析三种绩效评估方法对子公司的产值和利润是否显著影响。部分数据如下表所示（数据路径：光盘:\源文件\上机题\chap07\习题\第七章第四.sav）。

评估方法	产值（百万）	利润（百万）
1	65.53	55.53
1	59.58	48.58
1	85.65	74.65
1	64.55	53.55

（续表）

评估方法	产值（百万）	利润（百万）
1	83.74	72.74
2	72.85	59.85
2	88.17	75.17
2	80.82	67.82
2	71.27	58.27
2	81.50	67.50
2	47.56	33.56
2	81.04	67.04
2	81.38	67.38
2	82.96	69.96
2	75.98	62.98

（1）对三种绩效评估方法进行多因素方差分析，分析评估方法是否显著影响子公司的产值和利润。

（2）计算并生成多重比较结果，结合多因素方差分析的结果判断哪种培训方法对子公司的产值和利润影响最大。

第8章　相关分析

相关分析是研究现象之间是否存在某种依存关系，并对具体有依存关系的现象探讨其相关方向以及相关程度，是研究随机变量之间的相关关系的一种统计方法。本章将结合大量实例说明如何利用SPSS 17.0对数据文件进行相关分析。

8.1　相关分析的基本原理

现象与现象直接的依存关系，从数量联系上看，可以分为两种不同的类型，即函数关系和相关关系。

函数关系是从数量上反映现象间的严格的依存关系，即当一个或几个变量取一定的值时，另一个变量有确定值与之相对应。相关关系是现象间不严格的依存关系，即各变量之间不存在确定性的关系。在相关关系中，当一个或几个相互联系的变量取一定数值时，与之相对应的另一变量值也相应发生变化，但其关系值不是固定的，往往按照某种规律在一定的范围内变化。

回归方程的确定系数在一定程度上反映了两个变量之间关系的密切程度，并且确定系数的平方根就是相关系数。但确定系数一般是在拟合回归方程之后计算的，如果两个变量间的相关程度不高，拟合回归方程便没有意义，因此相关分析往往在回归分析前进行。

8.1.1　相关关系的分类

现象之间的相关关系按照不同的标志有不同的分类。

（1）按相关的程度划分，现象之间的相关关系可以划分为完全相关、不相关和不完全相关三种。

当一个现象的数量变化完全由另一个现象的数量变化所决定时，称这两种现象间的关系为完全相关；当两个现象彼此互相不影响，其数量变化各自独立时，就成为不相关；当两个现象之间的关系介于完全相关和不相关之间时，就是不完全相关。

完全相关可以以方程的方式呈现，因此，完全相关便转化为一般意义上的函数关系；通常现象都是不完全相关的，这是相关分析的主要研究对象。

（2）按相关的方向划分，现象之间的相关关系可划分为正相关和负相关。

当一个现象的数量由小变大，另一个现象的数量也相应由小变大时，这种相关就成为正相关；反之，则成为负相关。需要注意的是，许多现象的正、负相关的关系仅在一定范围内存在。

（3）按相关的形式划分，现象之间的相关关系可划分为线性相关和非线性相关。

相关关系是一种数量关系上不严格的相互依存关系。当两种相关关系之间的关系大致呈现出线性关系时，则称为线性相关；如果两种相关现象之间近似的表现为一条曲线，则称为非线性相关。

（4）按照影响因素的多少划分，现象之间的相关关系可划分为单相关、复相关和偏相关。

单相关是两个变量间的关系，即一个因变量对一个自变量的相关关系，也叫简相关；复相关是指三个或三个以上变量之间的关系，即一个因变量对两个或两个以上自变量的相关关系，又称多元相关；偏相关是指某一变量与多个变量相关时，假定其他变量不变，其中两个变量的相关关系。

8.1.2　描述相关关系的方法

在统计中，制定相关图或相关表，可以直接判断现象之间大致呈何种形式的关系，另一方法为精确描述变量间的相关关系，即计算变量之间的相关系数。由于相关图和相关表只能感性地反映出变量间的相关关系，本书将主要介绍相关系数的计算方法。

对不同类型的变量，相关系数的计算公式也不同。在相关分析中，常用的相关系数主要有Pearson简单相关系数、Spearman等级相关系数和Kendall秩相关系数和偏相关系数。Pearson简单相关系数适用于等间隔测度，而Spearman等级相关系数和Kendall秩相关系数都是非参测度。一般用 ρ 和 r 分别表示分别表示总体相关系数和样本相关系数。

（1）Pearson 简单相关系数

若随机变量 X、Y 的联合分布是二维正态分布，x_i 和 y_i 分别为n次独立观测值，则计算 ρ 和 r 的公式分别定义为公式（8-1）和公式（8-2）。

$$\rho = \frac{E[X - E(X)][Y - E(Y)]}{\sqrt{D(X)}\sqrt{D(Y)}} \tag{8-1}$$

$$r = \frac{\sum_{i=1}^{n}(x_i - \bar{x})(y_i - \bar{y})}{\sqrt{\sum_{i=1}^{n}(x_i - \bar{x})^2}\sqrt{\sum_{i=1}^{n}(y_i - \bar{y})^2}} \tag{8-2}$$

其中 $\bar{x} = \frac{1}{n}\sum_{i=1}^{n}x_i$，$\bar{y} = \frac{1}{n}\sum_{i=1}^{n}y_i$。

可以证明，样本相关系数 r 为总体相关系数 ρ 的最大似然估计量。

简单相关系数 r 有如下性质：

① $-1 \leqslant r \leqslant 1$，$r$ 绝对值越大，表明两个变量之间的相关程度越强。

② 若 $0 < r \leqslant 1$，表明两个变量之间存在正相关。若 $r = 1$，则表明变量间存在着完全正相

关的关系。

③若$-1\leqslant r<0$，表明两个变量之间存在负相关。$r=-1$表明变量间存在着完全负相关的关系。

④$r=0$，表明两个变量之间无线性相关。

应该注意的是，简单相关系数所反映的并不是任何一种确定关系，而仅仅是线性关系。另外，相关系数所反映的线性关系并不一定是因果关系。

（2）Spearman等级相关系数

等级相关用来考察两个变量中至少有一个为定序变量时的相关系数，例如，学历与收入之间的关系。它的计算公式如式（8-3）所示：

$$r = 1 - \frac{6\sum_{i=1}^{n} d_i^2}{n(n^2-1)} \tag{8-3}$$

式中，d_i表示y_i的秩和x_i的秩之差，n为样本容量。

（3）Kendall秩相关系数

Kendall秩相关系数利用变量秩计算一致对数目U和非一致对数目V，采用非参数检验的方法度量定序变量之间的线性相关关系。其计算公式如式（8-4）所示：

$$\tau = (U-V)\frac{2}{n(n-1)} \tag{8-4}$$

8.1.3　关于总体相关系数 ρ 的假设检验

关于总体相关系数ρ的假设检验步骤与其他假设检验步骤一致，可以分为以下几步：

1）提出原假设和备择假设：

$$H_0 : \rho = 0$$

$$H_1 : \rho \neq 0$$

2）构造并计算统计量

根据相关系数的类别不同，使用不同的检验统计量，具体如下：

①Pearson简单相关系数检验。该相关系数对应的统计量如式（8-5）所示。

$$T = \frac{r\sqrt{n-2}}{1-r^2} \sim t(n-2) \tag{8-5}$$

其中，r表示Pearson简单相关系数值，n表示样本观测个数。

②Spearman等级相关系数检验。其小样本情况下对应的统计量如式（8-6）所示：

$$T = \frac{r\sqrt{n-2}}{1-r^2} \sim t(n-2) \tag{8-6}$$

大样本情况下对应的统计量如式（8-7）所示：

$$Z = r\sqrt{n-2} \sim N(0,1) \tag{8-7}$$

其中，r表示Spearman等级相关系数值，n表示样本观测个数。

③Kendall秩相关系数检验。小样本情况下，Kendall秩相关系数服从Kendall分布。大样本情况下它对应的检验统计量如式（8-8）所示：

$$Z = \tau\sqrt{\frac{9n(n-1)}{2(2n+5)}} \sim N(0,1) \tag{8-8}$$

其中，τ表示Kendall秩相关系数值，n表示样本观测个数。

3）比较p值和显著性水平a，做出统计决策

计算得出p值，若p值小于显著性水平，则拒绝原假设，即认为两个变量之间的相关关系显著；否则，接受原假设，即认为变量之间不存在显著相关性。

8.2　双变量相关分析的SPSS操作

生活中常需要我们对两个变量间的相关关系进行分析，即通过计算两个之间的相关系数，对两个变量之间是否显著相关作出判断。双变量相关分析过程为用户提供了解决这一问题的方法。

8.2.1　双变量相关分析的 SPSS 操作

打开相应的数据文件或者建立一个数据文件后，在 SPSS Statistics 数据编辑器窗口就可以进行相关分析。本节主要介绍双变量相关分析，具体操作步骤如下：

1）在菜单栏中依次选择"分析"|"相关"|"双变量"命令，打开如图8-1所示的"双变量相关"对话框。

2）选择变量

从源变量列表中选择需要相关分析的变量，然后单击箭头按钮将选中的变量选入"变量"列表中，如图8-2所示。

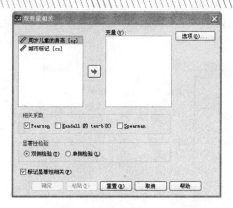 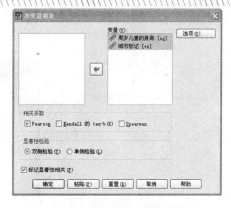

图 8-1　"双变量相关"对话框　　　　　图 8-2　选择需分析的变量

3）设置相应选项

"相关系数"选项组

该选项组提供三种相关系数复选框，分别为Pearson复选框、Kendall的tau-b(K)复选框和Spearman复选框，分别可以计算Pearson简单相关系数、Kendall秩相关系数和Spearman等级相关系数。

"显著性检验"选项组

它包括两个复选框：双侧检验和单侧检验。如果了解变量间是正相关或者负相关，应选择"双侧检验"单选按钮，否则，应选择"单侧检验"单选按钮。

"标记显著性相关"复选框

如果勾选此复选框，则在输出结果中标出有显著意义的相关系数。

"选项"按钮

单击右方的"选项"按钮，打开如图8-3所示的"双变量相关性：选项"对话框。该对话框同样提供了两个选项组。

①"统计量"选项组　该选项组用于选择输出的统计量。

- 勾选"均值和标准差"复选项框表示计算并为每个变量显示其均值和标准差，并且显示具有非缺失值的个案数。

- "叉积偏差和协方差"表示计算变量叉积偏差和协方差，即为每对变量显示叉积偏差和协方差，偏差的叉积等于校正均值变量的乘积之和。这是 Pearson 相关系数的分子。协方差是有关两个变量之间关系的一种非标准化度量，等于叉积偏差除以$N-1$。

②"缺失值"选项组　该选项组用于选择处理默认值的方法。选择"按对排除个案"表示在计算某个统计量时，在这一对变量中排除有默认值的观测，为系统默认选项；选择"按列表排除个案"则表示对于任何分析，排除所有含默认值的观测个案。

选项设置结束后，单击"继续"按钮，则可返回主对话框。

4）分析结果输出

所有设置完毕后，单击"确定"按钮，就可以在SPSS Statistics查看器窗口得到相关分析的结果。

图 8-3　"双变量相关性：选项"对话框

8.2.2　实验操作

下面将以"8-1"数据文件为例，说明双变量相关分析的具体操作过程并对输出结果进行说明解释。

1．实验数据描述

"8-1"数据文件记录了北京和上海两个城市共21个周岁儿童的身高调查数据，其中北京市共有8个样本数据，下面将介绍如何利用双变量分析方法对周岁儿童身高和所在城市间的相关性进行分析。"8-1"数据文件的原始EXCEL数据文件表如图8-4所示，其中身高（sg）的单位是厘米。

	A	B
1	身高（厘米）	城市
2	73	北京
3	79	北京
4	68	北京
5	71	北京
6	76	北京
7	71	北京
8	78	北京
9	80	北京
10	74	北京
11	75	上海
12	71	上海
13	70	上海
14	70	上海
15	64	上海
16	69	上海
17	68	上海
18	68	上海
19	71	上海
20	71	上海
21	72	上海
22	70	上海

图 8-4　数据文件"8-1"的原始数据

首先在SPSS变量视图中建立"sg"和"cs"两个变量，分别表示"周岁儿童身高"和"城市标记"，两个变量的度量标准均为度量，变量定义视图如图8-5所示。

	名称	类型	宽度	小数	标签	值	缺失	列	对齐	度量标准
1	sg	数值(N)	8	2	周岁儿童的身高	无	无	8	靈 右(R)	✏ 度量(S)
2	cs	数值(N)	8	2	城市标记	{1.00, 北京}...	无	8	靈 右(R)	✏ 度量(S)
3										
4										

图 8-5 "8-1"数据文件的变量视图

其次，在SPSS数据视图中，把相关数据输入到变量中，其中"sg"变量单位是cm，"cs"变量中用数字1和2分别代表北京和上海两个城市，输入完毕后如图8-6所示。

	sg	cs
1	73.00	1.00
2	79.00	1.00
3	68.00	1.00
4	71.00	1.00
5	76.00	1.00
6	71.00	1.00
7	78.00	1.00
8	80.00	1.00
9	74.00	1.00
10	75.00	2.00
11	71.00	2.00
12	70.00	2.00
13	70.00	2.00
14	64.00	2.00
15	69.00	2.00
16	68.00	2.00
17	68.00	2.00
18	71.00	2.00
19	71.00	2.00
20	72.00	2.00
21	70.00	2.00

图 8-6 数据文件"8-1"的数据视图

2．实验操作步骤

Step 01 打开"8-1"数据文件，进入 SPSS Statistics 数据编辑器窗口，在菜单栏中依次单击"分析"|"相关"|"双变量"，打开"双变量相关"对话框。

Step 02 将"周岁儿童的身高"和"城市标记"选入"变量"列表。

Step 03 单击"选项"按钮，打开"双变量相关性：选项"对话框。勾选"均值和标准差"、"叉积偏差和协方差"两个复选框，并选中"按对排除个案"单选按钮，然后单击"继续"按钮，保存设置结果。

3．实验结果及分析

在主对话框中，单击"确定"按钮，SPSS Statistics查看器窗口的输出结果如图8-7和图8-8所示。

描述性统计量			
	均值	标准差	N
周岁儿童身高（厘米）	71.86	3.979	21
城市	1.57	.507	21

图 8-7　描述性统计量表

相关性		周岁儿童身高（厘米）	城市
周岁儿童身高（厘米）	Pearson 相关性	1	-.577**
	显著性（双侧）		.006
	N	21	21
城市	Pearson 相关性	-.577**	1
	显著性（双侧）	.006	
	N	21	21

**. 在 .01 水平（双侧）上显著相关。

图 8-8　相关分析结果表

图8-7为描述性统计量的输出表格，包括均值、标准差和观测样本数。

图8-8表示相关分析输出结果表，城市标记和周岁儿童身高之间的Pearson相关系数为-0.577，表示二者之间存在不完全相关且为负相关。两者之间不相关的双侧显著性值为0.006<0.01，表示在0.01的显著性水平上否定了二者不相关的假设。所以由图8-7可以得出结论：周岁儿童身高与城市存在显著相关关系。

8.3　偏相关分析

相关分析适用于仅包括两个变量的数据分析，当数据文件包括多个变量时，直接对两个变量进行相关分析往往不能真实反映二者之间的相关关系，此时就需要用到偏相关分析，以从中剔除其他变量的线性影响。

8.3.1　偏相关分析的基本原理

偏相关分析也称净相关分析，它是在控制其他变量的线性影响下分析两变量间的线性相关，所采用的工具是偏相关系数。假如有 g 个控制变量，则称为 g 阶偏相关。一般的，假设有n（n>2）个变量 X_1，X_2，…，X_n，则任意两个变量 X_i 和 X_j 的 g 阶样本偏相关系数公式如式（8-9）所示：

$$r_{ij-l_1l_2\cdots l_g} = \frac{r_{ij-l_1l_2\cdots l_{g-1}} - r_{il_g-l_1l_2\cdots l_{g-1}} r_{jl_g-l_1l_2\cdots l_{g-1}}}{\sqrt{(1-r^2_{il_g-l_1l_2\cdots l_{g-1}})(1-r^2_{jl_g-l_1l_2\cdots l_{g-1}})}} \qquad (8-9)$$

式中右边均为 $g-1$ 阶的偏相关系数 ，其中 l_1，l_2，$\cdots$，l_g 为自然数从1到n除去 i 和 j 的不同组合。

本节中，我们主要研究一阶偏相关。如分析变量 X_1 和 X_2 之间的净相关时，控制 X_3 的线性关系，则 X_1 和 X_2 之间的一阶偏相关系数如式（8-10）所示：

$$r_{123} = \frac{r_{12} - r_{13}r_{23}}{\sqrt{(1-r_{13}^2)(1-r_{23}^2)}} \tag{8-10}$$

其假设检验过程如下：

1）提出原假设和备择假设：

$$H_0 : \rho = 0$$

$$H_1 : \rho \neq 0$$

2）构造并计算统计量。偏相关用到的统计量为t统计量，其数学定义如公式（8-11）所示：

$$t = r\sqrt{\frac{n-g-2}{1-r^2}} \sim t(n-g-2) \tag{8-11}$$

式中，r 为偏相关系数，n为样本数，g为阶数。

3）选取恰当的显著性水平，做出统计决策。

若 ρ 值小于显著性水平，则拒绝原假设，即认为两个变量之间的偏相关关系显著；否则，接受原假设，即认为两变量之间的偏相关系数与零无显著差异。

8.3.2　偏相关分析的 SPSS 操作

在 SPSS Statistics 数据编辑器窗口进行偏相关分析的操作步骤如下：

1）在菜单栏中依次选择"分析"|"相关"|"偏相关"命令，打开如图8-9所示的"偏相关"主对话框。

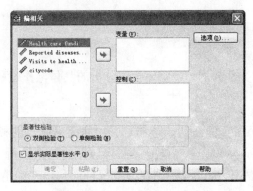

图 8-9　"偏相关"主对话框

2）选择变量

从源变量列表中选择需要偏相关分析的变量，然后单击第一个箭头按钮![⇨]将选中的变量选入"变量"列表框中；从源变量列表中选择控制变量，单击下面的箭头按钮![⇨]将选中的变量选入"控制"列表框中。

- "变量"列表框：该文本框中的变量是需要进行偏相关分析的，因此，至少应包含两个以上的变量名，当其中变量个数大于等于三个时，输出结果为两两变量间偏相关分析的结果。
- "控制"列表框：该文本框中显示的是应该剔除其影响的变量名，如果不选择控制变量，则进行的是简单相关分析。

选择变量完成后，设置结果如图 8-10 所示。

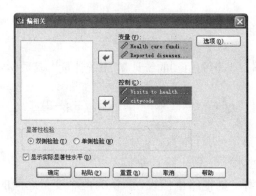

图 8-10　偏相关分析的变量设置

3）进行相应的设置

"偏相关"对话框的设置选项与"双变量分析"对话框的设置选项相同，用户可以参照双变量分析的相关部分自主学习。

4）输出分析结果

设置完毕后，单击"确定"按钮，就可以在SPSS Statistics查看器窗口得到偏相关分析的结果。

8.3.3　实验操作

下面将以"8-2"数据文件为例，说明偏相关分析的具体操作过程和对结果进行说明解释。

1. 实验数据描述

"8-2"数据文件记录了美国纽约、芝加哥、加利福尼亚及洛杉矶四个州的每100人的平均保健基金、每10000人发病率以及保健提供商拜访率的数据，每个个案代表不同的城市，下面将介绍如何利用偏相关分析过程得到在控制保健商拜访率的情况下，保险基金数量和病人发病率之间的相关系数。"8-2"数据文件的EXCEL原始数据文件如图8-11所示。

	A	B	C	D	E	F
1	保健基金(百万)	发病率（人/千人）	保健商拜访率（人/千人）	城市		
2	155.33	158.34	152.13	纽约		
3	177.34	157.23	167.84	纽约		
4	165.09	162.92	162.21	纽约		
5	154.28	130.59	146.69	纽约		
6	185.56	202.81	186.93	纽约		
7	186.96	221.43	188.16	纽约		
8	198.63	189.22	195.39	纽约		
9	172.14	166.42	175.5	纽约		
10	198.25	203.07	197.04	纽约		
11	193.9	198.57	190.16	纽约		
12	157.03	161.79	156.47	芝加哥		
13	158.07	168.82	159.21	芝加哥		

图 8-11　“8-2”数据文件原始数据（部分）

在SPSS变量视图中建立“fund”、“disease”、“visit”和“citycode”四个变量，分别代表保健基金、发病率、保健提供商拜访率和城市名称，四个变量的度量标准均为“度量”，如图8-12所示。

	名称	类型	宽度	小数	标签	值	缺失	列	对齐	度量标准
1	保健基金	数值(N)	8	2		无	无	6	右(R)	度量(S)
2	发病率	数值(N)	8	2		无	无	6	右(R)	度量(S)
3	保健商拜访率	数值(N)	12	2		无	无	6	右(R)	度量(S)
4	城市	数值(N)	8	0		无	无	3	右(R)	名义
5										
6										

图 8-12　“8-2”数据文件的变量视图

在SPSS数据视图中，把相关数据输入到变量中，数字1-4分别表示纽约、芝加哥、加州和洛杉矶四个城市，输入完毕后的视图如图8-13所示。

	保健基金	发病率	保健商拜访率	城市
1	155.33	158.34	152.13	1
2	177.34	157.23	167.84	1
3	165.09	162.92	162.21	1
4	154.28	130.59	146.69	1
5	185.56	202.81	186.93	1
6	186.96	221.43	188.16	1
7	198.63	189.22	195.39	1
8	172.14	166.42	175.50	1
9	198.25	203.07	197.04	1
10	193.90	198.57	190.16	1
11	157.03	161.79	156.47	2
12	158.07	168.82	159.21	2
13	182.09	180.41	185.65	2
14	173.20	178.52	176.50	2
15	151.84	157.77	156.97	2
16	182.90	212.44	181.62	2
17	197.09	198.90	205.51	2
18	163.86	174.25	167.09	2
19	192.30	212.07	192.71	2
20	172.03	149.45	165.02	2

图 8-13　“8-2”数据文件的数据视图

2．实验操作步骤

实验的具体操作步骤如下：

Step 01 打开数据文件"8-2"，进入SPSS Statistics数据编辑器窗口，在菜单栏中依次选择"分析"|"相关"|"偏相关"命令，打开"偏相关"对话框。

Step 02 将"保险基金"和"发病率"选入"变量"列表框，将"保健提供商拜访率"选入"控制"列表框中。

Step 03 单击"选项"按钮，打开"偏相关性：选项"对话框。勾选"统计量"选项组中的"均值和标准差"、"临界相关系数"两个复选框，并选择"缺失值"选项组中的"按对排除个案"单选框，最后单击"继续"按钮返回主对话框，保存设置结果，其他设置使用默认设置。

3．实验结果及分析

单击"确定"按钮，SPSS Statistics查看器窗口的输出结果如图8-14和图8-15所示。

描述性统计量			
	均值	标准差	N
保健基金(百万)	175.5182	14.52842	50
发病率（人/千人）	175.1712	22.35946	50
保健商拜访率（人/千人）	174.7488	16.26137	50

图8-14　描述性统计量表

图8-14为描述性统计量表，分别统计了保健基金、发病率和保健提供商拜访率三个变量的均值、标准差和观测值个数。

相关性			保健基金(百万)	发病率（人/千人）	保健商拜访率（人/千人）
控制变量					
-无-[a]	保健基金(百万)	相关性	1.000	.737	.964
		显著性（双侧）		.000	.000
		df	0	48	48
	发病率（人/千人）	相关性	.737	1.000	.762
		显著性（双侧）	.000		.000
		df	48	0	48
	保健商拜访率（人/千人）	相关性	.964	.762	1.000
		显著性（双侧）	.000	.000	
		df	48	48	0
保健商拜访率（人/千人）	保健基金(百万)	相关性	1.000	.013	
		显著性（双侧）		.927	
		df	0	47	
	发病率（人/千人）	相关性	.013	1.000	
		显著性（双侧）	.927		
		df	47	0	
a. 单元格包含零阶 (Pearson) 相关。					

图8-15　相关性输出表

图8-15为相关性输出表，表格的上半部分表示没有控制变量时三个变量两两间的相关关

系，由表可以看出，保健基金和发病率之间的相关系数为0.737，且其在双侧显著性0.01上显著，因此保健基金和发病率间存在显著的正相关性。这显然有违常理，从经济学上讲，保障基金越多，发病率应该相应越低，即保健基金和发病率之间应存在负相关关系，因此，在没有控制变量时得到的保健基金和发病率间存在的正相关性为伪相关。

图8-15的下半部分给出了含控制变量保健提供商拜访率时保健基金和发病率间的偏相关分析结果。由表可以明显看到，在剔除控制变量保健提供商的拜访率的影响后，保健基金和发病率间的偏相关系数为0.013，显著性水平为0.928，因此我们可以认为保健基金和发病率间几乎不存在相关关系。

8.4 距离分析

偏相关分析通过控制一些被认为次要的变量的影响得到两个变量间的实际相关系数，但实际问题中，变量可能会多到无法一一关心的地步，每个变量都携带了一定的信息，但彼此又有所重叠，此时最直接的方法就是将所有变量按照一定的标准进行分类，即进行聚类分析。本节介绍的距离分析便可为聚类分析提供这一标准。

8.4.1 距离分析的基本原理

距离是对观测量之间或变量之间的相似或不相似程度的一种测度，通过计算一对观测量或变量间的广义距离，将距离较小的变量或观测量归为一类，距离较大的变量或观测量归为其他类，从而为聚类分析、因子分析等复杂数据集的分析打下基础。

与距离分析相关的统计量分为不相似性测度和相似性测度两大类。

（1）不相似性测度

不相似性测度主要通过分析变量间的不相似程度对变量进行分类，主要包括：

- 定距数据：包括欧氏距离、平方 Euclidean距离、Chebychev、块、Minkowski或定制等方法。
- 计数数据：包括卡方测量和phi平方测量两种测度方法。
- 二分类数据：包括欧氏距离、平方Euclidean 距离、尺度差分、模式差分、方差、形状或Lance和Williams等测度方法。

（2）相似性测度

与不相似性测度相反，相似性测度通过计算变量之间的相似系数从而将变量进行分类，主要包括：

- 定距数据：包括Pearson相关和余弦两种测度方法。
- 二分类数据：包括Russell 和 Rao、简单匹配、Jaccard、切块、Rogers 和 Tanimoto、Sokal 和 Sneath 1、Sokal 和 Sneath 2、Sokal 和 Sneath 3、Kulczynski 1、Kulczynski

2、Sokal 和 Sneath 4、Hamann、Lambda、Anderberg 的 D、Yule 的 Y、Yule 的 Q、Ochiai、Sokal 和 Sneath 5、phi 4 点相关或离差等20余种测度方法。

相似性测度及不相似性测度方法的详细介绍如下文表 8-1 和 8-2 所示。SPSS 软件可以用来进行距离分析，距离分析不会给出常用的 p 值，而只是给出各变量间的距离大小，由用户自行判断其相似的程度。

8.4.2 距离分析的 SPSS 操作

打开相应的数据文件或者建立一个数据文件后，在 SPSS Statistics 数据编辑器窗口就可以进行偏相关分析。

1）在菜单栏中依次选择"分析"|"相关"|"距离"命令，打开"距离"主对话框，如图8-16所示。

2）选择变量

从源变量列表中选择需要距离分析的变量，然后单击箭头按钮 ⬅ 将选中的变量选入"变量"列表框或者"标注个案"中，如图 8-17 所示。其中：

- "变量"列表框：该列表框用于选入用于距离分析的变量名，至少包含两个变量名，可以为连续变量或分类变量。

- "标注个案"列表框：该列表框用于选入个案标示变量，只有在"计算距离"选项组中选择"个案间"复选框时，此选项框才可使用。

图 8-16 "距离"主对话框

图 8-17 选入距离分析的变量

3）进行简单设置

"计算距离"选项组

该选项组包括"个案间"和"变量间"两个单选项，若勾选，则分别表示输出结果是个案间或者变量间的距离分析值。

"度量标准"选项组

该选项组包括"不相似性"和"相似性"两个单选按钮和一个"度量"按钮。关于不相似性测度和相似性测度的详细设置，下面将单独进行详细介绍。

4）不相似性测度的详细设置

若选择"不相似性"单选按钮，表示所用测度方法为不相似性测度。此时单击"度量"按钮，将弹出"距离：非相似性度量"对话框，如图8-18所示，在这里可继续进行设置。

图 8-18 "距离：非相似性度量"对话框

"度量标准"选项组

该选项组用于选择度量标准，根据数据类型分为区间、计数和二分类三种。各单选按钮的详细介绍如表8-1所示。

表 8-1 "度量标准"选项组内容

度量标准	测度方法	含义
区间	Euclidean距离	各项值之间平方差之和的平方根，这是定距数据的默认选项
	平方 Euclidean 距离	各项值之间平方差之和
	Chebychev	各项值之间的最大绝对差
	块	各项值之间绝对差之和，又称为 Manhattan 距离
	Minkowski	各项值之间 p 次幂绝对差之和的 p 次根。选择此项还需要在"幂"和"根"下拉列表中选择p值和r值，其取值范围均在1-4间
	定制	各项值之间 p 次幂绝对差之和的 r 次根。选择此项还需要在"幂"和"根"下拉列表中选择p值和r值，其取值范围均在1-4间
计数	卡方统计量度量	此度量基于对两组频率等同性的卡方检验，是计数数据的默认值
	phi 平方统计量度量	此度量等于由组合频率的平方根标准化的卡方测量

（续表）

度量标准	测度方法	含义
二分类	欧氏距离	根据四重表计算 SQRT(b+c) 得到，其中 b 和 c 代表对应于在一项上存在但在另一项上不存在的个案的对角单元
	平方 Euclidean 距离	计算非协调的个案的数目。它的最小值为 0，没有上限
	尺度差分	非对称性指数，其范围为 0 到 1
	模式差分	用于二分类数据的非相似性测量，其范围为 0 到 1。根据四重表计算 bc/(n**2) 得到，其中 b 和 c 代表对应于在一项上存在但在另一项上不存在的个案的对角单元，n 为观察值的总数
	方差	根据四重表计算 (b+c)/4n 得到，其中 b 和 c 代表对应于在一项上存在但在另一项上不存在的个案的对角单元，n 为观察值的总数。其范围为 0 到 1
	形状	此距离测量的范围为 0 到 1，它对不匹配项的非对称性加以惩罚
	Lance 和 Williams	又称为 Bray-Curtis 非量度系数，根据四重表计算 (b+c)/(2a+b+c) 得到，其中 a 代表对应于两项上都存在的个案的单元，b 和 c 代表对应于在一项上存在但在另一项上不存在的个案的对角单元。此度量的范围为 0 到 1

此外，若选择"二分类"单选按钮，用户可以更改"存在"和"不存在"字段以指定可指示某个特征存在或不存在的值，存在的默认值为 1，不存在的默认值为 0。该过程将忽略所有其他值。

"转换值"子设置栏

在此设置计算距离之前对观测量或变量进行标准化的方法，但是要注意对二元变量不能进行标准化。在标准化下拉列表中，除"无"外，可选的标准化方法如表8-2所示。

表 8-2　标准化方法及其介绍

标准化方法	含义
Z 得分	将值标准化到均值为 0且标准差为1的z 得分
范围-1到1	要进行标准化的项的每个值均除以值范围
范围0到1	该过程从要进行标准化的每个项中抽取最小值，然后除以范围
1的最大量级	该过程将要进行标准化的项的每个值除以这些值中的最大值
1的均值	该过程将要进行标准化的项的每个值除以这些值的均值
使标准差为1	该过程将要进行标准化的变量或个案的每个值除以这些值的标准差

以上各标准化方法均需指定标准化的对象。若勾选"按照变量"单选项，表示对变量进行标准化；若勾选"按照个案"，则表示对每个观测量进行标准化。

"转换度量"选项组

在此设置对距离测度的结果进行转换的方法，可用的选项有绝对值、更改符号和重新调整到 0–1 范围。

- 相关性的方向可用符号来进行表示，当仅对相关性的大小感兴趣时，则可勾选"绝对值"复选框。
- 若勾选"更改符号"复选框，则表示改变距离的符号，如此可以把非相似性测度转换成相似性测度，反之亦然。
- 若勾选"重新标度到0-1全距"复选框，则表示转换后的取值范围是0~1，对已经在"转换值"栏进行相关设置后的测度一般不再使用此方法。

5）相似性测度的详细设置

在"度量标准"中选择"相似性"项，表示所用测度方法为相似性测度。此时单击"度量"按钮，将弹出如图8-19所示"距离：相似性度量"对话框。

图 8-19 "距离：相似性度量"对话框

"距离：相似性度量"对话框与"距离：非相似性度量"对话框大体相似，仅在度量标准中有所差别，"距离：相似性度量"对话框中没有"计数"这一项。"区间"及"二分类"复选框中"度量"下拉列表也稍有不同。

①"度量标准"选项组　该选项组用于选择测度类型，根据数据类型分为区间和二分类两种，详细内容如表8-3所示。

表 8-3 "度量标准"选项组内容及介绍

度量标准	测度方法	含义
区间	Pearson 相关性	表示两个值矢量之间的积矩相关性，是定距数据的缺省相似性测量
	余弦	表示两个值矢量之间角度的余弦

（续表）

度量标准	测度方法	含义
二分类	Russel和 Rao	内积的二分类版本，对匹配项和不匹配项给予相等的权重，这是二分类相似性数据的缺省度量
	简单匹配	这是匹配项与值总数的比率，对匹配项和不匹配项给予相等的权重
	Jaccard	在此指数中，不考虑联合不存在项，对匹配项和不匹配项给予相等的权重，又称为相似率
	骰子	在此指数中，不考虑联合不存在项，对匹配项则给予双倍权重，又称Czekanowski或Sorensen度量
	Rogers 和 Tanimoto	在此指数中，对不匹配项给予双倍权重
	Sokal 和 Sneath1	在此指数中，对匹配项给予双倍权重
	Sokal 和 Sneath 2	在此指数中，对不匹配项给予双倍权重，不考虑联合不存在项
	Sokal 和 Sneath 3	这是匹配项与不匹配项的比率，此指数有下限 0，无上限。理论上，当没有不匹配项时，此指数就未定义，然而，"距离"在未定义该值或该值大于9999.999 时会指定随意值 9999.999
	Kulczynski 1	这是联合存在项与所有不匹配项的比率，此指数有下限 0，无上限。同样，当没有不匹配项时，此指数就未定义，"距离"在未定义该值或该值大于9999.999 时会指定随意值 9999.999
	Kulczynski 2	此指数基于特征在一个项中存在的情况下也在另一个项中存在的条件概率。将充当另一个项的预测变量的各个项的各个值进行平均，以计算此值
	Sokal和Sneath 4	此指数基于一个项中的特征与另一个项中的值相匹配的条件概率。将充当另一个项的预测变量的各个项的各个值进行平均，以计算此值
	Hamann	此指数为匹配数减去不匹配数，再除以总项数。其范围为-1到1
	Lambda	此指数为 Goodman 和 Kruskal 的 lambda。通过使用一个项来预测另一个项（双向预测），从而与误差降低比例（PRE）相对应。值范围为0到1
	Anderberg的D	类似于lambda，此指数通过使用一个项来预测另一个项（双向预测），从而与实际误差降低相对应。值范围为 0到1
	Yule的Y	此指数为 2 * 2 表的交比函数，独立于边际总计，其范围为-1到1，又称为捆绑系数
	Yule的Q	此指数为Goodman和Kruskal的gamma 的特殊情况。它是一个交比函数，独立于边际总计，其范围为-1到1
	Ochiai	此指数是余弦相似性测量的二分类形式，其范围为0到1
	Sokal和 Sneath 5	此指数是正匹配和负匹配的条件概率的几何平均数的平方。它独立于项目编码，其范围为0到1
	phi 4点相关	此指数是 Pearson相关系数的二分类模拟，其范围为 -1 到 1
	离散程度	此指数的范围为-1到1

这里用户同样可以更改"存在"和"不存在"字段以指定可指示某个特征存在或不存在的值，存在的默认值为 1，不存在的默认值为 0，该过程也将忽略所有其他值。

②“转换值”和“转换度量”选项组　两个子设置栏与图8-21所示“距离：非相似性度量”对话框中的相关设置一致，在此不再赘述。

8.4.3 实验操作

下面将以数据文件“8-3”为例，说明距离分析的操作过程及对输出结果解释说明。

1. 实验数据描述

数据文件“8-3”描述了我国31省市各类农产品种植面积，下面我们将利用该数据说明如何通过距离分析得到各类农作物产品间的相似系数。该数据文件的原始EXCEL数据如图8-20所示。

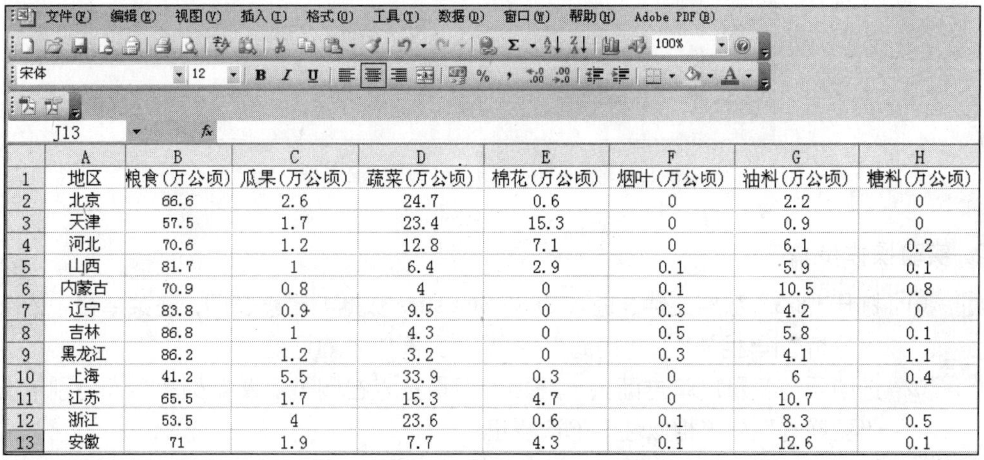

	A	B	C	D	E	F	G	H
1	地区	粮食(万公顷)	瓜果(万公顷)	蔬菜(万公顷)	棉花(万公顷)	烟叶(万公顷)	油料(万公顷)	糖料(万公顷)
2	北京	66.6	2.6	24.7	0.6	0	2.2	0
3	天津	57.5	1.7	23.4	15.3	0	0.9	0
4	河北	70.6	1.2	12.8	7.1	0	6.1	0.2
5	山西	81.7	1	6.4	2.9	0.1	5.9	0.1
6	内蒙古	70.9	0.8	4	0	0.1	10.5	0.8
7	辽宁	83.8	0.9	9.5	0	0.3	4.2	0
8	吉林	86.8	1	4.3	0	0.5	5.8	0.1
9	黑龙江	86.2	1.2	3.2	0	0.3	4.1	1.1
10	上海	41.2	5.5	33.9	0.3	0	6	0.4
11	江苏	65.5	1.7	15.3	4.7	0	10.7	
12	浙江	53.5	4	23.6	0.6	0.1	8.3	0.5
13	安徽	71	1.9	7.7	4.3	0.1	12.6	0.1

图 8-20　“8-3”数据文件原始数据

在SPSS的变量视图中，建立“地区”变量，表示各个省市；建立“粮食”、“瓜果”、“蔬菜”、“棉花”、“烟草”、“油料”和“糖料”变量，分别表示各种农作物的种植面积，如图8-21所示。

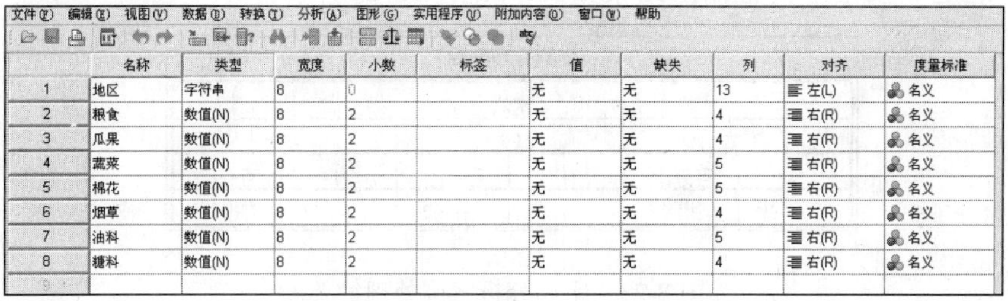

	名称	类型	宽度	小数	标签	值	缺失	列	对齐	度量标准
1	地区	字符串	8	0		无	无	13	左(L)	名义
2	粮食	数值(N)	8	2		无	无	4	右(R)	名义
3	瓜果	数值(N)	8	2		无	无	4	右(R)	名义
4	蔬菜	数值(N)	8	2		无	无	5	右(R)	名义
5	棉花	数值(N)	8	2		无	无	5	右(R)	名义
6	烟草	数值(N)	8	2		无	无	4	右(R)	名义
7	油料	数值(N)	8	2		无	无	5	右(R)	名义
8	糖料	数值(N)	8	2		无	无	4	右(R)	名义

图 8-21　“8-3”数据文件的变量视图

在SPSS活动数据文件中的数据视图中，把相关数据输入到各个变量中，输入完毕如图8-22所示。

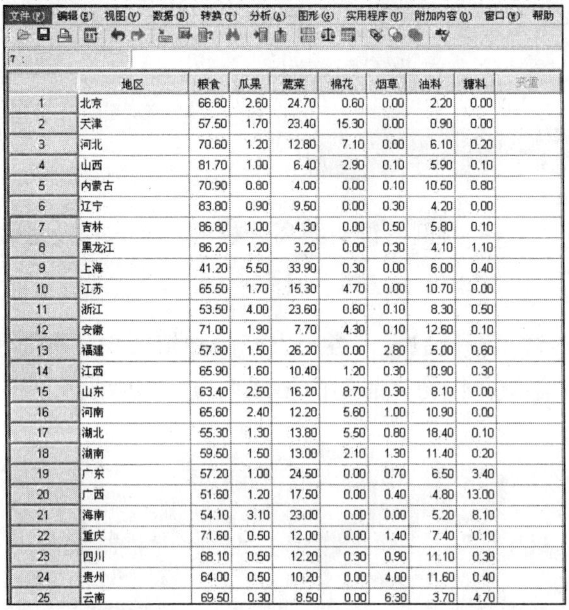

	地区	粮食	瓜果	蔬菜	棉花	烟草	油料	糖料
1	北京	66.60	2.60	24.70	0.60	0.00	2.20	0.00
2	天津	57.50	1.70	23.40	15.30	0.00	0.90	0.00
3	河北	70.60	1.20	12.80	7.10	0.00	6.10	0.20
4	山西	81.70	1.00	6.40	2.90	0.10	5.90	0.10
5	内蒙古	70.90	0.80	4.00	0.00	0.10	10.50	0.80
6	辽宁	83.80	0.90	9.50	0.00	0.30	4.20	0.00
7	吉林	86.80	1.00	4.30	0.00	0.50	5.80	0.10
8	黑龙江	86.20	1.20	3.20	0.00	0.30	4.10	1.10
9	上海	41.20	5.50	33.90	0.30	0.00	6.00	0.40
10	江苏	65.50	1.70	15.30	4.70	0.00	10.70	0.00
11	浙江	53.50	4.00	23.60	0.60	0.10	8.30	0.50
12	安徽	71.00	1.90	7.70	4.30	0.10	12.60	0.10
13	福建	57.30	1.50	26.20	0.00	2.80	5.00	0.60
14	江西	65.90	1.60	10.40	1.20	0.30	10.90	0.30
15	山东	63.40	2.50	16.20	8.70	0.30	8.10	0.00
16	河南	65.60	2.40	12.20	5.60	1.00	10.90	0.00
17	湖北	55.30	1.30	13.80	5.50	0.80	18.40	0.10
18	湖南	59.50	1.50	13.00	2.10	1.30	11.40	0.20
19	广东	57.20	1.00	24.50	0.00	0.70	6.50	3.40
20	广西	51.60	1.20	17.50	0.00	0.40	4.80	13.00
21	海南	54.10	3.10	23.00	0.00	0.00	5.20	8.10
22	重庆	71.60	0.50	12.00	0.00	1.40	7.40	0.10
23	四川	68.10	0.50	12.20	0.30	0.90	11.10	0.30
24	贵州	64.00	0.50	10.20	0.00	4.00	11.60	0.40
25	云南	69.50	0.30	8.50	0.00	6.30	3.70	4.70

图 8-22 “8-3”数据文件的数据视图

2. 实验操作步骤

Step 01 打开“8-3”数据文件，进入 SPSS Statistics 数据编辑器窗口，在菜单栏中依次单击“分析”|“相关”| “距离”，打开“距离”主对话框。

Step 02 选中所有变量，单击箭头➡将所有变量选入右侧“变量”列表框；分别单击选择“变量间”和“相似性”单选按钮。

Step 03 单击“度量”按钮，弹出“距离：相似性度量”子设置对话框，在“区间”中“度量”列表框中选择默认值 Pearson 相关性，“转换值”选项组中“标准化”选择“Z 得分”，其他设置均选择默认值。

3. 实验结果及分析

单击“确定”按钮，实验输出结果如图8-23和图8-24所示。

案例处理摘要

案例					
有效		缺失		合计	
N	百分比	N	百分比	N	百分比
30	96.8%	1	3.2%	31	100.0%

图 8-23 距离分析案例处理摘要

图8-23给出了距离分析案例处理摘要表，该表格给出了数据使用的基本情况，主要是对有无缺失值的统计信息，由结果可以明显看出“8-3”数据文件共有31个个案，各个省市的数据均完整，没有缺失值的存在。

近似矩阵

	值向量间的相关性						
	粮食	瓜果	蔬菜	棉花	烟叶	油料	糖料
粮食	1.000	-.429	-.583	-.404	.044	-.166	-.334
瓜果	-.429	1.000	.562	.083	-.331	-.258	-.001
蔬菜	-.583	.562	1.000	-.091	-.041	-.285	.200
棉花	-.404	.083	-.091	1.000	-.193	-.172	-.048
烟叶	.044	-.331	-.041	-.193	1.000	-.074	.121
油料	-.166	-.258	-.285	-.172	-.074	1.000	-.236
糖料	-.334	-.001	.200	-.048	.121	-.236	1.000

这是一个相似性矩阵

图 8-24　距离分析近似矩阵

图8-24给出的是各变量之间的相似矩阵，由矩阵表可以看出各变量间的相关系数极低，说明各种作物种植面积之间的相关性不高，这与我们的预期基本符合。

另外，本例也可以考虑对变量进行不相似性测度，输出结果为所有变量的不相似矩阵。

上机题

光盘：\多媒体文件\上机题教学视频\chap08.wmv	
光盘：\源文件\上机题\chap08\...	

8.1 下面数据表给出了某省1978年~2003年的GDP与城镇居民消费额的全部数据，经济理论认为，居民消费额与GDP呈正向相关关系。试利用相关分析，验证这一结论。（数据路径：光盘:\源文件\上机题\chap08\习题\第八章第一题.sav）

年份	消费额（百万）	GDP（亿）
1978	529	316
1979	544	350
1980	632	402
1981	662	472
1982	642	531
1983	633	611
1984	642	765
1985	737	887
1986	795	956
1987	933	1131
1988	1160	1395
1989	1277	1595
1990	1310	1815

（续表）

年份	消费额（百万）	GDP（亿）
1991	1501	2122
1992	1893	2556
1993	2150	3222
1994	3079	4473
1995	3788	5758
1996	4376	6834
1997	5124	7590
1998	5450	8128
1999	6060	8673
2000	6572	9555
2001	6923	10465
2002	7145	11645
2003	7740	13361

8.2 某调查者想考察果汁饮料销售量的影响因素，为此调查者观察了碳酸饮料销售量、茶饮料销售量、固体冲泡饮料销售量和咖啡类饮料的销售量，单位均为万升，全部数据如下表所示。试求果汁饮料销售量与碳酸饮料销售量的偏相关系数。（数据路径：光盘:\源文件\上机题\chap08\习题\第八章第二题.sav）

年份	果汁	碳酸饮料	茶饮料	固体冲泡饮料	咖啡类饮料
1994	23.69	25.68	23.6	10.1	4.18
1995	24.1	25.77	23.42	13.31	2.43
1996	22.74	25.88	22.09	9.49	6.5
1997	17.84	27.43	21.43	11.09	25.78
1998	18.27	29.95	24.96	14.48	28.16
1999	20.29	33.53	28.37	16.97	24.26
2000	22.61	37.31	42.57	20.16	30.18
2001	26.71	41.16	45.16	26.39	17.08
2002	31.19	45.73	52.46	27.04	7.39
2003	30.5	50.59	45.3	23.08	3.88
2004	29.63	58.82	46.8	24.46	10.53
2005	29.69	65.28	51.11	33.82	20.09
2006	29.25	71.25	53.29	33.57	21.22
2007	31.05	73.37	55.36	39.59	12.63
2008	32.28	76.68	54	48.49	11.17

8.3　三名评委A、B、C分别给20件美术特长生的考试作品给出了不同的评级（1~10级），评级如下表所示。试计算三名评委所给等级的距离，判断三名评委的评判标准的相似性。（数据路径：光盘:\源文件\上机题\chap08\习题\第八章第三题.sav）

NO	A	B	C
1	6	8	5
2	4	5	6
3	7	4	3
4	8	7	5
5	2	3	3
6	7	4	6
7	9	9	8
8	7	8	5
9	2	5	7
10	4	3	2
11	6	9	5
12	8	5	7
13	4	2	4
14	3	3	6
15	6	8	3
16	9	10	8
17	9	8	6
18	4	6	7
19	4	3	4
20	5	3	6

第9章 回归分析

回归分析是研究一个因变量与一个或多个自变量之间的线性或非线性关系的一种统计分析方法。回归分析通过规定因变量和自变量来确定变量之间的因果关系，建立回归模型，并根据实测数据来估计模型的各个参数，然后评价回归模型是否能够很好地拟合实测数据；并可以根据自变量作进一步预测。回归分析方法理论成熟，它可以确定变量之间的定量关系并进行相应的预测，反映统计变量之间的数量变化规律，为研究者准确把握自变量对因变量的影响程度和方向提供有效的方法。在经济、金融和社会科学方面具有广泛的应用。SPSS 17.0提供强大的回归分析功能，可以进行线性回归、曲线回归、Logistic回归、非线性回归等多种分析，本书下面将对回归分析进行介绍。

9.1 线性回归分析

线性回归分析是最常用的回归分析，许多非线性的模型形式亦可以转化为线性回归模型进行分析。

9.1.1 线性回归分析的原理

线性回归分析法是最基本的回归分析方法，其假设自变量和因变量之间存在线性关系，线性回归的数学模型如公式（9-1）所示。

$$y = \alpha + \beta x + \beta x + \cdots + \beta x + \varepsilon \tag{9-1}$$

用矩阵形式表示为公式（9-2）：

$$y = \alpha + X\beta + \varepsilon \tag{9-2}$$

其中：$y = \begin{pmatrix} y_1 \\ y_2 \\ \vdots \\ y_n \end{pmatrix}$，为被解释变量；$\alpha = \begin{pmatrix} \alpha_1 \\ \alpha_2 \\ \vdots \\ \alpha_n \end{pmatrix}$，为模型的截距项；$\beta = \begin{pmatrix} \beta_1 \\ \beta_2 \\ \vdots \\ \beta_n \end{pmatrix}$ 为待估计参数；

$X = \begin{pmatrix} x_{11} & x_{12} & \cdots & x_{1k} \\ x_{21} & x_{22} & \cdots & x_{2k} \\ \vdots & \vdots & \ddots & \vdots \\ x_{n1} & x_{n2} & \cdots & x_{nk} \end{pmatrix}$，为解释变量；$\varepsilon = \begin{pmatrix} \varepsilon_1 \\ \varepsilon_2 \\ \vdots \\ \varepsilon_n \end{pmatrix}$，为误差项。

被解释变量的变化可以由 $\alpha + X\beta$ 组成的线性部分和随机误差项 ε_i 两部分解释。对于线性模型，一般采用最小二乘估计法来估计相关的参数。以一元线性回归为例，满足公式（9-3）的未知参数 α 和 β 的估计值称为未知参数 α 和 β 的最小二乘估计。估计相关的参数是回归分析的核心也，是预测的基础。

$$\min \sum_{i=1}^{n} e_i^2 = \sum_{i=1}^{n} (y - \hat{\alpha} - \hat{\beta}) \tag{9-3}$$

9.1.2 线性回归分析的 SPSS 操作

在 SPSS Statistics 数据编辑器窗口进行线性回归分析的操作步骤如下：

1）在菜单栏中选择"分析"|"回归"|"线性"命令，打开如图9-1所示的"线性回归"对话框。

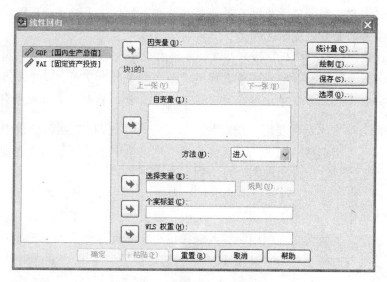

图 9-1 "线性回归"对话框

2）选择变量

从源变量列表中选择需要进行线性回归分析的被解释变量，然后单击 按钮将选中的变量选入"因变量"列表中；从源变量列表中选择需要进行线性回归分析的解释变量，单击 按钮将选中的变量选入"自变量"列表中。其中：

①因变量 该文本框中的变量为线性回归模型中的被解释变量，数值类型为数值型。如果被解释变量为分类变量，则可以用二元或者多元logistic模型等建模分析。

②自变量 该列表框中的变量为线性回归模型的解释变量或者控制变量，数值类型一般为数值型。如果解释变量为分类变量或定性变量，可以用虚拟变量（哑变量）表示。如果选择多个自变量，则可以将自变量分组成块，通过"上一张"和"下一张"按钮对不同的变量子集指定不同的进入方法。如：可以使用"逐步"式选择将一个变量块输入到回归模型中，

而使用"向前"式选择输入第二个变量块。要将第二个变量块添加到回归模型，请单击下一个。

③方法　该下拉列表框用于选择线性回归中变量的进入和剔除方法，来建立多个回归模型，包括：

- 进入，选中方法表示所有的自变量列表中的变量都进入回归模型。
- 逐步，选中该方法表示不在方程中的具有F统计量的概率最小的自变量被选入，对于已在回归方程中的变量，如果它们的F统计量的概率变得足够大，则移去这些变量，如果不再有变量符合包含或移去的条件，则该方法终止。
- 删除，选中该方法表示建立回归模型前设定一定条件，然后根据条件删除自变量。
- 向后，选中该方法表示首先将所有变量选入到模型中，然后按顺序移去，最先删除将与因变量之间的部分相关性最小的变量第一个，移去第一个变量之后，会考虑下一个将方程的剩余变量中具有最小的部分相关性的变量移去，直到方程中没有满足消除条件的变量，过程才结束。
- 向前，该方法与"向后"恰好相反，是将自变量按顺序选入到回归模型中，首先选入到方程中的变量是与因变量之间具有最大相关性的变量，同时必须满足选入条件时才将它选入到方程中，然后再考虑下一个变量，直到没有满足条件的变量为止。

④选择变量　该文本框主要用于指定分析个案的选择规则，当回归分析中包含由选择规则定义的个案，可以将选择变量选入"选择变量"列表框中，然后单击"规则"按钮，弹出如图9-2所示"线性回归：设置规则"对话框。

"线性回归：设置规则"对话框中的下拉列表框用于选择关系，可用的关系有"等于"、"不等于"、"小于"、"小于等于"、"大于"以及"大于等于"，对于字符串变量，可用关系为"等于"。"值"文本框用于输入选择按个案的具体数值或字符串。如：选择"不等于"，并在"值"中输入"100"，则只有那些选定变量值不等于100的个案才会包含在回归分析中。

⑤个案标签　该文本框主要用于指定个案标签的变量。

⑥WLS权重　该文本框表示加权最小二乘，当判断回归模型的残差存在异方差时，才选用加权最小二乘方法，指定加权变量。

3）进行相应设置

"统计量"按钮

单击"统计量"按钮，弹出如图9-3所示的"回归分析：统计量"对话框。

图 9-2 "线性回归：设置规则"对话框 　　图 9-3 "线性回归：统计量"对话框

"回归分析：统计量"对话框主要用于指定线性回归模型输出的一些统计量，包括：

① "回归系数"选项组　该选项组主要用于对回归系数进行设定。

- 估计，选择该复选框表示输出回归系数、标准误、标准化系数beta、t 值以及t的双尾显著性水平。
- 误差条图的表征，选中该复选框表示输出每个回归系数或协方差矩阵指定置信度的置信区间，在"水平"中输入范围。
- 协方差矩阵，选中表示输出回归系数的方差-协方差矩阵，其对角线以外为协方差，对角线上为方差，同时还显示相关系数矩阵。

② "残差"选项组　该选项组用于指定对回归残差进行检验的方法。

- Durbin-Watson，该复选框表示输出用于检验残差序列自相关的D-W检验统计量。
- 个案诊断，该复选框表示对个案进行诊断，输出个案，其中
  - ↳ "离群值"表示输出满足条件的个案离群值；
  - ↳ "标准差"用于指定离群值满足几倍标准差的条件；
  - ↳ "所有个案"指可以输出所有个案的残差。

③ "模型拟合度"复选框　该复选框表示显示输入模型的变量和从模型删去的变量，并显示以下拟合优度统计量：复相关系数、R^2 和调整 R^2、估计的标准误以及方差分析表等。

④ "R方变化"复选框　该复选框表示输出由于添加或删除自变量而产生的R^2统计量的更改。如果与某个变量相关联的R^2变化很大，则意味着该变量是因变量的一个良好的预测变量。

⑤ "描述性"复选框　该复选框表示输出回归分析中的有效个案数、均值以及每个变量的标准差，同时输出具有单尾显著性水平的相关矩阵以及每个相关系数的个案数。

⑥ "部分相关和偏相关"复选框　该复选框表示输出部分相关和偏相关统计量。其中，

- "部分相关"指对于因变量与某个自变量，当已移去模型中的其他自变量对该自变量的线性效应之后，因变量与该自变量之间的相关性。当变量添加到方程时，它与R^2的更改有关。

- "偏相关"指的是对于两个变量,在移去由于它们与其他变量之间的相互关联引起的相关之后,这两个变量之间剩余的相关性。对于因变量与某个自变量,当已移去模型中的其他自变量对上述两者的线性效应之后,这两者之间的相关性。

"绘制"按钮

单击"绘制"按钮,弹出如图9-4所示的"线性回归:图"对话框:

"线性回归:图"对话框主要用于帮助验证正态性、线性和方差相等的假设,还可以检测离群值、异常观察值和有影响的个案。在源变量列表中列出了因变量DEPENDNT及以下预测变量和残差变量:标准化预测值(*ZPRED)、标准化残差(*ZRESID)、剔除残差(*DRESID)、调整的预测值(*ADJPRED)、学生化的残差(*SRESID)以及学生化的已删除残差(*SDRESID)。

图9-4 "线性回归:图"对话框

①散点1的1 该选项组可以利用源变量列表中的任意两个来绘制散点图,在"Y"中选入Y轴的变量,"X"中选入X轴的变量。单击"下一张"可以再绘制下一张图,单击"上一张"可以回到刚刚设定的上一张图进行修改。另外,针对标准化预测值绘制标准化残差,可以检查线性关系和等方差性。

②标准化残差图 该选项组用于绘制标准化残差图,主要可以指定两种图:"直方图"和"正态概率图",将标准化残差的分布与正态分布进行比较。

③产生所有部分图 该复选框表示当根据其余自变量分别对两个变量进行回归时,显示每个自变量残差和因变量残差的散点图。但是要求方程中必须至少有两个自变量。

"保存"按钮

单击"保存"按钮,弹出如图9-5所示的"线性回归:保存"对话框。

图 9-5 "线性回归：保存"对话框

"线性回归：保存"对话框主要用于在活动数据文件中保存预测值、残差和其他对于诊断有用的统计量，包括：

①"预测值"选项组 该选项组用于保存回归模型对每个个案预测的值。

- 未标准化，选中该复选框表示保存回归模型对因变量的预测值。
- 标准化，选中该复选框表示保存标准化后的预测值。
- 调节，选中该复选框表示保存当某个案从回归系数的计算中排除时个案的预测值。
- 均值预测的S.E.，选中该复选框表示保存预测值的标准误。

②"残差"选项组 该选项组用于保存回归模型的残差。

- 未标准化，选中该复选框表示保存观察值与模型预测值之间的原始残差。
- 标准化，选中该复选框表示保存标准化后的残差，即Pearson 残差。
- 学生化，选中该复选框表示保存学生化的残差，即残差除以其随个案变化的标准差的估计，这取决于每个个案的自变量值与自变量均值之间的距离。
- 删除，选中该复选框表示保存当某个案从回归系数的计算中排除时该个案的残差，它是因变量的值和调整预测值之间的差。
- 学生化已删除，选中该复选框表示保存学生化的删除残差，即个案的剔除残差除以其标准误。

③"距离"选项组 该选项组用于标识自变量的值具有异常组合的个案以及可能对回归模型产生很大影响的个案的测量。

- Mahalanobis 距离，表示自变量上个案的值与所有个案的平均值相异程度的测量，大的Mahalanobis距离表示个案在一个或多个自变量上具有极值。

- Cook距离，选中该复选框表示保存Cook 距离值，较大的Cook 距离表明从回归统计量的计算中排除个案之后，系数会发生很大变化。
- 杠杆值，选择该复选框即表示保存杠杆值，杠杆值是度量某个点对回归拟合的影响，范围从0到(N-1)/N，其中0表示对回归拟合无影响。

④ "影响统计量" 选项组　该选项组用于测度由于排除了特定个案而导致的回归系数（DfBeta）和预测值（DfFit）的变化。

- DfBeta，即计算beta值的差分，表示由于排除了某个特定个案而导致的回归系数的改变。
- 标准化DfBeta，表示计算beta值的标准化差分。
- DfFit，表示计算拟合值的差分，即由于排除了某个特定个案而产生的预测变量的更改。
- 标准化DfFit，表示计算拟合值的标准化差分。
- 协方差比率，该复选框表示从回归系数计算中排除特定个案的协方差矩阵的行列式与包含所有个案的协方差矩阵的行列式的比率，如果比率接近 1，则说明被排除的个案不能显著改变协方差矩阵。

⑤ "预测区间" 选项组　该选项组用于设置均值和个别预测区间的上界和下界。

- 均值，该复选框表示保存平均预测响应的预测区间的下限和上限。
- 单值，该复选框表示保存单个个案的因变量预测区间的下限和上限。
- 置信区间文本框用于指定预测区间的范围，取值为1到99.99。

"选项" 按钮

单击"选项"按钮，弹出如图9-6所示的"线性回归：选项"对话框。

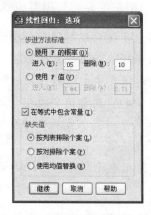

图 9-6　"线性回归：选项"对话框

"线性回归：选项"对话框主要用于对步进回归方法和缺失值进行设置，各选项含义如下：

① "步进方法标准" 选项组　该选项组在已指定向前、向后或逐步式变量选择法的情况

下适用。变量可以进入到模型中，或者从模型中移去，这取决于 F 值的显著性（概率）或者 F 值本身。

- 使用F的概率，表示如果变量的 F 值的显著性水平小于"进入"值，则将该变量选入到模型中，如果该显著性水平大于"删除"值，则将该变量从模型中移去。其中，"进入"值必须小于"删除"值，且两者均必须为正数。

- 使用F值，表示如果变量的 F 值大于"进入"值，则该变量输入模型，如果 F 值小于"删除"值，则该变量从模型中移去。"进入"值必须大于"删除"值，且两者均必须为正数。要将更多的变量选入到模型中，请降低"进入"值。要将更多的变量从模型中移去，请增大"删除"值。

② "在等式中包含常数"复选框　该复选框表示回归模型中包含常数项。取消选择此选项可强制使回归模型通过原点，但是某些通过原点的回归结果无法与包含常数的回归结果相比较。如：不能以通常的方式解释 R^2。

③ "缺失值"选项组　该选项组用于对回归中缺失值的设定，有 3 个可选项。

- 按列表排除个案，选中该单选按钮表示只有所有变量均取有效值的个案才包含在分析中。

- 按对排除个案，选中该单选按钮表示使用正被相关的变量对具有完整数据的个案来计算回归分析所基于的相关系数。

- 使用均值替换，选中该单选按钮表示用变量的均值来替换缺省值。

设置完毕后，可以单击"继续"按钮，就可以返回到"线性回归"对话框；如果只进行系统默认设置，可以单击"取消"按钮，也可以返回到"线性回归"对话框，进行其他设置。

4）分析结果输出

设置完毕后，单击"确定"按钮，就可以在SPSS Statistics查看器窗口得到线性回归分析的结果。

9.1.3　实验操作

下面将以"9-1"数据文件为例，说明线性回归分析的具体操作过程和对结果进行说明解释。

1. 实验数据描述

数据文件"9-1"选取了从1978年到2008年山东省国民生产总值与固定资产投资的年度数据，数据来源于《山东省统计年鉴》。下面将利用山东省国民生产总值作为被解释变量、固定资产投资作为解释变量来建立线性回归模型，分析固定资产投资与国民生产总值的关系。该数据文件的原始数据如图9-7所示。

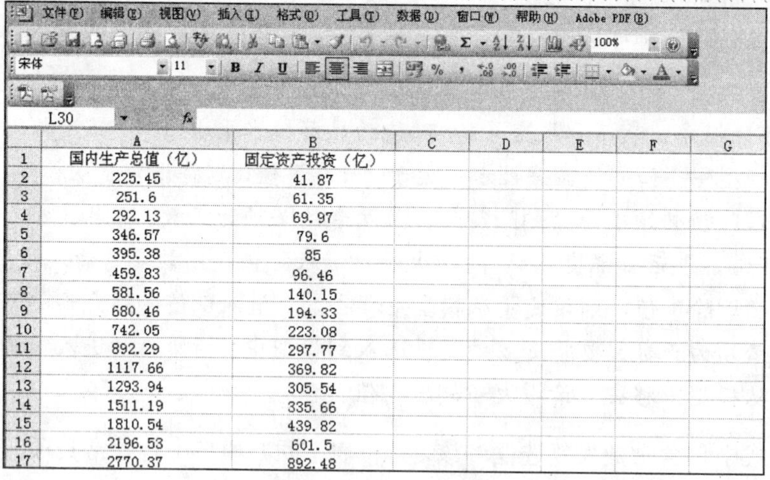

	A	B	C	D	E	F	G
1	国内生产总值（亿）	固定资产投资（亿）					
2	225.45	41.87					
3	251.6	61.35					
4	292.13	69.97					
5	346.57	79.6					
6	395.38	85					
7	459.83	96.46					
8	581.56	140.15					
9	680.46	194.33					
10	742.05	223.08					
11	892.29	297.77					
12	1117.66	369.82					
13	1293.94	305.54					
14	1511.19	335.66					
15	1810.54	439.82					
16	2196.53	601.5					
17	2770.37	892.48					

图 9-7　数据文件“9-1”的原始数据

首先在SPSS变量视图中建立变量“GDP”和“FAI”，分别用来表示山东省国民生产总值与固定资产投资，如图9-8所示。

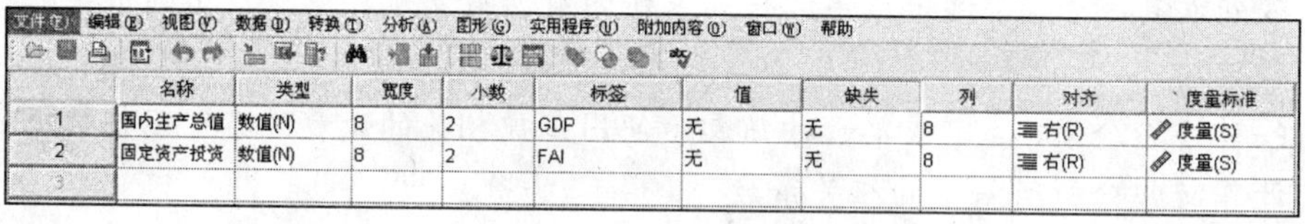

	名称	类型	宽度	小数	标签	值	缺失	列	对齐	度量标准
1	国内生产总值	数值(N)	8	2	GDP	无	无	8	右(R)	度量(S)
2	固定资产投资	数值(N)	8	2	FAI	无	无	8	右(R)	度量(S)
3										

图 9-8　数据文件“9-1”的变量视图

然后在SPSS活动数据文件的数据视图中，把相关数据输入到各个变量中，输入完毕后如图9-9所示。

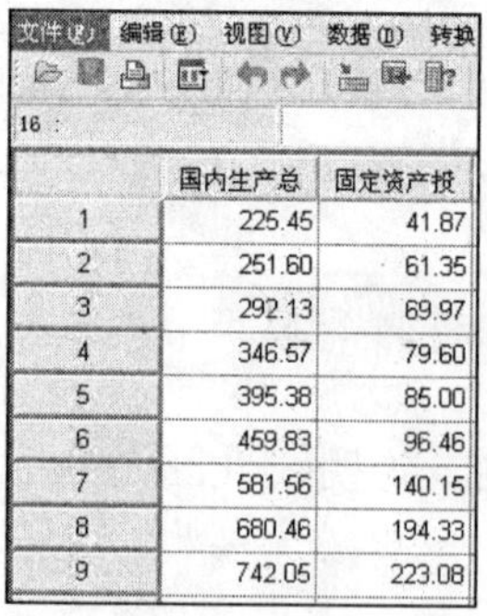

	国内生产总	固定资产投
1	225.45	41.87
2	251.60	61.35
3	292.13	69.97
4	346.57	79.60
5	395.38	85.00
6	459.83	96.46
7	581.56	140.15
8	680.46	194.33
9	742.05	223.08

图 9-9　“9-1”数据文件的数据视图

2. 实验操作步骤

具体操作步骤如下：

Step 01 打开“9-1”数据文件，进入SPSS Statistics数据编辑器窗口，在菜单栏中选择“分析”|“回归”|“线性”命令，打开“线性回归”对话框，然后将“GDP”选入“因变量”，将“FAI”选入“自变量”。

Step 02 单击"统计量"按钮，打开"线性回归：统计量"对话框。选中"估计"、"模型拟合度"和 "Durbin-Watson"，然后单击"继续"按钮，保存设置。

Step 03 单击"绘制"按钮，打开"线性回归：图"对话框。选中"直方图"和"正态概率图"复选框，然后单击"继续"按钮，保存设置。

Step 04 单击"选项"按钮，打开"线性回归：选项"对话框。选中"在等式中包含常量"，然后单击"继续"按钮，保存设置。

Step 05 单击"确定"按钮，便可以得到线性回归结果。

3．实验结果及分析

单击"确定"按钮后，在SPSS Statistics查看器窗口的输出结果如图9-10~图9-16所示。

图9-10给出了输入/移去的变量情况。可以看出在本实验中采用"输入"方法选择变量，输入的变量是"FAI"，而没有变量被剔除。

图9-11给出了评价模型的检验统计量。从该图可以得到R、R^2、调整的R^2、标准估计的误差及D-W统计量。本实验中回归模型调整的R^2是0.96，说明回归的拟合度非常高，但是D-W却只有0.338，说明模型残差存在比较严重的正自相关。

输入／移去的变量[b]			
模型	输入的变量	移去的变量	方法
1	FAI[a]	．	输入

a. 已输入所有请求的变量。
b. 因变量：GDP

图 9-10　输入/移去的变量

模型汇总[b]					
模型	R	R 方	调整 R 方	标准 估计的误差	Durbin-Watson
1	.980[a]	.961	.960	1385.02216	.338

a. 预测变量：(常量)，FAI。
b. 因变量：GDP

图 9-11　模型汇总

图9-12给出了方差分析的结果。由该图可以得到回归部分的F值为693.222，相应的P值是0.000，小于显著水平0.05，因此可以判断由FAI对GDP解释的部分非常显著。

图9-13给出了线性回归模型的回归系数及相应的一些统计量。从该图可以得到线性回归模型中的常数和FAI的系数分别为1253.705和1.921，说明一元钱的固定资产投资可以带来近两元钱的GDP的增加，投资乘数比较大。另外，线性回归模型中的常数和FAI的T值分别为4.107和26.329，相应的概率值为0.000，说明系数非常显著，这与图9-13方差分析的结果十分一致。

Anova[b]					
模型	平方和	df	均方	F	Sig.
1　回归	1.330E9	1	1.330E9	693.222	.000[a]
残差	5.371E7	28	1918286.396		
总计	1.384E9	29			

a. 预测变量：(常量)，FAI。
b. 因变量：GDP

图 9-12　Anova

系数[a]					
	非标准化系数		标准系数		
模型	B	标准 误差	试用版	t	Sig.
1　(常量)	1253.705	305.269		4.107	.000
FAI	1.921	.073	.980	26.329	.000

a. 因变量：GDP

图 9-13　系数

图9-14给出了一些残差的统计量。从该图可以得到预测值、残差、标准预测值和标准残差的极小值、极大值等统计量。如残差的最大值是2548而最小值是−2985，但是平均值是0。

残差统计量[a]					
	极小值	极大值	均值	标准 偏差	N
预测值	1334.1292	25334.8105	5756.3797	6771.64237	30
残差	-2985.68970	2548.12354	.00000	1360.93298	30
标准 预测值	-.653	2.891	.000	1.000	30
标准 残差	-2.156	1.840	.000	.983	30
a. 因变量: GDP					

图 9-14　残差统计量

图9-15给出了标准化残差的直方图。该图是标准化残差的频率分布直方图，从该图可以看出尽管标准化后的残差出现了右侧厚尾现象，但是还是基本满足正态分布。

图9-16给出了标准化残差的标准P-P图。该P-P图是以实际观察值的累计概率为横轴，以正态分布的累计概率为纵轴，因此如果样本数据来自正态分布的话，则所有散点都应该分布在对角线附近。从该图可以看出，分布结果也正是如此，因此可以判断标准化的残差基本服从正态分布，与图9-16给出的直观结果一致。

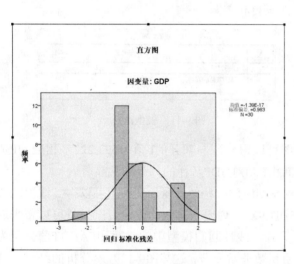

图 9-15　标准化残差的直方图

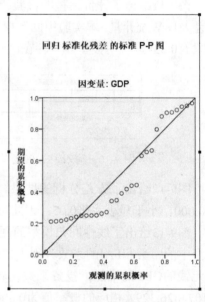

图 9-16　标准化残差的标准 P-P 图

9.2　曲线回归分析

曲线估计可以拟合许多常用的曲线关系，当变量之间存在可以使用这些曲线描述的关系时，我们便可以使用曲线回归分析进行拟合。

9.2.1　曲线回归分析的基本原理

许多情况下，变量之间的关系并非是线性关系，我们无法建立线性回归模型。但是许多模型可以通过变量的转化而转化为线性关系。曲线回归分析方法被统计学家发展出来拟合变量之间的关系。曲线估计的思想就是通过变量替换的方法将不满足线性关系的数据转化为符合线性回归模型的数据，再利用线性回归进行估计。SPSS 17.0的曲线估计过程提供了线性曲线、二次项曲线、复合曲线、增长曲线、对数曲线、立方曲线、S曲线、指数曲线、逆模型、幂函数模型、Logistic模型共11种曲线回归模型。同时，SPSS允许用户同时引入多个非线性模型，最后结合分析的结果选择相关的模型。本书下面将对曲线回归估计进行介绍。

9.2.2 曲线回归分析的 SPSS 操作

打开相应的数据文件或者建立一个数据文件后，可以在 SPSS Statistics 数据编辑器窗口进行曲线回归分析。

1）在菜单栏中选择"分析"|"回归"|"曲线估计"命令，打开如图9-17所示的"曲线估计"对话框。

图 9-17 "曲线估计"对话框

2）选择变量

从源变量列表中选择需要进行曲线回归分析的被解释变量，然后单击 按钮将选中的变量选入"因变量"列表中；从源变量列表中选择需要进行曲线回归分析的解释变量，单击 按钮将选中的变量选入 "变量"列表中。其中：

- **"因变量"列表**　该列表中的变量为曲线回归模型中的被解释变量，数值类型为数值型。
- **"变量"单选按钮**　选中该单选按钮后，选择进入文本框的变量为线性回归模型的解释变量或者控制变量，数值类型一般为数值型。如果解释变量为分类变量或定性变量，则可以用虚拟变量（哑变量）表示。此项为系统默认选项。
- **"时间"单选按钮**　选中该单选按钮，则时间作为解释变量进入曲线回归模型。
- **"个案标签"列表**　该列表框主要用于指定个案标签的变量，作为散点图中点的标记。
- **"模型"选项组**　该选项组用于指定用于回归的曲线模型，SPSS 17.0提供了11种曲线回归模型，分别是线性曲线、二次项曲线、复合曲线、增长曲线、对数曲线、立方曲线、S曲线、指数曲线、逆模型、幂函数模型、Logistic模型。其中，如果选择"Logistic"复选框，则在"上限"输入框中指定模型上限。

- **"显示ANOVA表格"复选框** 选中该复选框表示输出方差分析的结果。
- **"在等式中包含常量"复选框** 选中该复选框表示在回归模型中含有常数项。取消选择此选项可强制使回归模型通过原点，但是某些通过原点的回归结果无法与包含常数的回归结果相比较。此项为系统默认选项。
- **"根据模型绘图"复选框** 选中该复选框表示输出所估计的曲线模型的拟合图及观察点的散点图，用于直观评价曲线模型的拟合程度。此项为系统默认选项。

3）设置保存

单击"保存"按钮，弹出如图9-18所示的"曲线估计：保存"对话框。

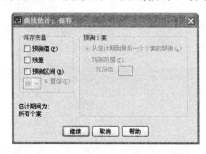

图9-18 "曲线估计：保存"对话框

"曲线估计：保存"对话框主要用于设置保存残差及预测个案。

①"保存变量"选项组 该选项组用于对保存残差和预测值的设置。"预测值"，选中该复选框表示保存曲线模型对因变量的预测值。"残差"，选中该复选框表示保存曲线模型回归的原始残差。"预测区间"，选中该复选框表示保存预测区间的上下界，在"置信"下拉列表框中选择置信区间的范围。

②"预测个案"选项组 该选项组只有在"曲线估计"对话框（图9-17）中选择了"时间"项时才会被激活，主要用于对个案进行预测，有两个单选按钮可供选择。

- "从估计期到最后一个个案的预测"，选中该项表示保存所有因变量个案的预测值。
- "预测范围"，选中该项表示保存用户指定的预测范围的预测值，在"观测值"文本框中输入要预测的观测值。

4）分析结果输出

设置完毕后，单击"确定"按钮，就可以在SPSS Statistics查看器窗口得到曲线回归分析的结果。

9.2.3 实验操作

下面将以数据文件"9-2"为例，说明曲线回归分析的具体操作过程和对结果进行说明解释。

1. 实验数据描述

数据文件“9-2”搜集了从1995年到2007年农村人均收入与农村人均教育支出的数据，数据来源于《中国农村统计年鉴》，利用曲线回归分析方法，分析农村人均教育支出与农村人均收入之间的关系。本实验的原始数据如图9-19所示。

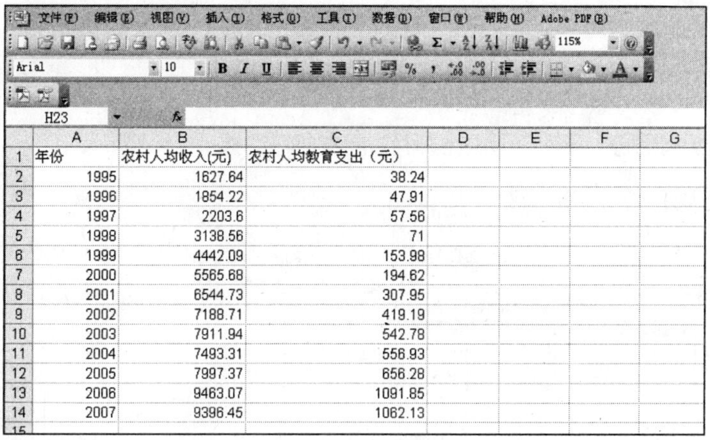

	A	B	C
1	年份	农村人均收入(元)	农村人均教育支出（元）
2	1995	1627.64	38.24
3	1996	1854.22	47.91
4	1997	2203.6	57.56
5	1998	3138.56	71
6	1999	4442.09	153.98
7	2000	5565.68	194.62
8	2001	6544.73	307.95
9	2002	7188.71	419.19
10	2003	7911.94	542.78
11	2004	7493.31	556.93
12	2005	7997.37	656.28
13	2006	9463.07	1091.85
14	2007	9396.45	1062.13

图 9-19 数据文件“9-2”原始数据

首先在SPSS变量视图中建立变量“year”、“x”和“y”，分别用来表示年份、农村人均收入和农村人均教育支出，如图9-20所示。其中，农村人均收入和农村人均教育支出的单位为元。

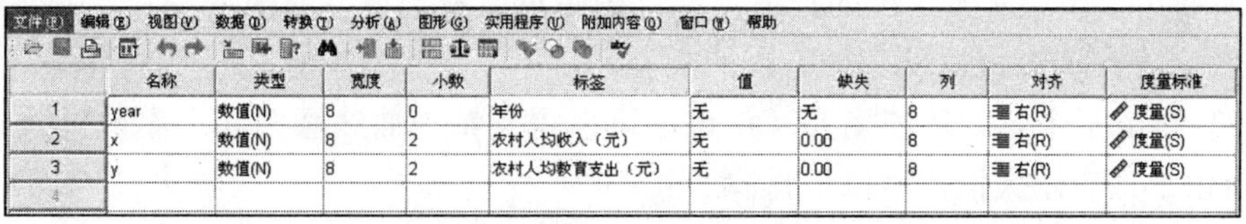

	名称	类型	宽度	小数	标签	值	缺失	列	对齐	度量标准
1	year	数值(N)	8	0	年份	无	无	8	右(R)	度量(S)
2	x	数值(N)	8	2	农村人均收入（元）	无	0.00	8	右(R)	度量(S)
3	y	数值(N)	8	2	农村人均教育支出（元）	无	0.00	8	右(R)	度量(S)

图 9-20 数据文件“9-2”的变量视图

在SPSS活动数据文件的数据视图中，把相关数据输入到各个变量中，输入完毕后如图9-21所示。

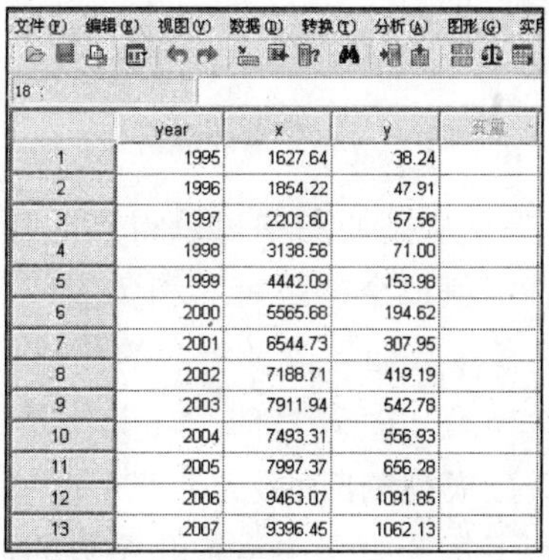

	year	x	y
1	1995	1627.64	38.24
2	1996	1854.22	47.91
3	1997	2203.60	57.56
4	1998	3138.56	71.00
5	1999	4442.09	153.98
6	2000	5565.68	194.62
7	2001	6544.73	307.95
8	2002	7188.71	419.19
9	2003	7911.94	542.78
10	2004	7493.31	556.93
11	2005	7997.37	656.28
12	2006	9463.07	1091.85
13	2007	9396.45	1062.13

图 9-21 “9-2”数据文件的数据视图

2. 实验操作步骤

实验具体操作步骤如下：

Step 01 打开"9-2"数据文件，进入 SPSS Statistics 数据编辑器窗口，在菜单栏中选择"分析"|"回归"|"曲线估计"命令，打开"曲线估计"对话框，然后将"Y"选入"因变量"列表，将"X"选入"变量"列表。

Step 02 在"曲线估计"对话框选中"线性"、"对数"和"二次项"复选框，然后单击"继续"按钮，保存设置。

Step 03 单击"确定"按钮，便可以得到曲线回归结果。

3. 实验结果及分析

单击"确定"按钮后，在SPSS Statistics查看器窗口的输出结果如图9-22~图9-26所示。

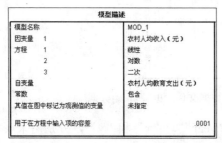

图 9-22　模型描述

图 9-23　个案处理摘要

图9-22给出了模型基本情况的描述。从该图中可以看到模型的因变量和自变量的名称、含有常数项、方程的容差以及三个方程的类型。

图9-23 给出了个案处理的摘要。从该图可以得到参与曲线回归的个案数总共有15个，其中有2个由于带有缺失值，所以被排除。

变量处理摘要		
	变量	
	因变量	自变量
	农村人均收入（元）	农村人均教育支出（元）
正值数	13	13
零的个数	0	0
负值数	0	0
缺失值数　用户自定义缺失	0	0
系统缺失	2	2

图 9-24　变量处理摘要

图9-24 给出了变量处理摘要。从摘要图中可以得到因变量和自变量的正负值情况，如本实验中因变量和自变量都含有正值13个，没有零和负值，系统缺失值有两个。

图9-25给出了模型汇总情况和参数估计值及相应的检验统计量。可以看出，三个回归曲线模型中，拟合度最好的是对数模型（R^2为0.995），其次是二次曲线模型。从F值来看，对数模型的拟合情况最好，因为对数模型的F值最大。三个模型的概率值都是0.000，因此三个模型都比较显著。另外，还得到了每个模型中常数和系数的估计结果。

模型汇总和参数估计值

因变量:农村人均收入(元)

方程	模型汇总					参数估计值		
	R方	F	df1	df2	Sig.	常数	b1	b2
线性	.836	56.029	1	11	.000	2942.248	7.034	
对数	.995	2086.351	1	11	.000	-7176.535	2368.779	
二次	.961	124.603	2	10	.000	1667.396	16.369	-.009

自变量为 农村人均教育支出(元)。

图 9-25 模型汇总和参数估计值

图9-26 给出了三个曲线模型拟合曲线及观测值的散点图。从图中可以很直观地看出,在三条曲线模型拟合的曲线中,对数模型拟合的曲线与原始观测值拟合得最好,而线性模型与二次模型拟合曲线都有许多观察点没有拟合好。因此,由拟合图的直观观察来看,对数模型最适合本实验的数据建模。

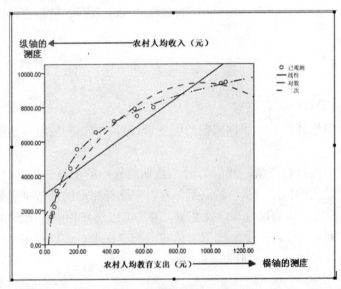

图 9-26 农村人均收入拟合图

所以我们可以得出农村人均收入与农村人均教育支出之间的关系为 $y = -7176.639 + 2368.779\ln(x)$,即农村人均支出的对数每增加一个单位,农民人均纯收入增加2368.779个单位。

9.3 非线性回归分析

非线性回归分析适用于了解参数的初始值或取值范围,而模型又无法转化为线性模型估计的情况。

9.3.1 非线性回归分析的基本原理

许多情况下,非线性模型无法通过变量的转化转化为线性关系,这一类模型成为本质非线性模型。那么，对于非线性模型，估计思路是，首先估算模型中的参数的起始值和取值范围，再利用迭代算法得出参数的估计值。一般来说，非线性模型在估计完成参数起始值和取值范围后，常采用NLR或CNLR算法估计参数。NLR算法寻找能使残差平方和最小的参数估计值，CNLR算法首先建立一个非线性的损失函数，然后寻找能最小化这个损失函数的参数估计值。

一般相对于线性模型，非线性模型假设条件较少，模型形式多样化。因此，非线性回归分析方法被广泛的应用于数据分析实践中。

9.3.2　非线性回归分析的 SPSS 操作

建立或打开相应数据文件后，可以在 SPSS Statistics 数据编辑器窗口进行非线性回归分析。

1）在菜单栏中依次选择"分析"|"回归"|"非线性"命令，打开如图9-27所示的"非线性回归"对话框。

2）选择变量与设置模型表达式

从源变量列表中选择参与非线性回归的因变量，然后单击 按钮将选中的变量选入"因变量"列表中。

从源变量列表中选择自变量，然后单击 按钮将选中的变量选入"模型表达式列表"列表中参与模型表达式的构建；从"函数组"列表中选择相应的函数类型后，"函数与特殊变量"列表中会显示出具体的函数与特殊变量，用户可以选择相应的函数并单击 按钮将其选入"模型表达式列表"列表中参与模型表达式的构建；用户可以利用"模型表达式"下方的键盘进行数字与符号的输入，如图9-28所示。

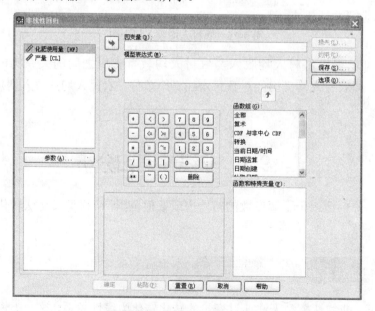

图 9-27　非线性回归对话框

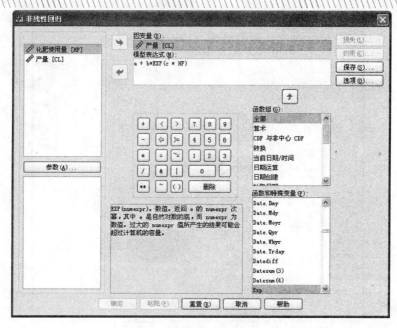

图 9-28 变量选择与模型构建

3）进行相应的设置

"参数"设置

单击"参数"按钮，将弹出如图9-29所示的"非线性回归：参数"对话框。

图 9-29 "非线性回归：参数"对话框

该对话框用于设置参数起始值。用户在"名称"输入框中输入参数名称，在"初始"输入框中输入参数的初始值，输入完毕后单击"添加"按钮添加变量。此外用户还可以单击"更改"与"删除"按钮更该或删除设置好的变量。如勾选"使用上一分析的起始值"对话框，在进行连续的非线性回归时，系统将自动以上一次的参数拟合值作为起始值。

"损失函数"设置

当设置了参数的起始值后，"损失"按钮被激活，单击"损失"按钮，弹出如图9-30所示的"非线性回归：损失函数"对话框。

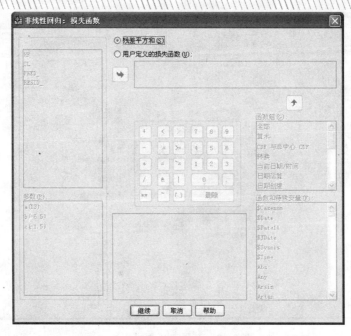

图 9-30   "非线性回归：损失函数"对话框

该对话框用于设定损失函数。如选择"残差平方和"单选按钮，系统使用最小二乘法估计模型并最小化残差平方和；如勾选"用户定义的损失函数"单选按钮，系统将最小化用户自定义的损失函数，用户自定义损失函数的构建与模型表达式的构建操作方法相同，在此不再赘述。

"参数约束"设置

当设置了参数的起始值后，此按钮被激活，单击"约束"按钮，弹出如图9-31所示的"非线性回归：参数约束"对话框。

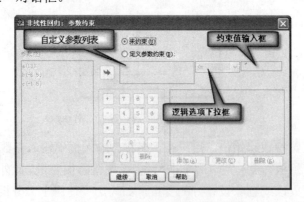

图 9-31   "非线性回归：参数约束"对话框

该对话框用于设置非线性回归的参数约束条件。默认是"未约束"，即不对参数进行任何约束。可以定义参数约束，选择此项后下方的表达式编辑区将被激活，允许用户设置自定义参数。在"参数"列表中选择要进行约束的参数，单击▶按钮将其选入"自定义参数"列表（图中标注），然后在"逻辑选项"下拉框中选择逻辑运算条件，在"约束值"输入框中输入自定义约束，设置完毕后单击"添加"按钮添加参数约束。

"保存"设置

单击"保存"按钮，弹出如图9-32所示的"非线性回归：保存新变量"对话框。

该对话框用于设置非线性回归的结果保存。用户可以通过勾选相应的复选框将预测值、残差、导数和损失函数值作为新变量保存。

"选项"设置

单击"选项"按钮，弹出如图9-33所示的"非线性回归：选项"对话框。

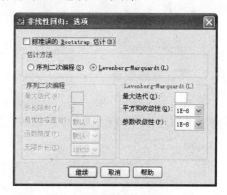

图9-32 "非线性回归：保存新变量"对话框　　图9-33 "非线性回归：选项"对话框

该对话框用于设置回归方法的相关参数。

① "标准误的Bootstrap估计"复选框　如勾选该复选框，系统将使用原始数据集重复抽样的方法来估计统计量的标准误。如勾选该复选框，我们只能使用序列二次规划估计方法。

② "估计方法"选项组　该选项组用于设置回归模型的拟合方法。在这里用户可以选择使用序列二次规划法或 Levenberg-Marquardt估计法。

③ "序列二次编程"选项组　该选项组用于设置序列二次规划法的相关参数，当用户在"估计方法"选项组中选择"序列二次编程"单选按钮时，该选项组被激活。

- "最大迭代"输入框用于输入迭代的最大次数。
- "步长限制"用于输入迭代过程中参数向量的最大变化，如果迭代过程中变化超过此量，则认为模型不收敛。
- "最优性容差"下拉框用于设置损失函数的精确度。
- "函数精度"下拉框用于设置拟合方程的精确度。
- "无限步长"下拉框用于设置迭代过程中参数的最大变化，如果迭代过程中变化超过此量，则认为模型不收敛。

④ "Levenberg-Marquardt"选项组　该选项组用于设置Levenberg-Marquardt估计法的相关参数，选择"估计方法"为"Levenberg-Marquardt"时，该选项组被激活。有3个参数：

- 最大迭代，在此输入迭代的最大次数。

- 平方和收敛性，用于设置方差的收敛标准，当方差的改变量小于设定值时，认为模型已经收敛。
- 参数收敛性，用于设置参数的收敛标准，当所有的参数的改变量小于设定值时，认为模型已经收敛。

4）分析结果输出

设置完毕后，单击“确定”按钮，就可以在SPSS Statistics结果窗口得到非线性回归分析的结果。

9.3.3 实验操作

下面以数据文件“9-3”为例，说明一般判别分析的操作。

1. 实验数据描述

数据文件“9-3”记录了21块试验田中某种化肥的使用量与农作物产量的数据。本实验将利用非线性回归分析方法分析该种化肥使用量与农作物产量之间的关系。本数据文件的原始EXCEL数据文件如图9-34所示。

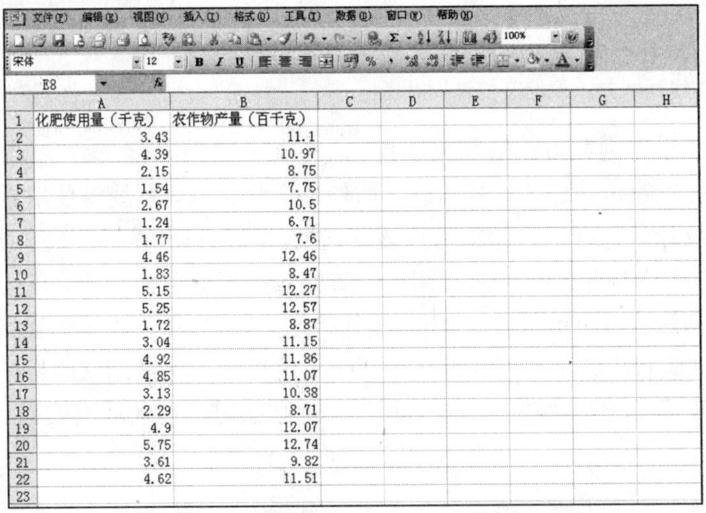

	A	B
1	化肥使用量（千克）	农作物产量（百千克）
2	3.43	11.1
3	4.39	10.97
4	2.15	8.75
5	1.54	7.75
6	2.67	10.5
7	1.24	6.71
8	1.77	7.6
9	4.46	12.46
10	1.83	8.47
11	5.15	12.27
12	5.25	12.57
13	1.72	8.87
14	3.04	11.15
15	4.92	11.86
16	4.85	11.07
17	3.13	10.38
18	2.29	8.71
19	4.9	12.07
20	5.75	12.74
21	3.61	9.82
22	4.62	11.51

图 9-34　数据文件“9-3”原始数据

在SPSS变量视图中建立变量“HF”和“CL”变量，分别用来表示化肥使用量和农作物产量，如图9-35所示。

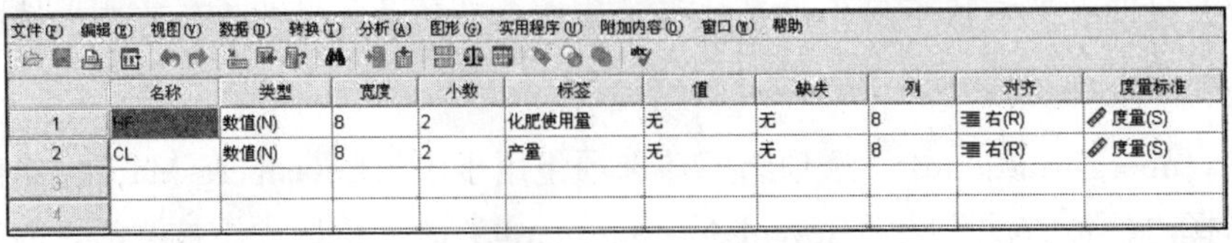

	名称	类型	宽度	小数	标签	值	缺失	列	对齐	度量标准
1	HF	数值(N)	8	2	化肥使用量	无	无	8	右(R)	度量(S)
2	CL	数值(N)	8	2	产量	无	无	8	右(R)	度量(S)

图 9-35　数据文件“9-3”的变量视图

然后在SPSS活动数据文件的数据视图中，把相关数据输入到各个变量中，输入完毕后如图9-36所示。

	HF	CL	变量	变量	变量	变量	变量	变量
1	3.43	11.10						
2	4.39	10.97						
3	2.15	8.75						
4	1.54	7.75						
5	2.67	10.50						
6	1.24	6.71						
7	1.77	7.60						
8	4.46	12.46						
9	1.83	8.47						
10	5.15	12.27						
11	5.25	12.57						
12	1.72	8.87						
13	3.04	11.15						
14	4.92	11.86						
15	4.85	11.07						
16	3.13	10.38						
17	2.29	8.71						
18	4.90	12.07						
19	5.75	12.74						
20	3.61	9.82						
21	4.62	11.51						

图 9-36　数据文件的数据视图

2. 实验操作步骤

实验的具体操作步骤如下：

Step 01 在菜单栏中依次选择"分析"|"回归"|"非线性"命令，打开"非线性回归"对话框。

Step 02 从源变量列表中选择"CL"变量，然后单击⬛按钮将它们选入"因变量"列表中，设置模型表达式如下：a+b * EXP(c*HF)。

Step 03 单击"参数"按钮，弹出"非线性回归：参数"对话框，设置参数的初始值 a=13、b=-6.5、c=-1.5（通过作两变量的散点图看出）。

Step 04 单击"保存"按钮，在"非线性：保存"对话框中勾选"残差"复选框，单击"继续"按钮。

Step 05 单击"确定"按钮，便可以得到一般判别分析的结果。

3. 实验结果及分析

单击"确定"按钮后，在SPSS Statistics查看器窗口的输出结果如图9-37和图9-38所示。

迭代历史记录[b]				
迭代数[a]	残差平方和	参数		
		a	b	c
1.0	178.264	13.000	-6.500	-1.500
1.1	5.449E30	11.928	26.038	5.589
1.2	78.170	12.768	-10.991	-1.012
2.0	78.170	12.768	-10.991	-1.012
2.1	7.928	12.290	-14.884	-.762
3.0	7.928	12.290	-14.884	-.762
3.1	7.355	12.660	-9.609	-.473
4.0	7.355	12.660	-9.609	-.473
4.1	6.284	13.279	-10.762	-.417
5.0	6.284	13.279	-10.762	-.417
5.1	6.161	13.349	-10.782	-.418
6.0	6.161	13.349	-10.782	-.418
6.1	6.161	13.348	-10.783	-.418
7.0	6.161	13.348	-10.783	-.418
7.1	6.161	13.348	-10.783	-.418

导数是通过数字计算的。

a. 主迭代数在小数左侧显示，次迭代数在小数右侧显示。

b. 由于连续残差平方和之间的相对减少量最多为 SSCON=1.00E-008，因此在 15 模型评估和 7 导数评估之后，系统停止运行。

图 9-37 迭代程序记录表

图9-37 给出了每一步迭代的记录，由图可以看出经过了7次迭代后，模型达到收敛标准。

参数估计值				
参数	估计	标准误	95% 置信区间	
			下限	上限
a	13.348	1.041	11.161	15.535
b	-10.783	1.194	-13.292	-8.274
c	-.418	.156	-.745	-.092

参数估计值的相关性			
	a	b	c
a	1.000	.561	.968
b	.561	1.000	.732
c	.968	.732	1.000

ANOVA[a]			
源	平方和	df	均方
回归	2309.329	3	769.776
残差	6.161	18	.342
未更正的总计	2315.490	21	
已更正的总计	66.309	20	

因变量: 产量

a. R 方 = 1 -（残差平方和）/（已更正的平方和）= .907。

图 9-38 参数估计结果

图9-38给出了参数的估计值、估计值的标准误以及参数估计的相关系数矩阵和方差分析表。于是我们可以得出，该种化肥使用量与农作物产量之间的关系为：

$$CL = 13.348 - 10.783e^{-0.418HF}$$

从这个式子中我们可以得出各种化肥使用量下的农作物产量并进行预测，残差值作为一个新变量被保存在数据文件中。

9.4 Logistic回归分析

Logistic回归分析常用于因变量为二分变量时的回归拟合。

9.4.1 Logistic 回归分析的基本原理及模型

在许多领域的分析中，我们都会遇到因变量只能取二值的情形，如是与否、有效与无效等。对于这种问题建立回归模型，通常先将取值在实数范围内的值通过Logit变换转化为目标概率值，然后进行回归分析，这就是Logistic回归。Logistic回归参数的估计通常采用最大似然法，最大似然法的基本思想是先建立似然函数与对数似然函数，再通过使对数似然函数最大求解相应的参数值，所得到的估计值称为参数的最大似然估计值。Logistic模型的数学表达如公式（9-4）所示。

$$\ln \frac{p}{1-p} = \alpha + X\beta + \varepsilon \tag{9-4}$$

其中，p 为事件发生的概率，$\alpha = \begin{pmatrix} \alpha_1 \\ \alpha_2 \\ \vdots \\ \alpha_n \end{pmatrix}$ 为模型的截距项，$\beta = \begin{pmatrix} \beta_1 \\ \beta_2 \\ \vdots \\ \beta_n \end{pmatrix}$ 为待估计参数，

$X = \begin{pmatrix} x_{11} & x_{12} & \cdots & x_{1k} \\ x_{21} & x_{22} & \cdots & x_{2k} \\ \vdots & \vdots & \ddots & \vdots \\ x_{n1} & x_{n2} & \cdots & x_{nk} \end{pmatrix}$ 为解释变量，$\varepsilon = \begin{pmatrix} \varepsilon_1 \\ \varepsilon_2 \\ \vdots \\ \varepsilon_n \end{pmatrix}$ 为误差项，通过公式（9-2）可以看出，Logistic

模型建立了事件发生的概率和解释变量之间的关系。

9.4.2 Logistic 回归分析的 SPSS 操作

打开相应的数据文件或者建立一个数据文件后，可以在 SPSS Statistics 数据编辑器窗口进行 Logistic 回归分析。

1）在菜单栏中选择"分析"|"回归"|"二元Logistic"命令，打开如图9-39所示的"Logistic回归"对话框。

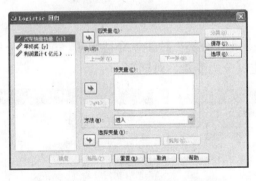

图 9-39 "Logistic 回归"对话框

2）选择变量

从源变量列表中选择需要进行Logistic回归分析的被解释变量，单击 按钮将选中的变量选入"因变量"列表中；然后从源变量列表中选择需要进行Logistic回归分析的解释变量，单击 按钮将选中的变量选入"协变量"列表中。

①因变量　该列表中的变量为Logistic回归模型中的被解释变量，数值类型为数值型，

且必须是二值变量。

②协变量 该列表的变量为线性回归模型的解释变量或者控制变量,数值类型一般为数值型。如果解释变量为分类变量或定性变量,则可以用虚拟变量(哑变量)表示。如果选择多个自变量,则可以将自变量分组成"模块",通过"上一张"和"下一张"按钮对不同的变量子集指定不同的回归模型。

③"方法"下拉列表框 用于选择线性回归模型中变量的进入和剔除方法,包括:

- 进入:选中该方法表示所有的协变量列表中的变量都进入回归模型。
- 向前:条件,该方法采用步进方式选择协变量,协变量进入回归模型的标准是条件参数估计的似然比统计量概率值是否小于给定的显著水平。
- 向前:LR,该方法也是采用步进方式选择协变量,协变量进入回归模型的标准是极大偏似然估计的似然比统计量概率值是否小于给定的显著水平。
- 向前:Wald,该方法也是采用步进方式选择协变量,协变量进入回归模型的标准是Wald统计量概率值是否小于给定的显著水平。
- 向后:条件,该方法首先将所有协变量加入模型,然后根据条件参数估计的似然比统计量概率值是否大于给定的显著水平来删除变量。
- 向后:LR,该方法首先将所有协变量加入模型,然后根据极大偏似然估计的似然比统计量概率值是否大于给定的显著水平来删除变量。
- 向后:Wald,该方法首先将所有协变量加入模型,然后根据Wald统计量概率值是否大于给定的显著水平来删除变量。

④"选择变量"列表 该列表框主要用于指定分析个案的选择规则,所有功能及用法与线性回归分析中的"选择变量"相同,因此不再赘述。

3)进行相应设置

定义分类变量

一旦选定"协变量",则"分类"按钮就会被激活。单击"分类"按钮,弹出如图9-40所示的"Logistic回归:定义分类变量"对话框。

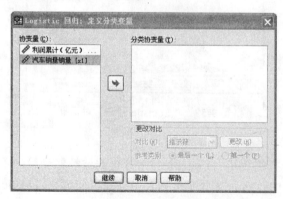

图 9-40 "Logistic 回归:定义分类变量"对话框

"Logistic 回归：定义分类变量"对话框主要是对分类变量进行设定。在"协变量"列表中选择所需要的分类变量，然后单击 按钮将选中的变量选入"分类协变量变量"列表中。一旦选定"分类协变量"，则"更改对比"选项组就会被激活，该选项组用于选择对比的方法。单击下拉列表框中的下拉按钮，可以选择对比的方法：

- 指示符：该选项为系统默认选项，表示与分类变量的指数符对照。在"参考类别"中选择"最后一个"或"第一个"最为对比的基准。
- 简单：该选项表示对分类变量各个水平与第一个水平或最后一个水平的均值进行对比。在"参考类别"中选择对比的基准。
- 差值：该选项表示对分类变量的各个水平都与前一个水平进行做差比较，当然第一个水平除外。
- Helmert：该选项表示对分类变量的各个水平都与后面的水平进行做差比较，当然最后一个水平除外。
- 重复：该选项表示对分类变量的各个水平进行重复对比。
- 多项式：该选项表示对对每个水平按分类变量顺序进行趋势分析。常用的趋势分析方法有线性、二次式等。
- 偏差：该选项表示分类变量每个水平与总平均值进行对比。在"参考类别"中选择"最后一个"或"第一个"作为对比的基准。

"保存"设置

单击"保存"按钮，将弹出如图9-41所示的"Logistic回归：保存"对话框。

图 9-41 "Logistic 回归：保存"对话框

"Logistic回归：保存"对话框主要用于在活动数据文件中保存预测值、残差和其他对于诊断有用的统计量，包括：

① "预测值"选项组 该选项组用于保存回归模型对每个个案预测的值。

- 概率，选中该复选框表示保存每个观察值的预测概率。
- 组成员，选中该复选框表示保存根据每个观察值的预测概率所确定的组群体。

② "残差"选项组 该选项组用于保存回归模型的残差。

- 未标准化，选中该复选框表示保存观察值与模型预测值之间的原始残差。
- Logit，选中该复选框表示保存Logit度量的残差。
- 学生化，选中该复选框表示保存学生化的残差，即残差除以其随个案变化的标准差的估计，这取决于每个个案的自变量值与自变量均值之间的距离。
- 标准化，选中该复选框表示保存标准化后的残差，即Pearson 残差。
- 偏差，选中该复选框表示保存偏差值。

③"影响"选项组　该选项组用于保存可能对回归模型产生很大影响的个案度量。

- Cook距离，选中该复选框表示保存Cook 距离值，较大的Cook 距离表明从回归统计量的计算中排除个案之后，系数会发生很大变化。
- 杠杆值，该复选框保存杠杆值，杠杆值是度量某个点对回归拟合的影响杠杆值范围为从0到$(N-1)/N$，其中0表示对回归拟合无影响。
- DfBeta，该复选框表示计算beta值的差分，表示由于排除了某个特定个案而导致的回归系数的改变。

"选项"设置

单击"选项"按钮，弹出如图9-42所示的"Logistic回归：选项"对话框。

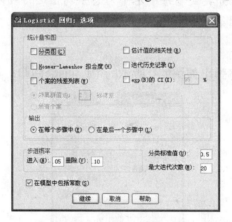

图 9-42　　"Logistic 回归：选项"对话框

"Logistic回归：选项"对话框主要对统计量和图、输出及步进方法进行设置，包括：
①"统计量和图"选项组　该选项组可以对输出的统计量和图进行相应设定。

- 分类图，选中该复选框表示输出因变量的观测值和预测值的概率直方图。
- 估计值的相关性，选中该复选框表示输出回归参数估计值的相关系数矩阵。
- Hosmer-Lemeshow拟合度，选中该复选框表示输出衡量回归模型拟合度的Hosmer-Lemeshow拟合度指标。
- 迭代历史记录，选中该复选框表示输出参数估计的迭代历史记录。
- 个案的残差列表，选中该复选框表示输出回归后每个个案的的原始残差，其中：
  ↳　"离群值"表示输出满足条件的个案离群值，"标准差"用于指定离群值满足几倍标准差的条件。

    ↳   "所有个案"指可以输出所有个案的残差。

- exp的CI，选中该复选框表示输出指数的变动范围，输出范围是从1到99，系统默认为95。

②"输出"选项组　该选项组用于设定上述统计量和图输出的时间。

- 在每个步骤中，选中该单选按钮表示每一步都要输出选定的统计量和图。
- 在最后一个步骤中，选中该单选按钮表示最后一步都要输出选定的统计量和图。

③"步进概率"选项组　该选项组用于设定选择变量进入或移出回归模型的进入或删除标准。

- 进入，该文本框中的数值表示变量进入回归模型的最低显著水平。
- 删除，该文本框中的数值表示变量移出回归模型的最高显著水平。

④"分类标准值"文本框　该输入值表示对预测概率设定分界点来产生分类表，其中系统默认为 0.5。

⑤"最大迭代次数"文本框　该输入值表示对回归模型系数进行的最大似然估计的迭代次数，其中系统默认为50次。

⑥"在模型中包括常数"复选框　选中表示回归模型中包含常数项。取消选择此选项可强制使回归模型通过原点，但是某些通过原点的回归结果无法与包含常数的回归结果相比较。

4）分析结果输出

设置完毕后，单击"确定"按钮，就可以在SPSS Statistics查看器窗口得到Logistic回归分析的结果。

9.4.3 实验操作

下面将以数据文件"9-4"为例，说明Logistic回归分析的具体操作过程和对结果进行说明解释。

1. 实验数据描述

数据文件"9-4"记录了某汽车销售公司的15年的年度销售量、累积利润额与年终奖金的发放情况。其中，年终奖金的发放情况仅仅记录发放与不发放两种情况。本实验将利用Logistic回归分析，分析影响该汽车销售公司奖金发放的因素。实验的原始数据如图9-43所示。

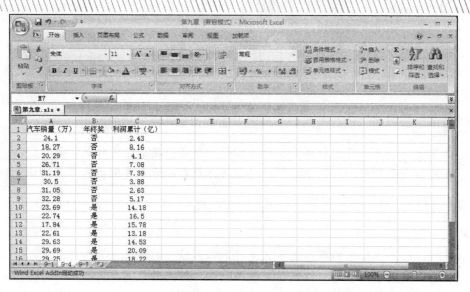

图 9-43　数据文件 "9-4" 原始数据

在SPSS变量视图中建立变量 "y"、"x1" 和 "x2"，分别用来表示年终奖金的发放、年度销售量、累积利润额，如图9-44所示。其中，"年终奖金的发放" 变量为二值变量，如果该年度公司发放年终奖金则取值为1，不发放则取值为0。

	名称	类型	宽度	小数	标签	值	缺失	列	对齐	度量标准
1	x1	数值(N)	8	2	汽车销量销量（...	无	无	8	右(R)	度量(S)
2	y	数值(N)	8	2	年终奖	无	无	7	右(R)	度量(S)
3	x2	数值(N)	8	2	利润累计（亿元）	无	无	8	右(R)	度量(S)
4										

图 9-44　数据文件 "9-4" 的变量视图

在SPSS活动数据文件的数据视图中，把相关数据输入到各个变量中，输入完毕后如图9-45所示。

	x1	y	x2	变量
1	23.69	1.00	14.18	
2	24.10	0.00	2.43	
3	22.74	1.00	16.50	
4	17.84	1.00	15.78	
5	18.27	0.00	8.16	
6	20.29	0.00	4.10	
7	22.61	1.00	13.18	
8	26.71	0.00	7.08	
9	31.19	0.00	7.39	
10	30.50	0.00	3.88	
11	29.63	1.00	14.53	
12	29.69	1.00	20.09	
13	29.25	1.00	18.22	
14	31.05	0.00	2.63	
15	32.28	0.00	5.17	

图 9-45　"9-4" 数据文件的数据视图

2. 实验操作步骤

具体操作步骤如下：

Step 01 打开"9-4"数据文件，进入 SPSS Statistics 数据编辑器窗口，在菜单栏中选择"分析" | "回归" | "二元 Logistic"命令，打开"Logistic 回归"对话框，然后将"Y"选入"因变量"列表，将"x1"和"x2"选入"协变量"列表。

Step 02 单击"选项"按钮，打开"Logistic 回归：选项"对话框。选中"分类图"复选框，然后单击"继续"按钮，保存设置。

Step 03 单击"确定"按钮，便可以得到 Logistic 回归结果。

3. 实验结果及分析

单击"确定"按钮后，在SPSS Statistics查看器窗口的输出结果如图9-46~图9-52所示。

图9-46给出了案例处理汇总摘要。从该图可以得到参与回归分析的样本数据共有15个，没有缺失案例，参与率为100%。

图9-47给出了因变量在迭代运算中的编码表，从该图可以看出因变量的内部编码是0和1。

案例处理汇总		
未加权的案例[a]	N	百分比
选定案例　包括在分析中	15	100.0
缺失案例	0	.0
总计	15	100.0
未选定的案例	0	.0
总计	15	100.0
a. 如果权重有效，请参见分类表以获得案例总数。		

图 9-46　案例处理汇总

因变量编码	
初始值	内部值
.00	0
1.00	1

图 9-47　因变量编码

图9-48到图9-50给出了"步骤0"的预测和运算结果，包括分类表、方程中的变量和不在方程中的变量。"步骤0"是指在对因变量回归中的协变量仅含有截距项，而不含其他解释变量，因此方程中的变量只有常量没有x1和x2两个解释变量。其中，常数的Wals值只有0.067，相应的概率值是0.796，可见非常不显著。另外，从图9-48分类表的预测情况可以看出，基于"步骤0"建立的Logistic回归模型对不发放年终奖的预测准确率是100%，而对发放年终奖的准确率是0%。因此基于"步骤0"的回归模型是不可靠的。

分类表[a,b]				
		已预测		
		年终奖		
已观测		.00	1.00	百分比校正
步骤 0　年终奖　.00		8	0	100.0
1.00		7	0	.0
总计百分比				53.3
a. 模型中包括常量。				
b. 切割值为 .500				

图 9-48　分类表

方程中的变量						
		B	S.E.	Wals	df	Sig.	Exp (B)
步骤 0　常量	-.134	.518	.067	1	.796	.875

图 9-49　方程中的变量

不在方程中的变量				
		得分	df	Sig.
步骤 0	变量 x1	.496	1	.481
	x2	12.986	1	.000
总统计量		13.034	2	.001

图 9-50　不在方程中的变量

　　从图9-51到图9-54给出了"步骤1"的预测和运算结果,包括模型系数的综合检验、分类表、模型汇总与方程中的变量内容。"步骤1"是指在对因变量回归中的协变量含有常数项及x1、x2两个解释变量。从图9-51模型系数的综合检验可以看出,"步骤1"和基于该模块建立的模型的卡方值为20.728,概率值为0.000,显著小于0.05的显著水平,可见步骤1和基于该模块建立的模型非常显著。从图9-52模型汇总可以得Logistic回归模型的Cox-Snell R^2 和 Nagelkerke R^2 的值分别为0.749和1,可见模型的拟合度非常好。

模型系数的综合检验				
		卡方	df	Sig.
步骤 1	步骤	20.728	2	.000
	块	20.728	2	.000
	模型	20.728	2	.000

图 9-51　型系数的综合检验

模型汇总			
步骤	-2 对数似然值	Cox & Snell R 方	Nagelkerke R 方
1	.000ᵃ	.749	1.000
a. 因为已达到最大迭代次数,所以估计在迭代次数 20 处终止。无法找到最终解。			

图 9-52　模型汇总

分类表ᵃ				
		已预测		
		年终奖		
已观测		.00	1.00	百分比校正
步骤 1　年终奖	.00	8	0	100.0
	1.00	0	7	100.0
总计百分比				100.0
a. 切割值为 .500				

图 9-53　分类表

方程中的变量						
	B	S.E.	Wals	df	Sig.	Exp (B)
步骤 1ᵃ x1	.378	1317.989	.000	1	1.000	1.459
x2	6.946	2180.887	.000	1	.997	1038.603
常量	-82.092	41452.055	.000	1	.998	.000
a. 在步骤 1 中输入的变量:x1, x2。						

图 9-54　方程中的变量

　　Logistic模型建立了工资发放概率与影响因素之间的关系,即:

$$\ln\frac{p}{1-p} = -82.092 + 0.378x_1 + 6.946x_2$$

进行指数变换,得:

$$\frac{p}{1-p} = e^{-82.092+0.378x_1+6.946x_2}$$

即可以对工资发放的概率进行预测。

9.5 有序回归分析（Ordinal）

如果因变量是有序的分类变量，我们应该使用有序回归的分析方法。

9.5.1 Ordinal 回归分析的基本原理

很多情况下我们会遇到回归分析中因变量有序的情况，如成绩的等级优、良、中、差，贷款的违约情况正常、关注、风险、已违约等。有序因变量和离散因变量不同，在这些离散值之间存在着内在的等级关系。如果直接使用OLS估计法的话，将会失去因变量序数方面的信息而导致估计的错误。因此，统计学家发展出来有序回归分析这种分析方法，我们可以通过SPSS方便地实现有序回归分析的操作。

9.5.2 Ordinal 回归分析的 SPSS 操作

打开相应的数据文件或者建立一个数据文件后，可以在 SPSS Statistics 数据编辑器窗口进行 Ordinal 回归分析。

1）在菜单栏中选择"分析"|"回归"|"有序"命令，打开如图9-55所示的"Ordinal 回归"对话框。

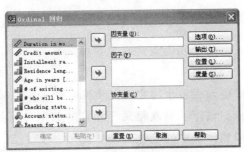

图 9-55 "Ordinal 回归"对话框

2）选择变量

从源变量列表中选择需要进行 Ordinal 回归分析的被解释变量，单击➡按钮将选中的变量选入"因变量"列表中；从源变量列表中选择分类变量，单击➡按钮将选中的变量选入"因子"列表中；从源变量列表中选择需要进行 Ordinal 回归分析的解释变量，然后单击➡按钮将选中的变量选入"协变量"列表中。

- "因变量"列表：该列表中的变量为Ordinal回归模型中的被解释变量，一般选定一个有序变量作为因变量，可以是字符串型或数值型，但必须对其取值进行升序排列，并指定最小值为第一个类别。
- "因子"列表：该列表中的变量为分类变量，因子变量可以是字符型，但必须用连续整数进行赋值。

- "协变量"列表：该列表的变量为Ordinal回归模型的解释变量或者控制变量，数值类型一般为数值型。如果解释变量为分类变量或定性变量，则可以用虚拟变量（哑变量）表示。

3）进行相应的设置

"选项"设置

单击"选项"按钮，弹出如图9-56所示的"Ordinal回归：选项"对话框。

图9-56　"Ordinal 回归：选项"对话框

　　"Ordinal回归：选项"对话框主要用于对Ordinal回归的迭代步骤、置信区间、奇异性容许误差进行设置，包括：

① "迭代"选项组　该选项组主要用于设置 Ordinal 回归的迭代估计的参数。

- 最大迭代，该输入框用于指定最大迭代步骤数目，必须为整数；若输入0值，则仅输出初始值。
- 最大步骤对分，该输入框用于指定最大步骤等分值，且必须为整数。
- 对数似然性收敛性，该下拉列表框用于指定对数似然性收敛值，共有6个不同的指定值；如果对数似然估计中的绝对或相对变化小于该值，则迭代会停止。
- 参数收敛性，该下拉列表框用于指定参数估计值的收敛依据，共有6个不同的指定值；如果参数估计的绝对或相对变化小于该值，则迭代会停止。

② "置信区间"输入框　该输入框用于指定参数估计的置信区间，输入范围是 0 到 99。
③ "Delta"输入框　该输入框用于指定添加到零单元格频率的值，防止出现加大的估计偏误，输入范围小于1的非负值。
④ "奇异性容许误差"下拉列表　该下拉列表框用于指定奇异性容许误差值，共有6个值。
⑤ "链接"下拉列表　该下拉列表框用于指定对模型累积概率转换的链接函数，共有 5种函数选择。

- Cauchit，该函数适用于潜变量含有较多极端值的情况。
- 补充对数-对数，该函数适用于被解释变量值与概率值一同增加的情况。

- Logit，该函数适用于因变量为均匀分布的情况。

- 负对数-对数，该函数适用于因变量取值与概率值相反方向运动的情况。

- 概率，该函数适用于因变量为正态分布的情况。

"输出"设置

单击"输出"按钮，弹出如图9-57所示的"Ordinal回归：输出"对话框。

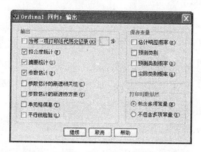

图 9-57　"Ordinal 回归：输出"对话框

"Ordinal回归：输出"对话框主要用于设置输出的统计量和表及保存变量信息，各选项组中的含义介绍如下：

① "输出"选项组　该选项组用于指定要输出的统计摘要表，有 8 个选项。

- 为每一项打印迭代历史记录，选中该复选框表示打印迭代历史记录，在"步"中输入正整数值，表示输出每隔该值的迭代历史记录，同时输出第一步和最后一步的迭代记录。

- 拟合度统计，选中该复选框表示输出Pearson和卡方统计量。

- 摘要统计，选中该复选框表示输出摘要统计表，该统计表中含有Cox 和Snell、Nagelkerke和McFadden R^2统计量。

- 参数估计，选中该复选框表示输出参数估计表，该表中包括参数估计值、标准偏误和置信区间等。

- 参数估计的渐进相关性，选中该复选框表示输出参数估计值的相关系数矩阵。

- 参数估计的渐进协方差，选中该复选框表示输出参数估计值的方差-协方差矩阵。

- 单元格信息，选中该复选框表示输出观察值和期望值的频率和累积频率、频率和累积频率的 Pearson 残差、观察到的和期望的概率以及以协变量模式表示的观察到的和期望的每个响应类别的累积概率。

- 平行线检验，选中该复选框表示输出平行线检验统计量，该检验的原假设是位置参数在多个因变量水平上都相等，但该项仅仅适用于位置模型。

② "保存变量"选项组　该选项组主要用于设置保存变量的信息。

- 估计响应概率，选中该复选框表示保存将观察值按因子变量分类成响应类别的模型估计概率，概率与响应类别的数量相等。

- 预测类别，表示保存模型的预测响应分类。

- 预测类别概率，选中该复选框表示保存模型最大的预测响应分类概率。
- 实际类别概率，选中该复选框表示保存实际类别的响应概率。

③"打印对数似然"选项组　该选项组主要用于设置输出似然对数统计量。包含多项常数，选中该项表示输出包含常数的似然对数统计量。不包含多项常数，选中则输出不包含常数的似然对数统计量。

"位置"设置

单击"位置"按钮，弹出如图9-58所示的"有序回归：位置"对话框。"有序回归：位置"对话框用于指定回归模型中的效应。包括：

①主效应　选中该模型表示采用包含协变量和因子的主效应，但不包含交互效应。

②设定　表示采用用户自定义的模型。如果选中"设定"，则"因子/协变量"、"构建项"和"位置模型"就会被激活。

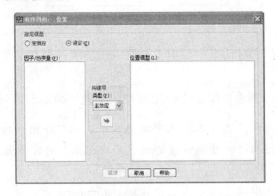

图9-58　"有序回归：位置"对话框

- 因子/协变量：该列表框用于存放已经选定的因子变量和协变量。
- 构建项：该下拉列表框用于选择模型效应，SPSS 17.0共提供了"主效应"、"交互"、"所有二阶"、"所有三阶"、"所有四阶"、"所有五阶"。选中所要指定的模型效应，单击 按钮就可以进入"位置模型"列表框。
- 位置模型：该列表框用于存放用户选定的模型效应。

4）分析结果输出

设置完毕后，单击"确定"按钮，就可以在SPSS Statistics查看器窗口得到Ordinal回归分析的结果。

9.5.3　实验操作

下面将以数据文件"9-5"为例，说明Ordinal回归分析的具体操作过程和对结果说明解释。

1．实验数据描述

"9-5"数据文件记录了某医院在开发一种新型抗流感药品中对18位志愿者给予的药品

剂量数据及其反应强度和性别信息，本实验将利用Ordinal回归来分析该药品剂量与反应强度之间的关系。本数据文件的原始EXCEL数据文件如图9-59所示。

	A	B	C
1	反应强度	服用剂量（毫克）	性别
2	无	23	男
3	无	31	男
4	无	45	女
5	无	26	男
6	无	28	男
7	轻度	34	女
8	轻度	43	女
9	轻度	42	男
10	轻度	38	男
11	轻度	46	女
12	轻度	42	女
13	重度	49	男
14	重度	62	男
15	重度	54	女
16	重度	57	女
17	重度	58	男
18	重度	55	男

图 9-59　数据文件“9-5”原始数据

首先在SPSS变量视图中建立变量“response”、“quntity” 和“sex”，分别用来表示18位志愿者反应强度、给予的药品剂量和性别，如图9-60所示。

	名称	类型	宽度	小数	标签	值	缺失	列	对齐	度量标准
1	response	数值(N)	8	2	反应强度	无	无	8	右(R)	有序
2	quntity	数值(N)	8	2	实验剂量	无	无	8	右(R)	度量(S)
3	sex	数值(N)	8	2	性别	无	无	8	右(R)	名义
4										

图 9-60　“9-5”数据文件的变量视图

在SPSS活动数据文件的数据视图中，把相关数据输入到各个变量中。其中，“反应强度”变量为有序变量，分别将“无”、“轻度”和“重度”赋值为“0”、“1” 和“2”。“性别”变量为名义变量，分别将“男”、“女”赋值为“0”和“1”。输入完毕后如图9-61所示。

	response	quntity	sex
1	0.00	23.00	1.00
2	0.00	31.00	1.00
3	0.00	45.00	0.00
4	0.00	26.00	1.00
5	0.00	28.00	1.00
6	1.00	34.00	0.00
7	1.00	43.00	0.00
8	1.00	42.00	1.00
9	1.00	38.00	1.00
10	1.00	46.00	0.00
11	1.00	42.00	0.00
12	2.00	49.00	1.00
13	2.00	62.00	1.00
14	2.00	54.00	0.00
15	2.00	57.00	0.00
16	2.00	58.00	1.00
17	2.00	55.00	1.00

图 9-61　数据文件“9-5”的数据视图

2. 实验操作步骤

具体操作步骤如下：

Step 01 打开数据文件“9-5”，进入 SPSS Statistics 数据编辑器窗口，在菜单栏中执行“分析”|“回归”|“有序”命令，打开 “Ordinal 回归”对话框。

Step 02 将“response”选入“因变量”列表、将“quntity”选入“因子变量”列表、将“sex”选入“协变量”列表。

Step 03 单击“确定”按钮，便可以得到 Ordinal 回归分析结果。

3. 实验结果及分析

单击“确定”按钮后，在SPSS Statistics查看器窗口的输出结果如图9-62~图9-66所示。

图9-62给出了案例处理摘要结果。从该图中可以看出参与回归分析的个案数目、按“性别”分类的个案比例及按“反应强度”分类的个案比例。

图9-63给出了模型拟合信息。从该表可以得到仅含截距项的对数似然值为37.233，最终的模型的卡方值是23.861，显著性为0.000，可见最终模型更为显著。

案例处理摘要

		N	边际百分比
反应强度	.00	5	29.4%
	1.00	6	35.3%
	2.00	6	35.3%
性别	.00	7	41.2%
	1.00	10	58.8%
有效		17	100.0%
缺失		0	
合计		17	

图 9-62 案例处理摘要

模型拟合信息

模型	-2 对数似然值	卡方	df	显著性
仅截距	37.233			
最终	13.372	23.861	2	.000

联接函数：Logit。

图 9-63 模型拟合信息

图9-64给出了两个拟合度统计量值。Pearson卡方统计量和偏差卡方统计量的显著性分别为0.701和0.996，因此接受模型拟合情况良好的原假设。

图9-65给出了伪R方的三个统计量结果。Cox 和Snell、Nagelkerke以及McFadden R^2统计量值分别为0.754、0.849和0.641，三个R方统计量的值都比较接近1，可见模型的拟合程度比较好。

拟合度

	卡方	df	显著性
Pearson	25.480	30	.701
偏差	13.372	30	.996

联接函数：Logit。

图 9-64 拟合度

伪 R 方

Cox 和 Snell	.754
Nagelkerke	.849
McFadden	.641

联接函数：Logit。

图 9-65 伪 R 方

图9-66给出了参数估计值的统计列表。从该图得到的Wald统计量及显著性水平可以看出本实验中的“quntity”变量在模型中非常显著，而因子变量“sex”却不显著，说明实验剂量对志愿者的反应强度影响显著，并且“quntity”变量的估计系数为正，说明给予的剂量越多，志愿者的反应强度越大。但是由于对被解释变量进行了Logit链接函数的转换，所以很难直接对自变量系数估计值进行严格的数量解释，只能进行符号的解释。

		估计	标准误	Wald	df	显著性	95% 置信区间 下限	95% 置信区间 上限
阈值	[response = .00]	13.083	4.768	7.531	1	.006	3.739	22.428
	[response = 1.00]	17.862	6.105	8.561	1	.003	5.897	29.826
位置	quntity	.384	.133	8.294	1	.004	.123	.645
	[sex=.00]	-1.210	1.563	.599	1	.439	-4.274	1.854
	[sex=1.00]	0ᵃ			0			

参数估计值

联接函数：Logit。

a. 因为该参数为冗余的，所以将其置为零。

图 9-66　参数估计值

9.6　概率单位回归（Probit）

Probit回归分析适用于对响应比例与刺激作用之间的关系的分析，Probit回归分析属于SPSS中的专业统计分析过程。

9.6.1　Probit 回归分析的基本原理及模型

Probit回归分析主要用于对刺激与对该刺激的反应强度的分析，Probit回归分析属于SPSS中的专业统计分析过程。与logistic回归一样，Probit回归同样要求将取值在实数范围内的值累计概率函数变换转化为目标概率值，然后进行回归分析。常见的累积概率分布函数有logit概率函数和标准正态累积概率函数，如公式（9-5）、公式（9-6）所示。

logit概率函数

$$\pi = \frac{1}{1 + e^{-(\beta_0 + \beta_1 X_1 + \cdots + \beta_p X_P)}} \tag{9-5}$$

标准正态累积概率函数

$$\pi = \int e^{-t^2/2} dx \tag{9-6}$$

一般情况下，Probit回归更适用于从有计划的实验中获得的数据。

9.6.2　Probit 回归分析的 SPSS 操作

打开相应的数据文件或者建立一个数据文件后，可以在 SPSS Statistics 数据编辑器窗口进行 Probit 回归分析。

1）在菜单栏中选择"分析"|"回归"|"Probit"命令，打开如图9-67所示的"Probit分析"对话框。

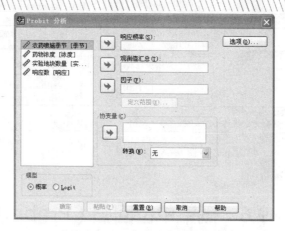

图 9-67　"Probit 分析"对话框

2）选择变量

①响应频率　该列表中的变量为Probit回归模型中的响应变量，数值类型为数值型。对于协变量的每个值，响应变量频率具有显示相应响应的值的个案数目。

②观测值汇总　该列表中的变量为总观测变量，该变量的样本个案数目应为协变量具有这些值的个案的总数。

③因子　该列表中的变量为分类变量，因子变量可以是字符型，但必须用连续整数进行赋值。一旦选定因子变量后，"定义范围"按钮被激活。单击"定义范围"按钮，弹出如图9-68所示的"Probit分析：定义范围"对话框。在该对话框中的"最小值"中输入因子变量的最小整数值，在"最大"中输入因子变量中的最大整数值。

④协变量　该文本框的变量为Probit回归模型的解释变量或者控制变量，数值类型一般为数值型。如果解释变量为分类变量或定性变量，则可以用虚拟变量（哑变量）表示。

⑤转换　该下拉列表框中的选项用于对协变量进行函数形式的转换。有 3 种形式：

- 无，该选项表示不进行任何形式的转换，在回归中用协变量的原始形式。

- 对数底为10，该选项表示对协变量取对数转换，其中对数底为10。

- 自然对数，也是表示对协变量取对数进行转换，但对数底为e。

⑥模型　该选项组用于设定Probit回归模型的响应概率算法。

- 概率，选中该单选按钮表示用标准正态累积概率函数来计算响应概率。

- Logit，选中该单选按钮表示利用Logit模型进行计算响应概率。

3）进行"选项"设置

单击"选项"按钮，弹出如图9-67所示的"Probit分析：选项"对话框。

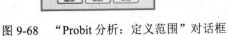

图9-68 "Probit分析：定义范围"对话框   图9-69 "Probit分析：选项"对话框

"Probit分析：选项"对话框主要用于对Probit分析中的统计量、自然响应频率和迭代标准进行设置。

①统计量　该选项组主要用于设置输出的模型统计量。

- 频率，选中该复选框表示输出观测值的频数、残差等信息。
- 相关中位数力，选中该复选框表示输出因子变量各个水平的中位数强度比值，以及95%置信区间和对数转换的95%置信区间，但是如果在"Probit分析"对话框中没有指定因子变量，则该复选框不可用。
- 平行检验，选中该复选框表示输出平行检验的结果，该检验的原假设是因子变量的所有水平具有相同的斜率，但如果在"Probit分析"对话框中没有指定因子变量，则该复选框不可用。
- 信仰置信区间，选中该复选框表示输出响应概率所需的协变量取值的置信区间，在"异质因子使用的显著性水平"指定显著水平。

②自然响应频率　该选项组主要用于设置自然响应频率，自然响应频率表示在没有任何试验剂量下得到一个响应的概率（如果自然响应概率为0，表示响应的发生全部归功于外生的刺激或试验的剂量）。

- 无，表示不定义任何自然响应频率。
- 从数据中计算，选中该单选按钮表示从样本数据中估计自然响应概率。
- 值，选中该单选按钮表示用户自己在文本框中输入指定的自然响应概率值，但取值范围必须小于1。

③标准　该选项组主要用于设置Probit回归的最大似然迭代估计的参数。

- 最大迭代，该文本框用于输入最大迭代次数。
- 步长限制，该下拉列表框用于选择迭代的步长，可供选择的有".1"、".01"和".001"。
- 最优性容差，该下拉列表框用于选择最优容差。

4）分析结果输出

设置完毕后，可以单击“确定”按钮，就可以在SPSS Statistics查看器窗口得到Probit回归分析的结果。

9.6.3 实验操作

下面将以数据文件“9-6”为例，说明Probit回归分析的具体操作过程和对结果的说明解释。

1. 实验数据描述

数据文件“9-6”记录了某种农药在不同的季节采用不同的浓度进行使用，然后分别记录了各个季节不同的药物浓度和该浓度下的有效实验地块数量（即响应），本实验将利用Probit回归来分析药物浓度与反馈响应概率的关系。本数据文件的原始数据文件如图9-70所示。

	A	B	C	D
1	季节	药物浓度	实验地块数	有效数
2	春季	15	36	2
3	春季	20	37	2
4	春季	25	39	7
5	春季	33	36	9
6	春季	50	33	19
7	春季	66	45	34
8	春季	75	48	41
9	夏季	15	45	1
10	夏季	20	37	3
11	夏季	25	38	2
12	夏季	33	40	10
13	夏季	50	44	20
14	夏季	66	33	16
15	夏季	75	37	27
16	秋季	15	43	2
17	秋季	20	37	2
18	秋季	25	48	5
19	秋季	33	45	5
20	秋季	50	33	10
21	秋季	66	51	22
22	秋季	75	38	23

图 9-70 “9-6”数据文件原始数据

首先在SPSS变量视图中建立变量“季节”、“浓度”、“实验地块数”和“响应”，分别用来表示季节、药物浓度、实验地块数量和响应数。其中，“季节”变量为分类变量，分别将“春季”、“夏季”和“秋季”赋值为“1”、“2”和“3”，如图9-71所示。

	名称	类型	宽度	小数	标签	值	缺失	列	对齐	度量标准
1	季节	数值(N)	1	0	农药喷施季节	{1, 春季}...	无	4	右(R)	度量(S)
2	浓度	数值(N)	3	0	药物浓度	无	无	5	右(R)	度量(S)
3	实验地块数	数值(N)	4	0	实验地块数量	无	无	5	右(R)	度量(S)
4	响应	数值(N)	4	0	响应数	无	无	8	右(R)	度量(S)

图 9-71 数据文件“9-6”的变量视图

在SPSS活动数据文件的数据视图中，把相关数据输入到各个变量中。输入完毕后如图9-72所示。

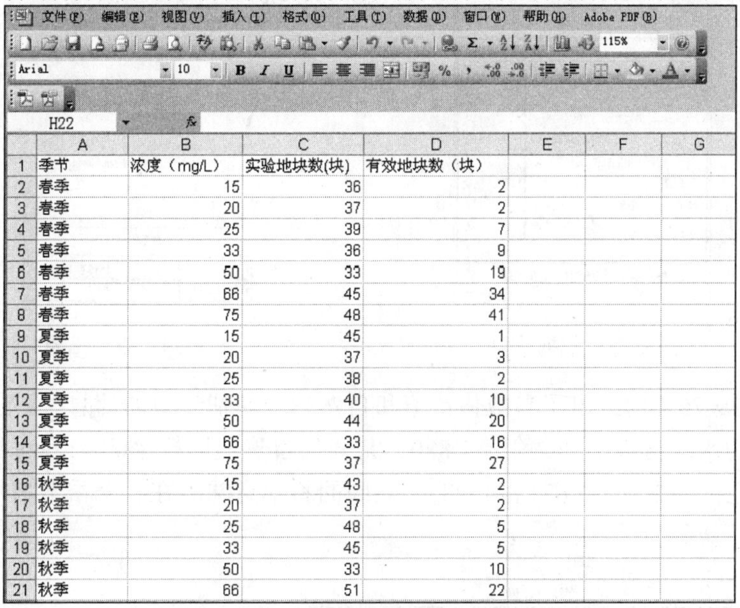

	A	B	C	D	E	F	G
1	季节	浓度（mg/L）	实验地块数(块)	有效地块数（块）			
2	春季	15	36	2			
3	春季	20	37	2			
4	春季	25	39	7			
5	春季	33	36	9			
6	春季	50	33	19			
7	春季	66	45	34			
8	春季	75	48	41			
9	夏季	15	45	1			
10	夏季	20	37	3			
11	夏季	25	38	2			
12	夏季	33	40	10			
13	夏季	50	44	20			
14	夏季	66	33	16			
15	夏季	75	37	27			
16	秋季	15	43	2			
17	秋季	20	37	2			
18	秋季	25	48	5			
19	秋季	33	45	5			
20	秋季	50	33	10			
21	秋季	66	51	22			

图 9-72 “9-6”数据文件的数据视图

2. 实验操作步骤

具体操作步骤如下：

Step 01 打开“9-6”数据文件，进入 SPSS Statistics 数据编辑器窗口，在菜单栏中选择“分析”|“回归”|“Probit”命令，打开“Probit 分析”对话框。

Step 02 将“响应”变量选入“响应频率”列表、将“季节”选入“因子”列表、将“实验地块数”选入“观测值汇总”、将“浓度”选入“协变量”列表，然后单击“定义范围”按钮，打开“Probit 分析：定义范围”对话框，在该对话框中的“最小值”中输入“1”，在“最大”中输入“3”。在“转换”下拉列表中选择“自然对数”。

Step 03 单击“选项”按钮，打开“Probit 分析：选项”对话框。选中“平行检验”复选框和“从数据中计算”单选按钮，然后单击“继续”按钮，保存设置。

Step 04 单击“确定”按钮，便可以得到 Probit 回归分析结果。

3. 实验结果及分析

单击“确定”按钮后，在SPSS Statistics查看器窗口的输出结果如图9-73~图9-80所示。

图9-73给出了模型的数据信息。从该图可以得到参与回归的数据有21个个案，有三个控制组，每个控制组的个案数都是7。

图9-74给出了回归模型收敛信息。从该图可以得到迭代次数为15次，并找到了模型的最优解。

数据信息		
		个案数
有效		21
已拒绝	超出范围[a]	0
	缺失	0
	不能执行对数转换	0
	响应数 > 主体数	0
控制组		0
季节	春季	7
	夏季	7
	秋季	7
a.由于超出组值范围,个案被拒绝。		

图 9-73　数据信息

收敛信息		
	迭代次数	找到最优解
PROBIT	15	是

图 9-74　收敛信息

图9-75和图9-76分别给出了参数估计值和自然响应率估计值的信息。通过Probit分析得到了一个关于药物浓度对数的公共斜率1.880、共同的自然响应概率0.041和对于各个因子水平的三个不同截距：-7.219、-7.631和-7.982。共同的斜率意味着在各个季节增加药物浓度对响应概率的影响是相同的。

参数估计值							
						95% 置信区间	
参数		估计	标准误	z	Sig.	下限	上限
PROBIT[a]	药物浓度	1.880	.216	8.719	.000	1.457	2.303
	截距[b] 春季	-7.219	.861	-8.384	.000	-8.081	-6.358
	夏季	-7.631	.888	-8.590	.000	-8.520	-6.743
	秋季	-7.982	.928	-8.601	.000	-8.910	-7.054
a.PROBIT 模型: PROBIT(p) = 截距 + BX(协变量 X 使用底数为 2.718 的对数来转换。)							
b.对应于分组变量 季节。							

图 9-75　参数估计值

自然响应率估计值[a]		
	估计	标准误
PROBIT	.041	.019
a. 未提供控制组。		

图 9-76　自然响应率估计值

图9-77给出了模型回归的两个卡方检验统计量值。Pearson拟合度检验结果是0.916，接受模型拟合情况良好的原假设。平行检验统计量值为0.357，因此接受因子变量各个水平下的Probit回归方程具有相同斜率的原假设。

卡方检验				
		卡方	df[a]	Sig.
PROBIT	Pearson 拟合度检验	8.934	16	.916[b]
	平行检验	2.060	2	.357
a.基于单个个案的统计量与基于分类汇总个案的统计量不同。				
b.由于显著性水平大于 .150,因此在置信限度的计算中未使用异质因子。				

图 9-77　卡方检验

图9-78 给出了单元计数、预测响应及残差的信息。"数字"表示对个案进行编号，"site"表示因子变量的各个水平分组，"观测的响应"表示原始的响应数值，"期望的响应"表示根据回归得到的Probit模型进行预测的响应结果，"残差"表示原始的响应数值与根据回归得到的Probit模型进行预测的响应结果之差，"概率"表示该响应值在给定剂量下发生的概率值。

单元计数和残差

	数字	季节	药物浓度	主体数	观测的响应	期望的响应	残差	概率
PROBIT	1	1	2.708	36	2	2.048	-.048	.057
	2	1	2.996	37	2	3.509	-1.509	.095
	3	1	3.219	39	7	6.139	.861	.157
	4	1	3.497	36	9	10.425	-1.425	.290
	5	1	3.912	33	19	18.883	.117	.572
	6	1	4.190	45	34	33.978	.022	.755
	7	1	4.317	48	41	39.502	1.498	.823
	8	2	2.708	45	1	2.079	-1.079	.046
	9	2	2.996	37	3	2.323	.677	.063
	10	2	3.219	38	2	3.637	-1.637	.096
	11	2	3.497	40	10	7.206	2.794	.180
	12	2	3.912	44	20	18.312	1.688	.416
	13	2	4.190	33	16	20.250	-4.250	.614
	14	2	4.317	37	27	25.880	1.120	.699
	15	3	2.708	43	2	1.837	.163	.043
	16	3	2.996	37	2	1.846	.154	.050
	17	3	3.219	48	5	3.195	1.805	.067
	18	3	3.497	45	5	5.271	-.271	.117
	19	3	3.912	33	10	9.745	.255	.295
	20	3	4.190	51	22	24.493	-2.493	.480
	21	3	4.317	38	23	21.735	1.265	.572

图 9-78　单元计数和残差

图9-79给出了相对中位数强度估计值及95%的置信区间。从该图可以得到因子变量各个水平间的相对中位数强度对比值及95%的置信区间。如春季与夏季的相对中位数强度对比值为8.03，置信区间为0.660到0.942，没有超过1，因此可以判断春季与夏季的喷施效果有显著的差异。其中，春季能以较小的浓度达到中位响应概率。另外，在三个季节中，春季喷施最具有效力。值得注意的是，上图中置信区间提供的概率范围并没有将自然响应概率计算在内。

相对中位数强度估计值

	(I) 农药喷施季节	(J) 农药喷施季节	95% 置信限度			对数转换的 95% 置信限度[a]		
			估计	下限	上限	估计	下限	上限
PROBIT	1	2	.803	.660	.942	-.219	-.415	-.059
		3	.666	.508	.811	-.406	-.678	-.209
	2	1	1.245	1.061	1.514	.219	.059	.415
		3	.830	.673	.983	-.187	-.396	-.017
	3	2	1.205	1.017	1.485	.187	.017	.396
		1	1.500	1.233	1.969	.406	.209	.678

a. 对数底数 = 2.718。

图 9-79　相对中位数强度估计值

图9-80给出了Probit响应概率与促销价格的对数值构成的散点图。从该图可以直观地看到经过对数转换的药物浓度与响应概率之间成线性关系，且春季散点大多在夏季的散点之上，因此可以判断在相同的浓度春季喷施要比夏季喷施效果好。另外，从该图还可以得到在相同的价格下夏季喷施要比秋季喷施效果好的结论。

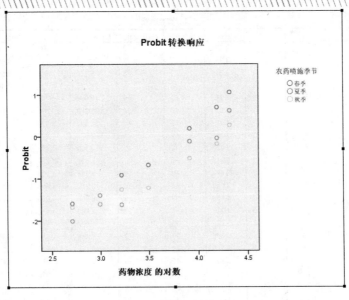

图 9-80　Probit 转换响应

9.7　加权回归分析

9.7.1　加权回归分析的基本原理

随机误差项的同方差性是OLS回归估计的重要假定之一。而如果对于回归模型，

$$y = \alpha + X\beta + \varepsilon$$

若出现$Var(\varepsilon_i) = \delta_i^2$的情况，即对于不同的样本点，随机误差项的方差不再是常数，而互不相同，则认为出现了异方差性。

异方差性会导致参数估计量为非有效、变量的显著性检验失去意义、模型的预测失效等后果。模型存在异方差性，可用加权最小二乘法（WLS）进行估计。加权最小二乘法是对原模型加权，使之变成一个新的不存在异方差性的模型，然后采用OLS方法估计其参数。

9.7.2　加权回归分析的 SPSS 操作

打开相应的数据文件或者建立一个数据文件后，可以在 SPSS Statistics 数据编辑器窗口进行加权回归分析。

1）在菜单栏中选择"分析"|"回归"|"权重估计"命令，打开如图9-81所示的"权重估计"对话框。

2）选择变量

从源变量列表中选择需要进行加权回归分析的因变量，然后单击 按钮将选中的变量选入"因变量"列表中；从源变量列表中选择需要进行加权回归分析的自变量，然后单击➡按钮将选中的变量选入"自变量"列表中，如图9-82所示。

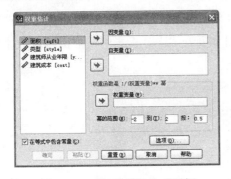

图9-81　"权重估计"对话框

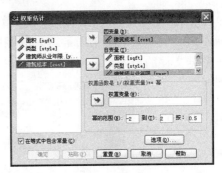

图9-82　加权回归分析的变量选择

3）设置加权权重

从源变量列表中选择需要进行加权回归分析的因变量，然后单击➡按钮将选中的变量选入"权重变量"列表中，然后在"幂的范围"输入框中输入加权指数的初始值与结束值，在"按"输入框中输入加权指数的步长。系统要求加权指数范围在−6.5至7.5之间，且满足"（结束值-初始值）/步长<=150"的条件，权重为1/（加权变量）^{加权指数}。

4）其他相应选项设置

"选项"按钮

单击"选项"按钮，弹出如图9-83所示的"权重估计：选项"对话框。

图9-83　"权重估计：选项"对话框

- "将最佳权重保存为新变量"复选框：如勾选该复选框，系统将得到的最佳权重作为一个新变量保存在数据文件中。
- "显示ANOVA和估计"选项组：该选项组用于设置方差与估计值的输出方式。如选择"对于最佳幂"，系统将只输出最终的估计值与方差分析表；选中"对于每个幂值"，系统将输出设定的加权指数范围内的所有权重的估计值与方差分析表。

"在等式中包含常量"复选框

如勾选该复选框，表示在模型中包含常数项。

5）分析结果输出

设置完毕后，单击"确定"按钮，就可以在SPSS Statistics结果窗口得到加权回归分析的结果。

9.7.3 实验操作

数据文件“9-7”来源于SPSS自带的数据文件“Mallcost”，该数据文件记录了商业街的建筑成本和一些相关的影响因素。本实验利用回归分析方法来分析影响商业街建设成本的因素。本数据文件的原始数据文件如图9-84所示。

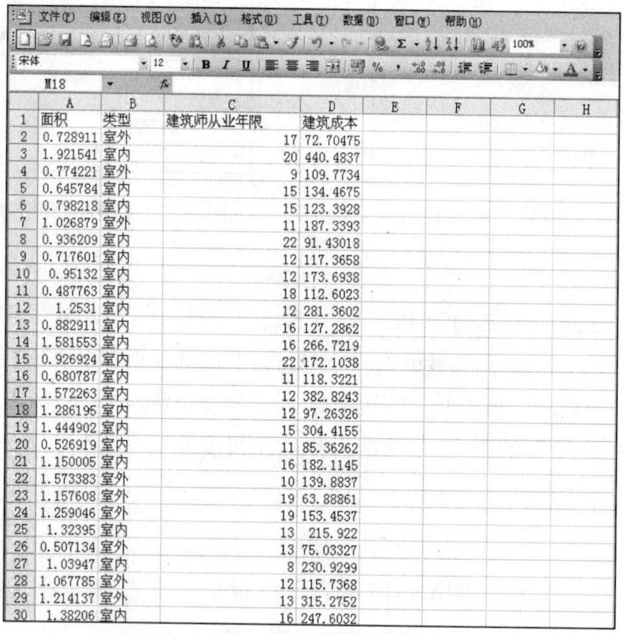

	A	B	C	D
1	面积	类型	建筑师从业年限	建筑成本
2	0.728911	室外	17	72.70475
3	1.921541	室内	20	440.4837
4	0.774221	室外	9	109.7734
5	0.645784	室内	15	134.4675
6	0.798218	室内	15	123.3928
7	1.026879	室外	11	187.3393
8	0.936209	室内	22	91.43018
9	0.717601	室内	12	117.3658
10	0.95132	室内	12	173.6938
11	0.487763	室内	18	112.6023
12	1.2531	室内	12	281.3602
13	0.882911	室内	16	127.2862
14	1.581553	室内	16	266.7219
15	0.926924	室内	22	172.1038
16	0.680787	室内	11	118.3221
17	1.572263	室内	12	382.8243
18	1.286195	室内	12	97.26326
19	1.444902	室内	15	304.4155
20	0.526919	室内	11	85.36262
21	1.150005	室内	16	182.1145
22	1.573383	室外	10	139.8837
23	1.157608	室外	19	63.88861
24	1.259046	室外	19	153.4537
25	1.32395	室内	13	215.922
26	0.507134	室外	13	75.03327
27	1.03947	室内	8	230.9299
28	1.067785	室外	12	115.7368
29	1.214137	室外	13	315.2752
30	1.38206	室内	16	247.6032

图 9-84 数据文件“9-7”原始数据

首先在SPSS变量视图中建立变量“*sqft*”、“*style*”、“*year*”和“*cost*”，分别用来表示面积、建筑类型、建筑师从业年限和建筑成本。其中，“*style*”变量用“1、0”分别表示“室内”和“室外”，如图9-85所示。

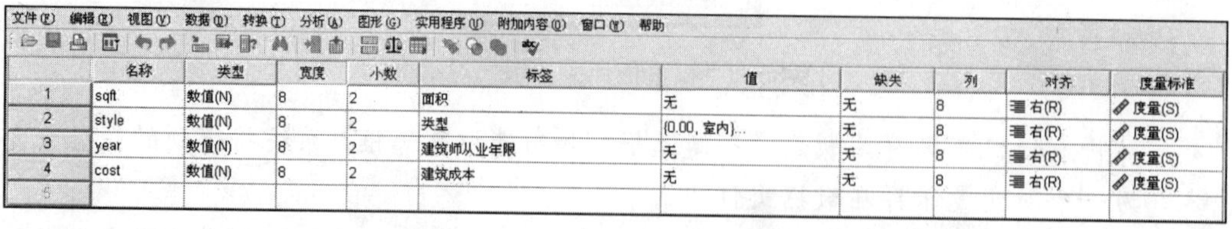

	名称	类型	宽度	小数	标签	值	缺失	列	对齐	度量标准
1	sqft	数值(N)	8	2	面积	无	无	8	右(R)	度量(S)
2	style	数值(N)	8	2	类型	{0.00, 室内}...	无	8	右(R)	度量(S)
3	year	数值(N)	8	2	建筑师从业年限	无	无	8	右(R)	度量(S)
4	cost	数值(N)	8	2	建筑成本	无	无	8	右(R)	度量(S)
5										

图 9-85 数据文件“9-7”的变量视图

然后在SPSS活动数据文件的数据视图中，把相关数据输入到各个变量中，输入完毕后如图9-86所示。

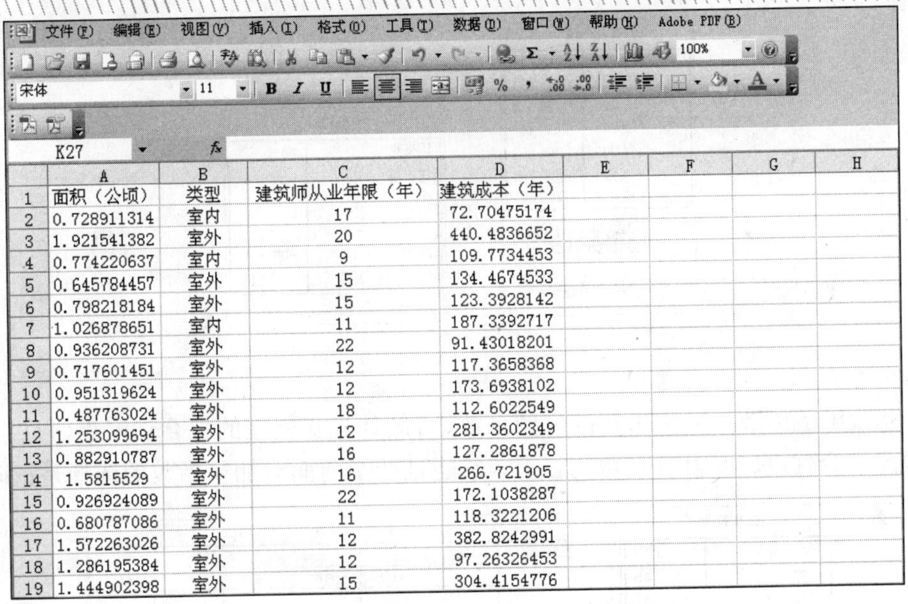

图 9-86 数据文件 "9-7" 的数据视图

2. 实验操作步骤

实验的具体操作步骤如下：

Step 01 在菜单栏中依次选择 "分析" | "回归" | "权重估计" 命令，打开 "权重估计" 对话框。

Step 02 从源变量列表中选择 *"sqft"*、*"style"* 和 *"year"* 变量，然后单击 ➡ 按钮将它们选入 "自变量" 列表中，从源变量列表中选择 *"cost"* 变量，将其选入 "因变量" 列表中。

Step 03 从源变量列表中选择 *"sqft"* 变量，选入 "权重变量" 列表中，在 "幂的范围" 输入框中输入加权指数的初始值与结束值 2 和 5，"按" 输入框中输入加权指数的步长 0.5。

Step 04 单击 "确定" 按钮，便可以得到加权回归分析的结果。

3. 实验结果及分析

单击 "确定" 按钮后，在SPSS Statistics查看器窗口的输出结果如图9-87~图9-89所示。

图9-87给出了权重的相关信息，由图9-87可以看出加权指数为3.5时，对数似然函数值最大，即3.5是最优权重。

对数似然值[b]	
幂	2.000	−208.251
	2.500	−206.606
	3.000	−205.529
	3.500	−205.143[a]
	4.000	−205.563
	4.500	−206.869
	5.000	−209.085

a. 选择对应幂以用于进一步分析，因为它可以使对数似然函数最大化。

b. 因变量: cost，源变量: sqft

模型描述		
因变量		cost
自变量	1	sqft
	2	style
	3	year
权重	源	sqft
	幂值	3.500
模型: MOD_2.		

图 9-87　权重的输出

图9-88给出了标准化后和未标准化的系数、T统计量和模型的拟合优度等信息，我们可以看出模型拟合优度较高且各系数均显著，这也证明了前面对加权指数的选择是正确的。

模型摘要	
复相关系数	.863
R 方	.745
调整 R 方	.724
估计的标准误	46.730
对数似然函数值	−205.143

系数						
	未标准化系数		标准化系数			
	B	标准误	试用版	标准误	t	Sig.
（常数）	53.438	16.988			3.146	.003
sqft	149.273	15.425	.864	.089	9.678	.000
style	−26.533	11.086	−.218	.091	−2.393	.022
year	−2.209	.941	−.205	.087	−2.348	.024

图 9-88　模型的估计结果

图9-89给出了模型的方差分析表，从图中我们可以得到残差平方和回归平方和和F统计量等信息。

ANOVA					
	平方和	df	均方	F	Sig.
回归	229428.003	3	76476.001	35.022	.000
残差	78612.250	36	2183.674		
总计	308040.252	39			

图 9-89　模型的方差分析表

通过实验，我们可以得出影响建筑成本的因素与建筑成本之间的关系，具体为：

$$\hat{y} = 53.438 + 149.273 sqft − 26.533 style − 2.209 year$$

方程的估计信息均是经过加权后得到的信息，消除了模型中存在的异方差性，保证了参数检验的有效性。

上机题

	光盘：\多媒体文件\上机题教学视频\chap09.wmv
	光盘：\源文件\上机题\chap09\...

9.1　题目给出了X省交通客运量与人均GDP的数据，该数据记录了从1980到2003年的情况。部分相关数据如下表所示（数据路径：光盘:\源文件\上机题\chap09\习题\第九章第一题.sav）。

年份	人均GDP（元）	客运量（千人次）
1980	402	12208
1981	472	12682
1982	531	13109
1983	611	14839
1984	765	17309
1985	887	19772
1986	956	26459
1987	1131	25209
1988	1395	29035

试采用曲线回归的方法，为交通运输量与人均 GDP 的关系拟合一条合适的曲线。

9.2 为了考察果汁饮料销售量是否受到其他类型饮料销售的影响，调查者调查了碳酸饮料销售量、茶饮料销售量、固体冲泡饮料销售量和咖啡类饮料的销售量。观测数据如下表所示（数据路径：光盘:\源文件\上机题\chap09\习题\第九章第二题.sav）。

年份	果汁饮料销量	碳酸饮料销量	茶饮料销量	冲泡饮料销量	咖啡饮料销量
1994	23.69	25.68	23.6	10.1	4.18
1995	24.1	25.77	23.42	13.31	2.43
1996	22.74	25.88	22.09	9.49	6.5
1997	17.84	27.43	21.43	11.09	25.78
1998	18.27	29.95	24.96	14.48	28.16
1999	20.29	33.53	28.37	16.97	24.26
2000	22.61	37.31	42.57	20.16	30.18
2001	26.71	41.16	45.16	26.39	17.08
2002	31.19	45.73	52.46	27.04	7.39
2003	30.5	50.59	45.3	23.08	3.88
2004	29.63	58.82	46.8	24.46	10.53
2005	29.69	65.28	51.11	33.82	20.09
2006	29.25	71.25	53.29	33.57	21.22
2007	31.05	73.37	55.36	39.59	12.63
2008	32.28	76.68	54	48.49	11.17

利用线性回归分析方法分析其他饮料的销售对果汁饮料销售的影响。

9.3 某实验室培养一种菌群研究其活性，菌群活性和培养天数的部分观测数据如下表所示（数据路径：光盘:\源文件\上机题\chap09\习题\第九章第三题.sav）。

观测编号	培养天数（天）	活性
1	2	54
2	5	50
3	7	45
4	10	37
5	14	35
6	19	25
7	26	20
8	31	16
9	34	18
10	38	13

（1）试采用曲线回归方法，估计参数估计值及相应的检验统计量。

（2）试绘制曲线模型拟合曲线及观测值的散点图，分析菌群活性与培养天数之间的关系。

9.4 BROWN教授研究了前列腺癌是否转移到附近的淋巴结的问题，他观察了53名病例并给出了相关的影响因素，包括X射线下能否发现（0表示无法发现，1表示可以发现）、病情级别（0表示平稳，1表示危重）、病情阶段（0表示早期，1表示中晚期）、淋巴结肿大（0表示不肿大，1表示肿大）和淋巴液酸度。部分观测数据如下表所示（数据路径：光盘:\源文件\上机题\chap09\习题\第九章第四题.sav）。

编号	X射线发现否	病情级别	病情阶段	年龄（岁）	淋巴液酸度	淋巴结肿大
1	0	1	1	64	40	0
2	0	0	1	63	40	0
3	1	0	0	65	46	0
4	0	1	0	67	47	0
5	0	0	0	66	48	0
6	0	1	1	65	48	0
7	0	0	0	60	49	0
8	0	0	0	51	49	0
9	0	0	0	66	50	0
10	0	0	0	58	50	0
11	0	1	0	56	50	0

（续表）

编号	X射线发现否	病情级别	病情阶段	年龄（岁）	淋巴液酸度	淋巴结肿大
12	0	0	1	61	50	0
13	0	1	1	64	50	0
14	0	0	0	56	52	0

（1）试采用 Logistic 回归，估计参数估计值及相应的检验统计量。

（2）试根据Logistic回归分析结果，分析前列腺癌是否转移与其影响因素之间的关系。

9.5 某医院就一种新药进行了一系列测试，发现患者的反应共有三种：无、轻度和重度，分别用"0""1""2"表示。收集的样本资料中还包括用药量及患者的性别。相关数据如下表所示（数据路径：光盘:\源文件\上机题\chap09\习题\第九章第五题.sav）。

反应	用药量（克）	性别
0.00	23.00	1.00
0.00	31.00	1.00
0.00	45.00	0.00
0.00	26.00	1.00
0.00	28.00	1.00
1.00	34.00	0.00
1.00	43.00	0.00
1.00	42.00	1.00
1.00	38.00	1.00
1.00	46.00	0.00
1.00	42.00	1.00
2.00	49.00	1.00
2.00	62.00	1.00
2.00	54.00	0.00
2.00	57.00	0.00

（1）试采用有序回归，计算参数估计值及相应的检验统计量。

（2）试根据有序回归分析结果，分析患者反应状况与其影响因素之间的关系。

9.6 某农学院对某新化肥在不同的季节采用不同的化学元素浓度进行使用，分别记录了各个季节不同的化肥化学元素浓度和该浓度下的有效实验地块数量（即响应）。其中，"季节"中的"1""2""3"分别表示春季、夏季和秋季，而"响应"表示施肥3天后土壤的养分含量。相关数据如下表所示（数据路径：光盘:\源文件\上机题\chap09\习题\第九章第六题.sav）。

季节	浓度（%）	试验田	响应（%）
1	15	36	2
1	20	37	2
1	25	39	7
1	33	36	9
1	50	33	19
1	66	45	34
1	75	48	41
2	15	45	1
2	20	37	3
2	25	38	2
2	33	40	10
2	50	44	20
2	66	33	16
2	75	37	27
3	15	43	2

试利用 Probit 回归来分析新化肥化学元素浓度与反馈响应概率的关系。

9.7　某大型建筑咨询公司记录了各国摩天大楼的建筑成本和一些相关的影响因素。本实验利用回归分析方法来分析影响摩天大楼建设成本的因素。"国有参股"中"1"和"0"分别表示国有股份参股和不参股，部分相关数据如下表所示（数据路径：光盘:\源文件\上机题\chap09\习题\第九章第七题.sav）。

面积（十万平米）	国有参股	建筑师年龄（年）	成本
0.73	1.00	17.00	72.70
1.92	0.00	20.00	440.48
0.77	1.00	9.00	109.77
0.65	1.00	15.00	134.47
0.80	0.00	15.00	123.39
1.03	1.00	11.00	187.34
0.94	0.00	22.00	91.43
0.72	0.00	12.00	117.37

（续表）

面积（十万平米）	国有参股	建筑师年龄（年）	成本
0.95	0.00	12.00	173.69
0.49	0.00	18.00	112.60
1.25	0.00	12.00	281.36
0.88	0.00	16.00	127.29
1.58	0.00	16.00	266.72
0.93	0.00	22.00	172.10
0.68	0.00	11.00	118.32

（1）试采用加权回归方法，其中权重变量为楼房面积，估计参数估计值及相应的检验统计量。

（2）试利用加权回归模型的回归结果分析并解释影响摩天大楼建设成本的因素。

第10章 多重响应分析

现实生活中，我们经常要对某一问题进行市场调查，调查问卷往往需要被访问者对一个问题的多个选项进行选择。而如何对这类调查结果进行数据分析，便要用到本章将阐述的多重响应分析。

10.1 多重响应概述

多重响应（Multiple Response），又称多选题，是市场调查研究中十分常见的数据形式。多重响应数据本质上属于分类数据，但由于各选项均是对同一个问题的回答，之间存在一定的相关，将各选项单独进行分析并不恰当。对多重响应数据最常见的分析方法是使用SPSS中的"多重响应"命令，通过定义变量集的方式，对选项进行简单的频数分析和交叉分析。

统计软件中对多重响应的标准记录方式有两种：

（1）多重二分法。对于多项选择题的每一个选项看作一个变量来定义。0代表没有被选中，1代表被选中。这样，多项选择题中有几个选项，就会变成有几个单选变量。这些单选变量的选项都只有两个，即0或1。

（2）多重分类法。多项选择题中有几个选项，就定义几个单选变量。每个变量的选项都一样，都和多项选择题的选项相同。每个变量代表被调查者的一次选择，即记录的是被选中的选项的代码。很多情况下，当问卷中不限定被访者可选择的选项数量时，被调查者可能不会全部选项都选，因此在数据录入时，一般从这些变量的最前面几个变量开始录入，这样最后面几个变量自然就是缺失值。当被调查者对多项选择题中的选项全部选择时，这些变量中都有一个选项代码，此时没有缺失值。

10.2 多重响应变量集

在对数据文件进行多重响应分析之前，首先应该将基本变量转换为能通过SPSS软件使用的数据类型，即定义为多重响应变量集。

10.2.1 多重响应变量集的定义

多重响应集的定义，即将基本变量分组为多重二分类变量集和多重多分类变量集，并转换为能通过SPSS软件操作的的数据类型。通过定义后的数据类型，可以获得这些集的频率表和交叉制表。SPSS可以定义多达 20 个的多重响应集，每个集必须有一个唯一的名称。

每个多重响应集必须指定一个名称，名称最多可以有七个字符。多重响应变量集的定义过程将在用户指定的名称前加上美元符号“$”，注意，用户设定的多重响应集名中不能使用以下保留名称：casenum、sysmis、jdate、date、time、length 和 width。

多重响应集的名称仅在用于多重响应过程时存在，在其他过程中不能使用多重响应集名称。另外还可以输入多重响应集的描述性变量标签，标签最长可以有 40 个字符。

10.2.2 定义多重响应变量集的实验操作

下面将以“10-1”数据文件为例，说明定义多重响应变量的具体操作过程和对输出结果进行说明解释。

1. 实验数据描述

“10-1”数据文件记录了某次消费者使用的洗发水品牌调查结果，问卷列举了用户可能使用的洗发水品牌，包括“雨洁”、“海飞丝”、“夏士莲”、“飘柔”、“清扬”、“舒蕾”、“潘婷”、“沙宣”八个品牌以及“其他”。下面将介绍如何利用“定义变量集”命令定义多重响应变量集“brand”将这些品牌包含进去。“10-1”数据文件的原始EXCEL表如图10-1所示。

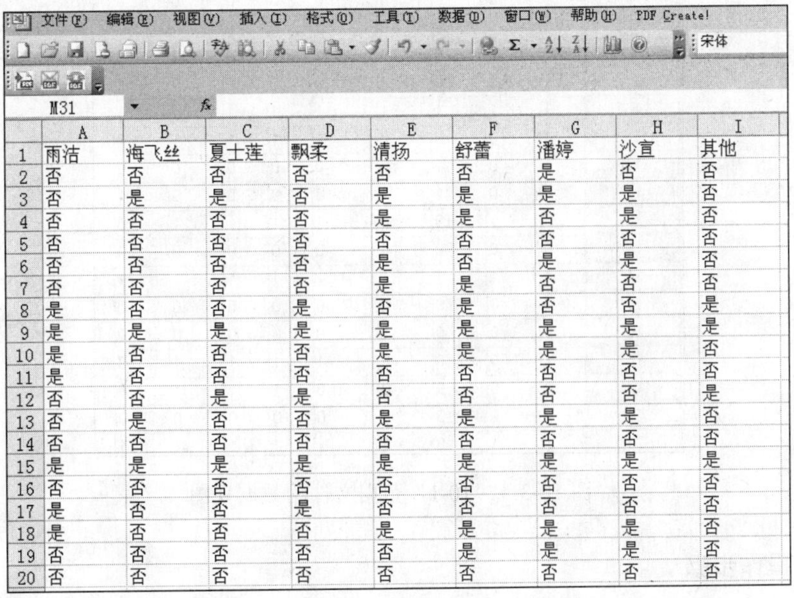

	A	B	C	D	E	F	G	H	I
1	雨洁	海飞丝	夏士莲	飘柔	清扬	舒蕾	潘婷	沙宣	其他
2	否	否	否	否	否	否	是	否	否
3	否	是	是	否	是	是	是	是	否
4	否	否	否	否	是	是	否	是	否
5	否	否	否	否	否	否	否	否	否
6	否	否	否	否	是	否	是	是	否
7	否	否	否	否	是	是	否	否	否
8	是	否	否	是	否	是	否	否	是
9	是	是	是	是	是	是	是	是	是
10	是	否	否	否	是	是	是	是	否
11	是	否	否	否	否	否	否	否	否
12	否	否	是	是	否	否	否	否	是
13	否	是	否	否	是	是	是	是	否
14	否	否	否	否	否	否	否	否	否
15	是	是	是	是	是	是	是	是	是
16	否	否	否	否	否	否	否	否	否
17	是	否	否	是	否	否	否	否	否
18	是	否	否	否	是	是	是	是	否
19	否	否	否	否	否	是	是	是	否
20	否	否	否	否	否	否	否	否	否

图 10-1 “10-1”数据文件原始数据

首先在SPSS变量视图中建立“雨洁”、“海飞丝”、“夏士莲”、“飘柔”、“清扬”、“舒蕾”、“潘婷”、“沙宣”、“其他”九个变量名，所有变量的度量标准均为“名义”，如图10-2所示。

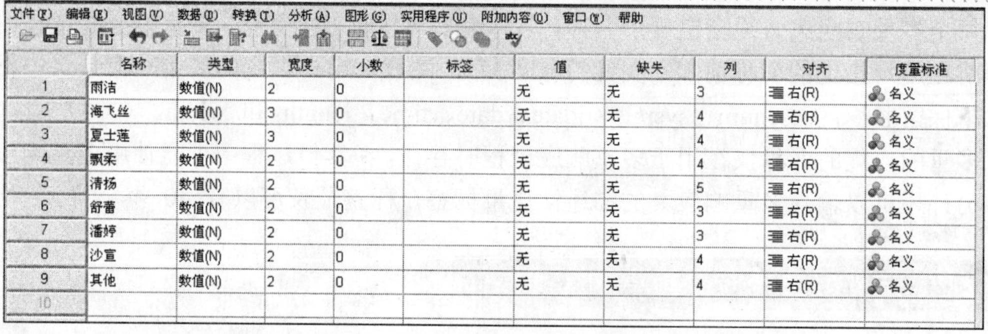

图 10-2 "10-1"数据文件的变量视图

然后在SPSS数据视图中，把有关数据录入对应变量中，其中1代表是，0代表否，输入完毕后如图10-3所示。

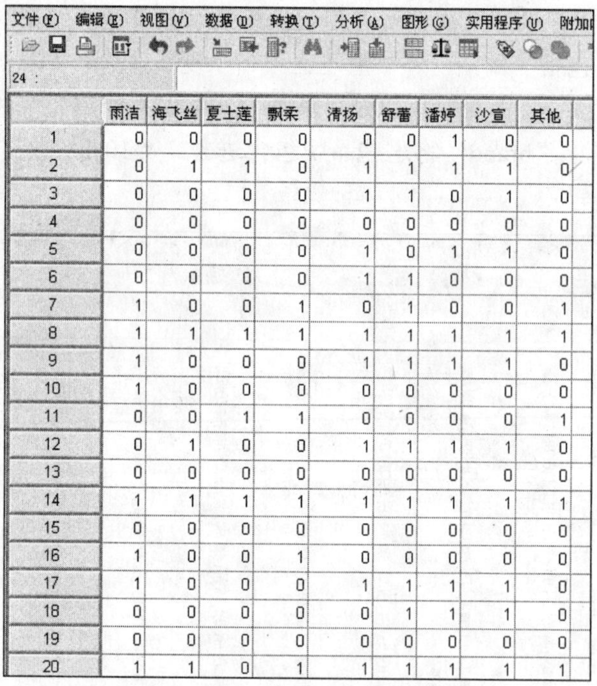

图 10-3 "10-1"数据文件的数据视图

2. 实验操作步骤

Step 01 打开"10-1"数据文件，进入 SPSS Statistics 数据编辑器窗口，在菜单栏中依次选择"分析"|"多重响应"|"定义变量集"命令，打开如图 10-4 所示"定义多重响应集"对话框。

- "设置定义"列表框：列表框中显示的是"10-1"数据文件中的所有变量，选中变量后单击右侧箭头 ⬇ 按钮进入"集合中的变量"列表框中，进行多重响应变量集的定义。

- "集合中的变量"列表框：从左侧的源变量列表框中选入同属于一个问题

的多个答案变量,以定义多重响应变量集。

- "多响应集"列表框:用于保存已经定义好的多重响应变量集,可以通过单击左侧"添加"、"更改"、"删除"按钮分别添加、修改、删除当前指定的多重响应变量集。
- "将变量编码为"选项组:该选项组用于设置多重响应变量集的编码方式。若选择"二分类"单选按钮,则表示使用二分变量的计数值进行编码,即把每个多选题选项都当作是一个二元变量,"计数值"中输入1表示该选项被选中,0表示未被选中;若选择"类别"单选按钮,则表示使用分类变量进行编码,即为多选题设定与其最多答案个数相等的单选变量,每个单选变量的可能取值都和多选题的可选项相同,它代表被选中的多选题选项的代码,"范围"文本框用于设置可选答案代码的起点和终点。

图 10-4　"定义多重响应集"对话框

- "名称"文本框:用于设定当前多重响应变量集的名称,系统将自动在设定的名称前加上"$"符号。
- "标签"文本框:用于设置当前响应变量的标签。

Step 02 从"设置定义"列表框中选中所有变量,单击⬇按钮使之进入"集合中的变量"列表框中。选择"二分类"单选按钮,并在"计数值"文本框中输入1,然后在"名称"和"标签"文本框中分别输入"brand"和"品牌"。

Step 03 单击"添加"按钮,将已定义好的多重响应变量集选入"多响应集"列表框中。最终设置结果如图10-5所示。

图 10-5　设置一个多重响应集"$brand"

3. 实验结果及分析

在"定义多重响应集"对话框中，单击"关闭"按钮，完成设置，返回主对话框。多重响应集定义完毕后，菜单栏中"分析"|"多重响应"的子菜单即处于激活状态，表示可以通过SPSS相关操作获得多重响应集的频率和交叉表分析结果。

10.3　多重响应变量集的频数分析

多重响应变量集的频数分析，是在多重响应集变量定义好的基础上进行的数据分析，相当于普通变量的频数分析，不同的只是把普通变量换成多重响应变量集。

10.3.1　多重响应变量频数分析简介

多重响应变量集的频数分析，即对已经定义好的多重响应变量集输出其频数及其总频数中的百分比等基本统计量。它与一般的频数分析基本相同，差别只是一般频数分析输出的是单个变量的频数分析结果，多重响应变量集的频数分析的对象是定义好的多重响应变量集。

10.3.2　多重响应变量频数分析的 SPSS 操作

打开相应的数据文件或者建立一个数据文件后，可在 SPSS Statistics 数据编辑器窗口进行多重响应变量频数分析。

1）在菜单栏中依次选择"分析"|"多重响应"|"频率"命令，打开如图10-6所示"多响应频率"对话框。

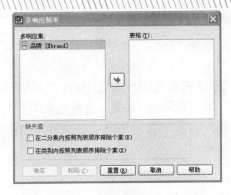

图 10-6　"多响应频率"对话框

2）进行相关设置

以下为"多响应频率"主对话框及其相关设置的详细介绍：

①"多响应集"列表框　列表框中显示的是当前已经定义好的多重响应变量集。

②"表格"列表框　该列表框中为从"多响应集"列表框中选入的要进行频数分布的多重响应变量集。

③"缺失值"选项组　该选项组用于选择处理缺失值的方法，包括两个复选框：

- 在二分集内按照列表顺序排除个案：若勾选此复选框，则表示从多二分集的制表中排除任何具有变量的缺失值的个案。该项仅应用于定义为二分变量的多重响应集，缺省的情况下，如果多二分集中的某个个案的成分变量没有一个包含计数的值，就认为该个案缺失。只要至少一个变量包含计数值，那么即使个案中有一些变量的值缺失，这些个案也包括在组的制表中。

- 在类别内按照列表顺序排除个案：若勾选此复选框，则表示从多类别集的制表中排除具有任何变量的缺失值的个案。这仅应用于定义为类别集的多重响应集，缺省的情况下，对于多类别集，仅当某个个案的成分没有一个包含定义范围内的有效值时，才认为该个案缺失。

3）输出结果

所有设置结束后，单击主对话框中的"确定"按钮，即可输出多重响应变量集频率分析结果。

10.3.3　实验操作

对多重响应变量集进行频率分析，前提是已经定义了一个或多个多重响应变量集。因此本节接着10.2节中的例子进行分析，10.2节已经定义了多重响应变量集brand，本节对brand进行频数分析。

1. 实验的具体操作步骤如下

Step 01 在菜单栏中依次选择"分析"|"多重响应"|"频率"命令，打开"多响应频率"对话框。

Step 02 从"多响应集"列表框中选中"品牌[$brand]"，然后单击箭头按钮🔙使之进入"表格"列表框中。其他采用默认设置，设置结果如图 10-7 所示。

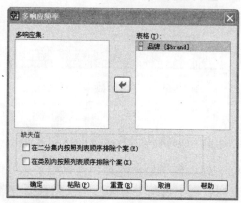

图 10-7 "多响应频率"对话框

2. 实验结果及分析

设置完毕后，单击主对话框中"确定"按钮，SPSS Statistics查看器窗口的输出结果如图10-8~图10-9所示。

图10-8所示个案摘要表给出了多重响应变量集brand中有效数据和缺失数据的基本统计信息。在本例1000个案例中，有111个数据被认为是缺失的，即有111个客户没有对问卷进行回答，数据有效率为88.9%。

个案摘要						
	个案					
	有效的		缺失		总计	
	N	百分比	N	百分比	N	百分比
$brand[a]	889	88.9%	111	11.1%	1000	100.0%
a.值为 1 时制表的二分组。						

图 10-8 多重响应变量频数分析个案摘要表

$brand 频率				
		响应		个案百分比
		N	百分比	
品牌	雨洁	475	12.7%	53.4%
	海飞丝	304	8.1%	34.2%
	夏士莲	261	7.0%	29.4%
	飘柔	368	9.8%	41.4%
	清扬	481	12.9%	54.1%
	舒蕾	485	13.0%	54.6%
	潘婷	493	13.2%	55.5%
	沙宣	502	13.4%	56.5%
	其他	371	9.9%	41.7%
总计		3740	100.0%	420.7%
a.值为 1 时制表的二分组。				

图 10-9 多重响应变量分析频数表

图10-9给出了多重响应分析的频数表，其中N表示使用对应品牌洗发水的客户数目。响应百分比表示使用该品牌洗发水的消费者数目占使用总频数的百分比，这在对单个变量的频数分布表中是没有的；个案百分比，是指使用该品牌洗发水的客户数占总客户数的百分比。

10.4 多重响应变量集的交叉表分析

交叉表分析是对多重响应变量集的频数分析的进一步深入，前提同样是已经定义好一个或多个多重响应变量集。

10.4.1 多重响应变量交叉表分析简介

多重响应变量交叉表分析是对多重响应变量集频数分析的深化，是在频数分析的基础上添加一个分类变量，交叉表分析根据分类变量的不同分类输出多重响应变量集包含的各个响应的频数及百分比。

10.4.2 多重响应变量交叉表分析的 SPSS 操作

打开相应的数据文件或者建立一个数据文件后，可在SPSS Statistics数据编辑器窗口进行多重响应变量交叉表分析。

1）在菜单栏中依次选择"分析"|"多重响应"|"交叉表"命令，打开如图10-10所示"多响应交叉表"对话框。

图 10-10 "多响应交叉表"对话框 图 10-11 "多响应交叉表：定义变量范围"对话框

2）设置相应选项

以下为"多响应交叉表"主对话框界面及其相关设置的详细介绍：

① "行"列表框 从源变量列表或多响应集中选入的输出表格的行变量。

② "列"列表框 用于从源变量列表或多响应集中选入的输出表格的列变量。

③ "层"列表框 用于从源变量列表或多响应集中选入输出表格的分层变量。对分层变

量的每个取值或取值组合，将输出一个相应行变量的二维交叉表。

④"定义范围"按钮 选入行、列或层变量后，"定义范围"按钮将自动激活，单击该按钮，弹出如图10-11所示"多响应交叉表：定义变量范围"对话框。

在该对话框中可以为相应的行、列或层变量设置其取值范围。其中"最小值"、"最大"文本框中分别输入变量取值的最小值和最大值。

设置完毕后，单击"继续"按钮，返回到"多响应交叉表"主对话框，进行其他设置。

⑤"多响应集"列表框 该列表框中显示的是当前已经定义的所有多重响应变量集。

⑥"选项"按钮 在"多响应交叉表"主对话框中单击"选项"按钮，将弹出如图10-12所示"多响应交叉表：选项"对话框。

图 10-12 "多响应交叉表：选项"对话框

- "单元格百分比"选项组：该选项组用于选择在单元格显示哪些类型的百分比，包括：
  ↳ "行"复选框，若勾选此复选框，则表示显示行百分比；
  ↳ "列"复选框，若勾选此复选框，则表示显示行百分比；
  ↳ "总计"复选框，若勾选此复选框，则表示显示总百分比。另外，单元格总会显示观测的统计个数。
- "跨响应集匹配变量"复选框：若勾选此复选框，则表示把第i个变量集中的第n个变量与第j个变量集中的第n个变量配对，且单元格中的百分比将以答案总数为基数而不是以回答者总数为基数。
- "百分比基于"选项组：用于设置计算百分比的基数，包括：
  ↳ "个案"单选按钮，选择此按钮，表示以回答人数为计算百分比的基数；
  ↳ "响应"单选按钮，选择此按钮，表示以总的答案数为计算百分比的基数，当勾选"跨响应集匹配变量"复选框后，只能是基于响应。
- "缺失值"选项组：用于选择处理缺失值的方法，包括两个复选框：
  ↳ 在二分集内按照列表顺序排除个案：若勾选此复选框，则表示从多二分集的制表中排除任何具有变量的缺失值的个案。该项仅应用于定义为二分变量的多重响应集，缺省情况下，如果多二分集中的某个个案的成分变量没有一个包含计数的值，就认为该个案缺失。只要至少一个变量包含计数值，那么即使个案中有一些的值缺失，这些个案也包括在组的制表中。

- 在类别内按照列表顺序排除个案：若勾选此复选框，则表示从多类别集的制表中排除具有任何变量的缺失值的个案。这仅应用于定义为类别集的多重响应集，缺省情况下，对于多类别集，仅当某个个案的成分没有一个包含定义范围内的有效值时，才认为该个案缺失。

3）输出分析结果

设置完毕后，可以单击“确定”按钮，就可以在SPSS Statistics查看器窗口得到多重响应变量交叉表分析的结果。

10.4.3 实验操作

对多重响应变量集进行交叉表分析，前提是已经定义了一个或多个多重响应变量集。因此本节接着10.2节中的例子对brand进行交叉表分析，数据文件为“10-2”。

1. 实验数据描述

“10-2”数据文件在“10-1”数据文件的基础上增加了“教育水平”变量的相关数据，用以反映不同受教育水平的用户对不同品牌洗发水的选择，“教育水平”共有5种分类：“小学及以下”、“初中”、“高中”、“大学本科”和“硕士及以上”，下面将使用该数据文件，利用交叉表分析过程，得到按“教育水平”分类的多重响应变量交叉表分析结果。“10-2”数据文件的原始EXCEL表如图10-13所示。

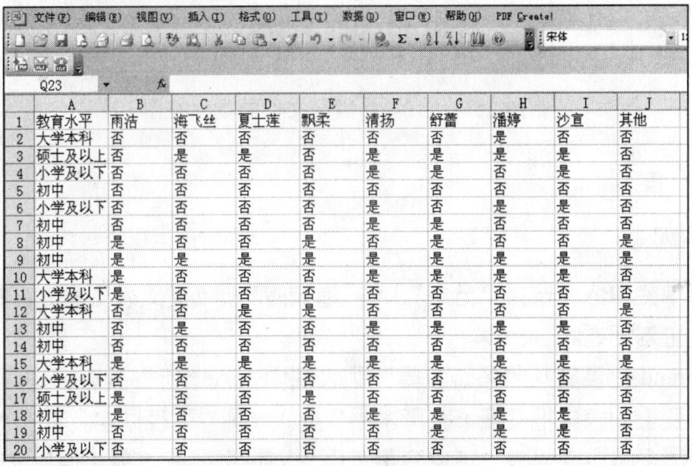

	A	B	C	D	E	F	G	H	I	J
1	教育水平	雨洁	海飞丝	夏士莲	飘柔	清扬	舒蕾	潘婷	沙宣	其他
2	大学本科	否	否	否	否	否	否	是	否	否
3	硕士及以上	否	是	是	否	是	是	是	是	否
4	小学及以下	否	否	否	否	是	是	否	是	否
5	初中	否	否	否	否	否	否	否	否	否
6	小学及以下	否	否	否	否	是	否	是	是	否
7	初中	否	否	否	否	是	是	否	否	否
8	初中	是	否	否	是	否	是	否	否	是
9	初中	是	是	是	是	是	是	是	是	是
10	大学本科	是	否	否	否	是	是	是	是	否
11	小学及以下	是	否	否	否	否	否	否	否	否
12	大学本科	否	否	是	是	否	否	否	否	是
13	初中	否	是	否	否	是	是	是	是	否
14	初中	否	否	否	否	否	否	否	否	否
15	大学本科	是	是	是	是	是	是	是	是	是
16	小学及以下	否	否	否	否	否	否	否	否	否
17	硕士及以上	是	否	否	是	否	否	否	否	否
18	初中	是	否	否	否	是	是	是	是	否
19	初中	否	否	否	否	否	是	是	是	否
20	小学及以下	否	否	否	否	否	否	否	否	否

图 10-13 “10-2”数据文件原始数据

在“10-1”数据文件的变量视图中添加变量“教育水平”，用数字1-5分别表示“小学及以下”、“初中”、“高中”、“大学本科”和“硕士及以上”5种不同的受教育水平，“10-2”数据文件的变量视图如图10-14所示。

	名称	类型	宽度	小数	标签	值	缺失	列	对齐	度量标准
1	教育水平	数值(N)	8	0		无	无	8	右(R)	有序
2	雨洁	数值(N)	2	0		无	无	3	右(R)	名义
3	海飞丝	数值(N)	3	0		无	无	4	右(R)	名义
4	夏士莲	数值(N)	3	0		无	无	4	右(R)	名义
5	飘柔	数值(N)	2	0		无	无	4	右(R)	名义
6	清扬	数值(N)	2	0		无	无	5	右(R)	名义
7	舒蕾	数值(N)	2	0		无	无	3	右(R)	名义
8	潘婷	数值(N)	2	0		无	无	3	右(R)	名义
9	沙宣	数值(N)	2	0		无	无	4	右(R)	名义
10	其他	数值(N)	2	0		无	无	4	右(R)	名义
11										

图 10-14　“10-2”数据文件的变量视图

在SPSS数据视图中，将“教育水平”变量的值加入到“10-1”数据文件中，构建“10-2”数据文件，输入完毕如图10-15所示。

	教育水平	雨洁	海飞丝	夏士莲	飘柔	清扬	舒蕾	潘婷	沙宣	其他
1	4	0	0	0	0	0	0	1	0	0
2	5	0	1	1	0	1	1	1	1	0
3	1	0	0	0	0	1	1	0	1	0
4	2	0	0	0	0	0	0	0	0	0
5	1	0	0	0	0	1	0	1	1	0
6	2	0	0	0	0	1	1	0	0	0
7	2	1	0	0	1	0	1	0	0	1
8	2	1	1	1	1	1	1	1	1	1
9	4	1	0	0	0	1	1	1	1	0
10	1	1	0	0	0	0	0	0	0	0
11	4	0	0	1	1	0	0	0	0	1
12	2	0	1	0	0	1	1	1	1	0
13	2	0	0	0	0	0	0	0	0	0
14	4	1	1	1	1	1	1	1	1	1
15	1	0	0	0	0	0	0	0	0	0
16	5	1	0	0	1	0	0	0	0	0

图 10-15　“10-2”数据文件的数据视图

2. 实验操作步骤

具体操作步骤如下：

Step 01　在菜单栏中依次选择“分析”|“多重响应”|“交叉表”命令，打开“多响应交叉表”主对话框。

Step 02　将$brand 变量集从“多响应集”列表框中选入“行”列表框中。

Step 03　从源变量列表中把变量“教育水平”选入“列”列表框中。单击“定义范围”按钮，打开“多响应交叉表：定义变量范围”对话框，在“最小值”文本框中输入 1，在“最大”文本框中输入 5。设置完毕后，单击“继续”按钮，返回到“多响应交叉表”主对话框进行其他设置。

Step 04　在“多响应交叉表”主对话框中单击“选项”按钮，打开“多响应交叉表：选项”对话框。选中“单元格百分比”中的“列”复选框，其他采用默认设置。设置结果如图 10-16 所示。

图 10-16 "多响应交叉表：选项"设置结果

设置完毕后，单击"继续"按钮，返回到"多响应交叉表"主对话框。

3．实验结果及分析

设置完毕后，单击主对话框中"确定"按钮，SPSS Statistics查看器窗口的输出结果如图10-17~图10-18所示。

个案摘要

	个案					
	有效的		缺失		总计	
	N	百分比	N	百分比	N	百分比
$brand*教育水平	889	88.9%	111	11.1%	1000	100.0%

图 10-17 多重响应变量交叉表分析个案摘要表

图10-17所示个案摘要表给出了多重响应变量集brand中有效数据和缺失数据的基本统计信息。在本例1000个案例中，有111个数据被认为是缺失的，即有111个消费者没有回答问题。

$brand*教育水平 交叉制表

			教育水平					总计
			1	2	3	4	5	
品牌ᵃ	雨洁	计数	57	121	107	139	51	475
		教育水平 内的 %	36.5%	48.2%	55.7%	61.2%	81.0%	
	海飞丝	计数	21	70	68	104	41	304
		教育水平 内的 %	13.5%	27.9%	35.4%	45.8%	65.1%	
	飘柔	计数	14	71	86	145	52	368
		教育水平 内的 %	9.0%	28.3%	44.8%	63.9%	82.5%	
	夏士莲	计数	14	61	53	101	32	261
		教育水平 内的 %	9.0%	24.3%	27.6%	44.5%	50.8%	
	舒蕾	计数	92	145	101	116	31	485
		教育水平 内的 %	59.0%	57.8%	52.6%	51.1%	49.2%	
	清扬	计数	87	142	103	121	28	481
		教育水平 内的 %	55.8%	56.6%	53.6%	53.3%	44.4%	
	沙宣	计数	98	145	106	120	33	502
		教育水平 内的 %	62.8%	57.8%	55.2%	52.9%	52.4%	
	其他	计数	14	84	88	141	44	371
		教育水平 内的 %	9.0%	33.5%	45.8%	62.1%	69.8%	
	潘婷	计数	94	141	106	119	33	493
		教育水平 内的 %	60.3%	56.2%	55.2%	52.4%	52.4%	
总计		计数	156	251	192	227	63	889

百分比和总计以响应者为基础。
a. 值为 1 时制表的二分组。

图 10-18 多重响应变量分析交叉制表

图10-18给出了多重响应变量交叉表，表中每个单元格显示了使用各种品牌洗发水的不同受教育水平的人数以及在以客户数为基数的列百分比。以夏士莲和"初中"（2）的交叉单元格为例，表示有初中学历的使用夏士莲的消费者有61人，在有初中学历客户总数251人中的比例为24.3%。其他单元格的解读方法与此类似。

10.5　使用Tables过程研究多重响应变量集

SPSS的表分析过程也提供了对多重响应变量集进行定义和分析的功能。使用前也需要先建立一个多重响应变量集，然后使用表过程进行分析，所起的作用和效果与多重效应变量集的交叉表分析相似。

本节将使用"10-2"数据文件介绍表过程在多重响应变量集定义和分析中的功能。

10.5.1　定义多重响应变量集

表过程中的多重响应变量集的定义的操作过程具体如下：

1）在菜单栏中依次选择"分析"|"表"|"多响应集"命令，打开如图10-19所示"定义多响应集"对话框。该对话框界面与图10-4所示"定义多重响应集"对话框相似，只多了一个"类别标签源"选项组。该选项组用于设置多重响应二分类变量集的输出表格的标签格式，包括两个单选按钮：

①变量标签　若选择此单选按钮，则表示使用已定义的变量标签或不带已定义变量标签的变量的变量名作为集类别标签。例如，如果集中的所有变量对于已计算的值具有相同的值标签，则应使用变量标签作为集类别标签。

②已计数值的标签　若选择此单选按钮，则表示用已计算的值的已定义值标签作为集类别标签。只有在所有变量对于已计算的值都定义了值标签，且已计算的值的值标签对于每个变量都不相同时选择此选项。此时，将激活"将变量标签用作集标签"复选框。若选中此复选项，则表示也可以使用集中具有已定义变量标签的第一个变量的变量标签作为集标签；如果集中的变量都未定义变量标签，则将集中第一个变量的名称作为集标签。

2）从"设置定义"列表框中选中所有变量进入"集合中的变量"列表框中。选中"二分类"单选按钮，并在"计数值"文本框中输入1，然后在"集名称"和"集标签"文本框中输入"brand"和"品牌"，"类别标签源"选择为"变量标签"。

3）单击"添加"按钮，将已定义好的多重响应变量集选入"多响应集"列表框中。最终设置结果如图10-20所示。

图 10-19　表分析过程的"定义多重响应集"对话框

图 10-20　设置多响应集合"brand"

4）单击主对话框中"确定"按钮，完成多重响应变量集的定义，得到如图10-21所示"多响应集"表。该表给出了多重响应变量集的名称、标签、数据类型等信息。

多响应集					
名称	标签	编码为	已计数的值	数据类型	基本变量
$brand	品牌	二分	1	数字	雨洁 海飞丝 夏士莲 飘柔 清扬 舒蕾 潘婷 沙宣 其他

图 10-21   多响应集输出结果

10.5.2   用 Tables 过程建立包含多重响应变量集的表格

本节将在10.5.1节的基础上利用表过程对已定义的$brand多重效应变量集制表以实现输出与如图10-18所示的图形相同的信息图形。

用 Tables 过程建立包含多重响应变量集的表格的具体操作过程如下：

1）在菜单栏中依次选择"分析"|"表"|"设定表"命令，打开如图10-22所示"设定表格"对话框。

图 10-22   "设定表格"主对话框

2）从"变量"列表框中选中$brand多重效应变量集，将其拖到"普通"文本框中的"列"栏，然后从"变量"列表框中选中分类变量"教育水平"，将其拖到"普通"文本框中的"行"栏。

3）选中"列"栏中的$brand变量，单击"摘要统计量"按钮，打开"摘要统计"对话框，从"统计量"列表框中选中"行N%"，单击右侧箭头按钮 ➡，使之进入"显示"列表框中。最后，单击"应用选择"，返回"设定表格"主对话框。

4）单击主对话框中的"确定"按钮，则可输出如图10-23所示结果。该图所反映信息与图10-18反映信息一致。

		教育水平									
		1		2		3		4		5	
		计数	行 N %	计数	行 N %	计数	行 N %	计数	行 N %	计数	行 N %
品牌	雨洁	57	12.0%	121	25.5%	107	22.5%	139	29.3%	51	10.7%
	海飞丝	21	6.9%	70	23.0%	68	22.4%	104	34.2%	41	13.5%
	夏士莲	14	5.4%	61	23.4%	53	20.3%	101	38.7%	32	12.3%
	飘柔	14	3.8%	71	19.3%	86	23.4%	145	39.4%	52	14.1%
	清扬	87	18.1%	142	29.5%	103	21.4%	121	25.2%	28	5.8%
	舒蕾	92	19.0%	145	29.9%	101	20.8%	116	23.9%	31	6.4%
	潘婷	94	19.1%	141	28.6%	106	21.5%	119	24.1%	33	6.7%
	沙宣	98	19.5%	145	28.9%	106	21.1%	120	23.9%	33	6.6%
	其他	14	3.8%	84	22.6%	88	23.7%	141	38.0%	44	11.9%

图 10-23 表过程关于多重响应变量集的表格输出

上机题

📹	光盘：\多媒体文件\上机题教学视频\chap10.wmv
💻	光盘：\源文件\上机题\chap10\...

10.1 下表给出了某城市居民上下班常用交通工具调查的部分数据，被调查对象按年龄被分为三类，分别用1、2、3表示，交通工具变量中0、1分别代表"否"和"是"。试用多重响应分析程序定义多重响应变量集"$traf"，并对"$traf"进行频数分析和交叉表分析。（数据路径：光盘:\源文件\上机题\chap10\习题\第十章第一题.sav）

编号	年龄	公交车	私家车	摩托车	电动车	自行车	其他
1	1	0	0	1	0	1	1
2	1	0	0	1	0	0	0
3	2	0	0	0	0	0	1
4	3	0	0	0	0	1	1
5	2	0	0	0	0	1	1
6	1	1	0	0	1	1	1
7	3	1	1	0	0	1	1
8	1	0	1	1	0	1	1
9	2	0	1	0	1	1	1
10	2	0	1	1	0	0	0
11	1	1	1	1	1	0	0
12	2	0	1	0	0	1	0
13	3	1	0	0	1	0	0
14	1	1	1	1	1	0	0
15	2	0	0	1	1	1	1

10.2 有调查者对某中学三个年级学生的最喜欢科目进行了调查，下表给出了部分数据，其中"年级"变量用1-3分别代表初中一到三年级，各科变量中的0和1分别代表"否"和"是"。试用Tables过程定义多重响应变量集"$sub"，并对"$sub"进行交叉表分析。（数据路径：光盘:\源文件\上机题\chap10\习题\第十章第二题.sav）

序号	年级	数学	语文	英语	物理	化学	其他
1	2	0	1	0	1	1	1
2	2	0	1	1	0	0	0
3	1	1	1	1	1	0	0
4	2	0	1	0	0	1	0
5	3	1	0	0	1	0	0
6	1	1	1	1	1	0	0
7	2	0	0	1	0	1	1
8	2	1	0	1	1	0	1
9	1	0	0	1	1	1	1
10	3	0	1	0	0	1	0
11	2	0	0	0	0	1	1
12	2	0	1	0	0	1	0
13	3	0	1	0	1	1	1
14	2	0	1	1	0	0	0
5	1	1	1	1	1	0	0

第11章 聚类分析

聚类分析是根据研究对象的特征按照一定标准对研究对象进行分类的一种分析方法,它使组内的数据对象具有最高的相似度,而组间具有较大的差异性。聚类分析可以在没有先验分类的情况下通过观察对数据进行分类,在科学研究和实际的生产实践中都具有广泛的应用,SPSS的分类过程可以使用户方便地实现聚类分析,本章将对聚类分析的SPSS实现过程进行介绍。

11.1 聚类分析的基本原理

聚类分析是根据对象的特征,按照一定的标准对研究对象进行分类,由于研究对象和分析方法的不同,聚类分析也分为不同的种类。

按照研究对象的不同,聚类分析一般分为样本聚类和变量聚类。

- **样本聚类** 又称Q型聚类,它针对观测量进行分类,将特征相近的观测量分为一类,特征差异较大的观察量分在不同的类。
- **变量聚类** 又称R型聚类,它是针对变量分类,将性质相近的变量分为一类,将性质差异较大的变量分在不同的类。

按照分析方法的不同,聚类分析一般分为快速聚类、分层聚类和两阶段聚类。

- **快速聚类** 又称K-均值聚类,它将数据看做K维空间上的点,以距离为标准进行聚类分析,将样本分为指定的K类。
- **分层聚类** 也称系统聚类。其对相近程度最高的两类进行合并组成一个新类并不断重复此过程,直到所有的个体都归为一类。
- **两阶段聚类** 两阶段聚类分析首先以距离为依据形成相应的聚类特征树结点构造聚类特征树,然后通过信息准则确定最优分组个数对各个结点进行分组。

聚类分析要求不同组间具有较大的差异,分析中个体的差异程度通常用距离来表示,下面介绍聚类分析中一些常用的距离及其定义方式。

1. 定距变量的常用距离

（1）欧式距离

欧式距离指两个体之间变量差值平方和的平方根,欧式距离的数学定义如公式（11-1）所示。

$$d_{xy} = \sqrt{\sum_{i=1}^{n}(x_i - y_i)^2} \tag{11-1}$$

（2）欧式距离平方和

欧式距离平方和指两个体之间变量差值的平方和，欧式距离平方和的数学定义如公式（11-2）所示。

$$d_{xy} = \sum_{i=1}^{n}(x_i - y_i)^2 \qquad (11\text{-}2)$$

（3）切贝谢夫距离

切贝谢夫距离指两个体之间的变量差值绝对值的最大值，切贝谢夫距离的数学定义如公式（11-3）所示。

$$d_{xy} = \max|x_i - y_i| \qquad (11\text{-}3)$$

（4）布洛克距离

布洛克距离指两个体之间的变量差值绝对值之和，布洛克距离的数学定义如公式（11-4）所示。

$$d_{xy} = \sum_{i=1}^{n}|x_i - y_i| \qquad (11\text{-}4)$$

（5）明考斯基距离

明考斯基距离指两个体之间的变量差值的k次方之和的k次方根，明考斯基距离的数学定义如公式（11-5）所示。

$$d_{xy} = \sqrt[k]{\sum_{i=1}^{n}(x_i - y_i)^k} \qquad (11\text{-}5)$$

（6）夹角余弦距离

夹角余弦距离的数学定义如公式（11-6）所示。

$$d_{xy} = \frac{\sum_{i=1}^{n}(x_i y_i)^2}{\sqrt{\sum_{i=1}^{n}(x_i)^2}\sqrt{\sum_{i=1}^{n}(y_i)^2}} \qquad (11\text{-}6)$$

（7）自定义距离

自定义距离指两个体之间的变量差值的p次方之和的q次方根（p、q由用户自行定义），自定义距离的数学定义如公式（11-7）所示。

$$d_{xy} = \sqrt[k]{\sum_{i=1}^{n}(x_i - y_i)^k} \qquad (11\text{-}7)$$

2. 定序变量的常用距离

（1）卡方距离

卡方距离的数学定义如公式（11-8）所示。

$$d_{xy} = \sqrt{\sum_{i=1}^{k} \frac{[x_i - E(x_i)]^2}{E(x_i)} + \sum_{i=1}^{k} \frac{[y_i - E(y_i)]^2}{E(y_i)}} \tag{11-8}$$

（2）Phi方距离

Phi方距离的数学定义如公式（11-9）所示。

$$d_{xy} = \sqrt{\frac{\sum_{i=1}^{k} \dfrac{[x_i - E(x_i)]^2}{E(x_i)} + \sum_{i=1}^{k} \dfrac{[y_i - E(y_i)]^2}{E(y_i)}}{n}} \tag{11-9}$$

3. 二值变量的常用距离

（1）简单相关系数

简单相关系数的定义如公式（11-10）所示。

$$p(x, y) = \frac{b+c}{a+b+c+d} \tag{11-10}$$

其中，两个体同时为0时的频数记作 d；两个体同时为1的频数记为 a；个体 x 为0、个体 y 为1的频数记为 c；个体 y 为0、个体 x 为1的频数记为 d。

（2）雅克比相关系数

雅克比相关系数的定义如公式（11-11）所示。

$$p(x, y) = \frac{b+c}{a+b+c+d} \tag{11-11}$$

其中，两个体同时为0时的频数记作 d；两个体同时为1的频数记为 a；个体 x 为0、个体 y 为1的频数记为 c；个体 y 为0。

11.2　快速聚类

快速聚类是在聚类个数已知的情况下，快速将个体分配到各类的的一种聚类方法。

11.2.1　快速聚类的基本原理

快速聚类又称K-均值聚类，它将数据看做K维空间上的点，以距离为标准进行聚类分析。快速聚类只能产生指定个数的分类，它以牺牲多个解为代价以获得较高的执行效率。SPSS的快速聚类过程适用于对大样本进行快速聚类，尤其是对形成的类的特征（各变量值范围）有了一定认识时，快速聚类不失为一种优良的方法。

快速聚类的思想是，首先选择k个观测量作为初始的聚类中心点，根据距离最小的原则将各个观测量分配到这k个类中；然后，将每一个类中的观测量计算变量均值，这k个均值又形成量新的k个聚类中心点。依次类推，不断进行迭代，直到收敛或达到分析者的要求为止。

11.2.2　快速聚类的 SPSS 操作

建立或打开相应数据文件后，可以在 SPSS Statistics 数据编辑器窗口进行快速聚类分析。

1）在菜单栏中依次选择"分析"|"分类"|"K-均值聚类"命令，打开如图11-1所示的"K均值聚类分析"对话框。

图 11-1　"K 均值聚类分析"对话框

2）选择变量。从源变量列表中选择参与聚类分析的目标变量，选入"变量"列表中；从源变量列表中选择属类变量，选入"个案标记依据"列表中，如图11-2所示。

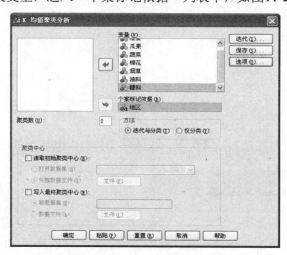

图 11-2　快速聚类的变量选择

3）设置相应选项

①"聚类数"输入框　该输入框用于设置聚类的数目，系统默认分为两类，用户可以在该输入框中输入自定义的聚类数目。

②"方法"选项组　该选项组用于设置聚类分析的方法，有两种方法可供选择："迭代与分类"，该方法在聚类过程中不断改变凝聚点；"分类"，该方法在聚类过程中始终使用初始凝聚点。

③"聚类中心"选项组　该选项组用于读取和写入初始聚类中心，用户可以从数据文件或外部数据集中读取初始聚类中心，也可以将聚类过程凝聚点的最终结果保存到数据文件中。

④"迭代"按钮　只有在"方法"选项组中选择"迭代与分类"单选按钮，该按钮才被激活。单击"迭代"按钮，弹出如图11-3所示的"K均值聚类分析：写入文件"对话框。

该对话框用于设置聚类分析中迭代的终止条件。

- "最大迭代次数"输入框中的数据表示迭代达到或超过该数值时，停止迭代过程；
- "收敛性标准"输入框中的数字表示凝聚点改变的最大距离小于初始聚心距离的比例，当距离小于比便的该数值时，停止迭代。
- 如勾选"使用运行均值"复选框，则表示每分配一个观测后，立刻计算新的凝聚点。

⑤"保存"按钮　单击"保存"按钮，弹出如图 11-4 所示的"K-Means 群集：保存新变量"对话框。

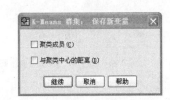

图 11-3　"K 均值聚类分析：写入文件"对话框　　图 11-4　"K-Means 群集：保存新变量"对话框

该对话框用于设置保存形式。如勾选"聚类成员"复选框，系统将保存观测的分类结果；如勾选"与聚类中心的距离"，系统会将各观测与所属类的聚类中心的欧氏距离作为一个新变量进行保存。

⑥"选项"按钮　单击"选项"按钮，弹出如图 11-5 所示的"K 均值聚类分析：选项"对话框。

- 统计量：该选项组用于设置输出的统计量，其包含"初始聚类中心"、"ANOVA表"和"每个个案的聚类信息"3个复选框，分别用于输出初始聚类中心、方差分析表和各观测的聚类信息。
- 缺失值：该选项组用于设置缺失值的处理方式，其包含两个单选项："按检验排除个案"，表示如果指定多个检验，将分别独立计算每个检验中的缺失值；"按列表排除个案"，表示从所有分析中排除任何变量具有缺失值的个案。

4）分析结果输出。设置完毕后，单击"确定"按钮，就可以在 SPSS Statistics 结果窗口得到快速聚类分析的结果。

图 11-5　"K 均值聚类分析：选项"对话框

11.2.3　实验操作

下面将以数据文件"11-1"为例，说明快速聚类分析的操作。

1. 实验数据描述

数据文件"11-1"的内容为我国31省市各类农产品种植面积数据，数据来自《中国农村统计年鉴》，利用快速聚类分析，分析我国不同省市之间农产品种植结构的差异与共性。数据文件的原始数据如图11-6所示。

	A	B	C	D	E	F	G	H
1	地区	粮食(万公顷)	瓜果(万公顷)	蔬菜(万公顷)	棉花(万公顷)	烟叶(万公顷)	油料(万公顷)	糖料(万公顷)
2	北京	66.6	2.6	24.7	0.6	0	2.2	0
3	天津	57.5	1.7	23.4	15.3	0	0.9	0
4	河北	70.6	1.2	12.8	7.1	0	6.1	0.2
5	山西	81.7	1	6.4	2.9	0.1	5.9	0.1
6	内蒙古	70.9	0.8	4	0	0.1	10.5	0.8
7	辽宁	83.8	0.9	9.5	0	0.3	4.2	0
8	吉林	86.8	1	4.3	0	0.5	5.8	0.1
9	黑龙江	86.2	1.2	3.2	0	0.3	4.1	1.1
10	上海	41.2	5.5	33.9	0.3	0	6	0.4
11	江苏	65.5	1.7	15.3	4.7	0	10.7	0
12	浙江	53.5	4	23.6	0.6	0.1	8.3	0.5
13	安徽	71	1.9	7.7	4.3	0.1	12.6	0.1

图 11-6　数据文件 11-1 原始数据

在SPSS的变量视图中，建立"地区"变量，表示各个省市，建立"粮食"、"瓜果"、"蔬菜"、"棉花"、"烟草"、"油料"和"糖料"变量，分别表示各种农作物的种植面积，如图11-7所示。

	名称	类型	宽度	小数	标签	值	缺失	列	对齐	度量标准
1	观点	数值(N)	8	2	疑点数	无	无	8	右(R)	度量(S)

图 11-7　数据文件 6-7 中变量的基本情况

在SPSS活动数据文件中的数据视图中，把相关数据输入到各个变量中，输入完毕如图11-8所示。

	地区	粮食	瓜果	蔬菜	棉花	烟草	油料	糖料	变量
1	北京	66.60	2.60	24.70	0.60	0.00	2.20	0.00	
2	天津	57.50	1.70	23.40	15.30	0.00	0.90	0.00	
3	河北	70.60	1.20	12.80	7.10	0.00	6.10	0.20	
4	山西	81.70	1.00	6.40	2.90	0.10	5.90	0.10	
5	内蒙古	70.90	0.80	4.00	0.00	0.10	10.50	0.80	
6	辽宁	83.80	0.90	9.50	0.00	0.30	4.20	0.00	
7	吉林	86.80	1.00	4.30	0.00	0.50	5.80	0.10	
8	黑龙江	86.20	1.20	3.20	0.00	0.30	4.10	1.10	
9	上海	41.20	5.50	33.90	0.30	0.00	6.00	0.40	
10	江苏	65.50	1.70	15.30	4.70	0.00	10.70	0.00	
11	浙江	53.50	4.00	23.60	0.60	0.10	8.30	0.50	
12	安徽	71.00	1.90	7.70	4.30	0.10	12.60	0.10	
13	福建	57.30	1.50	26.20	0.00	2.80	5.00	0.60	
14	江西	65.90	1.60	10.40	1.20	0.30	10.90	0.30	
15	山东	63.40	2.50	16.20	8.70	0.30	8.10	0.00	
16	河南	65.60	2.40	12.20	5.60	1.00	10.90	0.00	
17	湖北	55.30	1.30	13.80	5.50	0.80	18.40	0.10	
18	湖南	59.50	1.50	13.00	2.10	1.30	11.40	0.20	
19	广东	57.20	1.00	24.50	0.00	0.70	6.50	3.40	
20	广西	51.60	1.20	17.50	0.00	0.40	4.80	13.00	
21	海南	54.10	3.10	23.00	0.00	0.00	5.20	8.10	
22	重庆	71.60	0.50	12.00	0.00	1.40	7.40	0.10	
23	四川	68.10	0.50	12.20	0.30	0.90	11.10	0.30	
24	贵州	64.00	0.50	10.20	0.00	4.00	11.60	0.40	
25	云南	69.50	0.30	8.50	0.00	6.30	-3.70	4.70	

图 11-8 数据文件 11-1 的数据视图

2. 实验操作步骤

Step 01 在菜单栏中依次选择“分析”|“分类”|“K-均值聚类”命令，打开“K 均值聚类分析”对话框。

Step 02 从源变量列表中选择“粮食”、“瓜果”、“蔬菜”、“棉花”、“烟草”、“油料”和“糖料”变量，单击➡按钮将它们选入 “变量”列表中；从源变量列表中选择“地区”变量，将其选入“个案标记依据”列表中。

Step 03 在“聚类数”输入框中聚类的数目，本实验将变量分为四类。

Step 04 单击“选项”按钮，勾选“每个个案的聚类信息”复选框，单击“继续”。

Step 05 单击“确定”按钮，输出快速聚类分析的结果，如图 11-9~图 11-12 所示。

图 11-9 给出了每一次迭代的聚类中心内的更改情况。我们可以看出，经过两次迭代，聚类中心达到收敛。

迭代历史记录[a]

迭代	聚类中心内的更改			
	1	2	3	4
1	17.174	.000	15.933	15.290
2	.000	.000	.000	.000

a. 由于聚类中心内没有改动或改动较小而达到收敛。任何中心的最大绝对坐标更改为 .000。当前迭代为 2。初始中心间的最小距离为 40.912。

图 11-9 迭代历史记录

图11-10和图11-11给出了最终聚类的中心和最终聚类中心间的距离。

最终聚类中心

	聚类			
	1	2	3	4
粮食	54.88	39.20	57.98	72.88
瓜果	2.58	1.90	.85	1.33
烟草	.50	.00	1.53	.71
蔬菜	24.60	4.90	10.68	9.17
棉花	2.10	33.20	1.90	2.16
油料	4.86	4.00	18.50	8.04
糖料	3.25	2.50	.18	.44

图 11-10　最终聚类中心

最终聚类中心间的距离

聚类	1	2	3	4
1		40.038	20.075	24.123
2	40.038		39.807	46.238
3	20.075	39.807		18.302
4	24.123	46.238	18.302	

图 11-11　最终聚类中心间的距离

图11-12给出了每一个观测所属的类和每个聚类中的案例数。通过聚类分析我们可以看出，所有的观测按照与聚心的距离被分成了四类。

聚类成员

案例号	地区	聚类	距离
1	北京	1	12.555
2	天津	1	14.486
3	河北	4	6.867
4	山西	4	9.547
5	内蒙古	4	6.494
6	辽宁	4	11.799
7	吉林	4	15.078
8	黑龙江	4	15.290
9	上海	1	17.174
10	江苏	4	10.318
11	浙江	1	5.168
12	安徽	4	5.651
13	福建	1	5.132
14	江西	4	7.722
15	山东	4	13.561
16	河南	4	9.148
17	湖北	3	5.534
18	湖南	3	7.659
19	广东	1	3.879
20	广西	1	12.748
21	海南	1	5.633
22	重庆	4	3.997
23	四川	4	6.753
24	贵州	3	9.698
25	云南	4	9.264
26	西藏	4	3.808
27	陕西	4	5.109
28	甘肃	4	3.648
29	青海	3	15.933
30	宁夏	4	5.652
31	新疆	2	.000

每个聚类中的案例数

聚类	1	8.000
	2	1.000
	3	4.000
	4	18.000
有效		31.000
缺失		.000

图 11-12　聚类成员

通过聚类分析的结果可以看出，所有的省市被分成了四类，第一类的省市以蔬菜种植为主要特色，第二类的省市以棉花种植为主要特色，第三类省市以油料种植为主要特色，第四类省市没有明显的特色种植。同时，通过图11-12给出了各个省市所处的分组，通过聚类分析我们可以清楚地区分各个省市的农业种植结构差异。

11.3 分层聚类

分层聚类是应用最为广泛的一种聚类方式，其聚类过程是按照一定的层次进行的。

11.3.1 分层聚类的基本原理

分层聚类也称系统聚类。其主要思想是，首先将每一个个体看做一类，然后将相近程度最高的两类进行合并组成一个新类，再将该新类与相似度最高的类进行合并。不断重复此过程，直到所有的个体都归为一类。

正如样品之间的距离可以有不同的定义方法一样，类与类之间的距离也有各种定义。类与类之间用不同的方法定义距离，就产生了不同的系统聚类方法。本节介绍常用的八种系统聚类方法，即最短距离法、最长距离法、中间距离法、重心法、类平均法、可变类平均法、可变法、离差平方和法。

11.3.2 分层聚类的 SPSS 操作

建立或打开相应数据文件后，可以在 SPSS Statistics 数据编辑器窗口进行分层聚类分析。

1）在菜单栏中依次选择"分析"|"分类"|"系统聚类"命令，打开如图11-13所示的"系统聚类分析"对话框。

2）选择变量。从源变量列表中选择参与聚类分析的目标变量，将选中的变量选入"变量"列表中；从源变量列表中选择属类变量，将选中的变量选入"标注个案"列表中，如图11-14所示。

图 11-13　"系统聚类分析"对话框　　　　图 11-14　"系统聚类分析"对话框的变量选择

3）设置相应选项

①"分群"选项组　该选项组用于设置分层聚类的方法。如选择"个案"，则进行Q型聚类；如选择"变量"，则进行R型聚类。

②"输出"选项组　该选项组用于设置输出的内容。如果勾选"统计量"复选框，系统将输出相关的统计量；如果勾选"图"复选框，系统将输出聚类图形。

③"统计量"按钮　单击"统计量"按钮，弹出如图 11-15 所示的"系统聚类分析：统计

量"对话框。

- "合并进程表"复选框　勾选该复选框表示输出每一步聚类过程中被合并的类及类间距离。
- "相似性矩阵"复选框　勾选该复选框表示输出聚类中不同观测之间的距离矩阵。
- "聚类成员"选项组　该选项组用于设置聚类成员所属分类的输出。如选择"无"单选按钮，则表示不输出聚类成员所属的分类；如选择"单一方案"单选按钮，则当聚类数等于用户指定的数量时系统输出聚类成员所属的分类；如勾选"方案范围"对话框，则当聚类数位于用户指定的范围内时系统输出聚类成员所属的分类。

④"绘制"按钮　单击"统计量"按钮，弹出如图11-16所示的"系统聚类分析：图"对话框。

图11-15　"系统聚类分析：统计量"对话框　　　图11-16　"系统聚类分析：图"对话框

该对话框用于设置输出的聚类图形。

- "树状图"复选框　勾选该复选框表示输出聚类树状图，聚类树状图给出了类的合并与距离的相关信息。
- "冰柱"选项组　该选项组用于设置输出的冰柱图的相关参数。如勾选"所有聚类"复选框，输出的冰柱图将包括聚类过程中每一步的信息；如勾选"聚类的指定全距"复选框，系统输出的冰柱图则只包括用户指定范围的聚类数，用户可以在下方的输入框中输入聚类数的范围；如勾选"无"复选框，系统不输出冰柱图。

此外，用户还可以通过"方向"选项组来设置冰柱图的输出方向。

⑤"方法"按钮　单击"方法"按钮，弹出如图11-17所示的"系统聚类分析：方法"对话框。

图 11-17　"系统聚类分析：方法"对话框

该对话框用于设置聚类分析的相关方法。

- "聚类方法"下拉列表框　该下拉列表框中给出了聚类分析的不同方法，包括组间平均距离法、组内平均距离法、离差平方和法（Ward法）、最短距离法、最长距离法、重心法和中间距离法七种方法，用户可以根据数据的特征选择相应的方法。

- "度量标准"选项组　该选项组用于设置聚类分析中距离的计算方法，用户可以根据数据的类型选择相应的单选按钮。
  - ↳ "区间"单选按钮用于一般的等间隔测量变量，其后的下拉列表中提供了七种距离选项：欧式距离、欧式距离平方和、夹角余弦、切贝谢夫距离、明考斯基距离、绝对距离和皮尔逊相关性度量。除此之外，用户还可以利用"幂"和"根"输入框自定义距离。
  - ↳ "计数"单选按钮用于计数变量，其后的下拉列表中给出了两种度量距离方法的选项：卡方度量和Phi方度量。
  - ↳ "二分类"单选按钮用于二值变量，用户可以在"存在"和"不存在"输入框中输入二值变量的参数特征，并在下拉列表中选择相应的距离。

- "转换值"选项组　该选项组用于设置对数据进行标准化的方法，用户可以在"标准化"下拉列表中选择相应的标准化方法。此外用户还要根据进行的聚类类型选择"按照个案"和"按照样本"单选按钮，"按照个案"单选按钮用于R型聚类，"按照样本"按钮用于Q型聚类。

- "转换度量"选项组　该选项组用于设置将计算得到的距离进行转换的方法，如勾选"绝对值"复选框则表示取距离的绝对值，如勾选"更改符号"复选框则表示交换当前的距离大小排序，如勾选"重新标度的0-1全距"复选框则表示将距离差按比例缩放到0-1的范围内。

⑥"保存"按钮　单击"保存"按钮，弹出如图 11-18 所示的"系统聚类分析：保存"对话框。

图 11-18 "系统聚类分析：保存"对话框

该对话框主要用于聚类信息的保存设置。选择"无"，表示不保存聚类结果信息；选择"单一方案"，表示将某一步的聚类结果信息保存到新变量；选择"方案范围"则表示将一定聚类步数范围内的聚类结果信息保存到新变量。

4）分析结果输出。设置完毕后，单击"确定"按钮，就可以在SPSS Statistics结果窗口得到分层聚类分析的结果。

11.3.3 实验操作

下面仍以数据文件"11-1"为例，说明分层聚类分析分析的操作。

1. 实验数据描述

数据文件"11-1"已经在11.2.3节中进行了详细描述，在此不再赘述。

2. 实验操作步骤

Step 01 在菜单栏中依次选择"分析"|"分类"|"系统聚类"命令，弹出"系统聚类"对话框。

Step 02 从源变量列表中选择"粮食"、"瓜果"、"蔬菜"、"棉花"、"烟草"、"油料"和"糖料"变量，然后单击 ➡ 按钮将它们选入 "变量" 列表中；从源变量列表中选择"地区" 变量，然后单击 ➡ 按钮将其选入 "个案标记依据" 列表中。

Step 03 在"分群"选项组内选择"个案"单选按钮。

Step 04 单击"统计量"按钮，弹出 "系统聚类分析：图" 对话框，勾选"树状图"单选按钮。

Step 05 单击 "方法" 按钮，弹出 "系统聚类分析：方法" 对话框，在"聚类方法"下拉列表中选择"质心聚类法"。

Step 06 单击"确定"按钮，输出分层聚类分析的结果，如图 11-19 和图 11-20 所示。

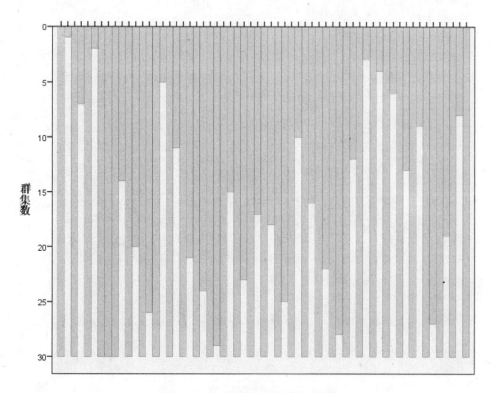

图 11-19　分层聚类分析的冰柱图

分层聚类分析的冰柱图给出了各类之间的距离,从最后一行向前我们可以依次看出不同的聚类数量下的分类方式。

＊＊＊＊＊＊　系统聚类分析＊＊＊＊＊＊

使用重心法绘制的树形图
聚类集团之间的距离

案例		0	5	10	15	20	25
标签	Num	+---------+---------+---------+---------+---------+				
吉林	7	-+					
黑龙江	8	-+-------+					
山西	4	-+					
陕西	27	-+					
辽宁	6	-+					

```
江西     14   -+          |
四川     23   -+          |
甘肃     28   -+          |
重庆     22   -+          |
内蒙古    5   -+      +-----+
宁夏     30   -+      |   |
西藏     26   -+      |   |
安徽     12   -+-+    |   |
湖南     18   -+|     |   |
贵州     24   -+|     |   |
江苏     10   -+ +---+ |   |
河南     16   -+|   || |
山东     15   -+|   +-+     |
河北      3   -+|   |   +---------+
云南     25   ---+  |   |       |
湖北     17   -------+  |       |
福建     13   -+        |       |
广东     19   -+        |       |
浙江     11   -+---+    |       +---------------------+
海南     21   -+   |    |       |                   |
北京      1   -----+-+  |       |                   |
广西     20   -----+ +---+ |     |                   |
天津      2   -------+  +---+   |                   |
上海      9   -----------+  |-       |                   |
青海     29   -------------------+   |                   |
新疆     31   ---------------------------------+
```

图 11-20　聚类分析树形图

聚类分析树形图给出了聚类每一次合并的情况，整个图如同一棵躺倒的树，树形图也因此得名。

结合聚类分析树形图，建议分为四类：福建、广东、浙江、海南、北京、广西、天津、上海八个省市归为一类，经济作物在其种植中占较大比例；新疆自治区归为一类，棉花的种植在其种植结构中占据了重要的比重；青海省归为一类，其种植特征不明显；其他省市归为一类，粮食作物在其种植结构中占统治地位。通过聚类分析我们可以清楚地区分各个省市的农业种植结构差异。

11.4　两阶段聚类分析

两阶段聚类方法可以揭示数据内部的自然分组，其运用信息准则确定最优的分组格式并依据距离形成聚类特征树进行分组。

11.4.1　两阶段聚类分析简介

两阶段聚类分析主要包括以下两步：首先以距离为依据形成相应的聚类特征树结点从而构造聚类特征树，然后通过信息准则确定最优分组个数对各个结点进行分组。两阶段聚类分析具有能够同时处理分类变量和连续变量、自动选择最优分类个数、大样本数据下表现优异的特点，在分析中具有广泛的应用。

11.4.2　两阶段聚类分析的 SPSS 操作

建立或打开相应数据文件后，可以在 SPSS Statistics 数据编辑器窗口进行两阶段聚类分析。

1）在菜单栏中依次选择"分析"|"分类"|"两步聚类"命令，打开如图11-21所示的"二阶聚类分析"对话框。

2）选择变量。从源变量列表中选择参与聚类分析的目标变量，将选中的变量选入"连续变量"列表中；从源变量列表中选择属类变量，将选中的变量选入"分类变量"列表中，如图11-22所示。

图 11-21　"二阶聚类分析"对话框　　　　图 11-22　二阶聚类分析的变量选择

3）设置相应选项

①"距离度量"选项组　该选项组用于设置距离的度量方法，如选择"对数相似值"单选按钮，系统使用对数似然距离；如选择"Euclidean"单选按钮，则使用欧式距离，欧式距离的选择必须以所有变量皆是连续变量为前提。

②"聚类数量"选项组　该选项组用于设置聚类的数量，如选择"自动确定"单选按钮，SPSS将自动选择最优的聚类数量，用户也可以选择"指定固定值"单选按钮自定义聚类的数量。

③"连续变量计数"栏　该栏显示对连续变量进行标准化处理的相关信息，对一个变量是否进行标准化处理的设置，本书会在后面做详细介绍。

④"聚类准则"选项组　该选项组用于设置确定最优聚类数量的准则，用户可以选择AIC或BIC准则。

⑤ "选项"按钮 单击"选项"按钮，弹出如图11-23所示的"二阶聚类：选项"对话框。

图11-23 "二阶聚类：选项"对话框

- "离群值处理"选项组 该选项组用于设置当聚类特征（CF）树填满的情况下对离群值的处理方式。如果勾选"使用噪声处理"复选框，系统会将离群值合并为一个单独的"噪声"叶，然后重新执行聚类特征（CF）树的生长过程。用户可以在百分比输入框中设定离群值的判定标准。

- "内存分配"选项组 该选项组用于设置聚类过程中所占用的最大内存数量，溢出的数据将调用硬盘作为缓存来进行储存。

- "连续变量的标准化"选项组 该选项组用于设置一个变量是否进行标准化处理。用户可以选择那些已经是或是假定为标准化的变量，单击 将其选入"假定已标准化的变量"列表框中，表示不再对它们进行标准化处理，以节省处理时间。

- "高级"按钮 单击该按钮会展开高级选项，主要用于设置聚类特征数的调整准则。

⑥ "绘图"按钮 单击"绘图"按钮，打开如图11-24所示的"二阶聚类：绘制"对话框。

- "聚类百分比图"复选框 勾选该复选框表示对分类变量和连续变量，分别输出其复合条形图和误差条形图。

- "聚类饼图"复选框 勾选该复选框表示输出表示每个聚类内观测值比重和观测值数量的饼图。

- "变量重要性绘制"选项组 该选项组用于设置输出按每个变量的重要性等级排序的相关图形。用户可以在"确定变量等级"选项组内设置变量重要性图的显示方式，此外用户还可以在"重要性度量"选项组内设置变量重要性的度量方式。

⑦ "输出"按钮 单击"输出"按钮，打开如图11-25所示的"二阶聚类：输出"对话框。该对话框用于设置两阶段聚类的输出选项。

- "统计量"选项组 该选项组用于设置输出的统计量，用户可以选择输出描述性统计量、观测数统计表和相应的信息准则。

- "工作数据文件"选项组 该选项组用于结果保存的设置，如勾选"创建聚类成员"复选框，聚类结果将作为变量保存。

- "XML文件"选项组 用户可以在通过设置该选项组，以XML文件的格式输出最终聚类模型和聚类特征（CF）树。

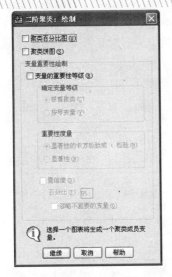

图 11-24 "二阶聚类：绘制"对话框　　图 11-25 "二阶聚类：输出"对话框

4）分析结果输出

设置完毕后，单击"确定"按钮，就可以在SPSS Statistics结果窗口得到分层聚类分析的结果。

11.4.3 实验操作

下面以数据文件"11-2"为例，说明两阶段聚类分析的操作。

1. 实验数据描述

数据文件11-2是某地水资源调查的结果，调查人员选取了14处饮水泉和15处饮水井，化验了水中钙、镁、铁、锰、铜的含量。本实验采用两阶段聚类方法，分析该地区水源的特征。实验的原始数据如图11-26所示。

	A	B	C	D	E	F	G
1	水源类型	钙（毫克）	镁（毫克）	铁（毫克）	锰（毫克）	铜（毫克）	
2	泉水	54.89	30.86	448.7	0.012	1.01	
3	泉水	72.49	42.61	467.3	0.008	1.64	
4	泉水	53.81	52.86	425.6	0.004	1.22	
5	泉水	64.74	39.18	469.8	0.005	1.22	
6	泉水	58.80	37.67	456.6	0.012	1.01	
7	泉水	43.67	26.18	395.8	0.001	0.59	
8	泉水	54.89	30.86	448.7	0.012	1.01	
9	泉水	86.12	43.79	440.1	0.017	1.77	
10	泉水	60.35	38.20	394.4	0.001	1.14	
11	泉水	54.04	34.23	405.6	0.008	1.30	
12	泉水	61.23	37.35	446.0	0.022	1.38	
13	泉水	60.17	33.67	383.2	0.001	0.91	
14	泉水	69.69	40.01	416.7	0.012	1.35	
15	泉水	72.28	40.12	430.8	0.000	1.20	
16	井水	55.13	33.02	445.8	0.012	0.92	
17	井水	70.08	36.81	409.8	0.012	1.19	
18	井水	63.05	35.07	384.1	0.000	0.85	

图 11-26 数据文件 11-2 原始数据

在SPSS的变量视图中，建立"水源类型"变量，表示取水来源的类型，建立"钙"、"镁"、"铁"、"锰"和"铜"变量，表示各种元素的含量，其中"水源类型"变量分别用"1、2"代表"泉水、井水"，如图11-27所示。

	名称	类型	宽度	小数	标签	值	缺失	列	对齐	度量标准
1	水源类型	数值(N)	11	0	水源类型	{1, 泉水}...	无	11	右(R)	名义
2	钙	数值(N)	11	2	钙	无	无	11	右(R)	度量(S)
3	镁	数值(N)	11	2	镁	无	无	11	右(R)	度量(S)
4	铁	数值(N)	11	1	铁	无	无	11	右(R)	度量(S)
5	锰	数值(N)	11	3	锰	无	无	11	右(R)	度量(S)
6	铜	数值(N)	11	2	铜	无	无	11	右(R)	度量(S)

图 11-27　数据文件 11-2 的变量视图

在SPSS活动数据文件中的数据视图中，把相关数据输入到各个变量中，输入完毕如图11-28所示。

	水源类型	钙	镁	铁	锰	铜
1	1	54.89	30.86	448.7	0.012	1.01
2	1	72.49	42.61	467.3	0.008	1.64
3	1	53.81	52.86	425.6	0.004	1.22
4	1	64.74	39.18	469.8	0.005	1.22
5	1	58.80	37.67	456.6	0.012	1.01
6	1	43.67	26.18	395.8	0.001	0.59
7	1	54.89	30.86	448.7	0.012	1.01
8	1	86.12	43.79	440.1	0.017	1.77
9	1	60.35	38.20	394.4	0.001	1.14
10	1	54.04	34.23	405.6	0.008	1.30
11	1	61.23	37.35	446.0	0.022	1.38
12	1	60.17	33.67	383.2	0.001	0.91
13	1	69.69	40.01	416.7	0.012	1.35
14	1	72.28	40.12	430.8	0.000	1.20
15	2	55.13	33.02	445.8	0.012	0.92
16	2	70.08	36.81	409.8	0.012	1.19
17	2	63.05	35.07	384.1	0.000	0.85
18	2	48.75	30.53	342.9	0.018	0.92
19	2	52.28	27.14	326.3	0.004	0.82
20	2	52.21	36.18	388.5	0.024	1.02

图 11-28　数据文件 11-2 的数据视图

2．实验操作步骤

Step 01　在菜单栏中依次选择"分析"|"分类"|"两步聚类"命令，"二阶聚类分析"对话框。

Step 02　从源变量列表中选择"钙"、"镁"、"铁"、"锰"和"铜"变量，单击➡按钮将它们选入"连续变量"列表中；从源变量列表中选择"水源类型"变量，选入"分类变量"列表中。

Step 03　单击"绘图"按钮，打开"二阶聚类：绘制"对话框，勾选"聚类饼图"复选框，单击"继续"按钮。

Step 04　单击"输出"按钮，打开"二阶聚类：输出"对话框，勾选"信息准则"复选框，单击"继续"按钮。

Step 05　单击"确定"按钮，输出两阶段聚类分析的结果，如图 11-29~图 11-32 所示。

3．实验结果分析

图11-29给出了BIC信息准则的数据。通过结合BIC变化的比率和距离度量的比率分析，我

们可以看出，分为两类是较为理想的聚类数目。

图11-30给出了聚类各组的频数分布和已被排除的异常值的相关信息。

自动聚类

聚类数	Schwarz的Bayesian准则(BIC)	BIC 变化[a]	BIC 变化的比率[b]	距离度量的比率[c]
1	175.193			
2	149.834	-25.359	1.000	4.905
3	174.153	24.319	-.959	1.023
4	198.758	24.605	-.970	1.796
5	228.873	30.115	-1.188	1.221
6	260.240	31.367	-1.237	1.069
7	291.974	31.734	-1.251	1.172
8	324.488	32.514	-1.282	1.083
9	357.348	32.860	-1.296	1.047
10	390.396	33.048	-1.303	1.574
11	424.900	34.503	-1.361	1.037
12	459.495	34.595	-1.364	1.060
13	494.229	34.734	-1.370	1.090
14	529.153	34.924	-1.377	1.642
15	564.904	35.751	-1.410	1.011

a. 变化是相对于表中先前的聚类个数而言。
b. 变化的比率与两个聚类解的变化相关。
c. 距离度量的比率以当前聚类的个数为基础而不是先前的聚类个数为基础。

图 11-29 信息准则输出

聚类分布

		N	组合 %	总计 %
聚类	1	14	48.3%	46.7%
	2	15	51.7%	50.0%
	组合	29	100.0%	96.7%
已排除的案例		1		3.3%
总计		30		100.0%

图 11-30 聚类分布

图11-31给出了连续变量的均值与方差等统计量与分类变量的频数分布。

质心

		钙		镁		铁		锰		铜	
		均值	标准差	均值	标准差	均值	标准差	均值	标准差	均值	标准差
聚类	1	61.9407	10.55579	37.6850	6.55942	430.662	27.9462	.00821	.006658	1.1970	.29678
	2	57.6787	8.35005	30.9407	3.30722	334.671	52.1512	.01620	.017769	1.0151	.19277
	组合	59.7362	9.55471	34.1966	6.09990	381.012	64.0739	.01234	.013962	1.1029	.26083

水源类型

		泉水		井水	
		频率	百分比	频率	百分比
聚类	1	14	100.0%	0	.0%
	2	0	.0%	15	100.0%
	组合	14	100.0%	15	100.0%

图 11-31 聚类分布输出

图11-32给出了类别的频数统计饼图，从该图我们可以直观地看出各分类所占的比重。

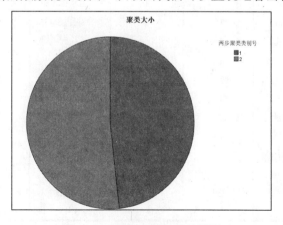

图 11-32 类别的频数统计饼图

通过聚类分析我们可以看出，该地区的水源按照元素含量主要可以分为两大类型，第二类水源的各种元素的含量均低于第一类。通过聚类分析输出可以看出，泉水全部属于第一类，井水全部属于第二类，由此可以见，水中微量元素的差异主要与水源类型有关。

上机题

	光盘：\多媒体文件\上机题教学视频\chap11.wmv
	光盘：\源文件\上机题\chap11\...

11.1 为了更深入了解我国人口的文化程度状况，现采集2000年全国人口普查数据对全国30个省、直辖市、自治区的人口文化程度的数据。观测选用了三个指标：（1）大学以上文化程度的人口占全部人口的比例（DXBZ），(2)初中文化程度的人口占全部人口的比例（CZBZ），（3）文盲半文盲人口占全部人口的比例（WMBZ），分别用来反映较高、中等、较低文化程度人口的状况，观测数据如下表所示。

地区	序号	DXBZ（%）	CZBZ（%）	WMBZ(%)
北　京	1	9.3	30.55	8.7
天　津	2	4.7	29.38	8.9
河　北	3	1	24.69	15.2
山　西	4	1.4	29.24	11.3
内　蒙	5	1.5	25.47	15.4
辽　宁	6	2.6	32.32	8.8
吉　林	7	2.2	26.31	10.5
黑龙江	8	2.1	28.46	10.9
上　海	9	6.5	31.59	11
江　苏	10	1.5	26.43	17.2
浙　江	11	1.2	23.74	17.5
安　徽	12	0.9	19.97	24.4
福　建	13	1.2	16.87	15.6
江　西	14	1	18.84	16.2
山　东	15	1	25.18	16.9
河　南	16	0.9	26.55	16.2
河　北	17	1.6	23.16	15.8
湖　南	18	1.1	22.57	12.1
广　东	19	1.3	23.04	10.5
广　西	20	0.8	19.14	10.6
海　南	21	1.2	22.53	14
四　川	22	1	21.65	16.2
贵　州	23	0.8	14.65	24.3
云　南	24	0.8	13.85	25.4
西　藏	25	0.6	3.85	44.4

（续表）

地区	序号	DXBZ（%）	CZBZ（%）	WMBZ(%)
陕　西	26	1.7	24.36	17.6
甘　肃	27	1.1	16.85	27.9
青　海	28	1.5	17.76	27.7
宁　夏	29	1.6	20.27	22.1
新　疆	30	1.9	20.66	12.8

为了科学评价各地区人口文化状况，以便为教育文化投资的流向和政策的制定提供合理的依据，我们需要对各省区进行分类，试采用系统聚类法对我国人口文化状况进行聚类分析。

11.2 某地教育部门对十五所中学的师资力量、硬件条件和生源质量进行了调查，并给出了相应的得分，数据如下表所示。

师资力量得分	硬件条件得分	生源情况得分	序号
98.82	85.49	93.18	1
85.37	79.1	99.65	2
89.64	80.64	96.94	3
73.08	86.82	98.7	4
78.73	80.44	97.61	5
103.44	80.4	93.75	6
91.99	80.77	93.93	7
87.5	82.5	84.1	8
81.82	88.45	97.9	9
73.13	82.94	92.12	10
86.19	83.55	93.9	11
72.48	78.12	72.38	12
58.81	86.2	83.46	13
72.48	84.87	84.09	14
90.56	82.07	87.15	15

该地教育局希望推动不同层次的学校之间教师的交流，我们希望对十五所学校进行分类，确定其所属的层次，试用分层聚类方法，对这十五所中学进行分类。

11.3 某整形医院外科收集了300例耳缺损病例的外形测量数据，部分数据如下表所示。

耳廓（毫米）	耳蜗（毫米）	耳垂（毫米）
6.6	3.5	1.9
5.9	3	2.1
6	3.4	2.1
6.6	3	2.1
6.6	3.2	2.2
5.5	3	1.8
5.7	3	1.8

(续表)

耳廓（毫米）	耳蜗（毫米）	耳垂（毫米）
6	3.4	1.7
5.9	3.1	2.1
6.5	3.5	2.2
5.8	3.2	1.7
5.7	2.8	2
5.5	3	2
7.6	3.5	2.1
6.7	3.2	2.1
6.2	3.4	2.5
6.2	3	2
6.6	3.2	2.2
5.4	3.1	1.5
6.9	3	2
5.9	2.9	1.8
7.1	3.2	1.7
7.3	3.8	2.2
6.2	3.4	1.6
5.1	2.7	1.8
5.6	2.9	1.7
6.2	2.8	1.5
7.4	3	2.6
6.3	2.6	1.9

试根据这些数据生成4类标准耳型以便用于整形分析（数据源于《医学统计学与电脑实验》方积乾主编）。

第 12 章　判别分析

判别分析是在分类数目已知的情况下,根据已经确定分类的对象的某些观测指标和所属类别来判断未知对象所属类别的一种统计学方法。与聚类分析有所不同的是:判别分析法首先需要对所研究对象进行分类,进一步选择若干对观测对象能够较全面地描述的变量,然后按照一定的判别准则,建立一个或多个判别函数,用研究对象的大量资料确定判别函数中的待定系数,并计算判别指标。对一个未确定类别的个案只要将其代入判别函数就可以判断它属于哪一类总体。

12.1　一般判别分析

与聚类分析不同,判别分析是在分组已知的前提下,根据相应的指标对不知类别的观测量进行分类。

12.1.1　一般判别分析简介

一般判别分析是在已知分类的前提下,对未知分类的观测量归入已有分类的一种多元统计分析方法。判别分析法的思路如下:首先,建立判别函数;然后并通过已知所属分类的观测量确定判别函数中的待定系数;最后并通过该判别函数对未知分类的观测量进行归类。常用的判别分析方法有距离判别法、费舍尔判别法和贝叶斯判别法。

费舍尔判别法利用投影的方法使多维问题简化为一维问题来处理。其通过建立线性判别函数计算出各个观测量在各典型变量维度上的坐标并得出样本距离各个类中心的距离,以此作为分类依据。

贝叶斯判别法通过计算待判定样品属于每个总体的条件概率并将样本归为条件概率最大的组。其主要思想如下:首先利用样本所属分类的先验概率通过贝叶斯法则求出样本所属分类后验概率,并依据该后验概率分布作出统计推断。

距离判别思想是根据各样品与各母体之间的距离远近作出判别的。其通过建立关于各母体的距离判别函数式,得出各样品与各母体之间的距离值,判样品属于距离值最小的那个母体。

12.1.2　一般判别分析的 SPSS 操作

打开相应的数据文件或者建立一个数据文件后,可以在 SPSS Statistics 数据编辑器窗口进行一般判别分析。

1)在菜单栏中选择"分析"|"分类"|"判别"命令,打开如图12-1所示的"判别分析"对话框。

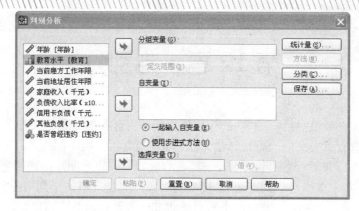

图 12-1   "判别分析"对话框

2）选择变量。从源变量列表中选择参与判别分析的目标变量，然后单击 按钮将选中的变量选入"自变量"列表中；从源变量列表中选择分类变量，然后单击 按钮将选中的变量选入"分组变量"列表中；对于选入"选择变量"列表的变量，用户可以在单击"值"按钮输入相应的数值，系统将只对含有此观测值的变量进行分析，如图12-2所示。

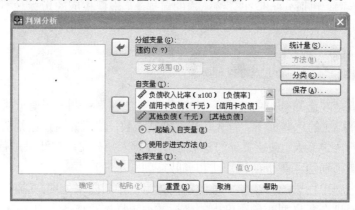

图 12-2   "判别分析"对话框的变量选择

用户自变量列表框下的"一起输入自变量"和"使用步进式方法"两个单选按钮用来决定判别分析的类型，如使用一般判别分析，则选择"一起输入自变量"单选按钮。

3）设置相应选项

①"定义范围"按钮   当分类变量选择完毕后，该按钮被激活。单击"定义范围"按钮，弹出如图12-3所示的"判别分析：定义范围"对话框。

该对话框用于确定分类变量的范围，用户需要在"最小值"和"最大"输入框中输入相应的范围。

②"统计量"按钮   单击"统计量"按钮，弹出如图12-4所示的"判别分析：统计量"对话框。

图12-3 "判别分析：定义范围"对话框　　　　图12-4 "判别分析：统计量"对话框

- "描述性"选项组　该选项组用于进行描述性统计量的输出设置，如勾选"均值"复选框，系统将输出各变量的均值与方差；如勾选"单变量ANOVA"复选框，系统将输出单变量方差分析的结果；如果勾选"Box's M"复选框，系统将输出对组协方差矩阵的等同性检验的检验结果。

- "函数系数"选项组　该选项组用于设置判别函数系数的输出。如勾选"Fisher"选项，系统将输出分类的 Fisher 分类函数系数；如勾选"未标准化"系统将输出未经标准化处理的判别函数系数。

- "矩阵"选项组　该选项组用于设置自变量系数矩阵的输出，用户可以选择相应的复选框以输出组内相关矩阵、组内协方差矩阵、分组协方差矩阵和总体协方差矩阵。

③"方法"按钮　只有选择"使用步进式方法"单选按钮进行逐步判别分析时，该按钮才被激活，故本书此处对该按钮功能不作相关介绍。

④"分类"按钮　单击"分类"按钮，弹出如图12-5所示的"判别分析：分类"对话框。

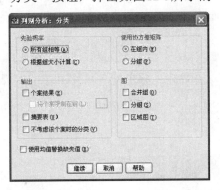

图12-5 "判别分析：分类"对话框

- "先验概率"选项组　该选项组用于设置各组的先验概率。如选择"所有组相等"单选按钮，则表示各组的先验概率相等；如勾选"根据组大小计算"则表示各组先验概率与各组的样本容量成正比。

- "输出"选项组　该选项组用于设置输出的内容。如勾选"个案结果"复选框，则表示输出每个观测的预测组、实际组、后验概率和判别得分；如勾选"摘要表"复选框，则表示输出正确分类与错误分类观测数以及错分率；如勾选"不考虑该个案时的分类"复选框，则表示对每个观测使用由除去该观测的其他所有的观测生成的判别函数来进行分类。

- "使用协方差矩阵"选项组　该选项组用于设置分类时使用的协方差矩阵。用户可以选择使用组内协方差矩阵或分组协方差矩阵进行分类。
- "图"选项组　该选项组用于设置输出的统计图形。如勾选"合并组"复选框，表示根据前两个判别函数的函数值生成一张包含各类的散点图；如勾选"分组"复选框，则表示根据前两个判别函数的函数值对每一类分别生成一张散点图；如勾选"区域图"复选框，则表示生成一张根据判别函数函数值将观测量分到相应分组的边界图。
- "使用均值替代缺失值"复选框　该复选框用于设置缺失值的处理方式。如勾选该复选框，则表示使用变量的均值替代该变量的缺失值。

⑤ "保存"按钮　单击"保存"按钮，弹出如图 12-6 所示的"判别分析：保存"对话框。

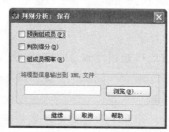

图 12-6　"判别分析：保存"对话框

- "预测组成员"复选框　勾选该选框表示将依据判别函数值预测的某一观测所属的分类信息作为一个新变量保存。
- "判别得分"复选框　勾选该复选框表示将判别得分作为新变量保存。
- "组成员概率"复选框　勾选该复选框表示将观测属于某一组的概率作为新变量保存。
- "将模型信息输出到XML文件"输入框　该输入框用于将模型信息输出到指定的XML文件。用户可以在该输入框中输入该XML文件的路径。

4）分析结果输出。设置完毕后，单击"确定"按钮，就可以在 SPSS Statistics 结果窗口得到一般判别分析的结果。

12.1.3　实验操作

下面以数据文件"12-1"为例，说明一般判别分析的操作。

1. 实验数据描述

数据文件12-1来源于SPSS自带的数据文件"Bank_loan"，该数据文件记录了850位过去和潜在客户的财务和人口统计信息。前 700 个个案是以前曾获得贷款的客户。剩下的 150 个个案是潜在客户，获贷款的客户被分为履约和违约两类，本实验将判别分析方法来分析潜在客户的贷款风险。本数据文件的原始EXCEL数据文件如图12-7所示。

图 12-7 数据文件 12-1 原始数据

首先在SPSS变量视图中建立变量"年龄"、"教育"、"工龄"、"地址"、"收入"、"负债率"、"信用卡负债"、"其他负债"和"违约",分别用来表示客户年龄、受教育程度、工龄、现地址居住时间、收入、负债率、信用卡负债、其他负债和是否曾违约。其中,"受教育程度"变量中使用数值"1、2、3、4、5"分别表示"未完成高中"、"高中"、"大专""大学"和"研究生","违约"变量用"1、0"分别表示"曾违约"和"未曾违约",如图12-8所示。

图 12-8 数据文件 12-1 的变量视图

然后在SPSS活动数据文件的数据视图中,把相关数据输入到各个变量中,输入完毕后如图12-9所示。

	年龄	教育	工龄	地址	收入	负债率	信用卡负债	其他负债	违约
1	41	3	17	12	176.00	9.30	11.36	5.01	1
2	27	1	10	6	31.00	17.30	1.36	4.00	0
3	40	1	15	14	55.00	5.50	0.86	2.17	0
4	41	1	15	14	120.00	2.90	2.66	0.82	0
5	24	2	2	0	28.00	17.30	1.79	3.06	1
6	41	2	5	5	25.00	10.20	0.39	2.16	0
7	39	1	20	9	67.00	30.60	3.83	16.67	0
8	43	1	12	11	38.00	3.60	0.13	1.24	0
9	24	1	3	4	19.00	24.40	1.36	3.28	1
10	36	1	0	13	25.00	19.70	2.78	2.15	0
11	27	1	0	1	16.00	1.70	0.18	0.09	0
12	25	1	4	0	23.00	5.20	0.25	0.94	0
13	52	1	24	14	64.00	10.00	3.93	2.47	0
14	37	1	6	9	29.00	16.30	1.72	3.01	0
15	48	1	22	15	100.00	9.10	3.70	5.40	0
16	36	2	9	6	49.00	8.60	0.82	3.40	1
17	36	2	13	6	41.00	16.40	2.92	3.81	1
18	43	1	23	19	72.00	7.60	1.18	4.29	0
19	39	1	6	9	61.00	5.70	0.56	2.91	0
20	41	3	0	21	26.00	1.70	0.10	0.34	0
21	39	1	22	3	52.00	3.20	1.15	0.51	0
22	47	1	17	21	43.00	5.60	0.59	1.82	0

图 12-9 数据文件 12-1 的数据视图

2. 实验操作步骤

实验的具体操作步骤如下：

Step 01 在菜单栏中依次选择"分析"|"分类"|"判别"命令，打开"判别分析"对话框。

Step 02 从源变量列表中选择"年龄"、"教育"、"工龄"、"地址"、"收入"、"负债率"、"信用卡负债"和"其他负债"变量，单击 按钮将它们选入"自变量"列表中；从源变量列表中选择"违约"变量，将其选入"分组变量"列表中。

Step 03 单击"定义范围"按钮，弹出"判别分析：定义范围"对话框，在该对话框中输入违约变量的取值范围 0~1，单击"继续"按钮。

Step 04 单击"统计量"按钮，弹出"判别分析：统计量"对话框，勾选"均值"复选框，单击"继续"按钮。

Step 05 单击"分类"按钮，弹出"判别分析：分类"对话框，勾选"区域图"复选框，单击"继续"按钮。

Step 06 单击"保存"按钮，弹出"判别分析：保存"对话框，勾选"预测组成员"复选框，单击"继续"按钮。

Step 07 单击"确定"按钮，便可以得到一般判别分析的结果。

3. 实验结果及分析

单击"确定"按钮后，在SPSS Statistics查看器窗口的输出结果如图12-10~图12-16所示。

图12-10给出了样本数量、有效值和剔除值的相关信息。

图12-11给出了各组和所有观测的均值、标准差和加权与未加权的有效值。

分析案例处理摘要

未加权案例		N	百分比
有效		700	82.4
排除的	缺失或越界组代码	150	17.6
	至少一个缺失判别变量	0	.0
	缺失或越界组代码还有至少一个缺失判别变量	0	.0
	合计	150	17.6
合计		850	100.0

图12-10　个案综合处理摘要表

组统计量

是否曾经违约		均值	标准差	有效的 N（列表状态）	
				未加权的	已加权的
否	年龄（岁）	35.5145	7.70774	517	517.000
	当前雇方工作年限（年）	9.5087	6.66374	517	517.000
	教育水平	1.6596	.90443	517	517.000
	当前地址居住年限（年）	8.9458	7.00062	517	517.000
	其他负债（千元）	2.7734	2.81394	517	517.000
	信用卡负债（千元）	1.2455	1.42231	517	517.000
	负债收入比率（x100）	8.6793	5.61520	517	517.000
	家庭收入（千元）	47.1547	34.22015	517	517.000
是	年龄（岁）	33.0109	8.51759	183	183.000
	当前雇方工作年限（年）	5.2240	5.54295	183	183.000
	教育水平	1.9016	.97279	183	183.000
	当前地址居住年限（年）	6.3934	5.92521	183	183.000
	其他负债（千元）	3.8628	4.26368	183	183.000
	信用卡负债（千元）	2.4239	3.23252	183	183.000
	负债收入比率（x100）	14.7279	7.90280	183	183.000
	家庭收入（千元）	41.2131	43.11553	183	183.000
合计	年龄（岁）	34.8600	7.99734	700	700.000
	当前雇方工作年限（年）	8.3886	6.65804	700	700.000
	教育水平	1.7229	.92821	700	700.000
	当前地址居住年限（年）	8.2786	6.82488	700	700.000
	其他负债（千元）	3.0582	3.28755	700	700.000
	信用卡负债（千元）	1.5536	2.11720	700	700.000
	负债收入比率（x100）	10.2606	6.82723	700	700.000
	家庭收入（千元）	45.6014	36.81423	700	700.000

图12-11　组统计量

图12-12给出了Wilks的Lambda检验的结果。从检验结果可以看出，引入的变量对提高分类精度是有作用的。

特征值

函数	特征值	方差的 %	累积 %	正则相关性
1	.405[a]	100.0	100.0	.537
a. 分析中使用了前 1 个典型判别式函数。				

Wilks 的 Lambda

函数检验	Wilks 的 Lambda	卡方	df	Sig.
1	.712	236.117	8	.000

图 12-12　判别分析的运行记录

图12-13给出了判别函数的系数与结构矩阵，我们可以看出，所有变量均在判别分析中使用。

标准化的典型判别式函数系数

	函数
	1
年龄（岁）	.122
当前雇方工作年限（年）	-.794
教育水平	.072
当前地址居住年限（年）	-.313
其他负债（千元）	-.186
信用卡负债（千元）	.568
负债收入比率（x100）	.604
家庭收入（千元）	.179

结构矩阵

	函数
	1
负债收入比率（x100）	.664
当前雇方工作年限（年）	-.463
信用卡负债（千元）	.397
当前地址居住年限（年）	-.262
其他负债（千元）	.231
年龄（岁）	-.218
教育水平	.181
家庭收入（千元）	-.112

判别变量和标准化典型判别式函数之间的汇聚组间相关性
按函数内相关性的绝对大小排序的变量。

图 12-13 判别函数系数与结构矩阵

图12-14给出了组重心处的判别函数值。图12-15给出了两个组的先验概率。

组质心处的函数

是否曾经违约	函数
	1
否	-.378
是	1.068

在组均值处评估的非标准化典型判别式函数

图 12-14 组重心处函数值

组的先验概率

是否曾经违约	先验	用于分析的案例	
		未加权的	已加权的
否	.500	517	517.000
是	.500	183	183.000
合计	1.000	700	700.000

图 12-15 组的先验概率

预测的分组结果作为新的变量被保存，从中我们可以看出这150位潜在客户所处的信用等级分组，并可以看出SPSS对未分类观测进行的分类，分类被保存在"Dis_1"变量中，"1"表示违约，"0"表示履约，这与我们在建立变量时的设置是一致的，如图12-16所示。

	年龄	教育	工龄	地址	收入	负债率	信用卡负债	其他负债	违约	Dis_1
705	29	1	4	0	24.00	7.80	0.87	1.01	.	1
706	25	2	1	3	14.00	9.90	0.23	1.15	.	1
707	34	1	4	3	28.00	9.40	1.06	1.57	.	1
708	50	1	30	8	150.00	32.50	13.55	35.20	.	1
709	27	1	5	5	26.00	1.20	0.13	0.18	.	0
710	31	4	7	12	97.00	6.00	1.83	3.99	.	0
711	45	1	8	25	27.00	2.60	0.42	0.29	.	0
712	35	1	10	8	28.00	1.30	0.11	0.25	.	0
713	47	2	27	7	107.00	6.10	1.64	4.89	.	0
714	50	3	25	7	94.00	5.30	1.73	3.25	.	0
715	37	2	15	11	108.00	11.80	5.25	7.49	.	0
716	46	1	7	6	41.00	23.40	0.59	9.01	.	1
717	26	4	1	5	92.00	13.00	6.51	5.45	.	1
718	33	1	16	12	46.00	8.10	2.40	1.33	.	0
719	43	1	8	0	32.00	19.00	1.23	4.85	.	1

图 12-16 对未分类观测进行的分组

12.2 逐步判别分析

逐步判别分析是在分析之前对自变量进行一次相应筛选的判别分析方法。

12.2.1 逐步判别分析简介

逐步判别分析分为两步，首先根据自变量和因变量的相关性对自变量进行筛选，然后使用选定的变量进行判别分析。逐步判别分析是在判别分析的基础上采用有进有出的办法，把判别能力强的变量引入判别式的同时，将判别能力最差的变量剔除。最终在判别式中只保留数量不多而判别能力强的变量。

12.2.2 逐步判别分析的 SPSS 操作

打开相应的数据文件或者建立一个数据文件后，可以在 SPSS Statistics 数据编辑器窗口进行一般判别分析。

1）在菜单栏中选择"分析"|"分类"|"判别"命令，打开如图12-17所示的"判别分析"对话框。

图 12-17 "判别分析"对话框。

2）选择变量。从源变量列表中选择参与判别分析的目标变量，然后单击 按钮将选中的变量选入 "自变量"列表中；从源变量列表中选择分类变量，然后单击 按钮将选中的变量选入 "分类变量"列表中选择"使用步进式方法"，以使用逐步判别分析，如图12-18所示。

图 12-18 选择使用逐步判别分析方法

3）进行相应的设置

定义范围

当分类变量选择完毕后，"定义范围"按钮被激活。单击该按钮，弹出"判别分析：定义范围"对话框，该对话框的用途与设置方法与一般判别分析相同，读者可以参考12.1.2节，本书在此不再赘述。

"统计量"设置

单击"统计量"按钮，弹出"判别分析：统计量"对话框，该对话框的用途与设置方法与一般判别分析相同，读者可以参考12.1.2节，本书在此不再赘述。

"方法"设置

单击"方法"按钮，弹出如图12-19所示的"判别分析：步进法"对话框。对话框中包含3个选项组。

图12-19 "判别分析：步进法"对话框

①"方法"选项组   该选项用于设置判别分析时对变量分类所使用的方法。

- Wilks' lambda：表示输入使总体的Wilks' lambda统计量最小的变量。
- 未解释方差：表示输入使组间未解释变动的总和最小的变量。
- Mahalanobis 距离：表示输入使最靠近的两类间的Mahalanobis 距离最大的变量。
- 最小 F 值：表示输入能使任何两类间的最小F值最大的变量。
- Rao's V：表示输入使 Rao's V 增加最大的变量。

②"标准"选项组   该选项组用于设置保留或剔除变量的准则。

- 使用F值：如选择该单选按钮，系统使用F值作为保留或剔除变量的标准。当F值大于进入值时，变量就会进入模型，当F值小于删除值时，该变量就会被删除，用户可以通过"进入"和"删除"输入框设置相应的标准。
- 使用F的概率：选择此项系统将使用F值的概率作为保留或剔除变量的标准。

③"输出"选项组   该选项组用于设置输出内容。如勾选"步进摘要"复选框，系统将输出逐步判别中每一步的相应统计量；如勾选"两两组间距离的 F 值"选项，系统将输出每两类别间的 F 比率矩阵。

"分类"设置

单击"分类"按钮,弹出"判别分析:分类"对话框,该对话框的用途与设置方法与一般判别分析相同,读者可以参考12.1.2节,本书在此不再赘述。

"保存"设置

单击"保存"按钮,弹出判别分析:保存对话框,该对话框的用途与设置方法与一般判别分析相同,读者可以参考12.1.2节,本书在此不再赘述。

4)分析结果输出

设置完毕后,单击"确定"按钮,就可以在SPSS Statistics结果窗口得到一般判别分析的结果。

12.2.3 实验操作

下面以数据文件"12-2"为例,说明逐步判别分析的操作。

1.实验数据描述

数据文件12-2来源于北京大学出版社出版的《应用多元统计分析》(高惠璇,2005),该数据文件记录了21家上市公司的财务数据,这21家公司被分为投资价值高、投资价值中等和投资价值低三类,本实验将利用判别分析方法对公司的投资价值进行分析。本数据文件的原始EXCEL数据文件如图12-20所示。

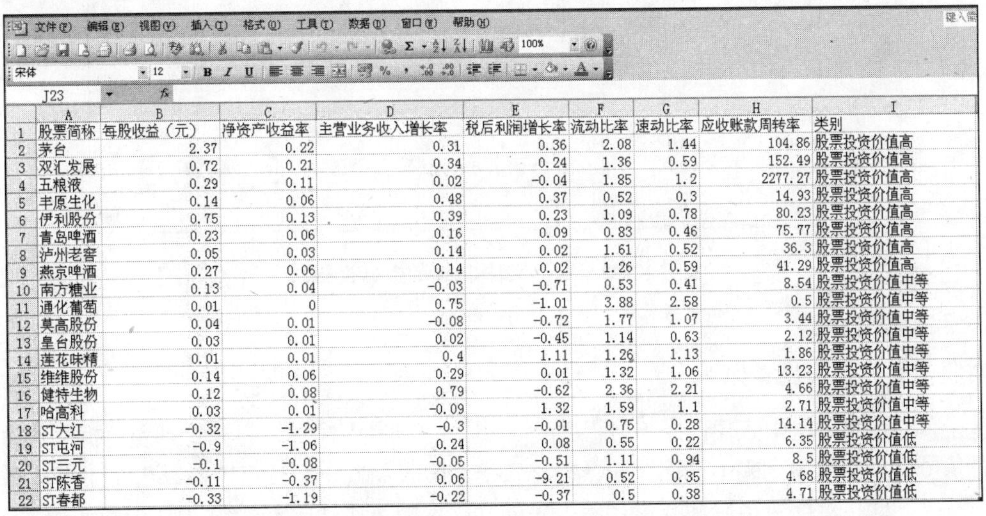

图12-20 数据文件12-2原始数据

首先在SPSS变量视图中建立变量"股票简称"、"每股收益"、"净资产收益率"、"主营业务收入增长率"、"税后利润增长率"、"流动比率"、"速动比率"、"应收账款周转率"和"类别",分别用来表示公司及其财务状况和投资价值分类,如图12-21所示。其中,"类别"变量中使用数值"1、2、3"分别表示"股票投资价值高"、"股票投资价值中等"和"股票投资价值低"。

	名称	类型	宽度	小数	标签	值	缺失	列	对齐	度量标准
1	股票简称	字符串	8	0		无	无	8	■左(L)	品名义
2	每股收益	数值(N)	8	2		无	无	8	■右(R)	✍度量(S)
3	净资产收益率	数值(N)	8	2		无	无	8	■右(R)	✍度量(S)
4	主营业务收..	数值(N)	8	2		无	无	8	■右(R)	✍度量(S)
5	税后利润增..	数值(N)	8	2		无	无	8	■右(R)	✍度量(S)
6	流动比率	数值(N)	8	2		无	无	8	■右(R)	✍度量(S)
7	速动比率	数值(N)	8	2		无	无	8	■右(R)	✍度量(S)
8	应收账款周..	数值(N)	8	2		无	无	8	■右(R)	✍度量(S)
9	类别	数值(N)	8	2		[1.00, 股票...	无	8	■右(R)	⊪有序

图 12-21　数据文件 12-2 的变量视图

然后在SPSS活动数据文件的数据视图中，把相关数据输入到各个变量中，输入完毕后如图12-22所示。

	股票简称	每股收益	净资产收益率	主营业务收入	税后利润增长	流动比率	速动比率	应收账款周转	类别
1	茅台	2.37	0.22	0.31	0.36	2.08	1.44	104.86	1.00
2	双汇发展	0.72	0.21	0.34	0.24	1.36	0.59	152.49	1.00
3	五粮液	0.29	0.11	0.02	-0.04	1.85	1.20	2277.27	1.00
4	丰原生化	0.14	0.06	0.48	0.37	0.52	0.30	14.93	1.00
5	伊利股份	0.75	0.13	0.39	0.23	1.09	0.78	80.23	1.00
6	青岛啤酒	0.23	0.06	0.16	0.09	0.83	0.46	75.77	1.00
7	泸州老窖	0.05	0.03	0.14	0.02	1.61	0.52	36.30	1.00
8	燕京啤酒	0.27	0.06	0.14	0.02	1.26	0.59	41.29	1.00
9	南方糖业	0.13	0.04	-0.03	-0.71	0.53	0.41	8.54	2.00
10	通化葡萄	0.01	0.00	0.75	-1.01	3.88	2.58	0.50	2.00
11	真高股份	0.04	0.01	-0.08	-0.72	1.77	1.07	3.44	2.00
12	皇台股份	0.03	0.01	0.02	-0.45	1.14	0.63	2.12	2.00
13	莲花味精	0.01	0.01	0.40	1.11	1.26	1.13	1.86	2.00
14	维维股份	0.14	0.06	0.29	0.01	1.32	1.06	13.23	2.00
15	健特生物	0.12	0.08	0.79	-0.62	2.36	2.21	4.66	2.00
16	哈高科	0.03	0.01	-0.09	1.32	1.59	1.10	2.71	2.00
17	ST大江	-0.32	-1.29	-0.30	-0.01	0.75	0.28	14.14	2.00
18	ST屯河	-0.90	-1.06	0.24	0.08	0.55	0.22	6.35	3.00
19	ST三元	-0.10	-0.08	-0.05	-0.51	1.11	0.94	8.50	3.00
20	ST陈香	-0.11	-0.37	0.06	-9.21	0.52	0.35	4.68	3.00
21	ST春都	-0.33	-1.19	-0.22	-0.37	0.50	0.38	4.71	3.00

图 12-22　数据文件 12-2 的数据视图

2. 实验操作步骤

实验的具体操作步骤如下：

Step 01 在菜单栏中依次选择"分析"|"分类"|"判别"命令，打开"判别分析"对话框。

Step 02 从源变量列表中选择"股票简称"、"每股收益"、"净资产收益率"、"主营业务收入增长率"、"税后利润增长率"、"流动比率"、"速动比率"和"应收账款周转率"变量，单击➡按钮将它们选入"自变量"列表中；从源变量列表中选择"类别"变量，将其选入"分组变量"列表中。

Step 03 选择"使用步进式方法"单选按钮。

Step 04 单击"定义范围"按钮，在"判别分析：定义范围"对话框中在该对话框中输入类别变量的取值范围 1~3，单击"继续"按钮。

Step 05 单击"保存"按钮，在"判别分析：保存"对话框中勾选"预测组成员"复选框，单击"继续"按钮。

Step 06 单击"确定"按钮，便可以得到逐步判别分析的结果。

3. 实验结果及分析

单击"确定"按钮后，在SPSS Statistics查看器窗口的输出结果如图12-23~图12-29所示。

图12-23给出了样本数量、有效值和剔除值的相关信息。

图12-24给出了各组和所有观测的均值、标准差和加权与未加权的有效值。

组统计量

类别		有效的 N（列表状态）	
		未加权的	已加权的
股票投资价值高	每股收益	8	8.000
	净资产收益率	8	8.000
	主营业务收入增长率	8	8.000
	税后利润增长率	8	8.000
	流动比率	8	8.000
	速动比率	8	8.000
	应收账款周转率	8	8.000
股票投资价值中等	每股收益	8	8.000
	净资产收益率	8	8.000
	主营业务收入增长率	8	8.000
	税后利润增长率	8	8.000
	流动比率	8	8.000
	速动比率	8	8.000
	应收账款周转率	8	8.000
股票投资价值低	每股收益	5	5.000
	净资产收益率	5	5.000
	主营业务收入增长率	5	5.000
	税后利润增长率	5	5.000
	流动比率	5	5.000
	速动比率	5	5.000
	应收账款周转率	5	5.000
合计	每股收益	21	21.000
	净资产收益率	21	21.000
	主营业务收入增长率	21	21.000
	税后利润增长率	21	21.000
	流动比率	21	21.000
	速动比率	21	21.000
	应收账款周转率	21	21.000

分析案例处理摘要

未加权案例		N	百分比
有效		21	100.0
排除的	缺失或越界组代码	0	.0
	至少一个缺失判别变量	0	.0
	缺失或越界代码还有至少一个缺失判别变量	0	.0
	合计	0	.0
合计		21	100.0

图 12-23　个案综合处理摘要表　　　　　　　图 12-24　组统计量

图12-25给出了变量的筛选过程。由图中我们可以看出，第一步加入了净资产收益率变量，第二步加入了税后利润增长率变量，这两步的Wilks' Lambda统计量都很显著，说明增加的变量对于分类具有显著的作用。

输入的/删除的变量[a,b,c,d]

步骤	输入的	Wilks 的 Lambda				精确 F			
		统计量	df1	df2	df3	统计量	df1	df2	Sig.
1	净资产收益率	.294	1	2	18.000	21.571	2	18.000	.000
2	税后利润增长率	.195	2	2	18.000	10.742	4	34.000	.000

在每个步骤中，输入了最小化整体 Wilk 的 Lambda 的变量。

a. 步骤的最大数目是 14。

b. 要输入的最小偏 F 是 3.84。

c. 要删除的最大偏 F 是 2.71。

d. F 级、容差或 VIN 不足以进行进一步计算。

分析中的变量

步骤		容差	要删除的 F	Wilks 的 Lambda
1	净资产收益率	1.000	21.571	
2	净资产收益率	.796	27.086	.817
	税后利润增长率	.796	4.323	.294

图 12-25　变量的筛选过程

不在分析中的变量

步骤		容差	最小容差	要输入的 F	Wilks 的 Lambda
0	每股收益	1.000	1.000	5.936	.603
	净资产收益率	1.000	1.000	21.571	.294
	主营业务收入增长率	1.000	1.000	2.512	.782
	税后利润增长率	1.000	1.000	2.016	.817
	流动比率	1.000	1.000	3.232	.736
	速动比率	1.000	1.000	4.087	.888
	应收账款周转率	1.000	1.000	1.222	.880
1	每股收益	.902	.902	1.977	.239
	主营业务收入增长率	.971	.971	.213	.287
	税后利润增长率	.796	.796	4.323	.195
	流动比率	.986	.986	1.128	.260
	速动比率	.940	.940	2.393	.230
	应收账款周转率	1.000	1.000	.925	.265
2	每股收益	.901	.727	1.789	.159
	主营业务收入增长率	.965	.785	.247	.189
	流动比率	.985	.785	.966	.174
	速动比率	.933	.743	2.282	.152
	应收账款周转率	.999	.796	.859	.176

Wilks 的 Lambda

步骤	变量数目	Lambda	df1	df2	df3	精确 F 统计量	df1	df2	Sig.
1	1	.294	1	1	18	21.571	1	18.000	.000
2	2	.195	2	2	18	10.742	4	34.000	.000

图 12-25 变量的筛选过程（续）

由图12-26可以看出第一个判别函数解释了所有变异的100%，且在统计上是显著的；第二个判别函数在统计上不显著。说明第一个函数的判别作用明显成立，第二个函数不具有判别作用。

Wilks 的 Lambda

函数检验	Wilks 的 Lambda	卡方	df	Sig.
1 到 2	.195	28.595	4	.000
2	1.000	.008	1	.931

特征值

函数	特征值	方差的 %	累积 %	正则相关性
1	4.122[a]	100.0	100.0	.897
2	.000[a]	.0	100.0	.021

a. 分析中使用了前 2 个典型判别式函数。

图 12-26 判别函数的检验

图12-27给出了判别函数的系数与结构矩阵，我们可以看出，只有净资产收益率和税后利润增长率变量在判别分析中使用。

结构矩阵

	函数 1	函数 2
净资产收益率	.762*	-.647
每股收益[a]	.258*	-.179
速动比率[a]	.241*	-.095
流动比率[a]	.104*	-.063
税后利润增长率	.233	.972*
主营业务收入增长率[a]	.081	-.169*
应收账款周转率[a]	-.009	-.022*

判别变量和标准化典型判别式函数之间的汇聚组内相关性
按函数内相关性的绝对大小排序的变量。

*. 每个变量和任意判别式函数间最大的绝对相关性

a. 该变量不在分析中使用。

标准化的典型判别式函数系数

	函数 1	函数 2
净资产收益率	1.090	-.261
税后利润增长率	.725	.855

图 12-27 判别函数系数与结构矩阵

图12-28给出了组质心处的判别函数值。

组质心处的函数

类别	函数	
	1	2
股票投资价值高	1.273	.021
股票投资价值中等	.817	-.023
股票投资价值低	-3.344	.004

在组均值处评估的非标准化典型判别
式函数

图 12-28　组质心处函数值

图12-29给出了组的分类处理摘要和三个组的加权与未加权的先验概率。

分类处理摘要

已处理的		21
已排除的	缺失或越界组代码	0
	至少一个缺失判别变量	0
用于输出中		21

组的先验概率

类别	先验	用于分析的案例	
		未加权的	已加权的
股票投资价值高	.333	8	8.000
股票投资价值中等	.333	8	8.000
股票投资价值低	.333	5	5.000
合计	1.000	21	21.000

图 12-29　组的分类处理摘要与先验概率

同时，预测的分组结果作为新的变量被保存，我们可以看出判别分析的分组的归类准确程度，分类被保存在"Dis_1"变量中，如图12-30所示。"1"表示"投资价值高"，"2"表示"投资价值中等"，"3"表示"投资价值低"，这与我们在建立变量时的设置是一致的。

	股票简称	每股收益	净资产收益率	主营业务收入	税后利润增长	流动比率	速动比率	应收账款周转	类别	Dis_1
1	茅台	2.37	0.22	0.31	0.36	2.08	1.44	104.86	1.00	1.00
2	双汇发展	0.72	0.21	0.34	0.24	1.36	0.59	152.49	1.00	1.00
3	五粮液	0.29	0.11	0.02	-0.04	1.85	1.20	2277.27	1.00	1.00
4	丰原生化	0.14	0.06	0.48	0.37	0.52	0.30	14.93	1.00	1.00
5	伊利股份	0.75	0.13	0.39	0.23	1.09	0.78	80.23	1.00	1.00
6	青岛啤酒	.23	0.06	0.16	0.09	0.83	0.46	75.77	1.00	1.00
7	泸州老窖	0.05	0.03	0.14	0.02	1.61	0.52	36.30	1.00	1.00
8	燕京啤酒	0.27	0.06	0.14	0.02	1.26	0.59	41.29	1.00	1.00
9	南方糖业	0.13	0.04	-0.03	-0.71	0.53	0.41	8.54	2.00	1.00
10	通化葡萄	0.01	0.00	0.75	-1.01	3.88	2.58	0.50	2.00	1.00
11	莫高股份	0.04	0.01	-0.08	-0.72	1.77	1.07	3.44	2.00	1.00
12	皇台股份	0.03	0.01	0.02	-0.45	1.14	0.63	2.12	2.00	1.00
13	莲花味精	0.01	0.01	0.40	1.11	1.26	1.13	1.86	2.00	1.00
14	维维股份	0.14	0.06	0.29	0.01	1.32	1.06	13.23	2.00	1.00
15	健特生物	0.12	0.08	0.79	-0.62	2.36	2.21	4.66	2.00	1.00
16	哈高科	0.03	0.01	-0.09	1.32	1.59	1.10	2.71	2.00	1.00
17	ST大江	-0.32	-1.29	-0.30	-0.01	0.75	0.28	14.14	3.00	3.00
18	ST屯河	-0.90	-1.06	0.24	0.08	0.55	0.22	6.35	3.00	3.00
19	ST三元	-0.10	-0.08	-0.05	-0.51	1.11	0.94	8.50	3.00	2.00
20	ST陈香	-0.11	-0.37	0.06	-9.21	0.50	0.35	4.68	3.00	2.00
21	ST香都	-0.33	-1.19	-0.22	-0.37	0.50	0.38	4.71	3.00	3.00

图 12-30　对观测进行的分组

12.3　决策树分析

决策树分析因其输出结果采用树型结构图而得名,决策树分析在分析群体之间的相关关系和预测方面具有广泛的应用。

12.3.1 决策树分析简介

决策树分析将每个样本集中的每个观测都看成n维空间上的一个点，决策树每一个分枝的形成过程，就是对n维空间的一次区域划分，当决策树建立后，n维空间便被划分为了若干区域，区域划分结果采用树型结构图表示。我们可以把决策树应用到一个全新的资料集合上，并观察其分类正确的比率，来衡量这个决策树的有效程度。

12.3.2 决策树分析的 SPSS 操作

对于数据文件"12-1"，我们也可以在 SPSS Statistics 数据编辑器窗口进行决策树分析，分析对违约行为最重要的影响因素。

1）在菜单栏中选择"分析"|"分类"|"树"命令，在弹出"决策树"对话框前，系统将弹出一个提示对话框，如图12-31所示。

该告警信息提示用户在进行决策树分析前，必须为相应的变量设置正确的度量水平并为分类变量设置相应的值标签。单击"确定"按钮，进入如图12-32所示"决策树"对话框，对树模型进行定义。

图 12-31　变量格式设定的告警信息

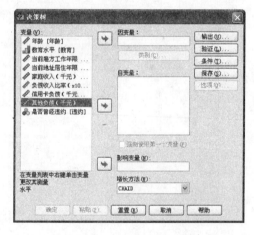

图 12-32　"决策树"对话框

2）选择变量

从源变量列表中选择决策树分析的因变量，单击 按钮选入"因变量"列表中；从源变量列表中选择决策树分析自变量，单击 按钮选入"自变量"列表中。在此可以勾选"强制使用第一个变量"复选框，系统将自动把自变量列表中的第一个变量作为决策树的开始节点。选择影响变量，将其选入"影响变量"列表，影响变量用于衡量单个观测对决策树生长的影响程度，该变量取值越大的观测对决策树的生长影响越大。变量的选择如图12-33所示。

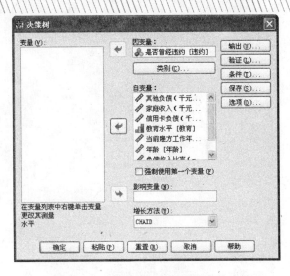

图 12-33 "决策树"对话框的变量选择

3）设置相应选项

"类别"按钮

单击"类别"按钮，弹出如图12-34所示的"决策树：类别"对话框。

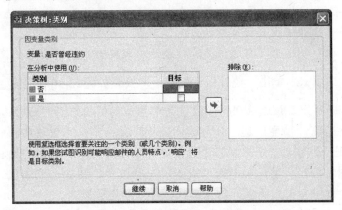

图 12-34 "决策树：类别"对话框

"类别"列中给出了因变量的值标签，"目标"列给出了对应类别列的复选框，用户可以根据研究需要选择相应的类别取值；"排除"列表用于选入不参与分析的因变量取值。

"增长方法"下拉列表框

该下拉列表框用于选择决策树的生长方法，有"CHAID"、"穷举CHAID"、"CRT"和"QUEST"四种方法供用户选择。

"输出"设置

单击"输出"按钮，弹出如图12-35所示的"决策树：输出"对话框。

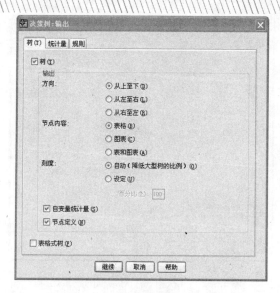

图 12-35 "决策树：输出"对话框

该对话框用于进行决策树的输出设置，分为"树"、"统计量"和"规则"3个选项卡。

① "树"选项卡　该选项卡用于设置树的输出。

- "树"复选框　勾选该复选框表示输出决策树，并激活"输出"选项组，用户可以在 "输出"选项组中设置决策树的方向、节点、刻度等相关选项。

- "表格式树"复选框　勾选该复选框表示以表格形式输出决策树。

② "统计量"选项卡　单击"统计量"标签，切换到如图12-36所示的"统计量"选项卡。

- "模型"选项组　该选项组用于设置关于模型的输出信息。如勾选"摘要"，系统将 输出模型的统计摘要信息；如勾选"风险"复选框，系统将输出模型的风险估计及 其标准误；如勾选"分类表"复选框，对于分类变量，系统将输出在其每个取值上 的正确判定与错误数；如勾选"成本、先验概率、得分和利润值"，对于分类变量 系统将输出错判损失函数、得益函数、得分和先验概率。

- "自变量"选项组　该选项组用于设置自变量的相关参数。如勾选"对模型的重要性" 复选框，系统将会把模型中的自变量按其重要性进行排序，此复选框只有在选择CRT 方法下才会被激活；如勾选"替代变量"复选框，系统将列出所有可能的方案，此 复选框只有在选择CRT和QUEST方法时才会被激活。

- "节点性能"选项组　该选项组用于设置决策树节点的相关输出选项，如勾选"摘要" 复选框，系统将输出节点的摘要表，如果因变量是分类变量而又未定义得益，该复 选框将不会被激活；如勾选"按目标类别"复选框，对于定义了目标取值的分类因 变量，系统将输出得益比例、响应比例和lift值等信息，此外，用户还可以利用"行"、 "排序顺序"和"百分位增量"下拉列表设置节点信息表的输出方式并可勾选"显 示累积统计"复选框以输出累积结果。

③ "图"选项卡　单击"图"标签，切换到如图12-37所示的"图"选项卡。

图 12-36 "统计量"选项卡

图 12-37 "图"选项卡

- "自变量对模型的重要性"复选框 如勾选该复选框，系统将输出自变量对模型的重要性条形图，此复选框只有在选择CRT方法下才会被激活。
- "节点性能"选项组 该选项组用于设置决策树节点的相关图形选项。
  - ↳ 如勾选"增益"复选框，系统将输出累积百分位数增益的折线图，只有当因变量是分类因变量且定义目标类别时，该复选框才会被激活；
  - ↳ 如勾选"索引"复选框，系统将输出累积百分位数指标值折线图，只有因变量是分类因变量时，该复选框才会被激活；
  - ↳ 如勾选"响应"复选框，系统将输出指定百分位点的累积响应折线图，只有当因变量是分类因变量且定义目标类别时，该复选框才会被激活；
  - ↳ 如勾选"均值"复选框，系统将输出因变量的均值累积折线图，只有因变量是连续因变量时，该复选框才会被激活；
  - ↳ 如勾选"平均利润"复选框，系统将输出累积平均得益折线图，只有当因变量是分类因变量且定义得益时，该复选框才会被激活；
  - ↳ 如勾选"投资收益"复选框，系统将输出累积投资收益折线图，只有当因变量是分类因变量且定义得益时，该复选框才会被激活。

④ "规则"选项卡 单击"规则"标签，切换到如图 12-38 所示的"规则"选项卡。

- "生成分类规则"复选框 勾选此复选框表示输出分类决策规则，并激活"语法"、"类型"和"节点"选项组。
- "语法"选项组 该选项组用于设置分类规则的语法形式，用户可以选择SPSS命令语句、SQL语句和纯英文伪代码三种语法形式。
- "类型"选项组 该选项组用于设置SPSS命令语句和SQL语句的决策规则的类型。如选择"为个案指定值"单选按钮，系统将为满足节点成员条件的每个节点单独生成规则；如选择"选择个案"单选按钮，系统将生成用于选择满足条件的个案的单个规则；如勾选"在SPSS Statistics和SQL规则中包括替代"选项组，系统将输出所有可能的方案的决策规则，此复选框只有在选择CRT和QUEST方法时才会被激活。

- "节点"选项组　该选项组用于为每个选择的节点生成单独的规则，用户可以把所有终端节点、指定节点数的最佳终端节点、达到占用户指定个案百分比的最佳终端节点或是索引值达到用户指定切断值的终端节点，又或所有节点作为生成规则的相应节点范围。

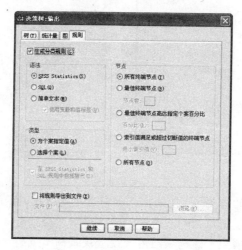

图 12-38　"规则"选项卡

"验证"按钮

单击"验证"按钮，弹出如图12-39所示的"决策树：验证"对话框。

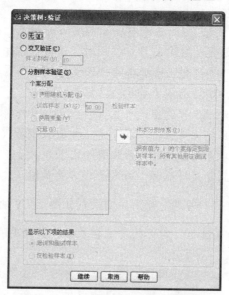

图 12-39　"决策树：验证"对话框

①"无"单选按钮　单击此按钮表示不进行验证。

②"交叉验证"单选按钮　单击此按钮表示进行交叉验证。系统先将样本分解为多个子样本，对于一个子样本系统用不包含它的其他子样本建立决策树并通过计算对该子样本的错判率来检验分类效果，用户可以在"样本群数"输入框中输入子样本的群数。

③"分割样本验证"单选按钮 单击此按钮表示进行样本分离验证，同时将激活"个案分配"和"显示以下项的结果"选项组。

- "个案分配"选项组 进行样本分离验证时，系统将样本划分为训练样本和验证样本。训练样本用于生成决策树，验证样本用于验证模型。该选项组用于设置训练样本和验证样本的划分方式。如选择"使用随机分配"单选按钮，系统将随机分配样本，用户可以通过其下的输入框确定两种样本的比例；如选择"使用变量"单选按钮，则表示通过指定变量来划分样本，用户可以选择作为划分依据的变量，从"变量"列表中单击 按钮将其选入"样本分割依据"列表。

- "显示以下项的结果"选项组 该选项组用于设置输出分析结果的样本范围，如选择"培训和测试样本"单选按钮，系统对训练样本和验证样本都输出相关的结果；如选择"仅检验样本"单选按钮，系统将只输出验证样本的相关结果。

CHAID 算法的"条件"按钮

在"增长方法"下拉框中选择CHAID算法，单击"条件"按钮，弹出如图12-40所示的"决策树：标准"对话框。

①"增长限制"选项卡

- "最大树深度"选项组 该选项组用于设置决策树在根节点以下的最大树深度。如选择"自动"单选按钮，系统采用默认最大树深度；如勾选"设定"单选按钮，系统则使用用户自定义树深度，用户可以在"值"输入框中输入自定义树深度。

- "最小个案数"选项组 该选项组用于设置每个节点所需要的最小观测数，用户可以在"父节点"和"子节点"输入框中指定父节点和子节点所需要的最小观测数。

②"CHAID"选项卡 单击"CHAID"标签，切换到如图12-41所示的"CHAID"选项卡。

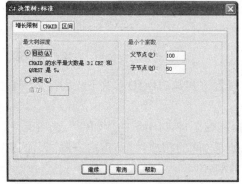
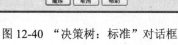
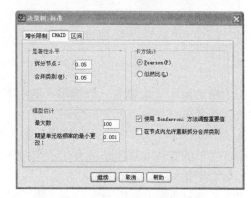

图 12-40 "决策树：标准"对话框　　　　图 12-41 "CHAID"选项卡

- "显著性水平"选项组 该选项组用于设置分割与合并节点的显著性水平，用户可以在这两个输入框中输入自定义显著性水平。
- "模型估计"选项组 该选项组用于设置模型估计的相关方法。
  ↳ "最大数"输入框用于设置最大迭代次数；
  ↳ "期望单元格频率的最小更改"输入框用于设置单元格频数的最小改变量，用户可以在这两个输入自定义数值。

- "卡方统计"选项组 该选项组用于设置模型估计时使用的卡方统计量。系统提供了两种统计量："Pearson"卡方统计量,一般用于大样本条件下;"似然比"卡方统计量,一般用于小样本条件下。
- "使用Bonferroni方法调整重要值"复选框 勾选该复选框表示使用使用Bonferroni方法调整与合并节点的显著性水平。
- "在节点内允许重新拆分合并类别"复选框 勾选该复选框表示允许系统对合并的节点重新分割以生成更好的决策树。

③"区间"选项卡 单击"区间"标签,切换到如图 12-42 所示的"区间"选项卡。

在CHAID分析中,对于连续自变量,在分析之前要将其划分入离散组。"刻度自变量的区间"选项组即用于设置初始离散组的个数。用户可以选择"固定数字"单选按钮为所有连续自变量都划分相同的离散组;也可以选择"设定"单选按钮为各个连续自变量指定不同的分组。

CRT 算法的"条件"按钮

在"增长方法"下拉框中选择CRT算法,然后单击"条件"按钮,弹出如图12-43所示的"决策树:标准"对话框。

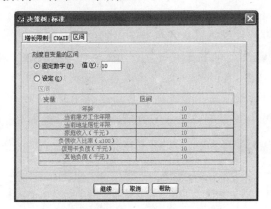
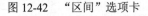

图 12-42 "区间"选项卡　　　　图 12-43 "决策树:标准"对话框

①"增长限制"选项卡 该选项卡的内容与设置方式与CHAID方法下相同,本书在此不再赘述,读者可自行参考相关部分。

②"CRT"选项卡 单击"CRT"标签,切换到如图12-44所示的"CRT"选项卡。

CRT生长法的基本原理是最大化节点内部各观测之间的相似性,节点内各观测之间的差异程度以杂质衡量。

"杂质测量"选项组用于设置杂质衡量的方法,以判断该节点是否需要进一步分割。系统提供了 3 种测量杂质的方法:

- Gini:该方法基于因变量的各个取值节点内出现的概率的平方;
- 两分法:该方法将因变量的取值分为两个子集,寻求最适合分隔两个组的分割方案;
- 顺序两分法:该方法与两分法基本类似,但其只能对相邻类别进行分组,只有因变量是有序变量时,该单选按钮才会被激活。

③"修剪"选项卡　单击"修剪"标签，切换到如图 12-45 所示的"修剪"选项卡。

该选项卡用于决策树的修剪设置。如勾选"修剪树以防治过拟合"选项卡，表示在决策树生长完成后，系统将对其进行修剪以防止过度生长。"最大风险差值"输入框用于设置修剪后的决策树与风险最小的决策树风险值的最大差额，系统默认为1，如果增大此值，将输出更简单的决策树，如果要输出风险最小的决策树，则输入0。

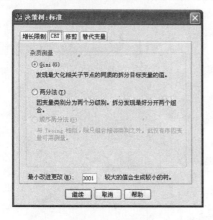

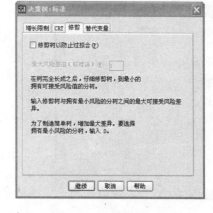

图 12-44　"CRT"选项卡　　　　　　图 12-45　"修剪"选项卡

④"替代变量"选项卡　单击"替代变量"标签，切换到如图12-46所示的"替代变量"选项卡。

该选项卡用于设置最大备选变量的个数，如选择"自动"单选按钮，备选变量的个数比自变量少一个；此外用户还可以选择"设定"按钮并在"值"输入框中输入自定义的最大替代变量个数。

QUEST 算法的"条件"按钮

在"增长方法"下拉框中选择QUEST算法，然后单击"条件"按钮，弹出如图12-47所示的"决策树：标准"对话框。

图 12-46　"替代变量"选项卡　　　图 12-47　QUEST 算法下的"决策树：标准"对话框

单击"QUEST"标签，切换到如图12-48所示的"QUEST"选项卡。该选项卡用于设置分割节点的显著性水平临界值，用户可以在"分割节点的显著性水平"输入框中输入自定义显著性水平。

其他选项卡的内容与设置方式与CHAID方法下相同，本书在此不再赘述，读者可自行参考相关部分。

"保存"设置

单击"保存"按钮，弹出如图12-49所示的"决策树：保存"对话框。

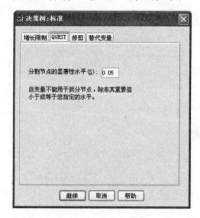

图 12-48 "QUEST"选项卡

图 12-49 "决策树：保存"对话框

该对话框用于进行决策数分析的保存相关设置。

①"保存变量"选项组 如勾选"终端节点编号"复选框，系统将每个个案的终端节点编号作为变量保存；如勾选"预测值"复选框，系统将模型所预测的因变量的分类作为变量保存；如勾选"预测概率"复选框，系统会将模型的预测关联的概率作为变量保存；如勾选"样本分配"复选框，系统将训练样本和验证样本的划分信息作为变量保存，该复选框只有在勾选"分割样本验证"复选框后才被激活。

②"把树模型导出为 XML"选项组 该选项用于设置以 XML 格式保存决策树的模型，可以导出两种 XML 文件。

- 培训样本，选择该项系统会将决策树模型写入指定的XML文件，用户可以在"文件"输入框中指定相应的文件路径，对于分割样本验证的决策树，系统将输出基于训练样本决策树模型；
- 检验样本，选择该项系统会将基于检验样本的模型写入指定的XML文件，该复选框只有在勾选"分割样本验证"复选框后才被激活。

CHAID 算法的"选项"按钮

在"增长方法"下拉框中选择CHAID算法，单击"选项"按钮，弹出如图12-50所示的"决策树：选项"对话框。

①"误分类成本"选项卡 该选项卡用于设置误判惩罚函数的相关参数。

如选择"各类别之间相等"单选按钮按钮，则表示对各种分类误判的惩罚程度相同。

选择"设定"，则用户可以在"预测类别"二维表中设定自定义惩罚措施，只有因变量是分类变量且设定了值标签，该单选按钮才会被激活。

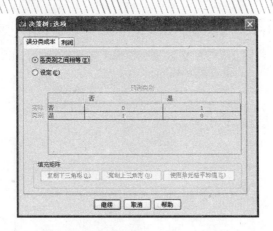

图 12-50 "决策树：选项"对话框

在"填充矩阵"选项组中可设置使惩罚矩阵成为对称矩阵的方法。

- 复制下三角形：表示将矩阵下三角形中的值复制到对应的上三角形单元格中以使其对称。
- 复制上三角形：则表示将矩阵上三角形中的值复制到对应的下三角形单元格中以使其对称。
- 使用单元格平均值：则表示使用两对称单元格值的平均值替换这两个值。

② "利润"选项卡

单击"利润"标签，切换到如图12-51所示的"利润"选项卡。

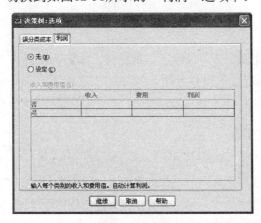

图 12-51 "利润"选项卡

该选项卡用于设置正确判断的收益函数的相关参数。同样有两个单选按钮。

如勾选"无"单选按钮，则表示不使用正确判断的收益函数；如勾选"设定"单选按钮，用户可以在"收入与费用"二维表中设定自定义收入与费用，系统将自动计算出利润。

CRT 和 QUEST 算法的"选项"按钮

在"增长方法"下拉框中选择CRT或QUEST算法，单击"选项"按钮，将弹出"决策树：选项"对话框。

单击"先验概率"标签，切换到如图12-52所示的"先验概率"选项卡。

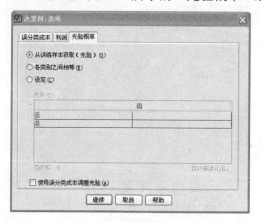

图 12-52   "先验概率"选项卡

- 如选择"从训练样本中获取"单选按钮，系统将自动从训练样本中生成先验概率；
- 如勾选"各类别之间相等"单选按钮，系统将为因变量的各取值水平设定相同的先验概率；
- 如勾选"设定"单选按钮，用户可以在"收入与费用"二维表中设定自定义先验概率。

12.3.3　实验操作

下面仍以数据文件"12-1"为例，说明分析的操作。

1. 实验数据描述

数据文件"12-1"已在12.1.3节进行了详细描述，本节不再赘述。本实验取其中700位已经获得贷款的客户作为观测进行决策数分析。

2. 实验操作步骤

实验的具体操作步骤如下：

Step 01　在菜单栏中依次选择"分析"|"分类"|"树"命令，打开"决策树"对话框。

Step 02　从源变量列表中选择"年龄"、"教育"、"工龄"、"地址"、"收入"、"负债率"、"信用卡负债"和"其他负债"变量，单击 ➡ 按钮将它们选入"自变量"列表中；从源变量列表中选择"违约"变量，将其选入"因变量"列表中。

Step 03　单击"类别"按钮，弹出的"决策树：类别"对话框，勾选类别"是"后的复选框，单击"继续"按钮。

Step 04　在"增长方法"下拉框中选择 CHAID 算法。

Step 05　再单击"选项"按钮，在弹出的"决策树：选项"对话框，选择"误分类成本"选项卡，选择"设定"单选按钮，在"否"行与"是"列交叉单元格中输入"0.8"，表示对将未违约者判定为违约者的错判惩罚要小于将违约者错判为未违约者的，单击"继续"按钮。

Step 06 单击"确定"按钮，便可以得到决策树分析的结果。

3. 实验结果及分析

单击"确定"按钮后，在SPSS Statistics查看器窗口的输出结果如图12-53~图12-56所示。

图12-53给出了模型的相关信息，如因变量、自变量、生长方法等。此外，该图还给出了最终输出模型的相关信息。

模型汇总		
指定	增长方法	CHAID
	因变量	是否曾经违约
	自变量	年龄，教育水平，当前雇方工作年限，当前地址居住年限，家庭收入（千元），负债收入比率（x100），信用卡负债（千元），其他负债（千元）
	验证	无
	最大树深度	3
	父节点中的最小个案	100
	子节点中的最小个案	50
结果	自变量已包括	负债收入比率（x100），当前雇方工作年限，当前地址居住年限
	节点数	13
	终端节点数	8
	深度	2

图 12-53 决策树的模型汇总表

图12-54给出了决策最终输出的决策树。用户可以使用Tree Editor 隐藏和显示选择的树枝，改变颜色和字体，依据选择的节点选择个案的子集。

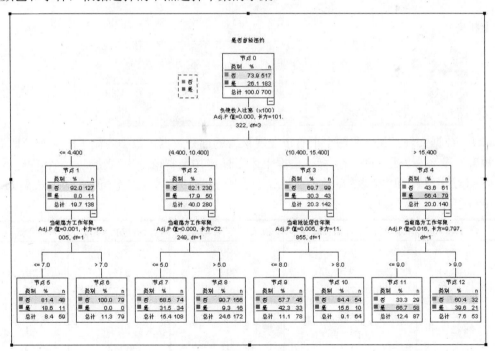

图 12-54 决策树输出

图12-55给出了节点的收益与风险信息，包括我们感兴趣的因变量取值情况、目标响应情况、收益百分比与节点百分比的比值和分类的风险度等信息。

节点的收益

节点	节点		增益		响应	指数
节点	N	百分比	N	百分比	响应	指数
11	87	12.4%	58	31.7%	66.7%	255.0%
9	78	11.1%	33	18.0%	42.3%	161.8%
12	53	7.6%	21	11.5%	39.6%	151.6%
7	108	15.4%	34	18.6%	31.5%	120.4%
5	59	8.4%	11	6.0%	18.6%	71.3%
10	64	9.1%	10	5.5%	15.6%	59.8%
8	172	24.6%	16	8.7%	9.3%	35.6%
6	79	11.3%	0	.0%	.0%	.0%

增长方法:CHAID
因变量列表:是否曾经违约

风险

估计	标准 误差
.212	.015

增长方法:CHAID
因变量列表:是否曾
经违约

图 12-55 节点的收益与风险

图12-56给出了决策树模型进行分类的汇总信息，我们可以看出总体预测正确百分比为78.0%，因此使用决策树对信用风险问题进行分析有较高参考价值。通过决策树分析，我们可以看出，负债收入比、当前雇方工作年限和当前地址居住年限是三个主要的分析因子。

分类

已观测	已预测		
已观测	否	是	正确百分比
否	488	29	94.4%
是	125	58	31.7%
总计百分比	87.6%	12.4%	78.0%

增长方法:CHAID
因变量列表:是否曾经违约

图 12-56 分类汇总表

上机题

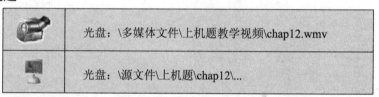

光盘：\多媒体文件\上机题教学视频\chap12.wmv
光盘：\源文件\上机题\chap12\...

12.1 数据文件是关于我国十个省市发展报告的部分数据，数据观测了出生时预期寿命、义务教育普及率和人均GDP等指标，根据上述指标将10个省市分为高发展水平和中等发展水平两类，分别用"1"和"2"表示，数据文件如下表所示（数据路径：光盘:\源文件\上机题\chap12\习题\第十二章第一题.sav）。

省市名	出生预期寿命（年）	成人识字率（%）	人均GDP（元）	分组
北京	76	99	5374	1
上海	79.5	99	5359	1
浙江	78	99	5372	1
河南	72.1	95.9	5242	1
河北	73.8	77.7	5370	1
辽宁	71.2	93	4250	2
吉林	75.3	94.9	3412	2
江苏	70	91.2	3990	2
安徽	72.8	99	2300	2

（续表）

省市名	出生预期寿命	成人识字率（%）	人均GDP（元）	分组
福建	62.8	80.6	3799	2
青海	68.5	79.3	1950	
湖北	69.9	96.9	2840	
山东	77.6	93.8	5233	
陕西	69.3	90.3	5158	

现在又增加了青海、湖北、山东和陕西的数据，但是对它们没有分类，我们希望对这几个省市归入上述两类，请建立标准判别函数对这四个地区进行分类。

12.2 为了研究脑溢血的发病机制，某医院脑外科观察了脑溢血病人和正常人的六项指标，其中，脑溢血病人为分组序号为"1"，正常人为"0"，部分数据文件如下表所示（数据路径：光盘:\源文件\上机题\chap12\习题\第十二章第二题.sav）。

总胆固醇（mg/dl）	甘油三脂（mmol/l）	高密度胆固醇（mg/dl）	低密度胆固醇（mg/dl）	载脂蛋白A1（mmol/l）	载脂蛋白 B（mmol/l）	分组
245	157	38	168	1.1	1.01	1
236	275	40	125	1.22	1.12	1
238	354	38	126	0.9	1.06	1
233	250	31	150	1.02	0.98	1
240	149	35	170	1.26	1.13	1
235	166	40	164	1.3	1.15	1
204	365	38	90	1.33	0.95	1
200	95	43	100	1.24	0.98	1
297	240	38	207	1.14	1.51	1
177	97	49	108	1.49	1.02	1
200	172	43	116	1.25	1.03	1
195	211	47	106	1.22	0.94	1
166	217	33	86	1.1	0.74	1
144	111	28	46	0.71	0.65	1
233	107	42	156	0.95	0.77	1
143	91	24	108	0.67	0.65	1
228	223	34	136	1.05	0.84	1
264	186	41	183	1.22	0.92	1
178	131	49	98	1.18	1.27	1
240	127	33	174	0.78	0.9	1
180	211	27	106	0.85	0.69	1
161	91	39	88	0.94	0.52	1
236	95	38	171	1.01	0.83	1
168	106	36	104	0.87	0.58	1
174	141	28	103	0.81	0.73	1
215	168	38	134	0.88	0.87	1
268	185	28	203	0.75	0.97	1

我们希望建立上述指标与脑溢血发病之间的联系，以便可以对脑溢血的发病进行早期诊断，试用判别分析方法建立脑溢血病人的标准判别函数，分析其作为早期预防诊断的依据如何。

12.3 某机构对大学进行分类，将大学分为"研究型大学"和"教学型大学"，并在数据文件中分别用"1"和"0"表示，现观测了700所大学的9个指标的得分，部分数据如下表所示（数据路径：光盘:\源文件\上机题\chap12\习题\第十二章第三题.sav）。

序号	就业得分	满意度得分	师资得分	资源得分	分组
1	41	3	17	12	1
2	27	1	10	6	0
3	40	1	15	14	0
4	41	1	15	14	0
5	24	2	2	0	1
6	41	2	5	5	0
7	39	1	20	9	0
8	43	1	12	11	0
9	24	1	3	4	1
10	36	1	0	13	0
11	27	1	0	1	0
12	25	1	4	0	0
13	52	1	24	14	0
14	37	1	6	9	0
15	48	1	22	15	0
16	36	2	9	6	1
17	36	2	13	6	1
18	43	1	23	19	0
19	39	1	6	9	0

序号	校友得分	学术得分	硬件得分	生源得分
1	176	9.3	11.36	5.01
2	31	17.3	1.36	4
3	55	5.5	0.86	2.17
4	120	2.9	2.66	0.82
5	28	17.3	1.79	3.06
6	25	10.2	0.39	2.16
7	67	30.6	3.83	16.67
8	38	3.6	0.13	1.24
9	19	24.4	1.36	3.28
10	25	19.7	2.78	2.15
11	16	1.7	0.18	0.09
12	23	5.2	0.25	0.94
13	64	10	3.93	2.47
14	29	16.3	1.72	3.01
15	100	9.1	3.7	5.4

（续表）

序号	校友得分	学术得分	硬件得分	生源得分
16	49	8.6	0.82	3.4
17	41	16.4	2.92	3.81
18	72	7.6	1.18	4.29
19	61	5.7	0.56	2.91

我们希望得到几个最重要的指标，以便对大学的分类有总体的把握。试采用决策树分析方法，分析影响大学分类的主要因素。

第13章 因子分析和主成分分析

在现实研究过程中，往往需要对所反映事物、现象从多个角度进行观测。因此研究者往往设计出多个观测变量，从多个变量收集大量数据以便进行分析寻找规律。多变量大样本虽然会为我们的科学研究提供丰富的信息，但却增加了数据采集和处理的难度。更重要的是，许多变量之间存在一定的相关关系，导致了信息的重叠现象，从而增加了问题分析的复杂性。

因子分析和主成分分析就是将大量的彼此可能存在相关关系的变量，转换成较少的彼此不相关的综合指标的多元统计方法。这样既可减轻收集信息的工作量，且各综合指标代表的信息不重叠。

主成分分析利用的是"降维"的思想，利用原始变量的线性组合组成主成分。在信息损失较小的前提下，把多个指标转化为几个互补相关的综合指标。

因子分析是主成分分析的扩展和推广，通过对原始变量的相关系数矩阵内部结构的研究，导出能控制所有变量的少数几个不可观测的综合变量，通过这少数几个综合变量去描述原始的多个变量之间的相关关系。

13.1 因子分析

13.1.1 因子分析的原理

因子分析（factor analysis）是一种数据简化的技术。它通过研究众多变量之间的内部依赖关系，探求观测数据中的基本结构，并用少数几个独立的不可观测变量来表示其基本的数据结构。这几个假想变量能够反映原来众多变量的主要信息。原始的变量是可观测的显式变量，而假想变量是不可观测的潜在变量，称为因子。

因子分析的基本步骤如下：

1）对数据进行标准化处理。

2）估计因子载荷矩阵

因子分析的基本模型如下：

$$\begin{cases} Z_1 = a_{11}F_1 + a_{12}F_2 + \cdots + a_{1p}F_p + c_1U_1 \\ Z_2 = a_{12}F_1 + a_{22}F_2 + \cdots + a_{2p}F_p + c_2U_2 \\ \cdots \\ Z_m = a_{m1}F_1 + a_{m2}F_2 + \cdots + a_{mp}F_p + c_mU_m \end{cases}$$

其中 Z_1、$Z_2 \cdots Z_m$ 为原始变量，F_1、$F_2 \cdots Fp$ 为公共因子，表示为矩阵形式为：

$$\underset{(m \times 1)}{Z} = \underset{(m \times p)}{A} \cdot \underset{(p \times 1)}{F} + \underset{\substack{(m \times m) \\ (\text{对角阵})}}{C} \underset{(m \times 1)}{U}$$

A为因子载荷矩阵，估计因子载荷矩阵的方法有主成分法、映像因子法、加权最小二乘法、最大似然法等。

3）因子旋转

建立因子分析数学模型的目的不仅要找出公共因子并对变量进行分组，更重要的是要知道每个公共因子的意义，以便对实际问题作出科学分析。当因子载荷矩阵A的结构不便对主因子进行解释时，可用一个正交阵右乘A（即对A实施一个正交变换）。由线性代数知识，对A施行一个正交变换，对应坐标系就有一次旋转，便于对因子的意义进行解释。

4）估计因子得分

以公共因子表示原因变量的线性组合，而得到因子得分函数。我们可以通过因子得分函数计算观测记录在各个公共因子上的得分，从而解决公共因子不可观测的问题。

13.1.2 因子分析的 SPSS 操作

打开相应的数据文件或者建立一个数据文件后，在 SPSS Statistics 数据编辑器窗口就可以进行因子分析。

1）在菜单栏中依次单击"分析"|"降维"|"因子分析"选项卡，打开如图13-1所示的"因子分析"对话框。

图 13-1 "因子分析"对话框

2）选择变量

从源变量列表中选择需要进行因子分析的变量，然后单击箭头按钮将选中的变量选入"变量"列表中；如果不使用全部样本分析，可以从源变量列表中选择因子变量，然后单击箭头按钮将选中的变量选入"选择变量"列表中。其中：

- "变量"列表 该列表框中的变量为要进行因子分析的目标变量，变量在区间或比率级别应该是定量变量。分类数据（例如：性别等）不适合因子分析。另外，可计算 Pearson 相关系数的数据应该适合于因子分析。

- "选择变量"列表 该列表中的变量是用来限定仅对含有指定个案的变量集进行因子分析。当用户决定对满足某个条件的变量进行分析时，可以在此指定选择变量，此时"值"按钮就会被激活。单击"值"按钮就会弹出如图13-2所示对话框，在"选择变量的值"输入框中输入指定的整数值，然后单击"继续"，则因子分析中仅使用具有该选择变量值的个案。

3）设置相应选项

"描述"按钮

单击"描述"按钮，弹出如图13-3所示的"因子分析：描述统计"对话框。

图 13-2　"因子分析：设置值"对话框　　　　　图 13-3　"因子分析：描述统计"对话框

"因子分析：描述统计"对话框主要用于设定对原始变量的基本描述和对原始变量进行相关性分析。

①"统计量"选项组　该选项组主要用于设定原始变量的基本描述和原始分析，包括：

- "单变量描述性"复选框，选中表示输出每个变量的均值、标准差和有效个案数；
- "原始分析结果"复选框，选中表示输出初始公因子方差、特征值（即协方差矩阵对角线上的元素）和已解释方差的百分比。

②"相关矩阵"选项组　该选项组主要用于输出的相关矩阵进行必要的设置，各复选框功能如表13-1所示。

表 13-1　相关矩阵选项组中个复选框名称及其功能

复选框名称	复选框功能
系数	选中表示输出原始变量之间的相关系数矩阵，如果相关系数矩阵中的大部分系数都小于0.3，即变量之间大多为弱相关，原则上不适合进行因子分析
显著性水平	选中表示输出相关系数矩阵中相关系数的单尾假设检验的概率值，相应的原假设是相关系数为0
行列式	选中表示输出相关系数矩阵的行列式
逆模型	选中表示输出相关系数矩阵的逆矩阵
再生	选中表示输出从因子解估计的相关矩阵，还显示残差（估计相关性和观察相关性之间的差分）
反映象	选中表示输出反映像相关矩阵，反映像相关矩阵包含偏相关系数的相反数，而反映像协方差矩阵包含偏协方差的相反数，在一个好的因子模型中，对角线上的元素值比较接近1，而大部分非对角线的元素将会很小，其中反映像相关矩阵的对角线上的元素又称为变量的取样充分性度量（MSA）
KMO与Bartlett球形度检验	其中KMO统计量用于比较变量间简单相关系数矩阵和偏相关系数的指标，KMO值越接近1表示越适合做因子分析，而Bartlett球形度检验的原假设为相关系数矩阵为单位阵，如果Sig值拒绝原假设表示变量之间存在相关关系，因此适合做因子分析

"抽取"按钮

单击"抽取"按钮，弹出如图13-4所示的"因子分析：抽取"对话框。

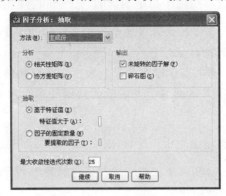

图 13-4　"因子分析：抽取"对话框

抽取对话框主要用于设定提取公共因子的方法和公共因子的个数。

①"方法"下拉列表框　该列表框主要用于设定提取公共因子的方法，各方法及其功能如表13-2所示。

表 13-2　"方法"下拉列表框中的方法及其功能

方法名称	方法内容与功能
主成份法	该方法用于形成原始变量的不相关的线性组合，其中第一个成份具有最大的方差，后面的成份对方差的解释的比例逐渐变小，它们相互之间均不相关，主成份分析用来获取最初因子解并且它可以在相关矩阵是奇异矩阵时使用
未加权最小平方法	该方法可以使观察的相关系数矩阵和再生的相关系数矩阵之间的差的平方值之和最小
综合最小平方法	该方法同未加权最小平方法，但是相关系数要进行加权，权重为他们单值的倒数，这样单值高的变量，其权重比单值低的变量的权重小
极大似然法	在样本来自多变量正态分布的情况下，它生成的参数估计最有可能生成观察到的相关矩阵，将变量单值的倒数作为权重对相关性进行加权，并使用迭代算法
主轴因子分解法	在初始相关系数矩阵中，多元相关系数的平方放置于对角线上作为公因子方差的初始估计值，然后这些因子载荷用来估计替换对角线中的旧公因子方差并估计值的新的公因子方差，继续迭代，直到某次迭代和下次迭代之间公因子方差的改变幅度能满足抽取的收敛条件
Alpha法	该方法将分析中的变量视为来自潜在变量全体的一个样本，使因子的alpha可靠性最大
映像因子分解法	该方法将变量的公共部分（称为偏映像）定义为其对剩余变量的线性回归，而非假设因子的函数，实际上是使用多元回归的方法提取因子

②"分析"选项组　该选项组用于指定相关矩阵或协方差矩阵，包括：

- "相关性矩阵"单选框，选中表示以相关性矩阵作为提取公共因子的依据，当分析中使用不同的尺度测量变量时比较适合；

- "协方差矩阵"单选框，选中表示以协方差矩阵作为提取公共因子的依据，当因子分析应用于每个变量具有不同方差的多个组时比较适用。

③"输出"选项组　该选项组用于指定输出的因子解和特征值的碎石图，包括：

- "未旋转的因子解"复选框，选中表示输出未旋转的因子载荷（因子模式矩阵）、公因子方差和因子解的特征值；
- "碎石图"复选框，选中表示输出与每个因子相关联的特征值的图，该图用于确定应保持的因子个数，通常该图显示大因子的陡峭斜率和剩余因子平缓的尾部之间明显的中断（碎石）。

④"抽取"选项组　该选项组用于指定抽取因子的数目。包括：

- "基于特征值"，表示抽取特征值超过指定值的所有因子，在"特征值大于"输入框中指定值，一般为1；
- "因子的固定数量"，表示保留特定数量的因子，在"要提取的因子"输入框中输入要保留因子的数目。

⑤"最大收敛性迭代次数"输入框　该输入框用于指定算法估计解的过程所采取的最大步骤数。系统默认为25次。

"旋转"按钮

单击右侧"旋转"按钮，弹出如图13-5所示"因子分析：旋转"对话框。

图13-5　"因子分析：旋转"对话框

"因子分析：旋转"对话框主要用于设定因子旋转的方法，进而可以命名因子。

①"方法"选项组　该选项组主要用于设定因子旋转的方法，包括：

- 无：表示不进行任何因子旋转。
- 最大方差法，是一种正交旋转方法，它使得对每个因子有高负载的变量的数目达到最小，并简化了因子的解释。
- 直接 Oblimin 方法：是一种斜交旋转方法，当 delta 等于0时，解是最斜交的，当delta负得越厉害，因子的斜交度越低，其中要覆盖缺省的delta值0，可以在下方"Delta"输入框中输入小于等于0.8的数。
- 最大四次方值法：又称为最大正交旋转法，该方法使得每个变量中需要解释的因子数目最少，可以简化对变量的解释。

- 最大平衡值法：该方法是最大方差法与最大四次方值法的结合，可以使高度依赖因子的变量的个数以及解释变量所需的因子的个数最少。
- Promax：又称为最优斜交法，该方法可使因子相关联，可比直接最小斜交旋转更快地计算出来，因此适用于大型数据集。

② "输出"选项组　该选项组主要用于指定是否输出旋转解和载荷图：

- 旋转解：该复选框只有在选择了旋转方法后才能选择，对于正交旋转会显示已旋转的模式矩阵和因子变换矩阵，对于斜交旋转会显示模式、结构和因子相关矩阵。
- 载荷图：表示输出前三个因子的三维因子载荷图，而对于双因子解，则显示二维图，如果只抽取了一个因子，则不显示图。

③ "最大收敛迭代次数"输入框　该输入框用于指定算法执行旋转所采取的最大步骤数。同样系统默认为 25 次。

"得分"按钮
单击 "得分"按钮，弹出如图13-6所示的"因子分析：因子得分"对话框。
"因子分析：因子得分"对话框主要用于计算因子得分，包括：
① "方法"选项组　该选项组主要用于计算因子得分的方法，包括：

- 回归：该方法得到的因子得分的均值为0，方差等于估计的因子分数和真正的因子值之间的平方多相关性，其中即使因子是正交的，分数也可能相关；
- Bartlett：该方法尽管所产生因子得分的均值为0，但使整个变量范围中所有唯一因子的平方和达到最小；
- Anderson-Rubin：即修正的Bartlett 方法，该方法确保被估计的因子的正交性所产生因子得分的均值为0，标准差为1，且不相关。

② "保存为变量"复选框　该复选框用于对每个因子得分创建一个新变量，且只有选中该复选框才能进行"方法"的设定。
③ "显示因子得分系数矩阵"复选框　该复选框主要用于输出因子得分的系数矩阵及因子得分之间的相关性矩阵。

"选项"按钮
单击右侧"选项"按钮，弹出如图13-7所示的"因子分析：选项"对话框。

图 13-6　"因子分析：因子得分"对话框　　图 13-7　"因子分析：选项"对话框

"因子分析：选项"对话框主要用于设定对变量缺失值的处理和系数显示的格式。

① "缺失值"选项组　该选项组主要用于指定如何处理缺失值，包括：

- 按列表排除个案：选中表示排除在任何分析中所用的任何变量有缺失值的个案；
- 按对排除个案：选中表示从分析中排除变量对中有一个或两个缺失值的个案；
- 使用均值替换：选中表示将缺失值用变量均值代替。

② "系数显示格式"选项组　该选项组主要用于指定系数矩阵的显示格式：

- 按大小排序：选中表示按大小对系数矩阵进行排序；
- 取消小系数：选中表示只显示绝对值大于指定值的符合系数，可以在"绝对值如下"输入框中输入指定值，系统默认为0.10。

4）分析结果输出

设置完毕后，可以单击"确定"按钮，就可以在SPSS Statistics查看器窗口得到因子分析的结果。

13.1.3　实验操作

下面将以数据文件"13-1"为例，说明因子分析的具体操作过程和对结果进行说明解释。

1. 实验数据描述

数据文件"13-1"给出的是衡量我国各省市综合发展情况一些数据，数据来源于《中国统计年鉴》。数据表中选取了六个指标分别是：人均GDP、固定资产投资、社会消费品零售总额、农村居民人均纯收入、科研机构数量、卫生机构数量，下面将利用因子分析来提取公共因子，分析衡量发展因素的指标。实验的原始数据如图13-8所示。

地区	人均GDP(元)	固定资产投资（亿元）	社会消费品零售总额（亿元）	农村人均纯收入（元）	科研机构数量（千个）	卫生机构数量（个）
北京	10265	30.81	6235	3223	65	4955
天津	8164	49.13	4929	2406	21	3182
河北	3376	77.76	3921	1668	47	10266
山西	2819	33.97	3305	1206	26	5922
内蒙古	3013	54.51	2863	1208	19	4915
辽宁	6103	124.02	3706	1756	61	6719
吉林	3703	28.65	3174	1609	43	3891
黑龙江	4427	48.51	3375	1766	38	7637
上海	15204	128.93	7191	4245	45	5286
江苏	5785	101.09	4634	2456	67	12039
浙江	6149	41.88	6221	2966	37	8721
安徽	2521	55.74	3795	1302	35	6593
福建	5386	18.35	4506	2048	30	4537
江西	2376	26.28	3376	1537	31	5423
山东	4473	102.54	4264	1715	48	10463
河南	2475	71.36	3299	1231	50	7661
湖北	3341	37.75	4208	1511	56	9744
湖南	2701	43.01	4699	1425	47	9137
广东	6380	51.82	7438	2699	42	8848
广西	2772	32.52	4791	1446	27	5571
海南	4802	5.35	4770	1519	5	1653
四川	2516	80.97	4002	1158	64	18885
贵州	1553	22.07	3931	1086	22	3934
云南	2490	48.48	4085	1010	26	6395
陕西	2344	26.31	3309	962	46	6215

图 13-8　数据文件"13-1"原始数据

在SPSS的变量视图中，建立"地区"变量，表示各个省市，建立"人均GDP"、"固定资产投资"、"社会消费品零售总额"、"农村人均纯收入"、"科研机构数量"和"卫生机构数量"变量，表示各发展衡量指标，如图13-9所示。

	名称	类型	宽度	小数	标签	值	缺失	列	对齐	度量标准
1	地区	字符串	6	0		无	无	6	▤ 左(L)	♣ 名义
2	人均GDP	数值(N)	11	0		无	无	11	▥ 右(R)	✐ 度量(S)
3	固定资产投资	数值(N)	11	2		无	无	11	▥ 右(R)	✐ 度量(S)
4	社会消费品零售总额	数值(N)	11	0		无	无	11	▥ 右(R)	✐ 度量(S)
5	农村人均纯收入	数值(N)	11	0		无	无	11	▥ 右(R)	✐ 度量(S)
6	科研机构数量	数值(N)	11	0		无	无	11	▥ 右(R)	✐ 度量(S)
7	卫生机构数量	数值(N)	11	0		无	无	11	▥ 右(R)	✐ 度量(S)

图 13-9 数据文件"13-1"的变量视图

在SPSS活动数据文件中的数据视图中，把相关数据输入到各个变量中，输入完毕如图13-10所示。

	地区	人均GDP	固定资产投资	社会消费品零售总额	农村人均纯收入	科研机构数量	卫生机构数量
1	北京	10265	30.81	6235	3223	65	4955
2	天津	8164	49:13	4929	2406	21	3182
3	河北	3376	77.76	3921	1668	47	10266
4	山西	2819	33.97	3305	1206	26	5922
5	内蒙古	3013	54.51	2863	1208	19	4915
6	辽宁	6103	124.02	3706	1756	61	6719
7	吉林	3703	28.65	3174	1609	43	3891
8	黑龙江	4427	48.51	3375	1766	38	7637
9	上海	15204	128.93	7191	4245	45	5286
10	江苏	5785	101.09	4634	2456	67	12039
11	浙江	6149	41.88	6221	2966	37	8721
12	安徽	2521	55.74	3795	1302	35	6593
13	福建	5386	18.35	4506	2048	30	4537
14	江西	2376	26.28	3376	1537	31	5423
15	山东	4473	102.54	4264	1715	48	10463
16	河南	2475	71.36	3299	1231	50	7661
17	湖北	3341	37.75	4208	1511	56	9744
18	湖南	2701	43.01	4699	1425	47	9137

图 13-10 数据文件"13-1"的变量视图

2. 实验操作步骤

Step 01 打开数据文件"13-1"，进入 SPSS Statistics 数据编辑器窗口，在菜单栏中依次单击"分析"|"降维"|"因子分析"选项卡，将"人均 GDP"、"固定资产投资"、"社会消费品零售总额"、"农村人均纯收入"、"科研机构数量"和"卫生机构数量"变量选入"变量"列表。

Step 02 单击"描述"按钮，勾选"原始分析结果"复选框和"KMO 与 Bartlett 球形度检验"复选框，单击"继续"按钮，保存设置结果。

Step 03 单击"抽取"按钮，勾选"碎石图"复选框，其他为系统默认选择，单击"继续"按钮，保存设置结果。

Step 04 单击"旋转"按钮，勾选"最大方差法"复选框，其他为系统默认选择，单击"继续"按钮，保存设置结果。

Step 05 单击"得分"按钮，勾选"保存为变量"和"因子得分系数"复选框，单击"继续"按钮，保存设置结果。

3. 实验结果及分析

单击"确定"按钮，SPSS Statistics查看器窗口的输出结果如图13-11~图13-18所示。

图13-11给出了KMO和Bartlett的检验结果，其中KMO值越接近1表示越适合做因子分析，从该表可以得到KMO的值为0.635，表示比较适合做因子分析。Bartlett球形度检验的原假设为相关系数矩阵为单位阵，Sig值为0.000小于显著水平0.05，因此拒绝原假设，说明变量之间存在相关关系，适合做因子分析。

图13-12给出了每个变量共同度的结果。表格数据表左侧表示每个变量可以被所有因素所能解释的方差，右侧表示变量的共同度。从该表可以得到，因子分析的变量共同度都非常高，表明变量中的大部分信息均能够被因子所提取，说明因子分析的结果是有效的。

公因子方差

	初始	提取
人均GDP	1.000	.930
固定资产投资	1.000	.721
社会消费品零售总额	1.000	.795
农村人均纯收入	1.000	.961
科研机构数量	1.000	.847
卫生机构数量	1.000	.859

提取方法：主成份分析。

KMO 和 Bartlett 的检验

取样足够度的 Kaiser-Meyer-Olkin 度量。		.635
Bartlett 的球形度检验	近似卡方	148.798
	df	15
	Sig.	.000

图 13-11　KMO 和 Bartlett 的检验　　　　　图 13-12　变量共同度表

图13-13给出了因子贡献率的结果。该表中左侧部分为初始特征值，中间为提取主因子结果，右侧为旋转后的主因子结果。"合计"指因子的特征值，"方差的%"表示该因子的特征值占总特征值的百分比，"累积%"表示累积的百分比。其中只有前两个因子的特征值大于1，并且前两个因子的特征值之和占总特征值的85.22%，因此，提取前两个因子作为主因子。

解释的总方差

成份	初始特征值			提取平方和载入			旋转平方和载入		
	合计	方差的 %	累积 %	合计	方差的 %	累积 %	合计	方差的 %	累积 %
1	3.327	55.449	55.449	3.327	55.449	55.449	2.796	46.605	46.605
2	1.786	29.771	85.220	1.786	29.771	85.220	2.317	38.614	85.220
3	.497	8.285	93.505						
4	.262	4.362	97.867						
5	.088	1.473	99.340						
6	.040	.660	100.000						

提取方法：主成份分析。

图 13-13　因子贡献率表

图13-14给出了未旋转的因子载荷。从该表可以得到利用主成份方法提取的两个主因子的载荷值。为了方便解释因子含义，需要进行因子旋转。

图13-15给出了旋转后的因子载荷值，其中旋转方法采用的是Kaiser标准化的正交旋转法。通过因子旋转，各个因子有了比较明确的含义。

成份矩阵[a]

	成份	
	1	2
人均GDP	.831	-.490
固定资产投资	.732	.430
社会消费品零售总额	.781	-.431
农村人均纯收入	.893	-.405
科研机构数量	.694	.605
卫生机构数量	.461	.804

提取方法：主成分分析法。
a. 已提取了2个成份。

旋转成份矩阵[a]

	成份	
	1	2
人均GDP	.960	.091
固定资产投资	.340	.778
社会消费品零售总额	.885	.109
农村人均纯收入	.961	.196
科研机构数量	.207	.897
卫生机构数量	-.098	.922

提取方法：主成分分析法。
旋转法：具有 Kaiser 标准化的正交旋转法。
a. 旋转在3次迭代后收敛。

图 13-14　未旋转的因子载荷表　　　　　图 13-15　　旋转的因子载荷表

图13-16给出了特征值的碎石图，通常该图显示大因子的陡峭斜率和剩余因子平缓的尾部，之间有明显的中断。一般选取主因子在非常陡峭的斜率上，而处在平缓斜率上的因子对变异的解释非常小。从该图可以看出前两个因子都处在非常陡峭的斜率上，而从第三个因子开始斜率变平缓，因此选择前两个因子作为主因子。

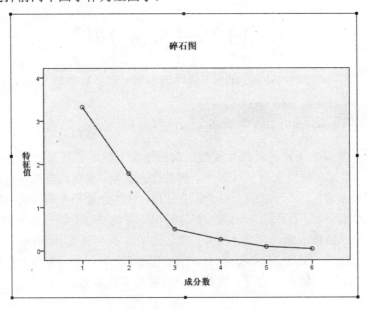

图 13-16　碎石图

图13-17给出了成份得分系数矩阵，图13-18给出了由成份得分系数矩阵计算的因子得分。其中成份得分系数矩阵是计算因子得分的依据，图13-18的结果是由图13-17提供的计算公式得到的。另外，由因子得分可以进一步计算综合得分。

通过因子分析可以看出，每个因子只有少数几个指标的因子载荷较大，因此可根据上表分类，将六个指标按高载荷分成两类：人均GDP、社会消费品零售总额和农村人均纯收入变量在第一个因子上载荷较大，可以将第一个因子命名为经济发展因子；固定资产投资、科研机构数量和卫生机构数量，在第二个因子上载荷较大，可以将其命名为社会发展因子。

成份得分系数矩阵

	成份	
	1	2
人均GDP	.363	-.075
固定资产投资	.037	.324
社会消费品零售总额	.332	-.058
农村人均纯收入	.350	-.026
科研机构数量	-.030	.396
卫生机构数量	-.152	.446

提取方法：主成分分析法。
旋转法：具有 Kaiser 标准化的正交旋转法。
构成得分。

图 13-17　成份得分系数矩阵

FAC1_1	FAC2_1
1.98910	-0.01153
1.14186	-0.89127
-0.37845	1.02985
-0.66019	-0.33339
-0.68292	-0.39781
0.11773	1.29606
-0.35873	-0.28068
-0.26411	0.22116
3.44260	0.31939
0.39444	1.79597
1.29631	0.04241
-0.63624	0.14132
0.40873	-0.71704
-0.54490	-0.35921
-0.10564	1.26892
0.76543	0.78671
-0.40980	0.77333
-0.34446	0.54396
1.48572	0.20939
-0.13034	-0.44719
0.32126	-1.73471
-1.07337	2.52658
-0.62096	-0.77376

图 13-18　因子得分数据

13.2　主成份分析

主成份分析也称主分量分析，旨在利用降维的思想，把多指标转化为少数几个综合指标。

13.2.1　主成份分析的原理

主成份分析是将多个变量通过线性变换以选出较少个数重要变量的一种多元统计分析方法。主成份分析的思想是将原来众多具有一定相关性的变量，重新组合成一组新的互相无关的综合指标来代替原来的指标。它借助于一个正交变换，将其分量相关的原随机向量转化成其分量不相关的新随机向量，这在代数上表现为将原随机向量的协方差阵变换成对角形阵，在几何上表现为将原坐标系变换成新的正交坐标系，使之指向样本点散布最开的p 个正交方向，然后对多维变量系统进行降维处理。方差较大的几个新变量就能综合反应原多个变量所包含的主要信息，并且也包含了自身特殊的含义。主成份分析的数学模型为：

$$z_1 = u_{11}X_1 + u_{12}X_2 + \cdots + u_{1p}X_p$$
$$z_2 = u_{21}X_1 + u_{22}X_2 + \cdots + u_{2p}X_p$$
$$\cdots$$
$$z_p = u_{p1}X_1 + u_{p2}X_2 + \cdots + u_{pp}X_p$$

其中，$z_1, z_2 \cdots z_p$ 为p个主成份。

主成份分析的基本步骤如下：

1）对原有变量作坐标变换，可得：

$$z_1 = u_{11}x_1 + u_{21}x_2 + \ldots + u_{p1}x_p$$
$$z_2 = u_{12}x_1 + u_{22}x_2 + \ldots + u_{p2}x_p$$
$$\ldots\ldots$$
$$z_p = u_{1p}x_1 + u_{2p}x_2 + \ldots + u_{pp}x_p$$

其中：

$$u_{1k}^2 + u_{2k}^2 + \ldots + u_{pk}^2 = 1$$
$$\mathrm{var}(z_i) = U_i^2 D(x) = U_i' D(x) U_i$$
$$\mathrm{cov}(z_i, z_j) = U_i' D(x) U_j$$

2）提取主成份

z_1 称为第一主成份，其满足条件：

$$u_1' u_1 = 1$$
$$\mathrm{var}(z_1) = \max \mathrm{var}(u'x)$$

z_2 成为第二主成份，其满足条件：

$$\mathrm{cov}(z_1, z_2) = 0$$
$$u_2' u_2 = 1$$
$$\mathrm{var}(z_2) = \max \mathrm{var}(U'X)$$

其余主成份所满足的条件依此类推。

13.1.2 主成份分析的 SPSS 操作

在SPSS 17.0中，由于主成份分析模块被有机地嵌入了因子分析模块中，因此主成份分析必须利用因子分析的结果才能实现。本节对主成份分析的SPSS操作结合上节中因子分析进行讲解。

1．进行因子分析

在菜单栏中依次单击"分析"|"降维"|"因子分析"，打开"因子分析"对话框，将需要进行主成份分析的变量选入到"变量"列表中，所有选项卡中都执行系统默认选项，单击"确定"按钮，在SPSS Statistics查看器窗口得到如图13-17和13-18所示的因子分析结果。

2．计算特征向量矩阵

因子分析结果中的主因子数目决定了主成份分析中的主成份的数目。

1）在SPSS中新建一个数据文件，确定第一步因子分析"成份矩阵"中得到的主因子的数目，在新数据文件中定义相同数量的新变量（如"V1"、"V2"），然后将所得"成份矩阵"中的因子载荷分别输入新数据文件定义的新变量中，如图13-19所示。

2）在新数据文件的数据编辑器窗口选择"转换"|"计算变量"命令，打开如图13-20所

示的“计算变量”对话框。

	V1	V2	变量
1	0.83	-0.49	
2	0.73	0.43	
3	0.78	-0.43	
4	0.89	-0.41	
5	0.69	0.61	
6	0.46	0.80	

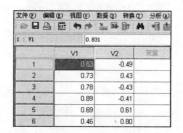

图 13-19　按因子结果定义的新变量

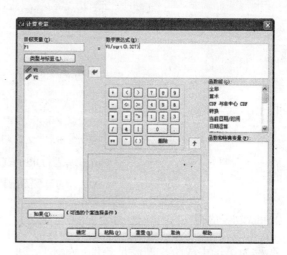

图 13-20　“计算变量”对话框

在“目标变量”中输入要定义的特征向量的名称（如“F1”），然后在“数字表达式”中输入：“新数据文件中定义的新变量名称/SQRT(第一步因子分析中相应主因子的初始特征值)”，如输入“V1/SQRT(3.327)”。最后单击“确定”按钮，就可以在新数据文件的数据编辑器窗口得到一个特征向量。一般有几个主因子就要定义几个特征变量，最终得到如图13-21所示的特征向量矩阵。

3. 计算主成份矩阵

1）对第一步中参与因子分析的原始变量进行标准化，在原数据文件数据编辑器窗口，依次选择“分析”|“描述统计”|“描述”命令，打开如图13-22所示的“描述性”对话框，然后将参与因子分析的原始变量都选入“变量”列表，并选中“将标准化得分另存为变量”复选框，最后单击“确定”按钮就可以得到如图13-23所示的的标准化变量。

F1	F2
0.46	-0.37
0.40	0.32
0.43	-0.32
0.49	-0.30
0.38	0.45
0.25	0.60

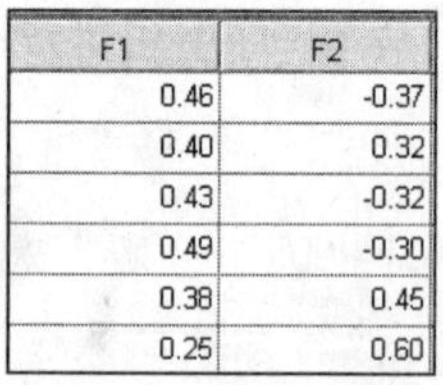

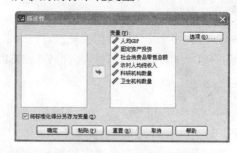

图 13-21　特征向量矩阵

图 13-22　“描述性”对话框

2）从特征向量矩阵可以得到主成份的计算公式：

$$z_1 = 0.46x_1 + 0.4x_2 + 0.43x_3 + 0.49x_4 + 0.38x_5 + 0.25x_6$$
$$z_2 = -0.37x_1 + 0.32x_2 - 0.32x_3 - 0.3x_4 + 0.45x_5 + 0.60x_6$$

Z人均GDP	Z固定资产投资	Z社会消费品零售总额	Z农村人均纯收入	Z科研机构数量	Z卫生机构数量
2.04441	-0.51660	1.65906	1.94024	1.62927	-0.42520
1.31636	0.03023	0.55226	0.90174	-0.86049	-0.90926
-0.34281	0.88480	-0.30199	-0.03634	0.61073	1.02481
-0.53582	-0.42228	-0.82403	-0.62359	-0.57756	-0.16119
-0.46860	0.19082	-1.19862	-0.62105	-0.97366	-0.43612
0.60217	2.26560	-0.48420	0.07552	1.40293	0.05641
-0.22950	-0.58107	-0.93505	-0.11133	0.38439	-0.71569
0.02139	0.01172	-0.76471	0.08823	0.10146	0.30704
3.75590	2.41216	2.46924	3.23931	0.49756	-0.33483
0.49197	1.58117	0.30226	0.96530	1.74244	1.50888
0.61811	-0.18617	1.64719	1.61356	0.04488	0.60300
-0.63909	0.22753	-0.40877	-0.50156	-0.06829	0.02201
0.35371	-0.88852	0.19378	0.44669	-0.35122	-0.53932
-0.68934	-0.65181	-0.76386	-0.20285	-0.29463	-0.29742
0.03733	1.62445	-0.01131	0.02341	0.66732	1.07860
-0.65503	0.69377	-0.82912	-0.59181	0.78049	0.31360
-0.35494	-0.30945	-0.05877	-0.23590	1.12000	0.88230
-0.57671	-0.15244	0.35734	-0.34522	0.61073	0.71657
0.69815	0.11052	2.67857	1.27418	0.32781	0.63767
-0.55211	-0.46556	0.43531	-0.31852	-0.52098	-0.25702

图 13-23 标准化后的变量

其中，上式中的 x 为因子分析中的原始变量标准化后的变量，z_i 为主成份。打开数据编辑器窗口选择"转换"|"计算变量"，打开如图 13-17"计算变量"对话框，在"目标变量"和"数字表达式"文本框中依次输入上述公式，分别单击"确定"按钮，就可以得到主成份分析的结果。

13.2.3 实验操作

下面将以数据文件"13-1"为例，说明主成份分析的具体操作过程和对结果进行说明解释。

1. 实验数据描述

由于本实验操作继续利用数据文件"13-1"，因此数据文件"13-1"的具体介绍参见上节，本书在此不再赘述。

2. 实验操作步骤

实验的具体操作步骤如下：

Step 01 打开数据文件"13-1"，进入 SPSS Statistics 数据编辑器窗口，在菜单栏中依次单击"分析"|"降维"|"因子分析"选项卡，然后将"人均 GDP"、"固定资产投资"、"社会消费品零售总额"、"农村人均纯收入"、"科研机构数量"和"卫生机构数量"变量选入"变量"列表。

Step 02 单击"确定"按钮，在 SPSS Statistics 查看器窗口会输出图 13-10 和图 13-13。

Step 03 重写建立一个数据文件"13-2"，并在"13-2"中定义两个新变量"V1"和"V2"，并在数据编辑窗口将图 13-13 中成份矩阵中的因子载荷分别输入"13-2"数据文件的"V1"和"V2"变量中。

Step 04 在"13-2"数据文件的数据编辑器窗口选择"转换"|"计算变量"，打开"计算变量"对话框，在"目标变量"文本框中输入"F1"，然后在数字表达式中输入"v1/SQRT(3.327)"，最后单击"确定"按钮。按此步骤，依次完成变量"F2""F3"

的计算，就会得到特征向量矩阵。

Step 05　在"13-1"数据编辑器窗口，对"人均 GDP"、"固定资产投资"、"社会消费品零售总额"、"农村人均纯收入"、"科研机构数量"和"卫生机构数量"变量进行标准化。

Step 06　在"13-1"数据文件的数据编辑器窗口选择"转换" | "计算变量"，打开"计算变量"对话框，在对话框中依次输入等式：

$$z = 0.46z人均GDP + 0.4z固定资产投资 + 0.43z社会消费品零售总额$$
$$+ 0.49z农村人均纯收入 + 0.38z科研机构数量 + 0.25z卫生机构数量$$
$$z = -0.37z人均GDP + 0.32z固定资产投资 - 0.32z社会消费品零售总额$$
$$- 0.3z农村人均纯收入 + 0.45z科研机构数量 + 0.60z卫生机构数量$$

分别单击"确定"按钮。

3. 实验结果分析

单击"确定"按钮，在SPSS数据编辑器窗口就可以得到如图13-24所示的两个主成份变量。

z1	z2
2.91	-1.56
0.74	-1.86
0.54	1.41
-1.34	0.16
-1.44	0.10
1.56	1.30
-0.83	-0.02
-0.16	0.44
5.45	-2.36
2.50	1.63
1.88	-0.92
-0.64	0.57
-0.16	-1.09
-1.19	0.04
1.20	1.45
-0.30	1.45
0.22	1.16
0.07	0.86
2.43	-0.93
-0.67	-0.38
-1.37	-2.12
1.10	3.57
-1.75	-0.35
-1.02	0.28
-1.20	0.79

图 13-24　主成份变量

图13-24给出了由因子分析结果计算出来的两个主成份变量。图中的每个主成份变量都是原始变量标准化后的线性组合，并且每个主成份变量与其他主成份变量无相关性，其中第一主成份解释的方差比率最大。但是由于主成份变量都是所有原始变量的线性组合，所以很难定义每个主成份的具体含义，只能达到降维的效果，这是其相对于因子分析的劣势。

上机题

	光盘：\多媒体文件\上机题教学视频\chap13.wmv
	光盘：\源文件\上机题\chap13\...

13.1 题目中数据是34名运动员十项全能的比赛成绩。试采用因子分析的方法来提取公共因子，分析衡量运动员运动成绩的指标。部分指标数据如下表所示（数据路径：光盘:\源文件\上机题\chap13\习题\第十三章第一题.sav）。

100米（秒）	跳远（米）	铅球（米）	跳高（米）	200米（秒）
11.25	7.43	15.48	2.27	11.25
10.87	7.45	14.97	1.97	10.87
11.18	7.44	14.20	1.97	11.18
10.62	7.38	15.02	2.03	10.62
11.02	7.43	12.92	1.97	11.02
10.83	7.72	13.58	2.12	10.83
11.18	7.05	14.12	2.06	11.18
11.05	6.95	15.34	2.00	11.05
11.15	7.12	14.52	2.03	11.15
11.23	7.28	15.25	1.97	11.23
10.94	7.45	15.34	1.97	10.94
11.18	7.34	14.48	1.94	11.18
11.02	7.29	12.92	2.06	11.02
10.99	7.37	13.61	1.97	10.99
11.03	7.45	14.20	1.97	11.03

（1）进行 KMO 和 Bartlett 的检验，判断是否适合因子分析。

（2）计算每个变量共同度和因子贡献率指标。

（3）采用主成份分析方法计算公共因子，同时绘制各个因子的碎石图。

13.2 为了确定人参的品级，选取了八个样本观测六种有效成份的含量，而我们希望用较少的指标来对人参进行分级。试采用主成份分析方法，提取恰当数量的主成份进行降维。部分指标数据如下表所示（数据路径：光盘:\源文件\上机题\chap13\习题\第十三章第二题.sav）。

有机酸 （%）	维生素 （%）	糖类 （%）	元机盐 （%）	固醇寡肽 （%）	挥发油类 （%）	人参多苷 （%）
0.056	0.084	0.031	0.038	0.008	0.022	0.056
0.049	0.055	0.100	0.110	0.022	0.007	0.049
0.038	0.130	0.079	0.170	0.058	0.043	0.038
0.034	0.095	0.058	0.160	0.200	0.029	0.034
0.084	0.066	0.029	0.320	0.012	0.041	0.084
0.064	0.072	0.100	0.210	0.028	0.038	0.064

（续表）

有机酸 （%）	维生素 （%）	糖类 （%）	元机盐 （%）	固醇寡肽 （%）	挥发油类 （%）	人参多苷 （%）
0.048	0.089	0.062	0.260	0.038	0.036	0.048
0.069	0.087	0.027	0.250	0.045	0.021	0.069

（1）进行KMO和Bartlett的检验，判断是否适合主成份分析。

（2）采用主成份分析方法，提取主成份达到降维的目的。

第 14 章　对应分析

对应分析也称关联分析、R-Q型因子分析，通过分析由定性变量构成的交互汇总表来揭示变量间的联系。对应分析可以揭示同一变量的各个类别之间的差异，以及不同变量各个类别之间的对应关系。它最大特点是能把样品和变量同时作到同一张图解上，将样品的大类及其属性在图上直观而又明了地表示出来。另外，对应分析无须进行因子选择和因子轴旋转，可以从因子载荷图上对样品进行直观的分类，而且能够指示分类的主要参数（主因子）以及分类的依据，在变量个数与变量的取值类别较多的时候具有明显的优势。对应分析在市场细分、产品定位、企业管理等领域中具有广泛的应用。

14.1　一般对应分析

对应分析法是在R型和Q型因子分析的基础上发展起来的一种多元统计分析方法，因此对应分析又称为R-Q型因子分析。

14.1.1　一般对应分析的基本原理

由于指标型的因子分析和样品型的因子分析反映的是一个整体的不同侧面，因此它们之间一定存在内在的联系。如果能够有效利用这种内在联系所提供的信息，对更全面合理地分析数据具有很大的帮助。在因子分析中，如果研究的对象是样品，可采用Q型因子分析；如果研究的对象是变量，则需采用R型因子分析。但是，这两种因子分析方法必须分别对样品和变量进行处理，所以这两种分析方法往往存在着相互对立的关系，为我们发现和寻找它们的内在联系制造了困难。而对应分析通过一个过渡矩阵Z将两者有机地结合了起来。

对应分析的基本思想是将一个联列表的行和列中各元素的比例结构，以点的形式在较低维的空间中表示出来。首先，给出指标变量点的协差阵A=Z，Z和样品点的协差阵B=ZZ'，由于两者有相同的非零特征根，所以可以很方便地借助指标型因子分析而得到样品型因子分析的结论。如果对每组变量选择前两列因子载荷，那么两组变量就可以画出两个因子载荷的散点图。由于这两个图所表示的载荷可以配对，于是就可以把这两个因子载荷的两个散点图画到同一张图中，并以此来直观地显示各行变量和各列变量之间的关系。

14.1.2　一般对应分析的 SPSS 操作

打开相应的数据文件或者建立一个数据文件后，可以在 SPSS Statistics 数据编辑器窗口进行对应分析。

1）在菜单栏中选择"分析"|"降维"|"对应分析"命令，打开如图14-1所示的"对应分

析"对话框。

2）选择变量

① 行　该变量列表中的变量是进行对应分析的行变量，并且都必须是数值型的名义变量。因此必须将分类字符串变量重新编码为数值型变量的名义变量。另外，对于汇总数据要使用具有正相似性值的加权变量。

② 列　该变量列表中的变量是进行对应分析的列变量，同行变量一样都必须是数值型的名义变量。

3）进行相应的设置

定义范围

一旦选定行变量或者列变量，"定义范围"按钮就会被激活。以行变量为例，单击"行"列表框下方的"定义范围"按钮，弹出如图14-2所示的"对应分析：定义行范围"对话框。

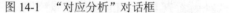

图 14-1　"对应分析"对话框　　　　图 14-2　"对应分析：定义行范围"对话框

"对应分析：定义行范围"对话框主要用于对行变量进行定义范围，该对话框含有两个选项组。

①"行变量的分类全距"选项组　在该选项组中的"最小值"中输入行变量的最小整数值，在"最大值"中输入行变量中的最大整数值。其中，指定的最小值和最大值必须为整数，小数数据值会在分析中被截断，指定范围之外的类别值将不参与对应分析。设置完毕后，单击"更新"按钮，就可以完成行变量的范围设置。

②"类别约束"选项组　该选项组主要用于当分类所代表的分类不符合对应分析的需要，或者分类模糊时对取值进行设置约束条件，如将某个行类别约束为等于其他行类别，或者将行类别定义为补充类别。

- 无：即表示不进行任何约束。
- 类别必须相等：表示行类别必须具有相等的得分。如果所获得的类别顺序不理想或不直观，请使用等同性约束。可约束为相等的行类别的最大数量等于活动行类别总数减1。
- 类别为补充型：表示补充类别不影响分析，但会出现在由活动类别定义的空间中，该类别对定义维不起作用，最大数目为行类别总数减2。

"模型"设置

单击"模型"按钮，弹出如图14-3所示的"对应分析：模型"对话框。

图 14-3　"对应分析：模型"对话框

"对应分析：模型"对话框主要用于指定维数、距离测量、标准化方法以及正态化方法。

①"解的维数"输入框　该输入框主要用于指定对应分析的维数。对应分析的目的要求根据需要选择尽量少的维数来解释大多数变异。最大维数取决于分析中使用的活动类别数以及相等性约束的数目。一般情况下，所能够设置的最大维数取决于以下两项中的较小者：活动行类别数减去约束为相等的行类别数，加上受约束的行类别集的数目；活动列类别数减去约束为相等的列类别数，加上受约束的列类别集的数目。

②"距离度量"选项组　该选项组主要用于对应表的行和列之间距离的测量。

- 卡方：该单选按钮表示卡方距离测度即使用加权轮廓表距离，是标准对应分析中所必需的，其中权重是行或列的质量。
- Euclidean：该单选按钮表示欧几里德距离测度，即使用行对和列对之间平方差之和的平方根进行测度。

③"标准化方法"选项组　该选项组主要用于选择数据标准化的方法，各选项介绍如表14-1所示。

表 14-1　"标准化方法"介绍

选项	含义及其他
行和列均值已删除	表示行和列都被中心化，适用于标准对应分析，仅在选择"卡方"距离度量时可用
行均值已删除	表示只有行被中心化处理
列均值已删除	表示只有列被中心化处理
使行总和相等，删除均值	表示在行数据中心化之前先使行边际相等
使列总和相等，删除均值	表示在列数据中心化之前先使行边际相等

其中，"行均值已删除"、"列均值已删除"、"使行总和相等，删除均值"和"使列总和相等，删除均值"仅在选择"Euclidean"距离度量时可用。

④ "正态化方法" 选项组　该选项组主要用于设置数据正态化方法，各选项介绍如表14-2所示。

表14-2　"正态化" 选项组选项介绍

选项	含义及其他
对称	表示对于每个维，行得分为列得分的加权平均值除以对应的奇异值，列得分为行得分的加权平均值除以对应的奇异值，如果想要检查两个变量的类别之间的差异或相似性，则使用此方法
主要	表示行点和列点之间的距离是对应表中对应于所选距离测量的距离的近似值，当需要检查一个或两个变量的类别之间的差别而非两个变量之间的差别时选择该按钮
主要行	表示行点之间的距离是对应表中对应于所选距离测量的距离近似值，行得分是列得分的加权平均值，特别是当要检验行变量的类别之间的差别或相似性时选择该按钮
主要列	表示列点之间的距离是对应表中对应于所选距离测量的距离近似值，列得分是行得分的加权平均值，特别是检查列变量的类别之间的差异或相似性选择该按钮
定制	表示用户自己指定介于–1和1之间的值，"–1" 相当于 "主要列"，"1" 相当于 "主要行"，"0" 相当于 "对称"，而其他值不同程度地将 "惯量" 分布于行得分和列得分上

"统计量" 设置

单击 "统计量" 按钮，弹出如图14-4所示的 "对应分析：统计量" 对话框。

图 14-4　"对应分析：统计量" 对话框

"对应分析：统计量" 对话框主要用于设定输出对应分析的统计量值，包括：

- "对应表" 复选框　该复选框用于指定输出行、列各个类别组合的交叉表信息。
- "行点概览" 复选框　该复选框用于指定输出每个行类别的得分、质量、惯量、对维惯量的贡献和维对点惯量的贡献。
- "列点概览" 复选框　该复选框用于指定输出每个列类别的得分、质量、惯量、对维惯量的贡献和维对点惯量的贡献。
- "对应表的排列" 复选框　该复选框用于指定输出排列后的对应表即输出根据第一维上的得分按递增顺序排列行和列的对应表。可在 "排列的最大维数" 文本框中输入置换表的最大维数从而为从1到指定数字的每一维分别生成一个置换表。
- "行轮廓表" 复选框　该复选框用于指定输出每个行变量类别对所有列变量类别的分布。
- "列轮廓表" 复选框　该复选框用于指定输出每个列变量类别对所有行变量类别的分

布。

- "置信统计量"选项组 该选项组主要用于设定输出非补充行或列点的标准差和相关性。"行点"，该单选按钮表示输出行点的标准差和相关性。"列点"，该单选按钮表示输出列点的标准差和相关性。

"绘制"按钮

单击"绘制"按钮，弹出如图14-5所示的"对应分析：图"对话框。

图 14-5 "对应分析：图"对话框

"对应分析：图"对话框主要用于对输出图形进行设置，包括：

① "散点图"选项组 该选项组主要用于输出维的所有成对图矩阵。

- 双标图：该复选框表示输出行点和列点的联合图矩阵，但是如果选择了"主要"标准化，则双标图不可用。
- 行点：该复选框表示输出行点图矩阵。
- 列点：该复选框表示输出列点图矩阵。在"散点图的标识标签宽度"输入散点图标签字符个数，该值必须为小于或等于20的非负整数。

② "线图"选项组 该选项组主要用于为指定变量的每一维生成一个线图。

- 已转换的行类别：该复选框表示输出以行类别初始值对行类别生成的得分图。
- 已转换的列类别：该复选框表示输出以列类别初始值对行类别生成的得分图。

③ "图维数"选项组 该选项组主要用于设置图的维数。

- 显示解中的所有维数：该单选按钮表示行和列的维数显示在交叉表中。
- 限制维数：该单选按钮表示限制输出的维数，在"最低维数"中输入从1到总维数减1的整数，在"最高维数"中输入从2到总维数的整数。

4）分析结果输出

设置完毕后，单击"确定"按钮，就可以在SPSS Statistics查看器窗口得到对应分析的结果。

14.1.3 实验操作

下面将以“14-1”数据文件为例，说明对应分析的具体操作过程和对结果进行说明解释。

1. 实验数据描述

“14-1”数据文件由按工作类别区分吸烟行为的交叉制表构成。变量“人员组”包含工作类别高级经理、初级经理、高级雇员、低级雇员和秘书以及类别国家平均水平（可用作分析的补充）；变量“吸烟”包含行为不吸烟、少量、中等数量和大量以及类别不饮酒和饮酒（这些类别可用作分析的补充）；变量“权重”是对该类别的数目的描述。本实验将利用对应分析方法来对“人员组”和“吸烟”两个分类变量的对应关系进行分析。本数据文件的原始EXCEL数据文件如图14-6所示。

首先在SPSS变量视图中建立变量“人员组”、“吸烟”和“计数”，分别表示工作类别、吸烟状况和数据的权重。“人员组”为名义变量，分别将“高级经理”、“初级经理”、“高级雇员”、“低级雇员”和“秘书”以及类别国家平均水平赋值为“1”、“2”、“3”、“4”、“5”、“6”。“吸烟”也为名义变量，分别将“不吸烟”、“少量”、“中等数量”和“大量”以及类别“不饮酒”和“饮酒”赋值为“1”、“2”、“3”、“4”、“5”、“6”，如图14-7所示。

	A	B	C
1	人员组	吸烟	权重
2	高级经理	不吸烟	4
3	高级经理	少量吸烟	2
4	高级经理	中等数量	3
5	高级经理	大量	2
6	初级经理	不吸烟	4
7	初级经理	少量吸烟	3
8	初级经理	中等数量	7
9	初级经理	大量	4
10	高级雇员	不吸烟	25
11	高级雇员	少量吸烟	10
12	高级雇员	中等数量	12
13	高级雇员	大量	4
14	初级雇员	不吸烟	18
15	初级雇员	少量吸烟	24
16	初级雇员	中等数量	33
17	初级雇员	大量	13

图 14-6 “14-1”数据文件原始数据

	名称	类型	宽度	小数	标签	值	缺失	列	对齐	度量标准
1	人员组	数值(N)	8	2	人员组	{1.00, 高级…	无	8	右(R)	名义
2	吸烟	数值(N)	8	2	吸烟	{1.00, 不吸…	无	8	右(R)	名义
3	计数	数值(N)	8	2		无	无	8	右(R)	名义
4										

图 14-7 “14-1”数据文件的变量视图

然后在SPSS活动数据文件的数据视图中，把相关数据输入到各个变量中。输入完毕后如图14-8所示。

	人员组	吸烟	计数
1	1.00	1.00	4.00
2	1.00	2.00	2.00
3	1.00	3.00	3.00
4	1.00	4.00	2.00
5	2.00	1.00	4.00
6	2.00	2.00	3.00
7	2.00	3.00	7.00
8	2.00	4.00	4.00
9	3.00	1.00	25.00
10	3.00	2.00	10.00
11	3.00	3.00	12.00
12	3.00	4.00	4.00
13	4.00	1.00	18.00
14	4.00	2.00	24.00
15	4.00	3.00	33.00

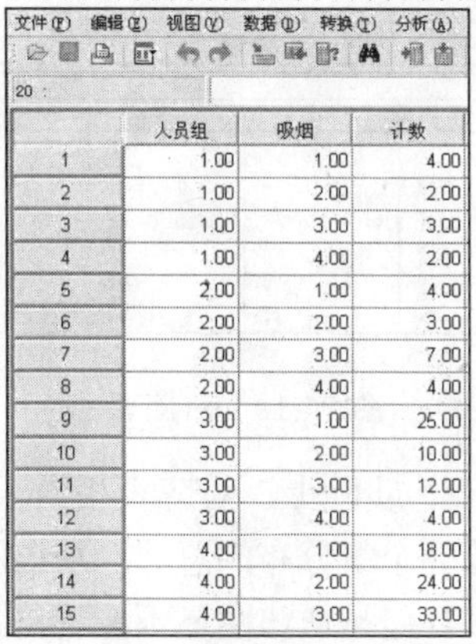

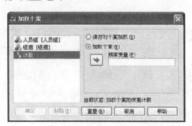

图 14-8 “14-1”数据文件的数据视图

2. 实验操作步骤

具体操作步骤如下：

Step 01 打开“14-1”数据文件，进入 SPSS Statistics 数据编辑器窗口，在菜单栏中选择“数据”|“加权个案”命令，打开如图 14-9 所示的“加权个案”对话框，选择“加权个案”，然后单击“计数”变量，单击➡按钮将其选入“频率、变量”文本框中，单击“继续”按钮，保存设置结果。

图 14-9 “加权个案”对话框

Step 02 在“14-1”数据文件数据编辑器窗口的菜单栏中选择“分析”|“降维”|“对应分析”命令，打开 “对应分析”对话框。首先将“人员组”选入“行”列表，单击“定义范围”按钮，打开“对应分析：定义行范围”对话框，在该对话框的“最小值”和“最大值”文本框中分别输入“1”和“5”，单击“更新”按钮。然后将“吸烟”选入“行”列表，单击“定义范围”按钮，打开“对应分析：定义行范围”对话框，在该对话框的“最小值”和“最大值”文本框中分别输入“1”和“4”，单击“更新”按钮。

Step 03 单击“统计量”按钮，打开“对数线性分析：统计量”对话框，选择“对应表的排列”、“行轮廓表”、“列轮廓表”、“行点”和“列点”复选框，单击“继续”按钮，保存设置结果。

Step 04 单击“确定”按钮，便可以得到简单对应分析结果。

3. 实验结果及分析

单击“确定”按钮后，在SPSS Statistics查看器窗口的输出结果如图14-10~图14-17所示。

对应表

人员组	吸烟				有效边际
	不吸烟	少量	中等数量	大量	
高级经理	4	2	3	2	11
初级经理	4	3	7	4	18
高级雇员	25	10	12	4	51
低级雇员	18	24	33	13	88
秘书	10	6	7	2	25
有效边际	61	45	62	25	193

图 14-10　对应表

图14-10给出了对应分析的对应表。实际上，对应表相当于"人员组"和"吸烟"两个变量的交叉表。"有效边际"表示相应行或列个案分布的总计。从该图可以发现，大量吸烟的职员最少，而不吸烟和中等数量吸烟的职员最多。但是从该图还不能看出是否吸烟和工作类别之间的关系。

摘要

维数	奇异值	惯量	卡方	Sig.	惯量比例		置信奇异值	相关
					解释	累积	标准差	2
1	.273	.075			.878	.878	.070	.020
2	.100	.010			.118	.995	.076	
3	.020	.000			.005	1.000		
总计		.085	16.442	.172ª	1.000	1.000		

a. 12 自由度

图 14-11　摘要输出表

图14-11给出了对应分析的统计摘要表。对应分析的目的是利用尽可能少的维度表示变量间的关系，而摘要表可以提供最大维度的信息来观察每个维度上的贡献。在本实验中最大维度是这样确定的：活动列变量类别数（四类）减去1，即为3个维度。"惯量"相当于特征值，是衡量解释数据变异能力的指标。可见第一维度展示了最多的变异：0.878（0.075/0.085），第二个维度与第一个维度正交，展示了剩下的最大部分：11.8%（0.010/0.085），而第三个维度解释能力几乎没有。由于第三维度仅仅承载了0.5%的变异，因此二维的对应分析就足够了。"奇异值"（singular values）表示行得分和列得分的相关系数，与Pearson相关系数类似。它等于惯量值的平方，因此是维度重要性的另一种度量。

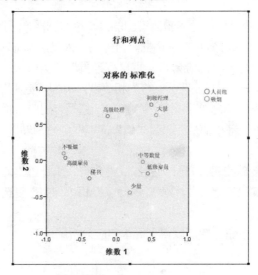

图 14-12　对应分析散点图

图14-12给出了行得分和列得分在二维上的散点图，通过图表的形式展现类别和样本之间的潜在关系。行点和列点越近表示关系越密切。如第二个维数把经理和其他雇员分开了。对称正态化方法使得比较容易观察"工作组"和"吸烟"之间的关系，经理比较接近大量吸烟型，而高级雇员更接近不吸烟型。

行简要表					
	吸烟				
人员组	不吸烟	少量	中等数量	大量	有效边际
高级经理	.364	.182	.273	.182	1.000
初级经理	.222	.167	.389	.222	1.000
高级雇员	.490	.196	.235	.078	1.000
低级雇员	.205	.273	.375	.148	1.000
秘书	.400	.240	.280	.080	1.000
质量	.316	.233	.321	.130	

图 14-13 行简要表

图14-13给出了行简要表。每个单元格给出了相应交叉表中该单元格中频数占该行个案总数的百分比（如高级雇员和秘书中分别有49%和40%的不吸烟而初级经理和低级雇员中有近40%的中等吸烟）。"有效边际"表示该行的总计百分比。"质量"表示该列个案数目占总个案数目的百分比。

列简要表					
	吸烟				
人员组	不吸烟	少量	中等数量	大量	质量
高级经理	.066	.044	.048	.080	.057
初级经理	.066	.067	.113	.160	.093
高级雇员	.410	.222	.194	.160	.264
低级雇员	.295	.533	.532	.520	.456
秘书	.164	.133	.113	.080	.130
有效边际	1.000	1.000	1.000	1.000	

图 14-14 列简要表

图14-14给出了列简要表。每个单元格给出了相应交叉表中该单元格中频数占该列个案总数的百分比（如不吸烟的雇员中高级雇员最多，占到了总数的41%；而大量吸烟和中度吸烟的雇员中低级雇员最多）。"有效边际"表示该列的总计百分比。"质量"表示该行个案数目占总个案数目的百分比。

概述行点a									
		维中的得分			贡献				
					点对维惯量		维对点惯量		
人员组	质量	1	2	惯量	1	2	1	2	总计
高级经理	.057	-.126	.612	.003	.003	.214	.092	.800	.893
初级经理	.093	.495	.769	.012	.084	.551	.526	.465	.991
高级雇员	.264	-.728	.034	.038	.512	.003	.999	.001	1.000
低级雇员	.456	.446	-.183	.026	.331	.152	.942	.058	1.000
秘书	.130	-.385	-.249	.006	.070	.081	.865	.133	.999
有效总计	1.000			.085	1.000	1.000			
a. 对称标准化									

图 14-15 概述行点

图14-15给出了概述行点的信息。"质量"表示该类别个案占总个案数目的百分比。"维中的得分"表示各个行类别在第一维度和第二维度上的得分，也是对应分析散点图的坐标值，通过该得分可以判断行类别在每个维度上的分散情况。"贡献"表示行点对维度或者维度对行点变异的解释能力（即惯量的贡献度），其中"点对维惯量"表示行点在该维度上的贡献或者

重要度，"维对点惯量"表示该维度对解释该类别行点的贡献度。从表中可以看出"高级雇员"和"低级雇员"在第一维度上贡献了85%的惯量，是该维度上的主导行点；"高级雇员"和"低级雇员"的惯量在第一维度和第二维度上得到了全部的分散，并且前两维度几乎解释了"高级经理"89%的惯量，因此第三维度几乎没有贡献。

置信行点			
	维中的标准差		相关
人员组	1	2	1-2
高级经理	.614	.917	.101
初级经理	.461	.511	.007
高级雇员	.110	.157	.107
低级雇员	.118	.124	.611
秘书	.158	.153	-.360

图 14-16　置信行点

置信列点			
	维中的标准差		相关
吸烟	1	2	1-2
不吸烟	.118	.145	.402
少量	.281	.292	.054
中等数量	.179	.332	.020
大量	.361	.441	-.155

图 14-17　置信列点

图14-16和图14-17给出了行点和列点的置信统计量信息。"维中的标准差"表示各个行类别或列类别在第一维度和第二维度上的得分的标准差，如果标准差过大则对该行点或列点在总体中的位置将更加不确定，如果标准差很小则该行点或列点在总体中的位置将非常接近对应分析给出的点位置。"相关"表示了第一维度得分和第二维度得分的相关性，如果相关性很大则就没有把握在一个正确的维度确定行点或列点的位置。如"高级经理"和"初级经理"的标准差都比较大，是因为这两个类别的个案数目比较小。

14.2　多重对应分析

与简单对应分析用于分析两个分类变量间的关系不同，多重对应分析适用于分析一组属性变量之间的相关性。

14.2.1　多重对应分析的基本原理

与一般对应分析一样，多元对应分析的基本思想也是是以点的形式在较低维的空间中表示联列表的行和列中各元素的比例结构。多元对应分析的计算方法与计算结果与一般对应分析结构基本相同。与一般对应分析相比，多重对应分析的优势表现在以下两个方面：

（1）可以同时处理并以图形的形式表示多个分类变量之间的关系。
（2）可以同时分析多种形式的变量，能够处理的变量种类更加丰富。

14.2.2　多重对应分析的 SPSS 操作

打开相应的数据文件或者建立一个数据文件后，可以在 SPSS Statistics 数据编辑器窗口进行多重对应分析。

1）在菜单栏中选择"分析"|"降维"|"最优尺度"命令，打开如图14-18所示的"最佳尺度"对话框。

图 14-18 "最佳尺度"对话框

"最佳尺度"对话框用于设定变量集数目、分析方法等，包括：

①最佳度量水平　该选项组用于指定变量的度量类型。如果所要分析的变量都是名义变量而非有序变量或度量变量，则选择"所有变量均为多重标称"单选按钮；如果所要分析的变量含有名义变量而非有序变量或度量变量，则选择"某些变量并非多重标称"单选按钮。

②变量集的数目　该选项组用于确定变量集的数目。如果仅仅分析的是一组变量间的关系，则选择"一个集合"单选按钮；如果分析的变量中含有多选题变量集合，则选择"多个集合"单选按钮。

③选定分析　该选项组用于显示最有尺度的分析方法。当分析多个名义分类变量之间的关系且一个变量集时则显示"多重对应分析"，此时选择了"所有变量均为多重标称"和"一个集合"单选按钮；当所要分析的变量含有名义变量而非有序变量或度量变量且分析的变量中含有多选题变量集合时显示"分类主要成份"，此时选择了"某些变量并非多重标称"和"一个集合"单选按钮，该方法多用于市场研究中多维偏好分析；当选择了"多个集合"单选按钮就会显示"非线性典型相关性"。

其中，本节主要介绍"多重对应分析"方法。因此选择图14-18所示的"最佳尺度"对话框中的"所有变量均为多重标称"和"一个集合"单选按钮，单击"定义"按钮，打开如图14-19所示的"多重对应分析"对话框。

2）选择变量

①分析变量　该变量列表中的变量是进行多重对应分析的目标变量，并且都必须是数值型的名义变量，因此必须将分类字符串变量重新编码为数值型变量的名义变量。可以选入两个以上的变量，如果仅选入两个变量相当于进行简单对应分析。每个变量必须至少包含三个有效个案且该分析基于正整数数据。

一旦选定行分析变量，"定义变量权重"按钮就会被激活。单击"定义变量权重"按钮，弹出如图14-20所示的"MCA：定义变量权重"对话框。在"变量权重"文本框输入变量的权重。

②补充变量　该变量列表中的变量是进行多重对应分析的补充变量，不用于多重对应分析，仅用于对比。

③标记变量　该变量列表中的变量是进行多重对应分析的标签变量，用于在结果中标示记录。

④解的维数　该文本框用于输入多重对应分析结果的最低维度数目。

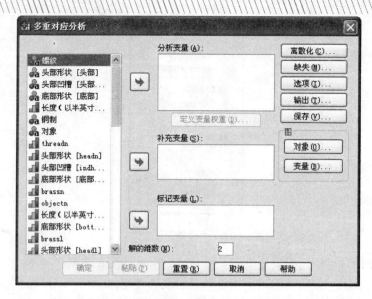

图 14-19 "多重对应分析"对话框

3）进行相应的设置

"离散化"设置

单击"离散化"按钮，弹出如图14-21所示的"MCA：离散化"对话框。

图 14-20 "MCA:定义变量权重"对话框   图 14-21 "MCA：离散化"对话框

"MCA：离散化"对话框主要用于选择对变量重新编码的方法即分类方法，由于多重对应分析的变量都是分类名义变量，因此需要对不符合要求的变量取值进行离散化，如通过按照升序字母数值顺序分配类别指示符，字符串变量总是转换为正整数，字符串变量的离散化适用于这些整数。具体包括：

①"变量"列表框 该列表主要用于存放多重对应分析的分析变量，变量名的括号中表示该变量的离散化的方法。

②"方法"下拉列表 该列表主要用于选择变量离散化的方法，如表14-3所示。

表 14-3 "方法"下拉列表选项

选项	含义及其他
未指定	表示不指定任何离散化的方法
分组	表示将选定的变量重新编码为指定数量的类别或者按区间重新编码类别，然后在"类别数"中输入分类的数目，并选择"类别数"进行选定变量取值的分布是"正态分布"还是"相等"（均匀分布）或者选中"同等间隔"单选按钮进行指定重新编码的间隔区间
秩	表示将通过对变量个案排秩来进行分类
乘	表示取变量当前值乘以10且经过四舍五入的标准化值，并且加上了一个常数取保最低离散值为1，然后按整数值的大小进行分类

选择离散化方法后，单击"更改"按钮即可。

"缺失值"设置

单击"缺失"按钮，弹出如图14-22所示的"MCA：缺失值"对话框。

图 14-22 "MCA：缺失值"对话框

"MCA：缺失值"对话框主要用于设定缺失值的方法，包括两个选项组。

① "缺失值方案"选项组　该选项组中包含两个列表框"分析变量"和"补充变量"，分别用于存放分析变量和补充变量。

② "方案"选项组　该选项组用于指定处理缺失值的方法。

- 排除缺失值：量化后为相关性规因：该单选按钮表示选定的变量有缺失值的对象对于此变量的分析不起作用，该方法属于消极处理方法，即排除值模式。如果消极处理所有变量，则所有变量都有缺失值的对象将视为补充对象。如果选择输出相关矩阵，则缺失值的替换方式有：

☆ 众数，表示将缺失值替换为最优尺度化变量的众数；

- 附加类别，表示将缺失值替换为附加类别的定量，这意味着此变量有缺失值的对象被视为属于同一（附加）类别。

- 为缺失值规因：该单选按钮表示对选定变量有缺失值的对象进行归因，该方法为积极处理方法，即推算插补模式。其中插补方法亦有两种：众数和附加类别。"众数"表示将缺失值替换为最频繁的类别，当有多个众数时将使用具有最小类别指示符的众数；选择"附加类别"含义相同。

- 排除此变量具有缺失值的对象：该单选按钮表示从对应分析中排除选定变量的缺失值对象，该方法不适用于补充变量。

"选项"按钮

单击"选项"按钮，弹出如图14-23所示的"MCA：选项"对话框。

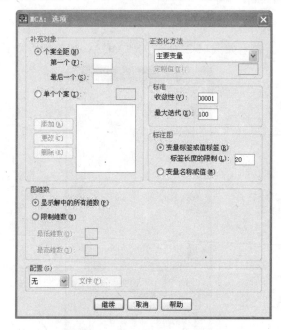

图14-23　"MCA：选项"对话框

"MCA：选项"对话框主要用于选择初始配置、指定迭代和收敛标准、选择正态化方法、选择标记图的方法以及指定附加对象。

① "补充对象"选项组　该选项组用于指定要其成为附加对象的对象的个案编号。

- 个案全距：表示对对象范围的第一个和最后一个个案编号，在"第一个"和"最后一个"文本框中输入编号，然后单击"添加"按钮进入附加对象列表。

- 单个个案：表示如果将某个对象指定为附加对象，则对于该对象将忽略个案权重。单击"更改"可以对选定的附加对象进行更改设置；单击"删除"可以删除已经设置好的附加对象。

② "正态化"选项组　该选项组用于指定变量标准化得分的正态化方法。有以下几种方法：

- 主要变量：表示优化变量之间的关联，对象空间中的变量坐标是成份载入（与主成份的相关性，如维和对象得分）。

- 主要对象：表示优化对象间的距离，适用于关注对象之间的区别或相似性的情况。"对称"，相当于简单对应分析中的对称方法，适用于关注对象和变量之间的关系的情况。
- 因变量：适用于单独检查对象之间的距离和变量之间的相关性。
- 设定：表示用户自己指定介于–1和1之间的值，"–1"相当于"主要变量"，"1"相当于"主要对象"，"0"相当于"对称"，而其他值不同程度地将"惯量"特征值分布于对象和变量上。

③"标准"选项组 该选项组用于设定迭代收敛标准。在"最大迭代"中输入最大迭代次数，在"收敛性"中输入收敛临界值，即循环求解的最后两个模型拟合优度之差小于该值则停止迭代。

④"标注图"选项组 该选项组用于指定在图中将使用变量和值标签还是变量名称和值。选择"变量标签或值标签"表示使用在图中将使用变量和值标签；选择"变量名或值"表示在图中将使用变量名称和值。

⑤"图维数"选项组 该选项组主要用于设置图的维数。

- 显示解中的所有维数：该单选按钮表示行和列的维数显示在交叉表中。
- 限制维数：该单选按钮表示限制输出的维数，在"最低维数"中输入从1到总维数减1的整数，在"最高维数"中输入从2到总维数的整数。

"输出"设置

单击"输出"按钮，弹出如图14-24所示的"MCA：输出"对话框。

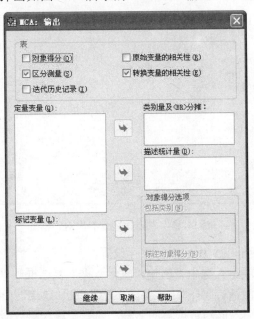

图 14-24 "MCA：输出"对话框

"MCA：输出"对话框主要用于为对象得分、区分测量、迭代历史、原始变量和转换后变量的相关性、选定的变量的类别量化和选定的变量的描述统计生成表。

①"表"选项组　该选项组用于设定输出相关统计量。

- 对象得分：该复选框表示输出对象得分表，包括质量、惯量和贡献。一旦选中"对象得分"复选框，则"对象得分选项"就会被激活。选入"包括类别"列表框的分析变量将输出该变量的类别信息，选入"标注对象得分"的标签变量将用于标注对象。
- 区分测量：该复选框表示输出每个变量和每一维的区分测量。
- 迭代历史记录：该复选框表示输出迭代中偏差的变化。
- 原始变量的相关性：该复选框表示输出原始变量的相关性矩阵以及该矩阵的特征值。
- 转换变量的相关性：该复选框表示输出转换变量的相关性矩阵以及该矩阵的特征值。

②"类别量及分摊"列表框　该列表框用于输出选定变量的每一维度的类别量化（坐标），包括质量、惯量和贡献。

③"描述统计量"列表框　该列表框用于输出选定变量的频率、缺失值的数量以及众数等描述性统计量信息。

"保存"设置

单击"保存"按钮，弹出如图14-25所示的"MCA：保存"对话框。

图 14-25　"MCA：保存"对话框

"MCA：保存"对话框主要用于进行保存设置。

①"离散化数据"选项组　选中"创建离散化数据"复选框则"创建新数据集"和"写入新数据文件"单选按钮被激活。选择"创建新数据集"表示建立一个新数据集来保存离散化数据，在"数据集名称"中输入该新数据集的名称。选择"写入新数据文件"表示建立一个外部SPSS Statistics数据文件保存离散化数据，单击"文件"按钮选择文件。

②"已转换的变量"选项组　该选项组用于保存已转化的变量,具体用法与"离散化数据"一致。

③"对象得分"选项组　该选项组用于保存对象得分,具体用法与"离散化数据"一致。

④多标定尺寸　该选项用于将指定数据保存至当期活动数据文件中。

- 全部:选择该单选按钮表示保存所有维度得分。
- 第一个:选择该单选按钮表示可以指定保存数据的最大维度。

"对象图"设置

单击"对象"按钮,弹出如图14-26所示的"MCA:对象图"对话框。

"MCA:对象图"对话框用于指定所要的图类型以及要绘制的变量。

①对象点　选择该复选框表示输出对象点的图。一旦选择该复选框,则"标签对象"选项组就会被激活。在"标签对象"中选择"个案号"单选按钮表示"可用"列表框中的所有变量用于做标签变量,选择"变量"则为每个变量生成一个图。

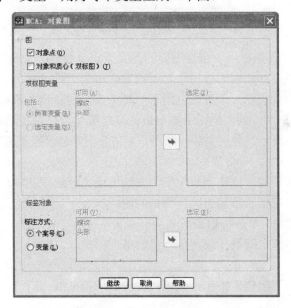

图14-26　"MCA:对象图"对话框

②对象和质心(双标图)　选择该复选框表示输出对象点和其中心点的双标图。一旦选择该复选框,则"双标图变量"就会被激活。在"双标图变量"选项组中选择"所有变量"单选按钮表示"可用"列表框中的所有变量都用于做双标图,选择"选定变量"表示在"可用"列表框中选择变量用于双标图。

"变量图"设置

单击"变量"按钮,弹出如图14-27所示的"MCA:变量图"对话框。

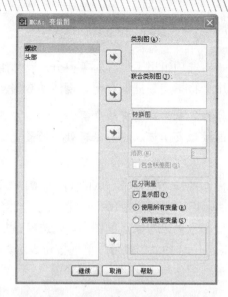

图 14-27 "MCA：变量图"对话框

"MCA：变量图"对话框用于指定所要的图类型和要绘制的变量。包括：

① "类别图"列表框　该列表框用于对于选定的每个变量绘制质心坐标图。

② "联合类别图"列表框　该列表框用于对每个选定的变量的质心坐标的单个图。

③"转换图"列表框　该列表框用于输出最优类别量化与类别指示符的比较图。在"维数"中输入指定维数，将为每一维分别生成一个图。如果选中"包含残差图"复选框则输出每个选定的变量的残差图。

④ "区分测量"选项组　该选项组用于为变量生成区分测量的单个图。

选择"显示图"复选框表示输出区分测量的图。

选中"使用所有变量"单选按钮表示为所有变量生成区分测量的单个图，选择"使用选定变量"单选按钮表示为选定变量生成区分测量的单个图。

4）分析结果输出

设置完毕后，单击"确定"按钮，就可以在SPSS Statistics查看器窗口得到多重对应分析的结果。

14.2.3　实验操作

下面将以数据文件"14-2"为例，说明对应分析的具体操作过程和对结果的说明解释。

1. 实验数据描述

数据文件"14-2"来源于SPSS 17.0自带的数据文件screws.sav，本书对该数据文件进行了适当的修改。该数据文件包含关于螺钉、螺栓、螺母和图钉的特征的信息，利用多重对应分析，分析特征与所属分类的对应关系，本数据文件的原始EXCEL数据文件如图14-28所示。

	A	B	C	D	E	F	G
1	螺纹	头部	头部凹槽	底部	长度（英寸）	铜制	对象
2	没有螺纹	平面	无	尖锐	1	非铜制	TACK
3	没有螺纹	平面	无	尖锐	4	非铜制	NAIL1
4	没有螺纹	平面	无	尖锐	2	非铜制	NAIL2
5	没有螺纹	平面	无	尖锐	2	非铜制	NAIL3
6	没有螺纹	平面	无	尖锐	2	非铜制	NAIL4
7	没有螺纹	平面	无	尖锐	2	非铜制	NAIL5
8	没有螺纹	杯形	无	尖锐	5	非铜制	NAIL6
9	没有螺纹	杯形	无	尖锐	3	非铜制	NAIL7
10	没有螺纹	杯形	星形	尖锐	3	非铜制	NAIL8
11	有螺纹	杯形	狭长切口	尖锐	5	非铜制	SCREW1
12	有螺纹	锥形	狭长切口	尖锐	4	非铜制	SCREW2
13	有螺纹	圆形	狭长切口	尖锐	4	非铜制	SCREW3
14	有螺纹	圆形	狭长切口	尖锐	2	非铜制	SCREW4
15	有螺纹	圆形	狭长切口	平面	2	铜制	SCREW5
16	有螺纹	圆形	狭长切口	平面	4	铜制	BOLT1
17	有螺纹	圆形	狭长切口	平面	1	铜制	BOLT2

图 14-28 “14-2”数据文件的原始数据

在SPSS变量视图中建立变量“螺纹”、“头部”、“头部凹槽”、“底部”、“长度”、“铜制”和“对象”，分别表示螺钉、螺栓、螺母和图钉的头部、头部凹槽、底部、长度、铜制等信息，并分别对每个变量进行定义和赋值，如图14-29所示。

	名称	类型	宽度	小数	标签	值	缺失	列	对齐	度量标准
1	螺纹	字符串	1	0		{N, 没有螺...	无	1	左(L)	名义
2	头部	字符串	1	0	头部形状	{F, 平面}...	无	1	左(L)	名义
3	头部凹槽	字符串	1	0	头部凹槽	{L, 狭长的切...	无	1	左(L)	名义
4	底部	字符串	1	0	底部形状	{F, 平面}...	无	1	左(L)	名义
5	长度	数值(N)	1	0	长度（以半英寸...	{1, 1/2 英寸}...	无	8	右(R)	有序
6	铜制	字符串	1	0		{N, 非铜制}...	无	1	左(L)	名义
7	对象	字符串	6	0		无	无	6	左(L)	名义

图 14-29 数据文件“14-2”的变量视图

在SPSS活动数据文件的数据视图中，把相关数据输入到各个变量中。输入完毕后如图14-30所示。

	螺纹	头部	头部凹槽	底部	长度	铜制	对象
1	N	F	N	S	1	N	TACK
2	N	F	N	S	4	N	NAIL1
3	N	F	N	S	2	N	NAIL2
4	N	F	N	S	2	N	NAIL3
5	N	F	N	S	2	N	NAIL4
6	N	F	N	S	2	N	NAIL5
7	N	U	N	S	5	N	NAIL6
8	N	U	N	S	3	N	NAIL7
9	N	U	N	S	3	N	NAIL8
10	Y	O	T	S	5	N	SCREW1
11	Y	R	L	S	4	N	SCREW2
12	Y	Y	L	S	4	N	SCREW3
13	Y	R	L	S	2	N	SCREW4
14	Y	Y	L	S	2	N	SCREW5
15	Y	R	L	F	4	N	BOLT1

图 14-30 “14-2”数据文件的数据视图

2. 实验操作步骤

具体操作步骤如下：

Step 01 打开“14-2”数据文件，进入 SPSS Statistics 数据编辑器窗口，在菜单栏中选择“分

析" | "降维" | "最优尺度" 命令，打开 "最佳尺度" 对话框，单击 "定义" 按钮，打开 "多重对应分析" 对话框。从源变量列表中选择变量 "螺纹"、"头部"、"头部凹槽"、"底部"、"长度" 和 "铜制" 进入 "分析变量" 列表，选择 "对象" 进入 "标记变量" 列表。

Step 02 单击 "对象" 按钮，打开 "MCA：对象图" 对话框，选择 "变量" 单选按钮，将 "螺纹"、"头部"、"头部凹槽"、"底部"、"长度" 和 "铜制" 选入 "选定" 列表框，单击 "继续" 按钮，保存设置结果。

Step 03 单击 "确定" 按钮，便可以得到简单对应分析结果。

3. 实验结果及分析

单击 "确定" 按钮后，在SPSS Statistics查看器窗口的输出结果如图14-31~图14-34所示。

图14-31给出了模型汇总结果。该图给出了各个维度上的特征值、惯量和解释的方差百分比的信息。如第一维度和第二维度上分别可以解释数据变异的62%和36%。

图14-32给出了类别联合图。类别联合图提供了变量和类别之间的关系，能够从中发现哪些类别和变量最为相近。如 "长度" 有五个类别，其中两个类别在上面，其余三个类别在图的下方，说明第二维度能够使 "长度" 区分较好的具体表现，比辨别度量图给的信息更进一步。

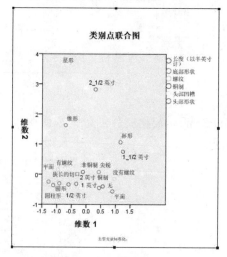

图 14-32 类别点联合图

模型汇总				
		解释		
维数	Cronbach's Alpha	总计（特征值）	惯量	方差的 %
1	.878	3.727	.621	62.123
2	.657	2.209	.368	36.809
总计		5.936	.989	
均值	.796[a]	2.968	.495	49.466
a. 总 Cronbach's Alpha 基于平均特征值。				

图 14-31 模型汇总

图14-33给出了辨别度量的信息。大的辨别度量相当于一个变量在类别上较大的分散，即指沿着该维度在变量类别上有一个高的区分度。如底部形状和螺纹在第一维度上有很大的辨别度量而在第二维度上很小，说明这两个变量类别属性仅仅在第一维度上有高的区分度和分散度。长度在第二维度上有高的区分度量说明第二维度能够把长度变量区分开来。头部凹槽和头部形状在两个维度上区分都很好，而铜制在两个维度上都没有区分，实际上是因为所有对象都是铜制的或不是铜制。

图14-34给出了按头部形状加注标签的对象点在各个维度上的得分图。带有多种与最频繁的类别相当的属性的对象就会落在与直角较近的位置，而带有单一属性的对象则远离直角。从该图可以看到，在第一维度上将头部形状为圆形、圆柱形的与头部形状为平面、杯形的区分开

来，同时第二维度上将锥形、杯形与圆形、圆柱形区分开来。总体上，锥形的远离直角说明锥形的螺丝带有的特性是其他类别螺丝所不具有的。因次对象得分对于识别特殊点非常有用。

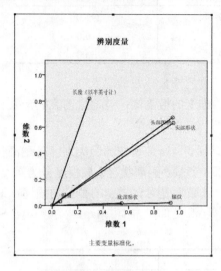

图 14-33　辨别度量

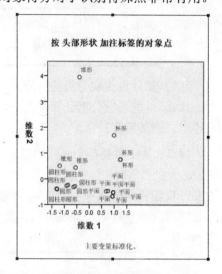

图 14-34　按头部形状加注标签的对象点

上机题

	光盘：\多媒体文件\上机题教学视频\chap13.wmv.
	光盘：\源文件\上机题\chap14\...

14.1　某大学农学院进行了豌豆遗传性状的实验，豌豆杆的性状和豌豆果实的性状如数据文件所示，其中数据文件中的"1""2""3"分别表示豌豆的不同性状。试进行对应分析，分析豌豆杆的性状和豌豆果实的性状的对应关系。部分数据如下表所示部分指标数据如下表所示（数据路径：光盘:\源文件\上机题\chap14\习题\第十四章第一题.sav）。

豌豆性状	果实性状	频数
1.00	1.00	98.00
1.00	2.00	48.00
1.00	3.00	403.00
1.00	4.00	681.00
1.00	5.00	85.00
2.00	1.00	343.00
2.00	2.00	84.00
2.00	3.00	909.00
2.00	4.00	412.00
2.00	5.00	26.00
3.00	1.00	326.00
3.00	2.00	38.00

（续表）

豌豆性状	果实性状	频数
3.00	3.00	241.00
3.00	4.00	110.00
3.00	5.00	3.00

（1）试计算对应分析的对应表，熟悉各个变量的频数分布情况。

（2）采用对应分析计算行得分和列得分在二维上的散点图，并通过图表的形式分析类别和样本之间的潜在关系。

14.2 某公司就各个部门的酗酒状况进行了调研，调研数据按部门类别区分酗酒行为交叉制表。变量"部门"包含管理部、财务部和项目部；变量"酗酒状况"按程度分为重度、较重、中度、较轻和从不五种，用数字1-5表示；变量"计数"是对该类别的数目的描述，即该种情况的权重。部分数据如下表所示（数据路径：光盘:\源文件\上机题\chap14\习题\第十四章第二题.sav）。

部门	酗酒状况	计数
管理部	1.00	343.00
管理部	2.00	84.00
管理部	3.00	909.00
管理部	4.00	412.00
管理部	5.00	26.00
财务部	1.00	326.00
财务部	2.00	38.00
财务部	3.00	241.00
财务部	4.00	110.00
财务部	5.00	3.00
项目部	1.00	688.00
项目部	2.00	116.00
项目部	3.00	584.00
项目部	4.00	188.00
项目部	5.00	4.00

试采用对应分析各个变量在二维上的散点图，并结合对应表分析该公司部门和酗酒状况联系。

第15章　时间序列模型

时间序列分析是一种动态数据处理的统计方法。该方法基于随机过程理论和数理统计学方法，研究随机数据序列所遵从的统计规律，以藉此解决实际问题。（在现实中，许多统计资料都是按照时间进行观测记录的，因此时间序列分析在实际分析中具有广泛的应用。）时间序列是按随机过程的一次实现，具有随时间而变化、动态性和随机性数字序列等特点。

时间序列模型不同于一般的经济计量模型，其不以经济理论为依据，而是依据变量自身的变化规律，利用外推机制描述时间序列的变化。时间序列模型在处理的过程中必须明确考虑时间序列的非平稳性。 在SPSS中提供了多种进行时间序列分析的方法，本章将介绍这些方法。

15.1　时间序列数据的预处理

SPSS无法自动识别时间序列数据并且时间序列数据在处理的过程中必须明确考虑时间序列的非平稳性，因此在进行时间序列分析前，我们必须对时间序列进行预处理。

15.1.1　定义时间变量

在 SPSS 中进行时间序列分析或建模，首先必须根据数据的时间格式进行时间变量定义，否则 SPSS 对数据不会自动识别为时间序列数据，而是作为普通数据处理。定义时间变量具体方法如下。

1）在菜单栏中选择"数据"|"定义日期"命令，打开如图15-1所示的"定义日期"对话框。

2）进行相应的设置。在"定义日期"对话框的"个案为"列表中选择要定义的时间格式，然后在"第一个个案为"中定义数据开始的具体时间，如年、季度、周、小时等。

- 个案为：该列表框提供了19种不同的日期格式，包括年份、季度、月份、日、星期、工作日、小时、分钟等，可自由选择。如需要分析的时间序列为跨年度的季度时间序列，则选择"年份、季度"即可。

- 第一个个案为：该选项组用于定义时间变量的起始日期。一旦选中"个案为"中的选项，则会在此相应的时间格式。如选择在"个案为"选中"年份、季度"，则显示如图15-2所示对话框。

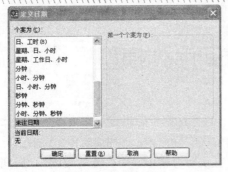
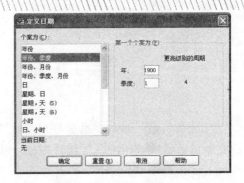

图 15-1 选择要定义的时间格式　　　　　　　　图 15-2 定义数据的起始时间

在"年"和"季度"文本框中输入数据开始的具体年份和季度，然后单击"确定"就可以完成时间变量的定义。定义完毕后，SPSS Statistics的数据视图中就会出现定义的时间变量。这里，"更高级别的周期"显示的该时间格式下的周期。

15.1.2 时间序列数据的平稳化处理

打开相应的数据文件或者建立一个数据文件后，可以在 SPSS Statistics 数据编辑器窗口对时间序列数据进行平稳化。

1）在菜单栏中选择"转换"|"创建时间序列"命令，打开如图15-3所示的"创建时间序列"对话框。

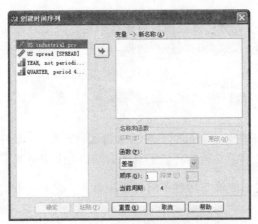

图 15-3 "创建时间序列"对话框

2）选择变量。从源变量列表中选择需要进行平稳化处理的变量，然后单击 按钮将选中的变量选入"变量->新名称"列表中。进入"变量->新名称"列表中的变量显示为"新变量名称=平稳函数(原变量名称 顺序)"。

3）进行相应的设置。在"名称和函数"中可以对平稳处理后生成的新变量进行重新命名以及选择平稳化处理的方法，设置完毕后单击"更改"按钮就可以完成新变量的命名和平稳化处理方法的选择。

SPSS提供了8种平稳处理的方法，各选项及其功能如表15-1所示。

表15-1 "函数"下拉列表框的选项及功能

方法	功能
差分	指对非季度数据进行差分处理。其中,一阶差分即数据前一项减去后一项得到的值,因此一阶差分会损失第一个数据。同理,n阶差分会损失前n个数据。在"顺序"文本框中输入差分的阶数。差分是时间序列非平稳数据平稳处理的最常用的方法,特别是在ARIMA模型中
季节差分	指对季节数据进行差分处理。其中,一阶差分指该年份的第n季度的数据与下一年分第n季度的数据做差。由于每年有四个季节,因此m阶差分就会损失m个数据
中心移动平均	指以当期值为中心取指定跨度内的均值,在"跨度"文本框中指定取均值的范围。该方法比较适用于正态分布的数据
先前移动平均	指取当期值以前指定跨度内的均值,在"跨度"文本框中指定取均值的范围
运行中位数	指以当期值为中心取指定跨度内的中位数,在"跨度"文本框中指定取中位数的范围。其中,该方法与中心移动平均方法可互为替代
累计求和	表示以原数据的累计求和值代替当期值
滞后	表示以原始数据滞后值代替当期值,在"顺序"文本框中指定滞后阶数
提前	表示以原始数据提前值代替当期值,在"顺序"文本框中指定提前阶数
平滑	表示对原数据进行T4253H方法的平滑处理。该方法首先对原数据依次进行跨度为4、2、5、3的中心移动平均处理,然后以Hanning为权重再做移动平均处理,得到一个平滑时间序列

设置完毕后,单击"确定"按钮,就可以在 SPSS Statistics 数据视图和查看器窗口得到平稳处理的结果。

15.1.3 实验操作

下面将以数据文件"15-1"为例,说明时间序列数据平稳处理的具体操作过程并对结果说明解释。

1. 实验数据描述

数据文件"15-1"记录了从1960年到2008年美国的工业生产总值数据、美国10年期国库券利率与联邦基金利率差额,数据来源于IFM网站。本数据文件的原始EXCEL数据文件如图15-4所示。

在SPSS变量视图中建立变量"ip"和"SPREAD",分别表示美国的工业生产总值数据、美国10年期国库券利率与联邦基金利率差额,并对每个变量进行定义,定义结果如图15-5所示。

然后在SPSS活动数据文件的数据视图中,把相关数据输入到各个变量中。输入完毕后如图15-6所示。

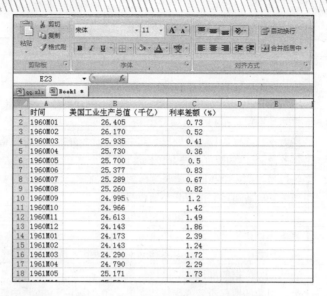

图 15-4　数据文件"15-1"原始数据

	名称	类型	宽度	小数	标签	值	缺失	列	对齐	度量标准
1	ip	数值(N)	8	2	US industrial production	无	无	8	右(R)	度量(S)
2	SPREAD	数值(N)	8	2	US spread	无	无	8	右(R)	度量(S)
3										

图 15-5　"15-1"数据文件的变量视图

	ip	SPREAD	变量
1	26.41	0.73	
2	26.17	0.52	
3	25.94	0.41	
4	25.73	0.36	
5	25.70	0.50	
6	25.38	0.83	
7	25.29	0.67	
8	25.26	0.82	
9	25.00	1.20	
10	24.97	1.42	
11	24.61	1.49	
12	24.14	1.86	
13	24.17	2.39	
14	24.14	1.24	
15	24.29	1.72	

图 15-6　"15-1"数据文件的数据视图

2. 实验操作步骤

具体操作步骤如下：

Step 01　打开数据文件"15-1"，进入 SPSS Statistics 数据编辑器窗口，在菜单栏中选择"数据"|"定义日期"命令，打开"定义日期"对话框，在"个案为"列表框中选择"年份、月份"，然后在"第一个个案为"选项组中的"年"和"月份"文本框中输入数据开始的具体年份 1960 和月份 1，然后单击"确定"，完成时间变量的定义。

Step 02　在菜单栏中选择"转换"|"创建时间序列"命令，打开"创建时间序列"对话框，

将“ip”变量选入“变量->新名称”列表中，在函数下拉列表框中选择“季节差分”，单击“确定”按钮。

3. 实验结果及分析

单击“确定”按钮后，在SPSS Statistics数据视图和查看器窗口得到时间变量定义和平稳处理的结果，如图15-7和图15-8所示。

图15-7给出了对“ip”序列进行平稳处理的信息。从该图可以知道平稳处理后的新序列名称为“ip_1”，该序列含有12个缺失值，有效个案为576个，平稳处理的方法是SDIFF即季节差分方法。

创建序列

	序列名	非缺失值的个案数 第一个	最后一个	有效个案数	创建函数
1	ip_1	13	588	576	SDIFF(ip, 1,12)

图 15-7 创建序列

图15-8给出了时间变量定义和对“ip”季节差分在SPSS Statistics数据视图中的处理结果。从该图可以看到，“DATE_”序列即新定义的时间变量序列，“ip_1”序列就是对“ip”序列进行季节差分平稳处理后生成的新序列。由于采用的是一阶季节差分方法，因此“ip_1”序列的前12个值是缺失的。

文件(F) 编辑(E) 视图(V) 数据(D) 转换(T) 分析(A) 图形(G) 实用程序(U) 附加内容(O) 窗口(W) 帮助

25 :

	ip	SPREAD	YEAR_	MONTH_	DATE_	ip_1
1	26.41	0.73	1960	1	JAN 1960	.
2	26.17	0.52	1960	2	FEB 1960	.
3	25.94	0.41	1960	3	MAR 1960	.
4	25.73	0.36	1960	4	APR 1960	.
5	25.70	0.50	1960	5	MAY 1960	.
6	25.38	0.83	1960	6	JUN 1960	.
7	25.29	0.67	1960	7	JUL 1960	.
8	25.26	0.82	1960	8	AUG 1960	.
9	25.00	1.20	1960	9	SEP 1960	.
10	24.97	1.42	1960	10	OCT 1960	.
11	24.61	1.49	1960	11	NOV 1960	.
12	24.14	1.86	1960	12	DEC 1960	.
13	24.17	2.39	1961	1	JAN 1961	-2.23
14	24.14	1.24	1961	2	FEB 1961	-2.03
15	24.29	1.72	1961	3	MAR 1961	-1.64
16	24.79	2.29	1961	4	APR 1961	-0.94

图 15-8 SPSS Statistics 数据视图中的处理结果

15.2 指数平滑模型

指数平滑模型可以对不规则的时间序列数据加以平滑，从而获得其变化规律和趋势，并以此对未来的经济数据进行推断和预测。

15.2.1 指数平滑模型的基本原理

指数平滑模型是在移动平均模型基础上发展起来的一种时间序列分析预测法，其原理是任一期的指数平滑值都是本期实际观察值与前一期指数平滑值的加权平均。指数平滑模型的思想是对过去值和当前值进行加权平均、以及对当前的权数进行调整以前抵消统计数值的摇摆影响，得到平滑的时间序列。指数平滑法不舍弃过去的数据，但是对过去的数据给予逐渐减弱的影响程度（权重）。

15.2.2　指数平滑模型的 SPSS 操作

在 SPSS Statistics 数据编辑器窗口建立指数平滑模型的具体操作步骤如下。

1）在菜单栏中选择"分析"|"预测"|"创建模型"命令，打开如图15-9所示的"时间序列建模器"对话框。

图 15-9　"时间序列建模器"对话框

2）选择变量和方法

从源变量列表中选择建立指数平滑模型的因变量，选入"因变量"列表中。"因变量"和"自变量"列表中的变量必须为数值型的度量变量。

在"方法"下拉列表框中选择"指数平滑法"，然后单击"条件"按钮，弹出如图15-10"时间序列建模器：指数平滑条件"对话框。

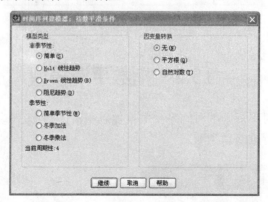

图 15-10　"时间序列建模器：指数平滑条件"对话框

"时间序列建模器:指数平滑条件"对话框用于设定指数平滑模型的类型和因变量的形式。包括两个选项组:

①"模型类型"选项组　该选项组用于设定指数平滑模型的类型,包括"非季节性"和"季节性"两大类模型。

非季节性的指数平滑模型有4种形式:

- 简单:选中该单选按钮表示使用简单指数平滑模型,该模型适用于没有趋势或季节性的序列,其唯一的平滑参数是水平,且与ARIMA模型极为相似。
- Holt线性趋势:表示使用霍特线性趋势模型,该模型适用于具有线性趋势并没有季节性的序列,其平滑参数是水平和趋势,不受相互之间的值的约束。Holt模型比下面介绍的Brown模型更通用,但在计算大序列时要花的时间更长。
- Brown线性趋势:表示使用布朗线性趋势模型,该模型适用于具有线性趋势并没有季节性的序列,其平滑参数是水平和趋势,并假定二者等同。
- 阻尼趋势:表示使用阻尼指数平滑方法,此模型适用于具有线性趋势的序列,且该线性趋势为正逐渐消失并且没有季节性,其平滑参数是水平、趋势和阻尼趋势。

季节性的指数平滑模型有3种形式:

- 简单季节性:该模型适用于没有趋势并且季节性影响随时间变动保持恒定的序列,其平滑参数是水平和季节。
- 冬季加法:该模型适用于具有线性趋势且不依赖于序列水平的季节性效应的序列,其平滑参数是水平、趋势和季节。
- 冬季乘法:该模型适用于具有线性趋势和依赖于序列水平的季节性效应的序列,其平滑参数是水平、趋势和季节。

②"因变量转换"选项组　该选项组用于对因变量进行转换设置,有3个选项:

- 无:表示在指数平滑模型中使用因变量的原始数据。
- 平方根:表示在指数平滑模型中使用因变量的平方根。
- 自然对数:表示在指数平滑模型中使用因变量的自然对数。其中,"平方根"和"自然对数"要求原始数据必须为正数。

3)进行相应的设置

"统计量"设置

单击"统计量"标签,打开如图15-11所示的"时间序列建模器"对话框的"统计量"选项卡部分。

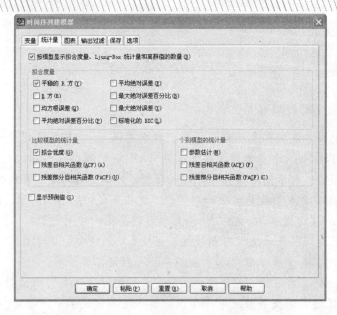

图 15-11　"统计量"选项卡内容

"统计量"选项卡部分主要用于设定输出的统计量，包括：

①"按模型显示拟合度量、Ljung-Box统计量和离群值的数量"复选框　该复选框表示输出模型的拟合度量、Ljung-Box统计量和离群值的数量，且只有选中该复选框，"拟合度量"选项组才能激活。

②"拟合度量"选项组　该选项组用于指定输出拟合度量的统计量表，具体包括8种统计量。

- 平稳的R方：表示输出平稳的R方统计量，该统计量用于比较模型中的固定成份和简单均值模型的差别，取正值时表示模型要优于简单均值模型。
- R方：表示输出模型的R方统计量，该统计量表示模型所能解释的数据变异占总变异的比例。其中，当时间序列含有趋势或季节成份时，平稳的R方统计量要优于R方统计量。
- 均方根误差：表示输出模型的均方误差统计量，该统计量衡量模型预测值与原始值的差异大小，即残差的标准差，度量单位与原数据一致。
- 平均绝对误差百分比：表示输出平均绝对误差百分比统计量，该统计量类似于均方误差统计量，但该统计量无度量单位，可用于比较不同模型的拟合情况。
- 平均绝对误差：表示输出模型的平均绝对误差统计量。
- 最大绝对误差百分比：表示输出模型的最大绝对误差百分比统计量，即以比例形式显示最大的预测误差。
- 最大绝对误差：表示输出模型的最大绝对误差统计量。"最大绝对误差百分比"和"最大绝对误差"主要用于关注模型单个记录预测误差的情况。
- 标准化的BIC：表示输出标准的BIC统计量，该统计量基于均方误差统计量，并考虑了模型的参数个数和序列数据个数。

③"比较模型的统计量"选项组　该选项组用于设定输出比较模型的统计量，有3个选项：

- 拟合优度：表示将每个模型拟合优度的统计量显示到一张表格中进行比较。
- 残差自相关函数：表示输出模型的残差序列的自相关函数及百分位点。
- 残差部分自相关函数：表示输出模型的残差序列的偏相关函数及百分位点。

④ "个别模型统计量"选项组 该选项组用于对个别模型设定输出统计量。

- 参数估计：表示输出模型的参数估计值表。
- 残差自相关函数：表示输出模型的残差序列的自相关函数及置信区间。
- 残差部分自相关函数：表示输出模型的残差序列的偏相关函数及置信区间。

⑤ "显示预测值"复选框 勾选该复选框表示显示模型的预测值及其置信区间。

"图表"设置

单击"图表"标签，打开如图15-12所示的"时间序列建模器"对话框的"图表"选项卡部分。

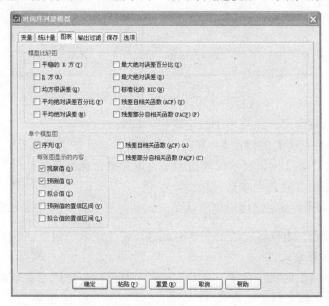

图 15-12 "图表"选项卡

"图表"选项卡部分主要用于设定输出模型拟合统计量、自相关函数以及序列值（包括预测值）的图。包括两个选项组：

① "模型比较图"选项组 该选项组用于设定输出所有模型的拟合统计量和自相关函数的图，每个选项分别生成单独的图。可输出图表的统计量有：固定的R方、 R方、均方根误差、平均绝对误差百分比、平均绝对误差、最大绝对误差百分比、最大绝对误差、标准化的BIC、残差自相关函数以及残差部分自相关函数。

② "单个模型图"选项组 该选项组用于设定输出单个模型的拟合统计量和自相关函数的图。只有选择"序列"复选框方可获取每个模型的预测值的图，图所显示的内容包括观测值、预测值、拟合值、预测值的置信区间以及拟合值的置信区间。

"输出过滤"设置

单击"输出过滤"标签，打开如图15-13所示的"时间序列建模器"对话框的"输出过滤"

选项卡部分。

图 15-13　"输出过滤"选项卡

"输出过滤"选项卡部分主要用于设定输出的模型。

选择"在输出中包括所有的模型"单选按钮表示输出结果中包含所有设定的模型。选择"基于拟合优度过滤模型"单选按钮表示仅输出满足设定的拟合优度条件的模型。只有选中该单选按钮的情况下，"输出"选项组才会被激活。

"输出"选项组用于设定输出模型所满足的拟合优度条件。其中选项含义如下：

- 最佳拟合模型：选择该复选框表示输出拟合优度最好的模型，可以设定满足条件的模型的数量或百分比。
  - ↳ 选择"模型的固定数量"表示输出固定数量的拟合优度最好的模型，在"数"文本框中指定模型的数目；
  - ↳ 选择"占模型总数的百分比"表示输出一定比例于总数的拟合优度最好的模型，在"百分比"文本框中指定输出的百分比。
- 最差拟合模型：选择该复选框表示输出拟合优度最差的模型，可以设定满足条件的模型的数量或百分比。
  - ↳ 选择"模型的固定数量"表示输出固定数量的拟合优度最差的模型，同样在"数"文本框中指定模型的数目；
  - ↳ 选择"占模型总数的百分比"表示输出一定比例于总数的拟合优度最差的模型，并在"百分比"文本框中指定输出的百分比。
- 拟合优度：该下拉列表框用于指定衡量模型拟合优度的具体统计量，含有平稳的R方、R方、均方根误差、平均绝对误差百分比、平均绝对误差、最大绝对误差百分比、最大绝对误差以及标准化的BIC统计量。

"保存"设置

单击"保存"标签，打开如图15-14所示的"时间序列建模器"对话框的"保存"选项卡部分。

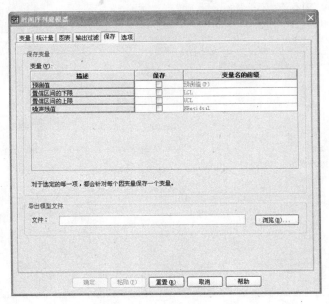

图 15-14　"保存"选项卡内容

"保存"选项卡部分主要用于将模型预测值另存为活动数据文件中的新变量，也可以将模型规格以XML格式保存到外部文件中。包括两个选项组：

① "保存变量"选项组　该选项组用于将模型预测值、置信区间上下限和残差另存为活动数据集中的新变量。

在"描述"列表中有四类保存对象：预测值、置信区间的上限、置信区间的下限和噪声残值。选中每一类保存对象后面的"保存"复选框就可以保存新变量。只有选择"保存"复选框后，"变量名的前缀"方可被激活并可更改。设定"保存"后，每个因变量都会保存的一组新变量，每个新变量都包含估计期和预测期的值。另外，如果预测期超出了该相依变量序列的长度，则增加新个案。

② "导出模型文件"选项组　该设置用于将所有估计模型的模型规格都将以XML格式导出到指定的文件中。可以在"文件"输入框中指定文件路径，或者单击"浏览"按钮打开指定文件路径保存文件。

"选项"设置

单击"选项"标签，打开如图15-15所示的"时间序列建模器"对话框的"选项"选项卡部分。

"选项"选项卡部分主要用于设置预测期、指定缺失值的处理方法、设置置信区间宽度、指定模型标识前缀以及设置为自相关显示的延迟最大阶数。

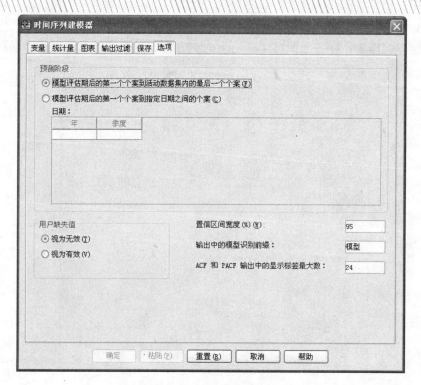

图 15-15 "选项"选项卡

① "预测阶段"选项组 该选项组主要用于设定预测期间，预测范围共有两种。

- 模型评估期后的第一个个案到活动数据集内的最后一个个案：选择该单选按钮表示预测范围从模型估计期所用的最后一个数据开始到活动数据集中的最后一个个案为止。一般当估计模型所用的数据并非全部数据时选择此项，以便将模型预测值与实际值进行比较，进而评估模型的拟合情况。

- 模型评估期后的第一个个案到指定日期之间的个案：选择该单选按钮表示预测范围从模型估计期所用的最后一个数据开始到用户指定的预测期为止，常用来预测超过当前数据集的时间范围的个案。在"日期"列表中指定预测范围的最终日期。如果已经定义了时间变量，"日期"列表中就会显示定义的日期格式；如果没有定义时间变量，"日期"列表中仅会显示"观测"输入框，只需要在"观察"中输入相应的记录号。

② "用户缺失值"选项组 该选项组用于指定缺失值的处理方法。

- 视为无效：选中该单选按钮表示把缺失值当作系统缺失值处理，视为无效数据。

- 视为有效：选中该单选按钮表示把缺失值视为有效数据。

③ "置信区间宽度"输入框 该输入框用于指定模型预测值和残差自相关的置信区间，输入范围为 0 到 99 的任何正数，系统默认 95%的置信区间。

④ "输出中的模型识别前缀"输入框 该输入框用于指定模型标识前缀。"变量"选项卡上指定的每个因变量都可带来一个单独的估计模型，且模型都用唯一名称区别，名称由可定制

的前缀和整数后缀组成。

⑤ "ACF和PACF输出中显示的最大延迟数"输入框　该输入框用于指定自相关函数和偏相关函数的最大延迟阶数。

设置完毕后，单击"确定"按钮，就可以在SPSS Statistics数据视图和查看器窗口得到指数平滑模型建模的结果。

15.2.3　实验操作

下面仍以数据文件"15-1"为例，说明指数平滑模型建模的具体操作过程并对结果说明解释。

1. 实验数据描述

这里对数据文件"15-1"不再赘述。本节利用指数平滑模型对联邦基金利率差额进行拟合，以消除非正常波动得到联邦基金利率差额在48年中稳定长期的走势。

2. 实验操作步骤

具体操作步骤如下：

Step 01　打开数据文件"15-1"，进入 SPSS Statistics 数据编辑器窗口，在菜单栏中选择"数据"|"定义日期"命令，打开"定义日期"对话框，在"个案为"列表框中选择"年份、月份"，然后在"第一个个案为"选项组中的"年"和"月份"文本框中输入数据开始的具体年份 1960 和月份 1，然后单击"确定"，完成时间变量的定义。

Step 02　在菜单栏中选择"分析"|"预测"|"创建模型"命令，打开"时间序列建模器"对话框，将"SPREAD"变量选入"因变量"列表中，在"方法"下拉列表框中选择"指数平滑模型"。

Step 03　单击"条件"按钮，打开"时间序列建模器：指数平滑条件"对话框，选中"简单季节性"，单击"继续"按钮，保存设置。

Step 04　单击"统计量"标签，选择"参数估计"复选框和"显示预测值"，然后单击"继续"按钮，保存设置。

Step 05　单击"确定"按钮，便可以得到指数平滑模型建模的结果。

3. 实验结果及分析

单击"确定"按钮后，在SPSS Statistics数据视图和查看器窗口得到指数平滑模型建模的结果，如图15-16~图15-20所示。

图15-16给出了模型的基本描述。从该图可以看出，所建立的指数平滑模型的因变量标签是"US spread"，模型名称为"模型_1"，模型的类型为简单季节性。

图 15-16　模型描述

图15-17给出了模型的八个拟合优度指标，以及这些指标的均值、最小值、最大值及百分位数。其中，平稳的R方值为0.556，而R方值为0.898，这是由于因变量数据为季节性数据，因此平稳的R方更具有代表性。从两个R方值来看，该指数平滑模型的拟合情况比较良好。

					百分位						
拟合统计量	均值	SE	最小值	最大值	5	10	25	50	75	90	95
平稳的R方	.556	.	.556	.556	.556	.556	.556	.556	.556	.556	.556
R方	.898	.	.898	.898	.898	.898	.898	.898	.898	.898	.898
RMSE	.540	.	.540	.540	.540	.540	.540	.540	.540	.540	.540
MAPE	65.733	.	65.733	65.733	65.733	65.733	65.733	65.733	65.733	65.733	65.733
MaxAPE	4035.809	.	4035.809	4035.809	4035.809	4035.809	4035.809	4035.809	4035.809	4035.809	4035.809
MAE	.316	.	.316	.316	.316	.316	.316	.316	.316	.316	.316
MaxAE	5.291	.	5.291	5.291	5.291	5.291	5.291	5.291	5.291	5.291	5.291
正态化的BIC	-1.211	.	-1.211	-1.211	-1.211	-1.211	-1.211	-1.211	-1.211	-1.211	-1.211

图 15-17　模型拟合

图15-18给出了模型的拟合统计量和Ljung-BoxQ统计量。平稳的R方值为0.556，与模型拟合图中的平稳的R方一致。Ljung-BoxQ统计量值为123.819，显著水平为0.000，因此拒绝残差序列为独立序列的原假设，说明模型拟合后的残差序列是存在自相关的，因此建议采用ARIMA模型继续拟合。

模型	预测变量数	模型拟合统计量 平稳的R方	Ljung-Box Q(18) 统计量	DF	Sig.	离群值数
US spread-模型_1	0	.556	123.819	16	.000	0

图 15-18　模型统计量

图15-19给出了指数平滑法模型参数估计值列表。从该图可以看到本实验拟合的指数平滑模型的水平Alpha值为0.999，P值为0.00，不仅作用很大而且非常显著。而季节Delta值为0.001，该值不仅很小而且没有显著性，因此可以判断SPREAD尽管为季节性数据，但该序列几乎没有任何季节性特征。

模型			估计	SE	t	Sig.
US spread-模型_1	无转换	Alpha (水平)	.999	.042	24.018	.000
		Delta (季节)	.001	12.291	5.429E-5	1.000

图 15-19　指数平滑法模型参数

图15-20 给出了SPREAD的指数平滑模型的拟合图和观测值。SPREAD序列整体上成波动状态，拟合值和观测值曲线在整个区间中几乎重合，因此可以说明指数平滑模型对SPREAD的拟合情况非常良好。通过指数平滑模型的拟合图我们可以发现联邦基金利率差额在48年中出现过两次剧烈波动下行，并且总体上前二十年的波动较为剧烈，而最近二十年波动相对平缓。

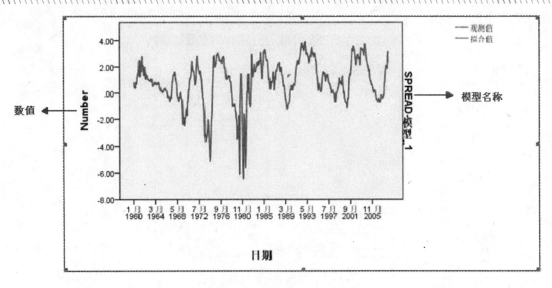

图 15-20 "SPREAD"模型

15.3 ARIMA模型

ARIMA模型是时间序列分析中最常用的模型之一，ARIMA模型提供了一套有效的预测技术，在时间序列预测中具有广泛的应用。

15.3.1 ARIMA 模型的基本原理

ARIMA模型又称自回归移动平均模型。它是指将非平稳时间序列转化为平稳时间序列，然后将因变量仅对它的滞后值以及随机误差项的现值和滞后值进行回归所建立的模型。ARIMA模型将预测指标随时间推移而形成的数据序列看作是一个随机序列，这组随机变量所具有的依存关系体现着原始数据在时间上的延续性，它既受外部因素的影响，又有自身变动规律。ARIMA（p,q）模型的数学表达式如公式（15-1）所示：

$$y_t = \sum_{i=1}^{p} \alpha_i y_{t-i} + \sum_{j=1}^{q} \delta_j \varepsilon_{t-j} \qquad (15-1)$$

其中参数 α_i 为自回归参数，δ_j 为移动平均参数，是模型的待估计参数。

15.3.2 ARIMA 模型的 SPSS 操作

打开相应的数据文件或者建立一个数据文件后，可以在 SPSS Statistics 数据编辑器窗口建立 ARIMA 模型。

1）在菜单栏中选择"分析"|"预测"|"创建模型"命令，打开如图15-21所示的"时间

序列建模器"对话框。

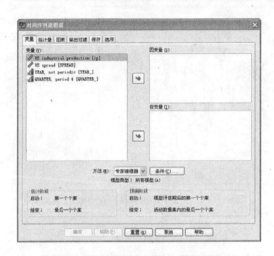

图 15-21　"时间序列建模器"对话框

2）选择变量和方法

从源变量列表中选择建立ARIMA模型的因变量，选入"因变量"列表中。在"方法"下拉列表框中选择"ARIMA"，然后单击"条件"按钮，打开"时间序列建模器：ARIMA条件"对话框，如图15-22所示。

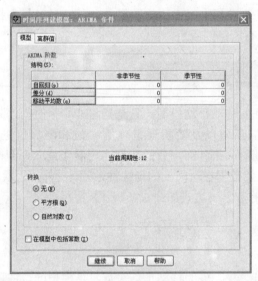

图 15-22　"时间序列建模器：ARIMA 条件"对话框

"模型"选项卡

"时间序列建模器：ARIMA条件"对话框的"模型"选项卡部分用于指定ARIMA模型的结构和因变量的转换，包括以下几个部分：

①"结构"表　该网络列表用于指定 ARIMA 模型的结构，在相应的单元格中输入 ARIMA 模型的各个成份值，所有值都必须为非负整数。对于"自回归"和"移动平均数"的数值表示最大阶数，同时模型中将包含所有正的较低阶。

- "非季节性"列 该列中的"自回归"输入框用于输入ARIMA中的自回归AR阶数，即在ARIMA使用序列中的哪部分值来预测当前值；"差分"输入框用于输入因变量序列差分的阶数，主要目的是为了是非平稳序列平稳化以满足ARIMA模型平稳的需要；"移动平均数"输入框用于输入ARIMA中的移动平均MA阶数，即在ARIMA中使用哪些先前值的序列平均数的偏差来预测当前值。
- "季节性"列 只有在为活动数据集定义了周期时，才会启用"季节性"列中的各个单元格。在"季节性"列中，季节性自回归成份、移动平均数成份和差分成份与其非季节性对应成份起着相同的作用。对于季节性的阶，由于当前序列值受以前的序列值的影响，序列值之间间隔一个或多个季节性周期。如对于季度数据（季节性周期为4），季节性1阶表示当前序列值受自当前周期起4个周期之前的序列值的影响。因此，对于季度数据，指定季节性1阶等同于指定非季节性4阶。

②"转换"选项组 该选项组用于对因变量进行转换。

- 无：表示不对因变量序列进行任何转换。
- 平方根：表示对因变量序列取平方根参与建模。
- 自然对数：表示对因变量序列取自然对数参与建模。

③"在模型中包含常数"复选框 该复选框表示在ARIMA中包含常数项。但是当应用差分时，建议不包含常数。

"离群值"选项卡

单击"时间序列建模器：ARIMA条件"对话框的"离群值"标签，打开如图15-23所示的"离群值"选项卡部分。

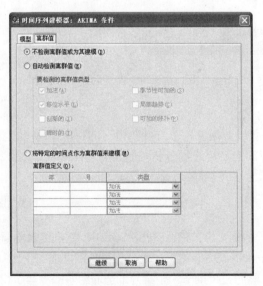

图15-23 "离群值"选项卡

"时间序列建模器：ARIMA条件"对话框的"离群值"选项卡部分主要用于对离群值进行设定，有3种方式：

①不检测离群值或为其建模　表示不检测离群值或为其建模，该选项为默认选项。

②自动检测离群值　表示要自动检测离群值，并选择检测离群值类型。在"要检测的离群值类型"中选择检测类型，有以下几个可选择的项。

- 加法：表示自动检测单个观测记录的异常值。
- 移位水平：表示自动检测数据水平移动引起的异常值。
- 创新的：表示自动检测由噪声冲击引起的异常值。
- 瞬时的：表示自动检测对其后观测值影响按指数衰减至0的异常值。
- 季节性可加的：表示自动检测周期性的影响某固定时刻的异常值，如月度数据的一月效应。
- 局部趋势：表示自动检测导致局部线性趋势的异常值，往往该异常值以后的数据呈线性趋势。
- 可加的修补：表示自动检测两个以上连续出现的"加法"异常值。

③将特定的时间点作为离群值来建模　表示指定特定的时间点作为离群值。其中，每个离群值在"离群值定义"网格中占单独的一行。在指定的日期格式中输入特定时间点，如在"年"和"月"中输入特定时间点的具体年份和月份；在"类型"下拉列表框中选择离群值的具体类型。其中，离群值的类型与"要检测的离群值类型"中提供的类型一致。

3）进行相应的设置

建立ARIMA模型所用的"时间序列建模器"对话框与建立指数平滑模型相同，因此在此不再赘述。

设置完毕后，单击"确定"按钮，就可以在SPSS Statistics数据视图和查看器窗口得到ARIMA模型建模的结果。

15.3.3　实验操作

下面将以数据文件"15-3"为例，说明指数平滑模型建模的具体操作过程和对结果的说明解释。

1. 实验数据描述

数据文件"15-3"与所用数据文件"15-1"相同，利用ARMA模型分析对美国10年期国库券利率与联邦基金利率差额的走势进行分析与预测。

2. 实验操作步骤

具体操作步骤如下：

Step 01　打开"15-4"数据文件，进入 SPSS Statistics 数据编辑器窗口，在菜单栏中选择"数据"|"定义日期"命令，打开"定义日期"对话框，在"个案为"列表框中选择"年份、月份"，然后在"第一个个案为"选项组中的"年"和"月份"文本框中输入数据开始的具体年份 1960 和月份 1，然后单击"确定"，完成时间变量的定义。

Step 02　在菜单栏中选择"分析"|"预测"|"创建模型"命令，打开"时间序列建模器"对话框，将"SPREAD"变量选入"因变量"列表中，在"方法"下拉列表框中选择

"ARIMA"。

Step 03 单击"条件"按钮，打开"时间序列建模器：ARIMA 条件"对话框，单击"模型"选项卡，在"自回归"的"季节性"列中输入"4"、"差分"的"季节性"列中输入"1"、"移动平均数"的"季节性"列中输入"2"，单击"继续"按钮，保存设置。

Step 04 单击选择"统计量"选项卡，选择"参数估计"复选框和"显示预测值"，然后单击"继续"按钮，保存设置。

Step 05 单击"确定"按钮，便可以得到 ARIMA 模型建模的结果。

3. 实验结果及分析

单击"确定"按钮后，在SPSS Statistics查看器窗口得到ARIMA模型建模的结果，如图15-24~图15-27所示。

图15-24给出了模型的基本描述。从该图可以看出，所建立的ARIMA模型的因变量标签是"US spread"，模型名称为"模型_1"，模型的类型为ARIMA（3,1,2）。

模型描述			
			模型类型
模型 ID	US spread	模型_1	ARIMA(0,0,0)(3,1,2)

图 15-24　模型描述

图15-25给出了模型的八个拟合优度指标的均值、最小值、最大值以及百分位数。从两个R方值来看，ARIMA（3,1,2）的拟合情况良好。其中，平稳的R方值为0.346，而R方值为0.196，这是由于因变量数据为季节性数据，因此平稳的R方更具有代表性。

模型拟合											
					百分位						
拟合统计量	均值	SE	最小值	最大值	5	10	25	50	75	90	95
平稳的 R 方	.346	.	.346	.346	.346	.346	.346	.346	.346	.346	.346
R 方	.196	.	.196	.196	.196	.196	.196	.196	.196	.196	.196
RMSE	1.532	.	1.532	1.532	1.532	1.532	1.532	1.532	1.532	1.532	1.532
MAPE	215.301	.	215.301	215.301	215.301	215.301	215.301	215.301	215.301	215.301	215.301
MaxAPE	13730.544	.	13730.544	13730.544	13730.544	13730.544	13730.544	13730.544	13730.544	13730.544	13730.544
MAE	1.179	.	1.179	1.179	1.179	1.179	1.179	1.179	1.179	1.179	1.179
MaxAE	5.824	.	5.824	5.824	5.824	5.824	5.824	5.824	5.824	5.824	5.824
正态化的 BIC	.908	.	.908	.908	.908	.908	.908	.908	.908	.908	.908

图 15-25　模型拟合

图15-26给出了ARIMA（3,1,2）模型参数估计值。ARIMA（3,1,2）中有两部分：AR和MA。其中AR自回归部分的三项显著性水平分别为0.000、0.000和0.074，而MA移动平均部分的两项的显著性水平为0.000和0.000。除了AR（3）不是十分显著外，其他项都非常显著。因此，ARIMA（3,1,2）比较合适。

ARIMA 模型参数						估计	SE	t	Sig.
US spread-模型_1	US spread	无转换	AR，季节性	滞后 1		.898	.127	7.052	.000
				滞后 2		-.397	.080	-4.945	.000
				滞后 3		-.113	.063	-1.788	.074
			季节性差分			1			
			MA，季节性	滞后 1		1.443	.125	11.528	.000
				滞后 2		-.527	.115	-4.572	.000

图 15-26　ARIMA 模型参数

图15-27给出了SPREAD的ARIMA（3,1,2）模型的拟合图和观测值。SPREAD序列整体上成波动状态，拟合值和观测值曲线在整个区间整体上拟合情况良好，但是明显可以看出拟合值的波动性要小于实际观察值。因此可以说明ARIMA（3,1,2）模型对SPREAD的拟合情况一般，需要进一步探索其他的ARIMA模型。

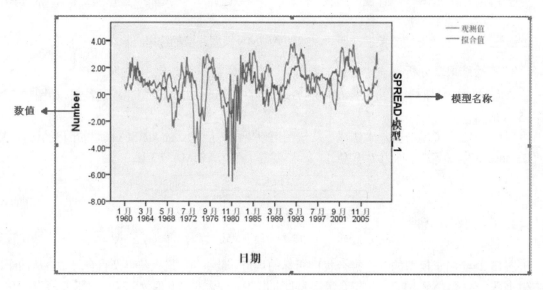

图 15-27 "SPREAD"模型

15.4 季节分解模型

15.4.1 季节性分解的基本原理

季节变动趋势是时间序列的四种主要变动趋势之一，所谓季节性变动是指由于季节因素导致的时间序列的有规则变动。引起季节变动的除自然原因外，还有人为原因，如节假日、风俗习惯等。季节分解的主要方法包括按月（季）平均法和移动平均趋势剔除法。

15.4.2 季节性分解的 SPSS 操作

打开相应的数据文件或者建立一个数据文件后，可以在 SPSS Statistics 数据编辑器窗口进行季节性分解操作。

1）在菜单栏中选择"分析"|"预测"|"季节性分解"命令，打开如图15-28所示的"周期性分解"对话框。

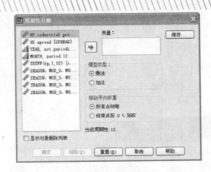

图 15-28 "周期性分解"对话框

2）选择变量

从源变量列表中选择进行季节性分解的时间序列，单击 按钮选入"变量"列表中。"变量"列表中的变量必须为数值型的度量变量，且至少必须定义一个周期性时间变量。

3）进行相应的设置

"模型类型"设置

该选项组用于指定季节性分解的模型类型，SPSS提供了两种常用的分解模型：乘法模型和加法模型。

"移动平均权重"设置

该选项组用于指定计算移动平均数时的权重。"所有点都相等"，选择该单选按钮表示使用等于周期的跨度以及所有权重相等的点来计算移动平均数，该方法适用于周期为奇数的序列。"结束点按0.5加权"，选择该单选按钮表示使用等于周期加1的跨度以及以 0.5 加权的跨度的端点计算序列的移动平均数，该方法适用于具有偶数周期的序列。

"显示对象删除列表"

该复选框表示输出每个个案的季节性分解的结果。

"保存"设置

单击"保存"按钮，弹出如图15-29所示的"周期：保存"对话框。

图 15-29 "周期：保存"对话框

"周期：保存"对话框主要用于设置保存新创建的变量，有 3 种方式。

- 添加至文件：表示将季节性分解产生的新变量保存至当期数据集中，新变量名由三字母前缀、下划线和数字组成。
- 替换现有：表示由季节性分解创建的新变量序列在活动数据集中保存为临时变量，同时，将删除由“预测”过程创建的任何现有的临时变量。

- 不要创建：选择该单选按钮表示不向活动数据集添加新序列。

设置完毕后，单击“确定”按钮，就可以在 SPSS Statistics 数据视图和查看器窗口得到季节性分解的结果。

15.4.3 实验操作

下面将以数据文件“15-4”为例，说明季节性分解的具体操作过程和对结果说明解释。

1. 实验数据描述

数据文件“15-4”记录了从1995年到1999年中国某城市的月度平均气温。本实验将利用季节性分解对该城市气温进行分析，利用季节分析分析气温除去季节因素影响外的内在规律。数据文件“15-4”的原始EXCEL数据文件如图15-30所示。

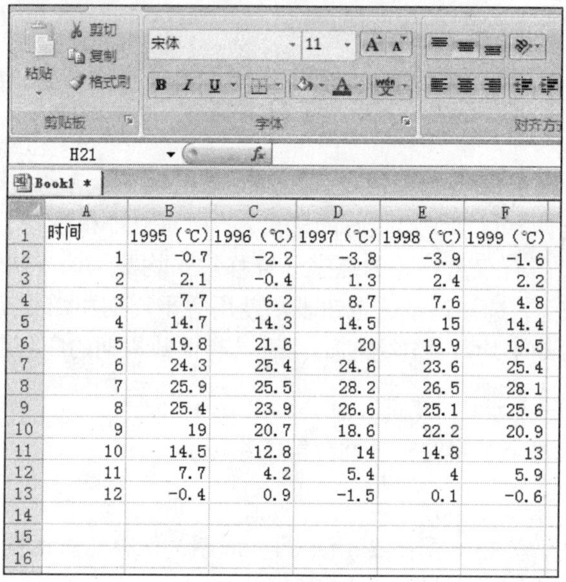

	A	B	C	D	E	F
1	时间	1995（℃）	1996（℃）	1997（℃）	1998（℃）	1999（℃）
2	1	-0.7	-2.2	-3.8	-3.9	-1.6
3	2	2.1	-0.4	1.3	2.4	2.2
4	3	7.7	6.2	8.7	7.6	4.8
5	4	14.7	14.3	14.5	15	14.4
6	5	19.8	21.6	20	19.9	19.5
7	6	24.3	25.4	24.6	23.6	25.4
8	7	25.9	25.5	28.2	26.5	28.1
9	8	25.4	23.9	26.6	25.1	25.6
10	9	19	20.7	18.6	22.2	20.9
11	10	14.5	12.8	14	14.8	13
12	11	7.7	4.2	5.4	4	5.9
13	12	-0.4	0.9	-1.5	0.1	-0.6
14						
15						
16						

图 15-30 “15-4”数据文件原始文件

在SPSS变量视图中建立变量“气温”，用来表示中国某城市的月度平均气温，为度量变量，如图15-31所示。

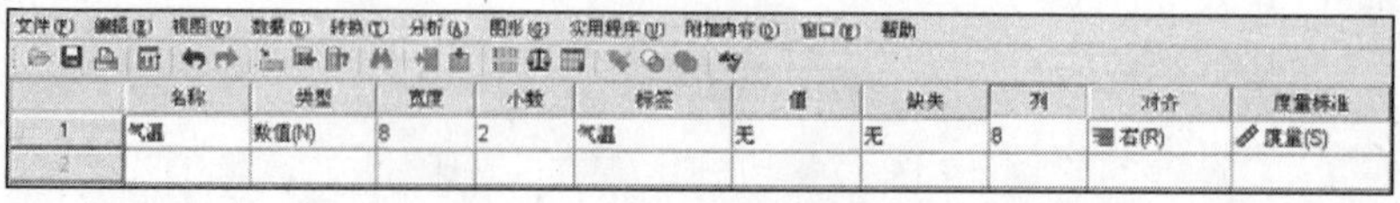

	名称	类型	宽度	小数	标签	值	缺失	列	对齐	度量标准
1	气温	数值(N)	8	2	气温	无	无	8	右(R)	度量(S)
2										

图 15-31 “15-4”数据文件的变量视图

然后在SPSS活动数据文件的数据视图中，把相关数据输入到各个变量中。输入完毕后如图15-32所示。

	气温	变量
1	-0.70	
2	2.10	
3	7.70	
4	14.70	
5	19.80	
6	24.30	
7	25.90	
8	25.40	
9	19.00	
10	14.50	

图 15-32　“15-4”数据文件的数据视图

2. 实验操作步骤

具体操作步骤如下：

Step 01 打开数据文件“15-4”，进入 SPSS Statistics 数据编辑器窗口，在菜单栏中选择“数据”|“定义日期”命令，打开“定义日期”对话框，在“个案为”列表框中选择“年份、月份”，然后在“第一个个案为”选项组中的“年”和“季度”文本框中输入数据开始的具体年份 1995 和月份 1，然后单击“确定”，完成时间变量的定义。

Step 02 在菜单栏中选择“分析”|“预测”|“季节性分解”命令，打开“周期性分解”对话框，将“气温”变量选入“变量”列表中，选择“加法”和“结束点按 0.5 加权”单选按钮。

Step 03 单击“确定”按钮，便可以得到季节性分解的结果。

3. 实验结果及分析

单击“确定”按钮后，在SPSS Statistics数据视图和查看器窗口得到指数平滑模型建模的结果，如图15-33~图15-35所示。

图15-33给出了模型的基本描述。从该图可以看出，模型的名称为MOD_5，模型的类型为“加法”，另外，还可看到移动平均数的计算方法。

图15-34给出了“气温”序列进行季节性分解的季节性因素。因为季节性因素的存在使得气温在不同的月份呈现出相似的性质，因此该季节性因素相当于周期内季节性影响的相对数。可见，在每年的1、2、3、11、12月份的季节性因素为负值，使得这5个月份的气温相对较低。

模型描述

模型名称		MOD_5
模型类型		可加
序列名称	1	气温
季节性期间的长度		12
移动平均数的计算方法		跨度等于周期加 1，端点权重为 0.5

正在应用来自 MOD_5 的模型指定。

图 15-33 模型描述

季节性因素

序列名称:气温

期间	季节性因素
1	-15.86007
2	-11.63507
3	-6.20694
4	1.51389
5	7.24826
6	11.76910
7	13.50556
8	12.23889
9	7.14306
10	1.07639
11	-7.61736
12	-13.17569

图 15-34　季节性因素

图15-35给出了“气温”序列进行季节性分解后的数据文件的变量视图。从该图可以看到数据文件中增加了四个序列：ERR_1、SAS_1、SAF_1和STC_1。其中，ERR_1表示“气温”序列进行季节性分解后的不规则或随机波动序列，SAS_1表示“气温”序列进行季节性分解除去季节性因素后的序列，SAF_1表示“气温”序列进行季节性分解产生的季节性因素序列，STC_1表示“气温”序列进行季节性分解出来的序列趋势和循环成份。

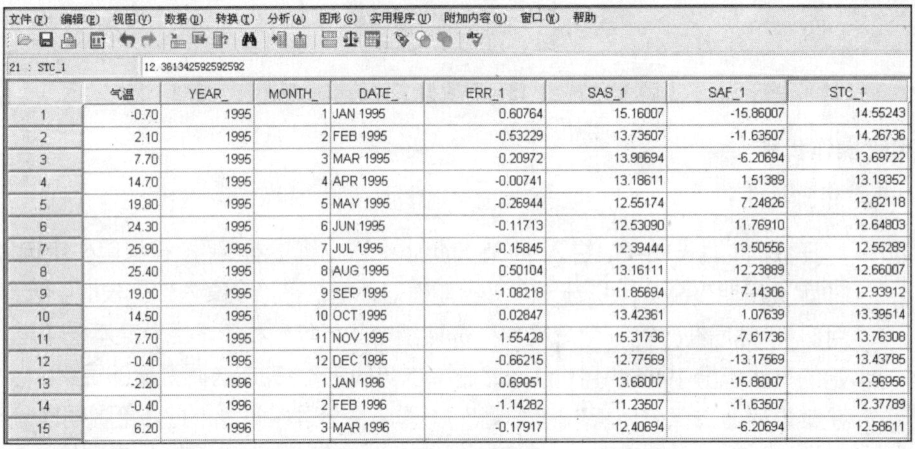

	气温	YEAR_	MONTH_	DATE_	ERR_1	SAS_1	SAF_1	STC_1
1	-0.70	1995	1	JAN 1995	0.60764	15.16007	-15.86007	14.55243
2	2.10	1995	2	FEB 1995	-0.53229	13.73507	-11.63507	14.26736
3	7.70	1995	3	MAR 1995	0.20972	13.90694	-6.20694	13.69722
4	14.70	1995	4	APR 1995	-0.00741	13.18611	1.51389	13.19352
5	19.80	1995	5	MAY 1995	-0.26944	12.55174	7.24826	12.82118
6	24.30	1995	6	JUN 1995	-0.11713	12.53090	11.76910	12.64803
7	25.90	1995	7	JUL 1995	-0.15845	12.39444	13.50556	12.55289
8	25.40	1995	8	AUG 1995	0.50104	13.16111	12.23889	12.66007
9	19.00	1995	9	SEP 1995	-1.08218	11.85694	7.14306	12.93912
10	14.50	1995	10	OCT 1995	0.02847	13.42361	1.07639	13.39514
11	7.70	1995	11	NOV 1995	1.55428	15.31736	-7.61736	13.76308
12	-0.40	1995	12	DEC 1995	-0.66215	12.77569	-13.17569	13.43785
13	-2.20	1996	1	JAN 1996	0.69051	13.66007	-15.86007	12.96956
14	-0.40	1996	2	FEB 1996	-1.14282	11.23507	-11.63507	12.37789
15	6.20	1996	3	MAR 1996	-0.17917	12.40694	-6.20694	12.58611

图 15-35 “15-4”数据文件的数据视图

上机题

	光盘：\多媒体文件\上机题教学视频\chap15.wmv
	光盘：\源文件\上机题\chap15\...

15.1 调查者记录了某旅游景点从1999年1月到2002年12月的门票收入数据。部分相关数据如下表所示（数据路径：光盘:\源文件\上机题\chap15\习题\第十五章第一题.sav）。

年份	月份	门票收入（万）
1999	1	70
1999	2	93
1999	3	60
1999	4	72
1999	5	125
1999	6	89
1999	7	101
1999	8	112
1999	9	97

（1）试对该数据定义时间变量，时间频率为月度数据。

（2）对该数据进行平稳化处理。

15.2 利用题1的门票收入数据，试对该数据做进一步分析（数据路径：光盘:\源文件\上机题\chap15\习题\第十五章第二题.sav）。

（1）试建立季节分解模型，提取该数据的季节性因素。

（2）建立季节分解模型后，同时提取该数据的随机因素，并保持到原数据文件。

15.3 数据文件是某种粒子不同时间的的相对位置的数据。试建立ARIMA模型对该粒子的位置进行分析与预测。部分相关数据如下表所示（数据路径：光盘:\源文件\上机题\chap15\习题\第十五章第三题.sav）。

观测标号	粒子位置
1	-0.874703053557
2	0.120875517627
3	0.098626037369
4	0.499506645468
5	-1.142634716899
6	1.204957757421
7	-0.553879059446
8	1.198701786761
9	-0.104750836952
10	2.978790677855
11	1.398217367400
12	1.612930009650
13	1.751180547841
14	1.690387218546
15	-1.036817448796

（1）采用ARIMA模型分析拟合粒子的相对位置走势。

（2）绘制ARIMA模型的拟合图和观测值图表。

15.4 本题目给出了1978~1998年我国钢铁产量的数据，数据来源于《中国工业经济统计年鉴》，试用指数平滑的方法分析拟合钢铁产量的稳定长期的走势。部分数据如下表所示（数据路径：光盘:\源文件\上机题\chap15\习题\第十五章第四题.sav）。

年份	钢铁产量（百万吨）
1978	676
1979	825
1980	774
1981	716
1982	940
1983	1159
1984	1384
1985	1524

（1）采用指数平滑的方法分析拟合钢铁产量的稳定长期的走势。

（2）绘制指数平滑模型的拟合图和观测值图表。

第16章　生存分析

生存分析主要用于对涉及一定时间发生和持续长度的时间数据的分析。生存分析是目前统计学的热门，自20世纪70年代中期以来，无论在理论还是应用方面生存分析都受到了人们的重视，得以迅速发展。

16.1　生存分析简介

生存分析目前已广泛应用在医学、生物学、公共健康、金融学、保险和人口统计等诸多领域，它涉及数理统计中原有的参数统计和非参数统计的结合，而且涉及一些较深、较新的概率和其他数学工具。1986年美国国家科学委员会提出的数学发展概况中，曾把生存分析列为六大发展方向之一。

1. 生存分析的基本概念

生存分析过程涉及调查对象的生存时间及状态等，该过程的常用概念介绍如下。

（1）生存时间

广义的生存时间是指从某个起始事件开始，到某个终点事件的发生所经历的时间，也称为失效时间。生存时间的特点有：分布类型不确定，一般不服从正态分布；影响生存时间的因素较为复杂，而且不易控制。

（2）生存概率

生存概率表示某单位时段开始时，存活的个体到该时段结束时仍存活的可能性。计算公式为：生存概率=活满某时段的人数/该时段期初观察人数=1-死亡概率。

（3）生存函数

又称为累计生存概率，即将时刻t尚存活看成是前t个时段一直存活的累计结果。用公式表示为式（16-1）：

$$S(t) = P(X > t) = 1 - P(X \leq t) = 1 - F(t) = \int_t^\infty f(\theta)d\theta \qquad (16\text{-}1)$$

其中，$F(t)$为分布函数，$S(t)$又称为可靠度函数或可靠度。$f(t)$为X的分布密度函数。

（4）危险率函数

指t时刻存活，在$t \sim t + \Delta t$时刻内死亡的条件概率，用$\mu(t)$表示，计算公式为式（16-2）：

$$\mu(t) = \frac{f(t)}{1 - F(t)} = \frac{f(t)}{S(t)} = -\frac{S'(t)}{S(t)} \qquad (16\text{-}2)$$

因此，$S(t) = e^{-\int \mu(\theta)d\theta}$。

2．生存分析数据类型

生存分析所用的数据通常称为生存数据，用于度量某时间发生前所经历的时间长度。生存数据按照观测数据所提供的信息的不同，可以分为完全数据、删失数据和截尾数据三种。

（1）完全数据

完全数据是指提供了完整信息的数据。如研究人的生存状况，若某个人从进入研究一直到死亡都在我们的观测之中，就可以知道其准确的死亡时间，这个生存数据就是一个完全数据。SPSS中通常把完全数据的示性函数取值为0。

（2）删失数据

生存分析往往研究在不同的时间点或时期被研究的事件发生的概率，而研究的周期可能较长，需要长时间的随访。但由于各种主观或客观的因素，随访可能会终止，导致掌握的数据仅能提供不完整的信息，这些数据就是删失数据。SPSS中通常把删失数据的示性函数取值为1。

（3）截尾数据

截尾数据和删失数据一样，提供的也是不完整信息，但与删失数据稍有不同的是它提供的是跟时间有关的条件信息。SPSS软件只考虑对完全数据和删失数据的分析，对截尾数据不提供专门的分析方法。

3．生存分析的方法

按照使用参数与否，生存分析的方法可以分为以下三种。

（1）参数方法

在长期的实践中，人们发现一些分布可以很好地拟合生存数据的经验形状，便假设生存数据服从某个已知分布，使用参数分布方法进行生存分析。常用的参数模型有指数分布模型、Weibull分布模型、对数正态分布模型等。

（2）非参数方法

当被研究事件没有很好的参数模型可以拟合时，通常可以采用非参数方法进行生存分析。常用的非参数模型包括生命表分析和Kalpan-Meier方法。

（3）半参数方法

半参数方法是目前比较流行的生存分析方法，相比而言，半参数方法比参数方法灵活，比非参数方法更易于解释分析结果。常用的半参数模型主要为Cox模型。

16.2 寿命表分析

寿命表方法是一种重要的非参数估计方法,它不仅有悠久的历史,而且广泛应用于人口学、医学统计、保险和可靠性研究等诸多领域。

16.2.1 寿命表分析简介

在多数情况下,我们都会希望考察两个事件之间的时间分布,比如雇用时长(员工从雇用到离开公司的时间)。但是,这类数据通常包含没有记录其第二次事件的个案(例如,在调查结束后仍然为为公司工作的员工)。这种情况的发生有以下几个原因:对于某些个案,事件在研究结束前没有发生;而对于另一些个案,我们在研究结束前的某段时间未能跟踪其状态;还有一些个案可能因一些与研究无关的原因(例如员工生病或请假)无法继续。这些个案总称为已审查的个案,它们使得此类研究不适合 t 检验或线性回归等传统方法。

用于此类数据的统计方法为跟进寿命表。寿命表的基本概念是将观察区间划分为较小的时间区间。对于每个区间,使用所有观察至少该时长的人员计算该区间内发生事件终结的概率。然后使用从每个区间估计的概率估计在不同时间点发生该事件的整体概率。

16.2.2 寿命表分析的 SPSS 操作

打开相应的数据文件或者建立一个数据文件后,可在 SPSS Statistics 数据编辑器窗口进行寿命表分析。

1)在菜单栏中依次选择"分析"|"生存函数"|"寿命表"命令,打开如图16-1所示"寿命表"主对话框。

图 16-1 "寿命表"主对话框

2)进行相关设置

以下为"寿命表"主对话框及其相关设置的详细介绍:

①"时间"设置 用于源变量列表选择生存时间变量,包括一个文本框和"显示时间间隔"

选项组。

- "时间"文本框：从源变量中选择变量，单击"时间"列表框前的 按钮即可将已选择变量选入"时间"文本框中。
- "显示时间间隔"选项组：该选项组用以设置时间区间的长度及终点。寿命表分析以时间0为时间区间的起点。"步长"前面的文本框中用以输入最后一个区间的终点值，"步长"后的文本框中输入区间长度。

②"状态"列表框　从源变量列表中选择变量，单击"状态"列表框前的 按钮即可将已选择变量选入"状态"列表框中，此时将激活"定义事件"按钮，弹出如图 16-2 所示"寿命表：为状态变量定义事件"对话框。

"寿命表：为状态变量定义事件"对话框包含两个单选按钮："单值"与"值的范围"。其作用分别为：

- 单值：用户选择该单选按钮后，可以在按钮后的文本框中输入一个指示事件发生的数值。在输入这个值后，带有其他值的观测都被视作截断观测。
- 值的范围：用户选择此单选按钮后，可以在按钮后的文本框中输入指示事件发生的数值区间，两个文本框分别输入数值区间的上下限，观测值不在这个区间内的观测都被视作截断观测。

设置完毕后，单击"继续"按钮回到"寿命表"主对话框进行其他设置。

③"因子"列表框　用于从左侧源变量列表框中选入一阶因素变量。选入变量后，"定义范围"按钮被激活，单击该按钮，弹出如图16-3所示"有效表格：定义因子范围"对话框。

图 16-2　"寿命表：为状态变量定义事件"对话框　图 16-3　"有效表格：定义因子范围"对话框

该对话框包括两个文本框：

- 最小值：用于设置因素变量的下限。
- 最大：用于设置因素变量的上限。

④"按因子"列表框　该列表框用于从源变量列表中选入二阶因素变量。选入变量后，"定义范围"按钮被激活，单击该按钮，弹出如图16-3相同的对话框，该对话框所包含内容与设置方法均与"因子"列表框中相关设置相同，在此不再赘述。

⑤"选项"按钮　在"寿命表"主对话框中单击"选项"按钮，打开如图16-4所示"寿命表：选项"对话框。

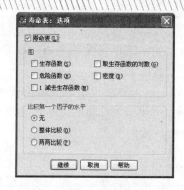

图16-4　"寿命表：选项"对话框

- "寿命表"复选框：用于选择是否输出寿命表。
- "图"选项组：用于选择所输出的函数图形。
  - ↪ 若勾选"生存函数"复选项，将输出累计生存函数；
  - ↪ 勾选"危险函数"复选框，则将输出累计危险函数；
  - ↪ 勾选"1减去生存函数"复选框，则将输出1-累计生存函数；
  - ↪ 勾选"取生存函数的对数"复选框，则将输出以对数形式刻度的累计生存函数；
  - ↪ 勾选"密度"复选框，则会输出密度函数。
- "比较第一个因子的水平"选项组：用于选择比较不同水平的一阶因素变量的方法。若选择"无"，则不进行子群之间的比较；若选择"整体比较"，则比较所有水平的一阶因素变量；若选择"两两比较"，则配对比较一阶因素变量水平。

3）输出结果

所有设置结束后，单击"寿命表"主对话框中的"确认"按钮，即可输出生存分析结果。

16.2.3　实验操作

下面将以"16-1"数据文件为例，说明寿命表分析的具体操作过程和对输出结果进行说明解释。

1. 实验数据描述

"16-1"数据文件记录了某保险公司各部门员工在职情况，统计的部门有承保部、理赔部、人事部和理财部四个部门，接下来本书将利用生命表过程得出各个部门员工的"生存"（在职）情况。"16-1"数据文件的原始EXCEL表如图16-5所示。

在SPSS变量视图中建立"工作时间"、"部门"和"是否在职"三个变量，"工作时间"的度量标准是"度量"，"部门"和"是否在职"的度量标准是"名义"，"16-1"数据文件的变量视图如图16-6所示。

	A	B	C	D	E	F	G	H
1	工作时间（小时）	部门	是否在职					
2	13	承保部	是					
3	11	理财部	是					
4	68	理赔部	否					
5	33	承保部	是					
6	23	理赔部	否					
7	41	理赔部	否					
8	45	人事部	是					
9	38	理财部	否					
10	45	理赔部	否					
11	68	人事部	否					
12	5	承保部	是					
13	7	理赔部	否					
14	41	承保部	否					
15	57	理财部	是					
16	9	承保部	否					
17	29	人事部	否					
18	60	理赔部	否					
19	34	理赔部	否					
20	1	承保部	否					
21	26	理财部	是					
22	6	人事部	是					
23	68	承保部	否					
24	53	理财部	否					
25	55	承保部	否					

图 16-5 “16-1”数据文件原始数据

	名称	类型	宽度	小数	标签	值	缺失	列	对齐	度量标准
1	工作时间	数值(N)	8	0		无	无	9	右(R)	度量(S)
2	部门	数值(N)	6	0		无	无	7	右(R)	名义
3	是否在职	数值(N)	8	0		无	无	7	右(R)	名义
4										

图 16-6 “16-1”数据文件的变量视图

在SPSS数据视图中输入相应数据，其中“部门”变量中用数字1~4分别表示承保部、理赔部、人事部和理财部，“是否在职”变量中用1表示在职，0表示不在职，如图16-7所示。

	工作时间	部门	是否在职
1	13	1	1
2	11	4	1
3	68	2	0
4	33	1	1
5	23	2	0
6	41	2	0
7	45	3	1
8	38	4	0
9	45	2	0
10	68	3	0
11	5	1	1
12	7	2	0
13	41	1	0
14	57	4	1
15	9	1	0
16	29	3	0
17	60	2	0
18	34	2	0
19	1	1	0
20	26	4	1

图 16-7 “16-1”数据文件的数据视图

2. 实验操作步骤

Step 01 打开"16-1"数据文件，进入 SPSS Statistics 数据编辑器窗口，在菜单栏中依次选择"分析"|"生存函数"|"寿命表"命令，打开"寿命表"主对话框。

Step 02 从源变量列表框中选择"工作时间"变量，单击"时间"列表框前箭头按钮 使之进入"时间"列表框中。在"显示时间间隔"选项组内，设置时间区间的终点值为60，步长为3。

Step 03 从源变量列表框中选择"是否在职"变量，选入"状态"列表框中。单击"定义事件"按钮，进入"寿命表：为状态变量定义事件"子设置对话框。由于"16-1"数据文件中用 1 表示事件发生，所以选择"单值"单选按钮后，我们在按钮后面的文本框中输入 1，将取值为 0 的观测作为截断观测。

单击"继续"按钮，回到主对话框中继续进行设置。

Step 04 从源变量列表框中选择"部门"变量进入"因子"对话框，单击"定义范围"按钮进入"有效表格：定义因子范围"子设置对话框。"最小值"框输入 1，"最大"框输入 4。设置完毕后，单击"继续"按钮，返回"寿命表"主对话框。

Step 05 在"寿命表"主对话框中，单击"选项"按钮，进入"寿命表：选项"子设置对话框。选择"寿命表"复选框和"图"选项组中的"生存函数"复选框，"比较第一个因子的水平"选项组采用默认设置。

3. 实验结果及分析

所有设置完毕后，单击主对话框中"确定"按钮，SPSS Statistics查看器窗口的输出结果如图16-8~图16-10所示。

图16-8给出了员工在职年限寿命表截选图。该寿命表给出了四个部门对应时间内的在职和不在职员工数，并计算出员工在职比率等统计量。

年限表										
一阶控制		期初时间	期初记入数	期内退出数	历险数	期间终结数	终结比例	生存比例	期末的累积生存比例	期末的累积生存比例的标准误	概率
部门	1	0	266	3	264.500	10	.04	.96	.96	.01	
		3	253	10	248.000	17	.07	.93	.90	.02	
		6	226	12	220.000	10	.05	.95	.86	.02	
		9	204	11	198.500	10	.05	.95	.81	.02	
		12	183	13	176.500	6	.03	.97	.78	.03	
		15	164	10	159.000	5	.03	.97	.76	.03	
		18	149	15	141.500	1	.01	.99	.75	.03	
		21	133	6	130.000	4	.03	.97	.73	.03	
		24	123	10	118.000	4	.03	.97	.71	.03	
		27	109	4	107.000	2	.02	.98	.69	.03	
		30	103	9	98.500	4	.04	.96	.67	.03	
		33	90	17	81.500	3	.04	.96	.64	.04	
		36	70	7	66.500	2	.03	.97	.62	.04	
		39	61	5	58.500	3	.05	.95	.59	.04	
		42	53	6	50.000	1	.02	.98	.58	.04	
		45	46	7	42.500	1	.02	.98	.56	.04	
		48	38	7	34.500	0	.00	1.00	.56	.04	
		51	31	5	28.500	0	.00	1.00	.56	.04	
		54	26	8	22.000	0	.00	1.00	.56	.04	
		57	18	6	15.000	0	.00	1.00	.56	.04	
		60	12	12	6.000	0	.00	1.00	.56	.04	

图 16-8　寿命表输出结果

图16-9给出了四部门员工的生存时间中位数，即生存率等于50%时，生存时间的平均水平。很明显，由图可知，该保险公司四个部门的员工有50%的员工在职时间超过60个月。

图16-10给出了四个部门员工是否在职累计生存函数图，它是对生命表的图形展示。由图可以清楚地看到，承保部和理财部两个部门员工累计生存率下降最快，理赔部员工累计生存率下降速度低于人事部员工。

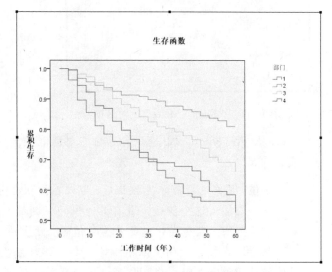

中位数生存时间	
一阶栏制	中位数时间
部门 1	60.00
2	60.00
3	60.00
4	60.00

图 16-9 生存时间中位数

图 16-10 累计生存函数图输出结果

16.3 Kaplan-Meier分析

16.3.1 Kaplan-Meier 分析简介

Kaplan-Meier分析方法，又称乘法极限估计、PL法或最大似然估计法，是由Kaplan和Meier在1958年提出的一种求生存函数的非参数方法。寿命表分析适用于大样本情况，在处理小样本时，为充分利用每个数据所包含的信息，Kaplan-Meier分析便成为首选的分析工具。

16.3.2 Kaplan-Meier 分析的 SPSS 操作

在 SPSS Statistics 数据编辑器窗口进行 Kaplan-Meier 分析的操作步骤如下。

1）在菜单栏中依次选择"分析"|"生存函数"|"Kaplan-Meier"命令，打开"Kaplan-Meier"主对话框，如图16-11所示。

2）进行相关设置

"Kaplan-Meier"主对话框组成部分及其相关设置的详细介绍如下：

①"时间"列表框 用于从源变量列表框选入一个时间变量。该时间变量可以以任何长度为单位，在时间变量中如果存在负数，则分析过程不考虑此负数。

②"状态"列表框 该列表框用于选入一个状态变量。选入后将激活"定义事件"按钮，

单击该按钮，打开如图16-12所示"Kaplan-Meier：定义状态变量事件"对话框。

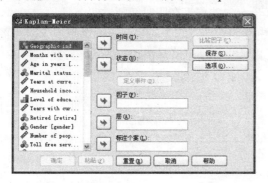 

图 16-11 "Kaplan-Meier"主对话框　　图 16-12 "Kaplan-Meier：定义状态变量事件"对话框

"Kaplan-Meier：定义状态变量事件"对话框包含三个单选按钮："单值"、"值的范围"与"值的列表"。

- 单值：用户选择该单选按钮后，可以在按钮后的文本框中输入一个指示事件发生的数值。在输入这个值后，带有其他值的观测都被视作截断观测。
- 值的范围：只有在状态变量为数值时，"值的范围"选项才可用。用户选择此单选按钮后，在按钮后的文本框中输入指示事件发生的数值区间，两个文本框分别输入数值区间的上下限，观测值不在这个区间内的观测都被视作截断观测。
- 值的列表：用户选择此单选按钮后，可设置指示事件发生的值的列表。在文本框中输入数值后，单击"添加"按钮将其加入列表中，如此重复可以指定代表事件发生的多个不同的值；如果需要更改已填入的值，先在列表中选择，然后在"值的列表"输入框进行编辑，最后单击"更改"按钮确认，或单击"删除"按钮进行删除。

"状态"设置完毕后，单击"继续"按钮便可回到主对话框进行其他设置。

③"因子"列表框　该列表框用于从源变量列表框中选入分类变量。

④"比较因子"按钮　用户选入"因子"变量将激活"比较因子"按钮，单击此按钮，将弹出如图16-13所示"Kaplan-Meier：比较因子水平"对话框。该对话框可用于设置比较分类变量的统计量以检验因子不同水平的生存分布的等同性。

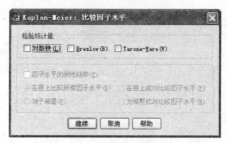

图 16-13 "Kaplan-Meier：比较因子水平"对话框

"检验统计量"选项组用于选择检验统计的方法，具体内容如表16-1所示。

表 16-1 "检验统计量"方法

统计量	含义
对数秩	该方法用于比较生存分布的等同性的检验，在此检验中，所有时间点均赋予相同的权重
Breslow	该方法用于比较生存分布的等同性的检验，在每个时间点用带风险的个案数对时间点加权
Tarone-Ware	该方法用于比较生存分布的等同性的检验。在每个时间点用历险的个案数的平方根对时间点加权

选择检验统计方法后，下方的用于选择比较方法的项将被激活。

若勾选"因子水平的线性趋势"复选框，则会使用倾向信息来检验生存分布是否相等，只有当分组因素是有序变量时，作线性趋势检验才有实际意义，这种情况下，SPSS假定各水平之间的效应是等距的。

最后一组的单选按钮用来指定进行总体比较还是两两比较，以及对分层变量的处理方式，可选项有4个，各选项含义参见表16-2。

表 16-2 比较因子水平方法

方法	含义
在层上比较所有因子水平	用于在单次检验中比较所有因子水平，以检验生存曲线的相等性
在层上成对比较因子水平	用于比较每一个相异的因子水平对，不提供成对趋势检验
对于每层	用于对每层的所有因子水平的相等性执行一次单独的检验。如果没有分层变量，则不执行检验
为每层成对比较因子水平	用于比较每一层的每一个相异的因子水平对，不提供成对趋势检验。如果没有分层变量，则不执行检验

设置完毕后，单击"继续"按钮便可回到主对话框进行其他设置。

⑤"层"列表框　该列表框用于选入分层变量，可以看作是研究者欲加以控制的混杂因素，SPSS会对其中每个取值水平分别进行分析。

⑥"标注个案"列表框　该列表框用于选入观测的标签变量，SPSS将以变量标签值列出所有的变量。

⑦"保存"按钮　在主对话框中单击"保存"按钮，弹出如图16-14所示"Kaplan-Meier：保存新变量"对话框。

图 16-14 "Kaplan-Meier：保存新变量"对话框

通过对该对话框的设置可以将 Kaplan-Meier 表的信息保存为新变量，新变量可在以后的分析中用于检验假设或检查假设。对话框包括 4 个复选框，分别为：

- 生存函数：保存累积生存概率估计，缺省变量名为前缀 sur_ 加上顺序号。例如，如果已存在 sur_1，Kaplan-Meier 就分配变量名 sur_2。

- 生存函数的标准误：保存累积生存估计的标准误，缺省变量名为前缀 se_ 加上顺序号。例如，如果已存在 se_1，Kaplan-Meier 就分配变量名 se_2。

- 危险函数：保存累积风险函数估计，缺省变量名为前缀 haz_ 加上顺序号。例如，如果已存在 haz_1，Kaplan-Meier 就分配变量名 haz_2。

- 累积事件：保存当个案按其生存时间和状态代码进行排序时的事件累积频率，缺省变量名为前缀 cum_ 加上顺序号。例如，如果已存在 cum_1，Kaplan-Meier 就分配变量名 cum_2。

设置完毕后，单击"继续"按钮返回到主对话框。

⑧"选项"按钮　在主对话框中单击"选项"按钮，将弹出如图16-15所示"Kaplan-Meier：选项"对话框。

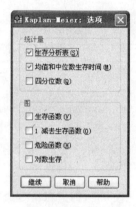

图 16-15　"Kaplan-Meier：选项"对话框

"统计量"选项组用于设置分析过程中需要计算的统计量，详细介绍如表16-3所示。

表 16-3　"统计量"选项组内容

统计量	含义
生存分析表	勾选此复选框，则会输出简化的生存表，类似于生命表，只是以个体为单位输出
均值和中位数生存时间	勾选此复选框，则会输出该生存时间的均值和中位数，以及生存时间的标准差和置信区间
四分位数	勾选此复选框，则会输出生存时间的三个四分位数

"图"选项组用于设置分析过程中需要输出的图形，详细介绍如表 16-4 所示。

表 16-4　"图"选项组内容

图	含义
生存函数	勾选此复选框，则会输出在线性刻度上显示的累积生存函数曲线
1减去生存函数	勾选此复选框，则会输出以线性尺度绘制的1减生存函数曲线
危险函数	勾选此复选框，则会输出在线性刻度上显示的累积风险函数
对数生存	勾选此复选框，则会输出在对数刻度上显示的累积生存函数曲线

3）输出结果

所有设置结束后，单击“Kaplan-Meier”主对话框中的“确认”按钮，即可输出Kaplan-Meier分析结果。

16.3.3 实验操作

下面将以“16-2”数据文件为例，说明Kaplan-Meier分析方法的具体操作过程和对输出结果进行说明解释。

1. 实验数据描述

“16-2”数据文件包含用于治疗慢性关节炎疼痛的抗炎药的临床实验结果，我们感兴趣的是该药见效的时间以及它和现有药物的比较。该数据文件包括患者的年龄、性别、健康状况、是否用新药治疗、治疗后的效果及用药后的生效时间等相关数据，我们将利用Kaplan-Meier分析方法，得到两种药品药效的生存表并验证两种药品效果间的差异是否显著。“16-2”数据文件的原始EXCEL表如图16-16所示。

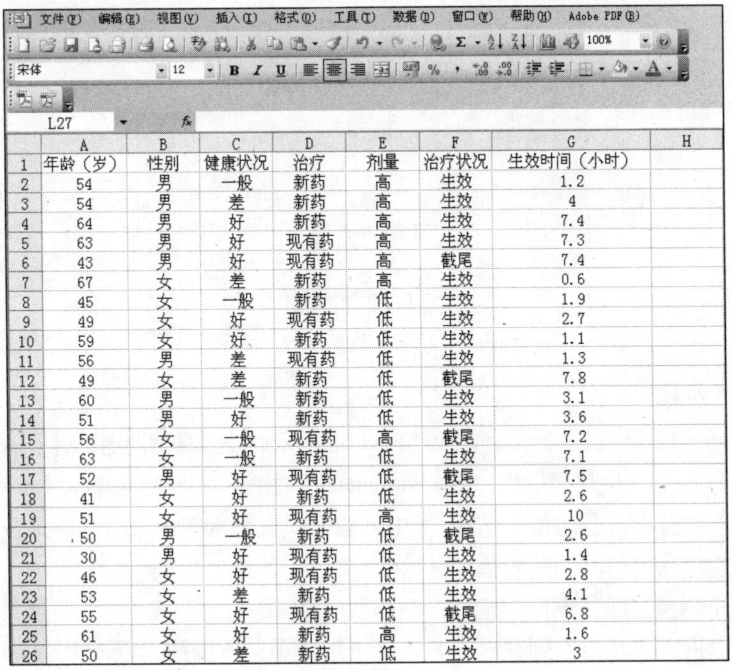

	A	B	C	D	E	F	G	H
1	年龄（岁）	性别	健康状况	治疗	剂量	治疗状况	生效时间（小时）	
2	54	男	一般	新药	高	生效	1.2	
3	54	男	差	新药	高	生效	4	
4	64	男	好	新药	高	生效	7.4	
5	63	男	好	现有药	高	生效	7.3	
6	43	男	好	现有药	高	截尾	7.4	
7	67	女	差	新药	高	生效	0.6	
8	45	女	一般	新药	低	生效	1.9	
9	49	女	好	现有药	低	生效	2.7	
10	59	女	好	新药	低	生效	1.1	
11	56	男	差	现有药	低	生效	1.3	
12	49	女	差	新药	低	截尾	7.8	
13	60	男	一般	新药	低	生效	3.1	
14	51	男	好	新药	低	生效	3.6	
15	56	女	一般	现有药	高	截尾	7.2	
16	63	女	一般	新药	低	生效	7.1	
17	52	男	好	现有药	低	截尾	7.5	
18	41	女	好	新药	低	生效	2.6	
19	51	女	好	现有药	高	生效	10	
20	50	男	一般	新药	低	截尾	2.6	
21	30	男	好	现有药	低	生效	1.4	
22	46	女	好	现有药	低	生效	2.8	
23	53	女	差	新药	低	生效	4.1	
24	55	女	好	现有药	低	截尾	6.8	
25	61	女	好	新药	高	生效	1.6	
26	50	女	差	新药	低	生效	3	

图 16-16　“16-2”数据文件原始数据

首先在SPSS变量视图中建立“年龄”、“性别”、“健康状况”、“治疗”、“剂量”、“治疗状况”、“生效时间”六个变量，各变量的详细设置结果如图16-17所示。

	名称	类型	宽度	小数	标签	值	缺失	列	对齐	度量标准
1	年龄	数值(N)	4	0		无	无	6	右(R)	度量(S)
2	性别	数值(N)	4	0		{0, 男}...	无	6	右(R)	名义
3	健康状况	数值(N)	4	0		{1, 差}...	无	6	右(R)	有序
4	治疗	数值(N)	4	0		{0, 新药}...	无	9	右(R)	名义
5	剂量	数值(N)	4	0		{0, 低}...	无	6	右(R)	有序
6	治疗状况	数值(N)	4	0		{0, 截尾}...	无	6	右(R)	名义
7	生效时间	数值(N)	8	1		无	无	10	右(R)	度量(S)

图 16-17 “16-2”数据文件的变量视图

在SPSS数据视图中输入相关变量的数据，其中“性别”变量中用0代表“男”，1代表“女”；“健康状况”中用1表示“差”，2表示“一般”，3表示“好”；“治疗”变量中用0和1分别代表“新药”和“现有药”；“剂量”变量中用0和1分别代表“低”和“高”剂量；“治疗状况”中用0表示“截尾”，1表示“生效”。数据输入完毕后如图16-18所示。

	年龄	性别	健康状况	治疗	剂量	治疗状况	生效时间
1	54	0	2	0	1	1	1.2
2	54	0	1	0	1	1	4.0
3	64	0	3	0	1	1	7.4
4	63	0	3	1	1	1	7.3
5	43	0	3	1	1	0	7.4
6	67	1	1	0	1	1	0.6
7	45	1	2	0	0	1	1.9
8	49	1	3	1	0	1	2.7
9	59	1	3	0	0	1	1.1
10	56	0	1	1	0	1	1.3
11	49	1	1	0	0	0	7.8
12	60	0	2	0	0	1	3.1
13	51	0	3	0	0	1	3.6
14	66	1	2	1	1	0	7.2
15	63	1	2	0	0	1	7.1
16	52	0	3	1	0	0	7.5
17	41	1	3	0	0	1	2.6
18	61	1	3	1	1	1	10.0
19	50	0	2	0	0	0	2.6
20	30	0	3	1	0	1	1.4

图 16-18 “16-2”数据文件的数据视图

2．实验操作步骤

Step 01 打开“16-2”数据文件，进入 SPSS Statistics 数据编辑器窗口，在菜单栏中依次选择“分析”|“生存函数”|“Kaplan-Meier”命令，打开“Kaplan-Meier”主对话框。

Step 02 从左侧源变量列表框中选择“生效时间”变量，单击“时间”列表框前箭头按钮使之进入“时间”列表框中。

Step 03 从左侧源变量列表框中选择“效应状态”变量，单击“状态”列表框前箭头按钮使之进入“状态”列表框中。单击“定义事件”按钮，进入“Kaplan-Meier：定义状态事件变量”子设置对话框。由于“16-2”数据文件中用 1 表示事件发生，所以选择“单值”单选按钮后，我们在按钮后面的文本框中输入 1，将取值为 0 的观测作为截断观测。设置完毕后，单击“继续”按钮回到主对话框进行其他设置。

Step 04 选择“治疗”变量进入“因子”列表框。

Step 05 单击“比较因子”按钮，弹出“Kaplan-Meier：比较因子水平”对话框，选中“检验统计量”选项组的“对数秩”、“Breslow”和“Tarone-Ware”三个复选框，其他选用默认设置，单击“继续”按钮回到主对话框。

Step 06 单击"选项"按钮,弹出 "Kaplan-Meier:选项"对话框。选择"统计量"选项组中的"生存分析表"、"均值和中位数生存时间"和"四分位数"三个复选框及"图"选项组中的"生存函数"复选框。

3. 实验结果及分析

所有设置完毕后,单击主对话框中"确定"按钮,SPSS Statistics查看器窗口的输出结果如图16-19~图16-24所示。

如图16-19所示,"个案处理摘要"给出了样本数据的简要信息,包括新药、现有药及样本整体的总数、事件发生数和删失数及删失比例。

图16-20给出了类似于寿命表分析中年限表的生存表,只是生存表中每个观测单独占据一行。

个案处理摘要

治疗	总数	事件数	删失 N	百分比
新药	104	15	89	85.6%
现有药	96	13	83	86.5%
整体	200	28	172	86.0%

图 16-19 止痛药分析个案处理摘要

生存表

治疗		时间	状态	此时生存的累积比例 估计	标准误	累积事件数	剩余个案数
新药	1	.600	有效	.		1	103
	2	.600	有效	.981	.013	2	102
	3	.700	有效	.971	.016	3	101
	4	.800	有效	.962	.019	4	100
	5	.900	有效	.952	.021	5	99
	6	1.100	有效	.		6	98
	7	1.100	有效	.933	.025	7	97
	8	1.200	有效	.		8	96
	9	1.200	有效	.913	.028	9	95
	10	1.300	有效	.		10	94
	11	1.300	有效	.		11	93
	12	1.300	有效	.885	.031	12	92
	13	1.400	有效	.875	.032	13	91
	14	1.500	有效	.		14	90
	15	1.500	有效	.		15	89
	16	1.500	有效	.846	.035	16	88

图 16-20 止痛药分析生命表

图16-21和图16-22分别给出了生命表的均值和中位数及其百分位数,由两图可以明显看出,新药和旧药在均值、中位数及四分位数的差异都不是很明显,由此可以初步判断,新药和旧药在生效时间上的差异不太明显。

图16-23给出了整体比较的结果,由三种检验的Sig值可以看出,在0.05的显著性水平上,新药和旧药在生效时间上差异是不显著的。

生存表的均值和中位数

治疗	均值[a]				中位数			
	估计	标准误	95% 置信区间		估计	标准误	95% 置信区间	
			下限	上限			下限	上限
新药	4.867	.360	4.162	5.572	3.700	.292	3.128	4.272
现有药	5.185	.350	4.499	5.871	4.100	1.131	1.884	6.316
整体	5.014	.252	4.520	5.507	3.900	.272	3.367	4.433
a. 如果估计值已删失，那么它将限制为最长的生存时间。								

图 16-21　止痛药分析生命表的均值和中位数

百分位数

治疗	25.0%		50.0%		75.0%	
	估计	标准误	估计	标准误	估计	标准误
新药	7.100	.509	3.700	.292	1.900	.226
现有药	7.700	.648	4.100	1.131	2.400	.247
整体	7.300	.371	3.900	.272	2.100	.196

图 16-22　止痛药分析百分位数

整体比较

	卡方	df	Sig.
Log Rank (Mantel-Cox)	.379	1	.538
Breslow (Generalized Wilcoxon)	.748	1	.387
Tarone-Ware	.705	1	.401
为 治疗 的不同水平检验生存分布等同性。			

图 16-23　止痛药分析整体比较

图16-24形象地描述了生命表的内容，从生存函数图中我们可以直观看出，旧药的生效时间比新药稍慢一些，但从假设检验的结果看，这一差异并不明显。

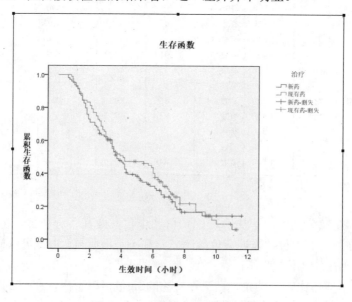

图 16-24　止痛药分析生存函数图

16.4 Cox 回归分析

Cox 回归是一种半参数模型，与参数模型相比，该模型不能给出各时点的风险率，但对生存时间分布无要求，可估计出各研究因素对风险率的影响，因而应用范围更广。

16.4.1 Cox 回归分析基本原理

Cox回归是生存分析中最重要的方法之一，其优点是适用范围很广以及便于做多因素分析。Cox回归假定病人的风险函数如公式（16-3）所示：

$$h(t) = h_0(t) \exp(b_1 X_1 + b_2 X_2 + \cdots + b_p X_p) \tag{16-3}$$

其中$h(t)$为风险函数，又称风险率或瞬间死亡率，$h_0(t)$为基准风险函数，是与时间有关的任意函数，X, b分别是观察变量及其回归系数。英国统计学家D. R. Cox提出了参数b_i的估计和检验方法，故称为Cox回归。

利用风险函数和生存函数的关系式，如公式（16-4）所示：

$$S(t) = \exp[-\int_0^t h(t) dt] \tag{16-4}$$

可以推导出生存函数的公式如式（16-5）所示：

$$S(t) = \exp[-\int_0^t h_0(t) \exp(b_1 X_1 + b_2 X_2 + \cdots + b_p X_p) dt] \tag{16-5}$$

通过此公式，我们便可以得到相应的生存函数图。

16.4.2 Cox 回归分析的 SPSS 操作

在 SPSS Statistics 数据编辑器窗口进行 Cox 回归分析步骤如下。

1）在菜单栏中依次选择"分析"|"生存函数"|"Cox 回归"命令，弹出如图16-25所示的"Cox 回归"主对话框。

2）进行相关设置

①"时间"列表框 选入一个时间变量。可以以任何长度为单位，在时间变量中如果存在负数，则分析过程不考虑此负数。

②"状态"列表框 选入一个状态变量，此时将激活"定义事件"按钮，单击该按钮，弹出如图16-26所示"Cox 回归：为状态变量定义事件"对话框。

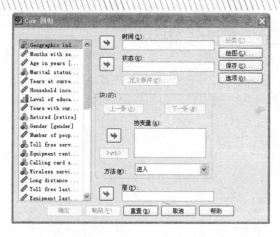

图16-25 "Cox 回归"主对话框　　图16-26 "Cox 回归：为状态变量定义事件"对话框

该对话框同样包含三个单选按钮："单值"、"值的范围"与"值的列表"。各选项含义介绍同Kaplan-Meier分析。

③"协变量"选项组　该选项组主要包括"协变量"列表框和"方法"下拉列表框。

"协变量"列表框用于从左侧源变量列表选入协变量，用户可以一次选入多个协变量，当从左侧源变量列表同时选择两个以上变量时，单击 >a*b> 按钮可以选入这些变量的交互项作为协变量；"方法"下拉列表框，用于设置协变量进入回归方程的方式，包括以下7个选项，如表16-5所示。

表16-5 "方法"下拉列表框内容

方法	含义
进入	选择此项，则只检查变量容忍度，不检查其他进入标准，让所有变量都进入回归方程
向前：条件	选择此项，则采用向前选择的方法来选择协变量，协变量进入回归方程的标准是分值统计量的显著性，删除标准是条件参数估计的似然率统计量的概率值
向前：LR	选择此项，则采用向前选择的方法来选择协变量，协变量进入回归方程的标准是分值统计量的显著性，删除标准是极大似然估计的似然率统计量的概率值
向前：Wald	选择此项，则采用向前选择的方法来选择协变量，协变量进入回归方程的标准是分值统计量的显著性，删除标准是Wald统计量的概率值
向后：条件	选择此项，则采用向后选择的方法来选择协变量，协变量进入回归方程的标准是分值统计量的显著性，删除标准是条件参数估计的似然率统计量的概率值
向后：LR	选择此项，则采用向后选择的方法来选择协变量，协变量进入回归方程的标准是分值统计量的显著性，删除标准是极大似然估计的似然率统计量的概率值
向后：Wald	选择此项，则采用向后选择的方法来选择协变量，协变量进入回归方程的标准是分值统计量的显著性，删除标准是Wald统计量的概率值

值得注意的是，协变量可以分别放在不同的列表框中，以分别设置协变量进入回归方程的方式。"协变量"列表框上方有"上一张"和"下一张"两个按钮，若有两个协变量列表框，且当前显示的是第1个列表框，则"上一张"按钮上方应显示"块1的1"字样。

④"分类"按钮　当选入两个以上协变量或交互项且其中部分协变量是字符串变量或分类

变量时，"分类"按钮将呈现出激活状态，单击"分类"按钮，弹出如图16-27所示"Cox 回归：定义分类协变量"对话框。

图 16-27 "Cox 回归：定义分类协变量"对话框

- "协变量"列表框：该列表框中列出在主对话框中选入的所有协变量。无论是直接指定的协变量还是作为交互的一部分在任何层中指定的协变量，如果其中部分协变量是字符串变量或分类变量，则能将它们用作分类协变量。
- "分类协变量"列表框：该列表框列出标识为分类变量的变量。每个变量都在括号中包含一个表示法，指示要使用的对比编码。字符串变量已存在于"分类协变量"列表中。可从"协变量"列表中选择其他任意分类协变量并将它们移到"分类协变量"列表中。
- "更改对比"选项组：该选项组用于更改对比方法，"对比"下拉列表框中可用的对比方法如表16-6所示。

表 16-6 "对比"方法

方法	含义
指示符	选择此项，则表示对比指示类别成员资格是否存在。参考类别在对比矩阵中表示为一排0
简单	选择此项，则表示除参考类别外，预测变量的每个类别都与参考类别相比较
差分	选择此项，则表示除第一个类别外，预测变量的每个类别都与前面的类别的平均效应相比较，也称为逆 Helmert 对比
Helmert	选择此项，则表示除最后一个类别外，预测变量的每个类别都与后面的类别的平均效应相比较
重复	选择此项，则表示除第一个类别外，预测变量的每个类别都与它前面的那个类别进行比较
多项式	选择此项，则表示进行正交多项式对比。假设类别均匀分布。多项式对比仅适用于数值变量
偏差	选择此项，则表示除参考类别外，预测变量的每个类别都与总体效应相比较

如果选择"偏差"、"简单"或"指示符"选项，则可以在"参考类别"选项组中选择"最后一个"或"第一个"单选按钮，表示以最后一个或第一个作为参考类别。注意，直到单击"更改"按钮后，该方法才实际发生更改。

另外，字符串协变量必须是分类协变量。要从"分类协变量"列表中移去某字符串变量，必须从主对话框中的"协变量"列表中移去所有包含该变量的项。

⑤"层"列表框　用于选入分层变量，可以看作是研究者欲加以控制的混杂因素，对其中每个取值水平分别进行分析。

⑥"绘图"按钮　在主对话框中单击"绘图"按钮，即可弹出如图16-28所示的"Cox 回归：图"对话框。

图 16-28　"Cox 回归：图"对话框

- "图类型"选项组：用于选择要输出的图像，具体内容如表16-7所示。

表 16-7　Cox 回归方法的绘制图形

图类型	含义
生存函数	勾选此复选框，则会输出在线性刻度上显示的累积生存函数曲线
危险函数	勾选此复选框，则会输出在线性刻度上显示的累积风险函数
1减去生存函数	勾选此复选框，则会输出以线性尺度绘制的1减生存函数曲线
负对数累计生存函数的对数	勾选此复选框，则会输出向估计应用了 ln（-ln）转换之后的累积生存估计曲线

- "均变量值的位置"和"单线"列表框：在"图类型"选项组中选择任意一种图形类型后，下方的"均变量值的位置"列表框将被激活，该列表框呈现所有已选协变量。从中选择分类协变量进入右边的"单线"列表框中，SPSS按其变量值将数据分组，并按组生成图形。

- "更改值"选项组：因为"图类型"选项组所示函数依赖于协变量的值，所以必须对协变量使用常数值来绘制函数与时间的关系图。

若选择"均值"单选按钮，则表示使用每个协变量的平均值作为常数；若选择"值"单选按钮，则可在后面的文本框中输入自己的值用于绘图。不管选用"均值"还是"值" 单选按钮，均应单击"更改"按钮确认使用。

设置完毕后，单击"继续"按钮便可回到主对话框。

⑦"保存"按钮　在主对话框中单击"保存"按钮，弹出如图16-29所示"Cox 回归：保存新变量"对话框。

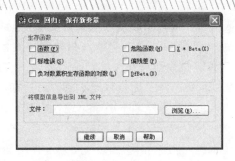

图 16-29 "Cox 回归：保存新变量"对话框

"生存函数"选项组用于选择要保存的函数形式，各种函数介绍如表16-8所示。

表 16-8 Cox 回归的保存函数

选项	含义
函数	用于保存累积生存概率估计，缺省变量名为前缀 sur_ 加上顺序号
标准误	用于保存累积生存估计的标准误，缺省变量名为前缀 se_ 加上顺序号
负对数累计生存函数的对数	用于保存输出向估计应用了 ln（-ln）转换之后的累积生存估计，缺省变量名为前缀 lml_ 加上顺序号
危险函数	用于保存累积风险函数估计，缺省变量名为前缀 haz_ 加上顺序号
偏残差	用于保存生存时间的偏残差，缺省变量名为前缀 pr_ 加上顺序号
DfBeta	用于保存Beta系数，缺省变量名为前缀 dfb_ 加上顺序号
X*Beta	用于保存线性预测因素分值，缺省变量名为前缀xbe_加上顺序号

"将模型信息导出到 XML 文件"输入框，用于把模型信息以 XML 文件的形式保存到指定文件中。

设置完毕后，单击"继续"按钮回到主对话框进行其他设置。

⑧选项"按钮 在主对话框中单击"选项"按钮，弹出如图16-30所示"Cox 回归：选项"对话框。

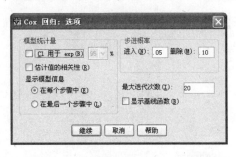

图 16-30 "Cox 回归：选项"对话框

对话框组成及功能介绍如下：

- "模型统计量"选项组：该选项组用于选择获得模型参数的统计量，包括"CI用于"exp(B)"和"估计值的相关性"两个复选框。选择前者，可在后面的文本框内设置不同的置信水平，以输出相应的置信区间，默认置信水平为95%；若选择后者，则表示输出回归系数的相关系数矩阵。

- “显示模型信息”选项组：该选项组用于设置需要显示的模型信息：若选择“在每个步骤中”，则会在每一步进入过程中都输出相关统计量；若选择“在最后一个步骤中”，则会输出最后的回归模型的相关统计量。
- “步进概率”选项组：如果选择了逐步推进方法，用户可以指定模型的输入或剔除的概率。如果变量的进入F的显著性水平小于“进入”值，则输入该变量；如果变量的该显著性水平大于“删除”值，则移去该变量。“进入”值必须小于“删除”值。
- “最大迭代次数”文本框：用于指定模型的最大迭代次数，以控制过程求解的时间，系统默认为20次。
- “显示基线函数”复选框：若勾选此复选框，则将显示协变量均值下的基线风险函数和累积生存函数。如果指定了依时协变量，则此显示不可用。

3）输出结果

所有设置结束后，单击“Cox 回归”主对话框中的“确认”按钮，即可输出Cox 回归分析结果。

16.4.3 实验操作

下面将继续以“16-3”数据文件为例，说明Cox 回归分析的具体操作过程和对输出结果进行说明解释。

1. 实验数据描述

“16-3”数据文件为某医师在研究白血病患者的生存率时收集的33名患者的资料，按Ag阴阳性把33个数据文件分为两组，并分别记录了两组患者的生存月数，是否死亡及白细胞数。我们将利用Cox 回归分析过程，得到白血病患者的生存函数图。“16-3”数据文件的原始EXCEL表如图16-31所示。

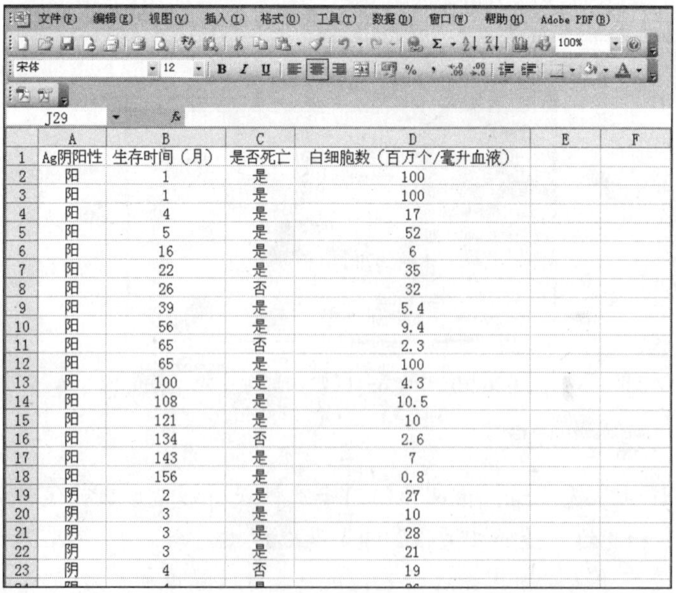

	A	B	C	D	E	F
1	Ag阴阳性	生存时间（月）	是否死亡	白细胞数（百万个/毫升血液）		
2	阳	1	是	100		
3	阳	1	是	100		
4	阳	4	是	17		
5	阳	5	是	52		
6	阳	16	是	6		
7	阳	22	是	35		
8	阳	26	否	32		
9	阳	39	是	5.4		
10	阳	56	是	9.4		
11	阳	65	否	2.3		
12	阳	65	是	100		
13	阳	100	是	4.3		
14	阳	108	是	10.5		
15	阳	121	是	10		
16	阳	134	否	2.6		
17	阳	143	是	7		
18	阳	156	是	0.8		
19	阴	2	是	27		
20	阴	3	是	10		
21	阴	3	是	28		
22	阴	3	是	21		
23	阴	4	否	19		

图 16-31 “16-3”数据文件原始数据

在SPSS变量视图中建立“Ag阴阳性”、“生存时间”、“是否死亡”和“白细胞数”四个变量，变量基本信息如图16-32所示。

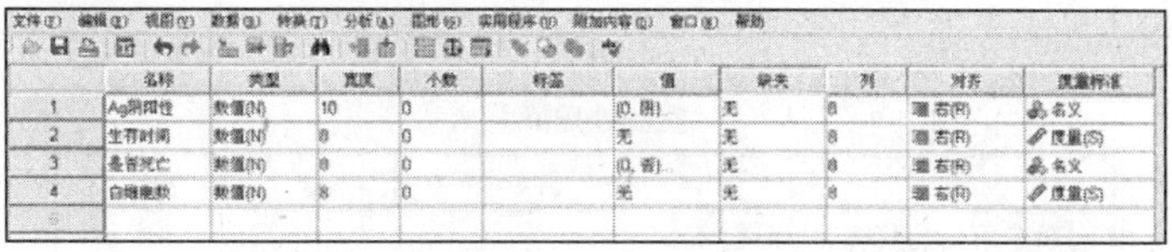

	名称	类型	宽度	小数	标签	值	缺失	列	对齐	度量标准
1	Ag阴阳性	数值(N)	10	0		{0, 阴}...	无	8	右(R)	名义
2	生存时间	数值(N)	8	0		无	无	8	右(R)	度量(S)
3	是否死亡	数值(N)	8	0		{0, 否}...	无	8	右(R)	名义
4	白细胞数	数值(N)	8	0		无	无	8	右(R)	度量(S)

图 16-32 “16-3”数据文件的变量视图

然后在SPSS数据视图中输入相应变量值，其中，在“Ag阴阳性”变量中用数字0和1分别表示阴和阳，在“是否死亡”变量中用1和0分别代表是和否，输入完毕后如图16-33所示。

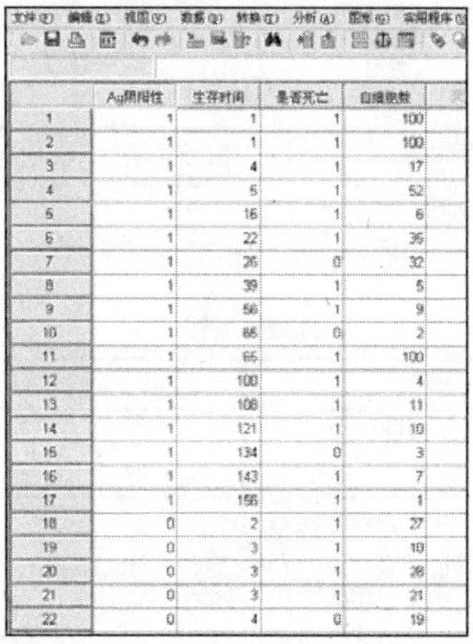

	Ag阴阳性	生存时间	是否死亡	白细胞数
1	1	1	1	100
2	1	1	1	100
3	1	4	1	17
4	1	5	1	52
5	1	16	1	6
6	1	22	1	35
7	1	26	0	32
8	1	39	1	5
9	1	56	1	9
10	1	65	0	2
11	1	65	1	100
12	1	100	1	4
13	1	108	1	11
14	1	121	1	10
15	1	134	0	3
16	1	143	1	7
17	1	156	1	1
18	0	2	1	27
19	0	3	1	10
20	0	3	1	28
21	0	3	1	21
22	0	4	0	19

图 16-33 “16-3”数据文件的数据视图

2. 实验操作步骤

具体操作过程如下：

Step 01 在菜单栏中依次单击“分析”|“生存函数”|“Cox 回归”命令，弹出“Cox 回归”主对话框。

Step 02 从左侧源变量列表框中选择 “生存时间”变量进入“时间”列表框作为时间变量。

Step 03 从左侧源变量列表框中选择 “是否死亡”变量，作为状态变量。单击“定义事件”按钮，弹出 “Cox 回归：为状态变量定义事件”对话框。选择“单值”单选按钮，在按钮后的文本框中输入 1，将取值为 0 的观测作为截断观测。

单击“继续”按钮回到主对话框进行其他设置。

Step 04 从左侧源变量列表框中选入“Ag 阴阳性”和“白细胞数”两个变量进入协变量列表框中，由于样本数较少，因此在“方法”下拉列表框中选择“进入”选项。

Step 05 单击“分类”按钮，弹出“Cox 回归：定义分类协变量”对话框。从左侧“协变量”列表框中将“Ag 阴阳性”变量选入右侧“分类协变量”列表框中，其他均采用默认设置。设置完毕后，单击“继续”按钮回到主对话框。

Step 06 单击“绘图”按钮，弹出“Cox 回归：图”对话框。在“图类型”选项组中选择“生存函数”和“危险函数”复选框，其他均采用默认设置。

3. 实验结果及分析

所有设置完毕后，单击主对话框中"确定"按钮，SPSS Statistics查看器窗口的输出结果如图16-34~图16-39所示。

案例处理摘要

		N	百分比
分析中可用的案例	事件[a]	29	87.9%
	删失	4	12.1%
	合计	33	100.0%
删除的案例	带有缺失值的案例	0	.0%
	带有负时间的案例	0	.0%
	层中的最早事件之前删失的案例	0	.0%
	合计	0	.0%
合计		33	100.0%

a. 因变量：生存时间

图 16-34 案例处理摘要

分类变量编码[c]

		频率	(1)[b]
Ag阴阳性[a]	0	16	1
	1	17	0

a. 示性参数编码

b. 已经记录了 (0,1) 变量，所以其系数不会与指示符 (0,1) 编码相同。

c. 分类变量：Ag阴阳性

图 16-35 分类变量信息

如图16-34所示，个案处理摘要表给出了数据的简要统计信息，其中Event和Censored栏分别表示事件发生和不发生的观测次数，个案处理摘要表还给出了缺失案例的情况。由图可以看出，33个案例中有29个患者死亡，4个生存下来，该数据文件没有任何缺失值存在。

图16-35给出了分类变量"Ag阴阳性"的统计信息，其中阴性个案频数为16，阳性频数为17个。

模型系数的综合测试[a,b]

-2 倍对数似然值	整体 (得分)			从上一步骤开始更改			从上一块开始更改		
	卡方	df	Sig.	卡方	df	Sig.	卡方	df	Sig.
142.761	11.773	2	.003	10.633	2	.005	10.633	2	.005

a. 起始块编号 0，最初的对数似然函数:-2 倍对数似然值: 153.394

b. 起始块编号 1. 方法 = 输入

图 16-36 模型系数显著性检验

图16-36给出了模型系数的有关检验结果，从图中看出，两个模块中系数变化在10%的置信度下是显著的。

方程中的变量						
	B	SE	Wald	df	Sig.	Exp(B)
Ag阴阳性	1.122	.450	6.202	1	.013	3.071
白细胞数	.009	.005	2.970	1	.085	1.009

协变量均值	
	均值
Ag阴阳性	.485
白细胞数	29.167

图 16-37　变量系数输出结果及变量均值

　　图16-37给出了协变量的回归系数及其显著性检验结果，由图可知，两个变量系数也在10%置信度下是显著的。另外，输出结果还包括两个协变量的均值。

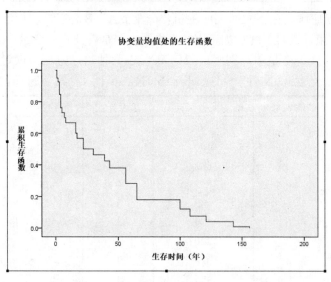

图 16-38　生存函数图

　　图16-38给出了白血病患者的生存函数图，由图可以看出患者的生存函数下降速度较快且有明显减慢趋势，接近160个月时，生存率几乎为0。

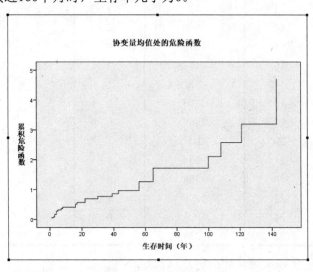

图 16-39　危险函数图

图16-39给出了白血病患者的危险函数图，其趋势也十分明显，即随时间的延长，患者在生存上所经历的死亡风险愈来愈大，到140个月时，大约是起初的5倍。

上机题

	光盘：\多媒体文件\上机题教学视频\chap16.wmv
	光盘：\源文件\上机题\chap16\...

16.1 25例某癌症病人在不同时期经随机化分配到A、B治疗组进行治疗，同时随访观察至2007年10月1日结束，资料整理后如下表，表中数据"是否死亡"变量用0、1分别代表"否"和"是"，"治疗方式"变量中分别用1、2代表A、B两种治疗方法，试对其结果进行生存率分析。（数据路径：光盘:\源文件\上机题\chap16\习题\第十六章第一题.sav）

病人号	随访天数（天）	是否死亡	治疗方式
1	8	1	1
2	180	1	2
3	632	1	2
4	852	0	1
5	52	1	1
6	2240	1	2
7	220	1	1
8	63	1	1
9	195	1	2
10	76	1	2
11	70	1	2
12	8	1	1
13	13	1	2
14	1990	0	2
15	1976	0	1
16	18	1	2
17	700	1	2
18	1296	0	1
19	1460	0	1
20	210	1	2
21	63	1	1
22	1328	0	1
23	1296	1	2
24	365	0	1
25	23	1	2

16.2 用中药加化疗和单纯化疗两种疗法治疗26名白血病患者后，随访记录存活情况如下所示，"是否死亡"中分别用0、1代表"否"和"是"，"治疗方法"中的1、2分别代表中医

加化疗方法和单纯化疗方法，试比较两组的生存率。（数据路径：光盘:\源文件\上机题\chap16\习题\第十六章第二题.sav）

随访月数（月）	是否死亡	治疗方法
10	0	1
2	1	1
12	1	1
13	0	1
18	0	1
6	1	1
19	1	1
26	0	1
9	1	1
8	1	1
6	1	1
43	1	1
9	0	1
4	0	1
31	0	1
24	0	1
2	1	2
13	0	2
7	1	2
11	1	2
6	0	2
1	0	2
11	0	2
3	0	2
17	0	2
7	0	

16.3 数据记录了50名白血病人外周血中的细胞数量、浸润等级、巩固治疗情况、生存时间和状态变量。下表给出了其中部分数据，其中巩固治疗变量中，分别用0、1代表否和是，结局中0代表生存，1代表死亡；指示变量中1代表全部数据，0代表截尾数据。试用Cox分析方法，得到白血病患者的生存函数图。（数据路径：光盘:\源文件\上机题\chap16\习题\第十六章第三题.sav）

白细胞数（万个）	浸润等级	巩固治疗	生存时间（年）	结局	指示变量
2.5	0	0	3.4	0	1
1.2	2	0	3.73	0	1
173	2	0	3.73	0	1
3.5	0	0	3.83	0	1
119	2	0	4	0	1
39.7	0	0	4.03	0	1

（续表）

白细胞数（万个）	浸润等级	巩固治疗	生存时间（年）	结局	指示变量
10	2	0	4.17	0	1
62.4	0	0	4.2	0	1
502.2	2	0	4.2	0	1
2.4	0	0	5	0	1
4	0	0	5.27	0	1
34.7	0	0	5.67	0	1
14.4	0	1	7.07	0	1
28.4	2	0	7.26	0	1
2	2	0	7.33	0	1

第 17 章　信度分析

我们在做调查问卷时，最看重的是调查问卷的科学性和有效性。信度分析方法是分析问卷的主题是否符合调查者的要求和调查数据可靠性的专用统计方法。信度分析和多维尺度分析是两种最常见的的信度分析方法，它们是探索研究事物间的相似性或不相似性的专用技术。信度分析是用于检验结果的一贯性、一致性、再现性和稳定性的常用方法；多维尺度分析是研究和反映被访者对研究对象相似性的感知的一种统计分析方法，SPSS提供了强大的信度和多维尺度分析功能，本书下面将对其做相应的介绍。

17.1　信度分析

我们在做调查问卷时，最看重的是调查问卷的科学性和有效性，如果一个问卷设计出来无法有效地考察问卷中所涉及的各个因素，那么我们为调查问卷所作的抽样、调查、分析、结论等一系列的工作也就白做了。那么，我们如何来检验设计好的调查问卷是否有效呢？信度分析是评价调查问卷是否具有稳定性和可靠性的有效分析方法。

17.1.1　信度分析的原理

信度，又叫可靠性，是指问卷的可信程度。它主要表现检验结果的一贯性、一致性、再现性和稳定性。一个好的测量工具，对同一事物反复多次测量，其结果应该始终保持不变才可信。例如，我们用一把尺子测量一张桌子的高度，今天测量得高度与明天测量的高度不同，那么我们就会对这把尺子产生怀疑。因此，一张设计合理的调查问卷应该具有它的可靠性和稳定性。

调查问卷的评价体系是以量表形式来体现的，编制的合理性决定着评价结果的可用性和可信性。问卷的信度分析包括内在信度分析和外在信度分析。内在信度重在考察一组评价项目是否测量同一个概念，这些项目之间是否具有较高的内在一致性。一致性程度越高，评价项目就越有意义，其评价结果的可信度就越强。外在信度是指在不同时间对同批被调查者实施重复调查时，评价结果是否具有一致性。如果两次评价结果相关性较强，说明项目的概念和内容是清晰的，因而评价的结果是可信的。信度分析的方法有多种，有Alpha信度和分半信度等，都是通过不同的方法来计算信度系数，再对信度系数进行分析。

目前最常用的是Alpha信度系数法，一般情况下我们主要考虑量表的内在信度——项目之间是否具有较高的内在一致性。通常认为，信度系数应该在0~1之间，如果量表的信度系数在0.9以上，表示量表的信度很好；如果量表的信度系数在0.8~0.9之间，表示量表的信度可以接受；如果量表的信度系数在0.7~0.8之间，表示量表有些项目需要修订；如果量表的信度系数在 0.7以下，表示量表有些项目需要抛弃。

17.1.2 信度分析的SPSS操作

打开相应的数据文件或者建立一个数据文件后，在 SPSS Statistics 数据编辑器窗口就可以进行信度分析。

1）在菜单栏中依次选择"分析"|"度量"|"可靠性分析"，打开如图17-1所示的"可靠性分析"对话框。

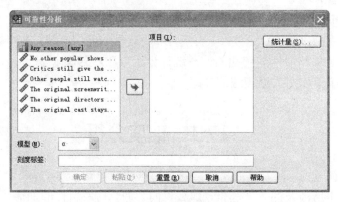

图 17-1 "可靠性分析"对话框

2）选择变量

从源变量列表中选择需要分析的变量，单击 按钮将选中的变量选入"项目"列表框。"项目"列表框中的变量数据可以是二分数据、有序数据或区间数据，但数据应是用数值编码的，且信度分析需要选择两个或两个以上的变量进入"项目"列表框。图17-2所示即为选择完需要分析的变量。

图 17-2 选择需要分析的变量

3）进行相应的设置

"统计量"设置

单击"统计量"按钮，弹出"可靠性分析：统计量"对话框，如图17-3所示。

图 17-3　"可靠性分析：统计量"对话框

"可靠性分析：统计量"对话框主要用于对度量和项的一些统计量的设定。

①"描述性"选项组　该选项组主要用于为个案的标度或项生成描述统计，包括以下几个复选项：

- 项：勾选此复选框表示为个案的每个项生成描述统计量，如均值、标准差等。
- 度量：勾选此复选框表示为标度产生描述统计量，即各个项之和的描述统计量。
- 如果项已删除则进行度量：勾选此复选框表示输出将每一项与由其他项组成的标度进行比较时的摘要统计量，即该项从标度中删除时的标度均值和方差、该项与由其他项组成的标度之间的相关性，以及该项从标度中删除后的Cronbach's alpha值。

②"项之间"选项组　该选项组主要用于对输出项之间的相关矩阵进行设定，包括：

- "相关性"复选框，勾选此复选框表示输出项与项之间的相关性矩阵。
- "协方差"复选框，勾选此复选框表示输出项与项之间的协方差矩阵。

③"摘要"选项组　该选项组主要用于设置标度中所有项的统计量，包括以下几个量：

- 均值：勾选此复选框表示输出所有项均值的最小、最大、平均值、项均值的范围、方差，以及最大项均值与最小项均值的比。
- 方差：勾选此复选框表示输出所有项方差的最小、最大、平均值、项方差的范围、方差以及最大项方差与最小项方差的比。
- 协方差：勾选此复选框表示输出项之间的协方差的最小、最大、平均值、项之间的协方差的范围、方差以及最大项之间协方差与最小项之间的协方差的比。
- 相关性：勾选此复选框表示输出所有项之间的相关性的最小、最大、平均值项、范围、方差以及最大项之间的相关性与最小项之间的相关性的比。

④"ANOVA表"选项组　该选项组主要用于选择方差分析与均值是否相等的检验，可选的项有：

- 无：表示不进行任何检验。

- F检验：表示进行重复度量方差分析。
- Friedman卡方：表示进行非参数检验中的多配对样本Friedman检验，并输出Friedman的卡方Kendall 的协同系数，此选项适用于以秩为形式的数据且卡方检验在 ANOVA 表中替换通常的F检验。
- Cochran卡方：表示进行非参数检验中的多配对样本Cochrans检验，并输出Cochrans Q，此选项适用于双分支数据且Q统计在ANOVA表中替换通常的F统计。

⑤ "Hotelling 的 T 平方"复选框 勾选此复选框表示输出多变量 HotellingT 平方检验统计量，该检验的原假设是标度上的所有项具有相同的均值，如果该统计量的概率值在 5%的显著水平上拒绝原假设，则表示标度上至少有一个项的均值与其他项不同。

⑥ "Tukey的可加性检验"复选框 勾选此复选框表示进行Tukey的可加性检验，该检验的原假设是项中不存在可乘交互作用，如果该统计量的概率值在5%的显著水平上拒绝原假设，则表示项中存在可乘的交互作用。

⑦ "同类相关系数"复选框 该复选框表示计算组内同类相关系数，对个案内值的一致性或符合度的检验。勾选此复选框后，相应的选项都被激活。

- "模型"下拉列表框，该列表框给出了用于计算同类相关系数的模型："双向混合"模型，当人为影响是随机的而项的作用固定时，选择该模型；"双向随机"模型，当人为影响和项的作用均为随机时选择该模型；"单项随机"模型，当人为影响随机时选择该模型。
- "类型"下拉列表框，可以选择"一致性"或"绝对一致"。
- "置信区间"文本框，用于指定置信区间的范围，系统默认为95%。
- "检验值"文本框，用于指定假设检验系数的假设值，该值是用来与观察值进行比较的值，系统默认为0。

设置分析模型

"模型"下拉列表框主要用于选择进行信度（可靠性）分析的模型，有以下几个选项：

- Alpha：即Cronbach模型，该模型是内部一致性模型，用于输出Cronbach's alpha值。
- 半分：即半分信度模型，该模型将标度分割成两个部分，并检查两部分之间的相关性
- Guttman：即Guttman模型，该模型计算Guttman的下界以获取真实可靠性。
- 平行：即平行模型，该模型假设所有项具有相等的方差，并且重复项之间具有相等的误差方差，进行模型的拟合度检验
- 严格平行：即严格平行模型，该模型不仅有平行模型的假设，还假设所有项具有相等的均值，输出公共均值、公共方差、真实方差、误差方差等统计量。

4）分析结果输出

设置完毕后，可以单击"确定"按钮，就可以在SPSS Statistics查看器窗口得到信度分析的结果。

17.1.3 实验操作

下面将以“17-1”数据文件为例，说明信度分析的具体操作过程和对结果进行说明解释。

1. 实验数据描述

“17-1”数据文件涉及某家电公司对消费者在何种情况下使用自己公司产品的调查结果，在数据文件中，每行代表一位单独的调查对象；每列代表一种单独的情况。该调查问卷共设置了7种情况，分别为：“总是使用”，“没有其他品牌”，“有电视广告”，“有其他人使用”，“公司上市”，“常推出新产品”和“现任总裁在职”。被调查者对每种情况做出“是”或“否”的选择，共有906行数据。我们将利用信度分析过程，得出调查结果是否可信的结论，该数据文件的原始EXCEL表如图17-4所示。

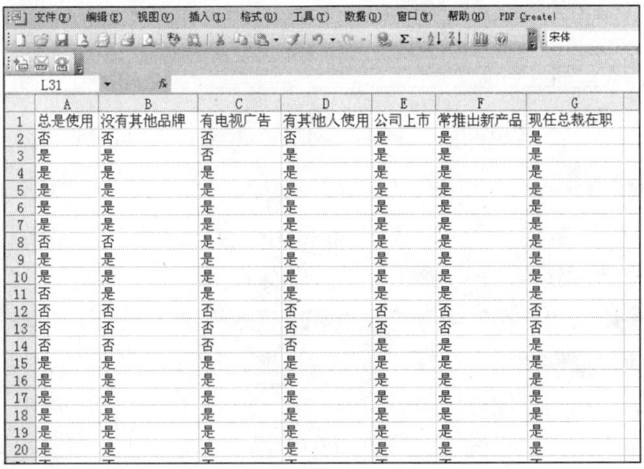

	A	B	C	D	E	F	G
1	总是使用	没有其他品牌	有电视广告	有其他人使用	公司上市	常推出新产品	现任总裁在职
2	否	否	否	否	是	是	是
3	是	是	否	是	是	是	是
4	是	是	是	是	是	是	是
5	是	是	是	是	是	是	是
6	是	是	是	是	是	是	是
7	是	是	是	是	是	是	是
8	否	否	是	是	是	是	是
9	是	是	是	是	是	是	是
10	是	是	是	是	是	是	是
11	否	是	是	是	是	是	是
12	否	否	否	否	否	否	否
13	否	否	否	否	否	否	否
14	否	否	否	否	是	是	是
15	是	是	是	是	是	是	是
16	是	是	是	是	是	是	是
17	是	是	是	是	是	是	是
18	是	是	是	是	是	是	是
19	是	是	是	是	是	是	是
20	是	是	是	是	是	是	是

图 17-4 数据文件“17-1”原始数据

首先在SPSS变量视图中建立“总是”、“其他品牌”、“广告”、“他人使用”、“上市”、“新产品”和“在职”7个变量，分别代表“总是使用”、“没有其他品牌”、“有电视广告”、“有其他人使用”、0“公司上市”、“常推出新产品”和“现任总裁在职”7种情况，每个变量中用0和1分别代表“否”和“是”，所有变量的度量标准均为“度量”。“17-1”数据文件的变量视图如图17-5所示。

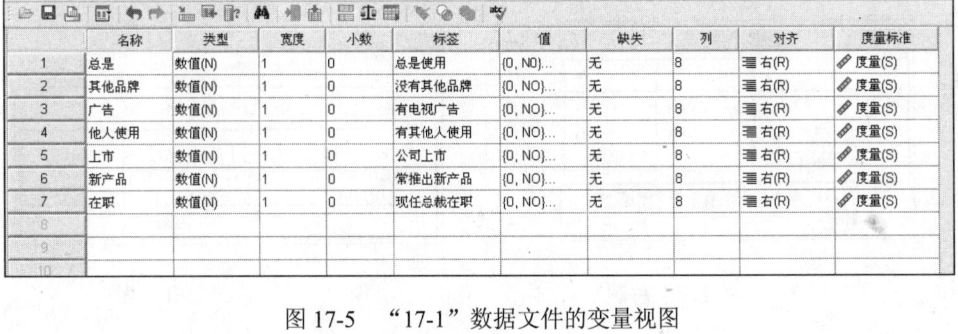

	名称	类型	宽度	小数	标签	值	缺失	列	对齐	度量标准
1	总是	数值(N)	1	0	总是使用	{0, NO}...	无	8	右(R)	度量(S)
2	其他品牌	数值(N)	1	0	没有其他品牌	{0, NO}...	无	8	右(R)	度量(S)
3	广告	数值(N)	1	0	有电视广告	{0, NO}...	无	8	右(R)	度量(S)
4	他人使用	数值(N)	1	0	有其他人使用	{0, NO}...	无	8	右(R)	度量(S)
5	上市	数值(N)	1	0	公司上市	{0, NO}...	无	8	右(R)	度量(S)
6	新产品	数值(N)	1	0	常推出新产品	{0, NO}...	无	8	右(R)	度量(S)
7	在职	数值(N)	1	0	现任总裁在职	{0, NO}...	无	8	右(R)	度量(S)
8										
9										
10										

图 17-5 “17-1”数据文件的变量视图

然后在SPSS数据视图中输入相应变量数据，输入完毕后如图17-6所示。

	总是	其他品牌	广告	他人使用	上市	新产品	在职
1	0	0	0	0	1	1	1
2	1	1	0	1	1	1	1
3	1	1	1	1	1	1	1
4	1	1	1	1	1	1	1
5	1	1	1	1	1	1	1
6	1	1	1	1	1	1	1
7	0	0	1	1	1	1	1
8	1	1	1	1	1	1	1
9	1	1	1	1	1	1	1
10	0	1	1	1	1	1	1
11	0	0	0	0	0	0	0
12	0	0	0	0	0	0	0
13	0	0	0	0	1	1	1
14	1	1	1	1	1	1	1
15	1	1	1	1	1	1	1
16	1	1	1	1	1	1	1
17	1	1	1	1	1	1	1
18	1	1	1	1	1	1	1
19	1	1	1	1	1	1	1
20	0	0	0	0	0	0	0

图 17-6 "17-1"数据文件的数据视图

2. 实验操作步骤

Step 01 打开"17-1"数据文件，进入 SPSS Statistics 数据编辑器窗口，在菜单栏中依次选择"分析"|"度量"| "可靠性分析"选项卡，然后将"总是"、"其他品牌"、"广告"、"他人使用"、"上市"、"新产品"和"在职"选入"项目"列表。

Step 02 单击"统计量"按钮，选择"项"复选框、"相关性"复选框及"均值"复选框，单击"继续"按钮，保存设置结果。

Step 03 在"模型"下拉列表框中选择"alpha"模型，另外也可以选择其他模型形式。

3. 实验结果及分析

单击"确定"按钮，SPSS Statistics查看器窗口的输出结果如图17-7~图17-11所示。

图17-7给出了本案例处理汇总结果。从该图可以得到，整个数据文件共有906个个案参与信度分析，并无缺失值。

图17-8给出了信度分析的可靠性统计量结果。从该图可以得到Cronbach's Alpha值为0.898，基于标准化的Cronbach's Alpha值为0.894，两个系数值都在90%附近，可见该量表具有很高的内在一致性，所以可靠性较强。

案例处理汇总

		N	%
案例	有效	906	100.0
	已排除[a]	0	.0
	总计	906	100.0

a. 在此程序中基于所有变量的列表方式删除。

图 17-7 案例处理汇总图

可靠性统计量

Cronbach's Alpha	基于标准化项的 Cronbachs Alpha	项数
.898	.894	7

图 17-8 可靠性统计量图

图17-9给出了各个项的基本统计量。从该图可以得到量表中每个项的均值、标准偏差和个

案数目。如其四个项的均值都在0.5左右，表明大约50%的人出于前四个项的原因选择继续收看节目。

项统计量

	均值	标准偏差	N
总是	.49	.500	906
其他品牌	.50	.500	906
广告	.50	.500	906
他人使用	.53	.499	906
上市	.81	.389	906
新产品	.83	.378	906
在职	.89	.315	906

图 17-9　项统计量图

图17-10给出了项间的相关性矩阵。从该图可以得到每个项之间的相关系数。如第一项与第二、三、四项间相关性都比较高，而第五项与第六、七项间的相关性较高。

项间相关性矩阵

	总是	其他品牌	广告	他人使用	上市	新产品	在职
总是	1.000	.815	.813	.782	.408	.421	.303
其他品牌	.815	1.000	.826	.807	.422	.423	.307
广告	.813	.826	1.000	.804	.458	.453	.336
他人使用	.782	.807	.804	1.000	.443	.460	.340
上市	.408	.422	.458	.443	1.000	.632	.625
新产品	.421	.423	.453	.460	.632	1.000	.600
在职	.303	.307	.336	.340	.625	.600	1.000

图 17-10　项间相关性矩阵

图17-11给出了摘要项统计量图。该图中显示了所有项均值的极小值、极大值、平均值、项均值的范围、方差以及最大项均值与最小项均值的比。所有项均值的平均值是0.650。不严格来说，在各种情况下，大约有65%的人会选择继续收看这个电视节目。

摘要项统计量

	均值	极小值	极大值	范围	极大值/极小值	方差	项数
项的均值	.650	.487	.889	.402	1.825	.033	7

图 17-11　摘要项统计量图

4. 对信度模型的进一步探讨

在"模型"下拉列表框中除了可以选择"alpha"模型，另外也可以选择其他模型形式，图17-12和图17-13分别展示了"Guttman"（Guttman模型）选项和"半分"（半分信度模型）选项的输出结果。

图17-12为Guttman模型的信度分析结果图。该图给出了基于Guttman模型计算的从lambda1到lambda6的6个信度系数。在6个信度系数中最高的是lambda2，其中lambda3恰好等于图17-7

中的Cronbach's Alpha值。但是由于该系数计算较为复杂，因此实际应用中并不普遍。

图17-13为半分信度模型的信度分析结果。从该图可以得到基于半分信度模型的Cronbach's Alpha值和Spearman-Brown系数统计量。半分信度模型将量表中原先的7个项拆分为两个部分："部分1"含有"总是使用"、"没有其他品牌"、"有电视广告"和"有其他人使用"四个变量数据；"部分2"含有"公司上市"、"常推出新产品"和"现任总裁在职"三个变量。其中第一部分的Cronbach's Alpha值为0.944，第二部分的Cronbach's alpha值为0.826，可见每个部分的内在一致性都非常高。但是两个部分的相关系数却只有0.503，可见两部分的相关性不高。Spearman-Brown系数和Guttman Split-Half系数都是利用两个部分的Cronbach's Alpha值计算得到的，本实验中由于两部分项的数目不一致，所以值为0.669的"不等长"系数更为准确，并且Guttman Split-Half系数仅为0.577，因此半分信度模型的结果显示内在一致性不是很好。事实上，由于半分信度模型的结果因拆分方式的不同而变化较大，如把相关性很强的项分在不同部分得到的结果会更具有内在一致性，因此半分信度模型的结果并不是很可靠，一般用重侧信度模型。

可靠性统计量

Lambda	1	.769
	2	.915
	3	.898
	4	.577
	5	.894
	6	.927
项数		7

可靠性统计量

Cronbach's Alpha	部分 1	值	.944
		项数	4[a]
	部分 2	值	.826
		项数	3[b]
	总项数		7
	表格之间的相关性		.503
Spearman-Brown 系数	等长		.669
	不等长		.673
Guttman Split-Half 系数			.577

a. 这些项为: 总是,其他品牌,广告,他人使用.

b. 这些项为: 上市,新产品,在职.

图 17-12　Guttman 模型的可靠性统计量图　　　　图 17-13　半分信度模型的可靠性统计量图

17.2　多维尺度分析

多维尺度分析（Multi-dimension Analysis）是市场研究的一种有力手段，它可以通过低维空间（通常是二维空间）展示多个研究对象（比如品牌）之间的联系，利用平面距离来反映研究对象之间的相似程度。

17.2.1　多维尺度分析的原理

多维尺度分析的主要思路是利用对被访者和对研究对象的分组，来反映被访者对研究对象相似性的感知，这种方法具有一定直观合理性。由于多维尺度分析法通常是基于研究对象之间的相似性（距离）的，只要获得了两个研究对象之间的距离矩阵，我们就可以通过相应统计软件做出他们的相似性知觉图。

在实际应用中，距离矩阵的获得主要有两种方法（获取方法在SPSS多维尺度分析中的"距离"选项组均有介绍）：一种是采用直接的相似性评价，先把所有评价对象进行两两组合，然后要求被访者对所有的这些组合间进行直接相似性评价，这种方法我们称之为直接评价法；另一种为间接评价法，由研究人员根据事先经验，找出影响人们评价研究对象相似性的主要属性，然后对每个研究对象，让被访者对这些属性进行逐一评价，最后将所有属性作为多维空间的坐标，通过距离变换计算对象之间的距离。

17.2.2 多维尺度分析的 SPSS 操作

在 SPSS Statistics 数据编辑器窗口进行多维尺度分析的操作步骤如下。

1）在菜单栏中依次选择"分析" | "度量" | "多维尺度（ALSCAL）"，打开如图17-14所示的"多维尺度"对话框。

图 17-14 "多维尺度"对话框

2）选择变量

从源变量列表中选择需要分析的距离变量，单击 按钮将选择的变量选入右侧的列表框。

"变量"列表框

该列表框中的变量数据是距离（不相似性）数据，则所有的不相似性都应该是定量的，应该用相同的尺度进行度量，变量尺度之间的差异可能会影响解。如果变量在尺度上有很大差异（例如：一个变量以个数为单位度量，而另一个以时间为单位度量），那么应该考虑对它们进行标准化（这可以通过多维尺度过程来自动完成）。另外，如果数据为距离，则选择至少四个数值变量进行分析。

"单个矩阵"列表框

该列表框中的变量为分组变量，主要用于每一类别的分组变量创建单独的矩阵。并且只有选择"距离"选项组中的"从数据创建距离"单选按钮时，该列表框才会被激活。

3）进行相应的设置

"距离"设置

"距离"选项组主要用于设定距离矩阵的形式或从数据创建距离矩阵。

①数据为距离数据 当活动数据集中的数据本身就是距离数据时，选择该单选按钮。单击"形状"按钮将弹出如图17-15所示"多维尺度：数据形状"对话框。

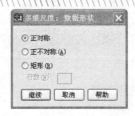

图 17-15　"多维尺度：数据形状"对话框

在对话框中可指定距离矩阵的形状，有 3 种形状：

- 正对称：表示活动数据集中的数据矩阵为正对称矩阵，行和列表示相同的项目，当仅录入一半的数据并选择该单选按钮时，系统会自动补全其他数据。
- 正不对称：表示活动数据集中的数据矩阵为正不对称矩阵，但行和列表示相同的项目。
- 矩形：表示活动数据集中的数据矩阵为矩形，并且行和列表示不同的项目，当活动数据集中的数据含有多个矩阵时，需要在"行数"输入框中设置每个矩阵的行数。

②从数据创建距离　当活动数据集中的数据本身不是距离数据时，选择该单选按钮。单击"度量"按钮将弹出如图 17-16 所示"多维尺度：从数据中创建度量"对话框。

"度量标准"选项组用于选择测度类型和指定不相似的测量方法，"转换值"选项组的"标准化"下拉列表框中可选择数据标准化的方法。这两个选项组的具体使用方法和功能在第八章的距离分析一节中进行了详细的介绍，因此在此不再赘述。

"创建距离矩阵"选项组用于选择需要要分析的单位，包括两种选择："变量间"和"个案间"。

"模型"设置

单击"模型"按钮，弹出如图 17-17 所示的"多维尺度：模型"对话框。

图 17-16　"多维尺度：从数据中创建度量"对话框　　图 17-17　"多维尺度：模型"对话框

"多维尺度：模型"对话框主要用于设定数据的度量水平、度量的模型和维数。

①"度量水平"选项组　该选项组用于指定数据的测量级别，主要有 3 种选择。

- 序数：选中该单选按钮表示数据为有序尺度，大部分多维尺度分析中的数据都是此类数据。其中，"打开结观察值"复选框用于对活动数据集中相同的评分赋予不同的权重。

- 区间：表示数据为连续度量数据。
- 比率：表示数据为比率形式的度量数据。

②"条件性"选项组　该选项组用于指定哪些比较是有意义的，有3种选择。

- 矩阵：表示单个矩阵内部的数据可以进行比较，适用于数据集只有一个矩阵的情况或者每个矩阵代表一个测试者的选择的情况。
- 行：表示只有行数据之间的比较是有意义的，该选项适用于活动数据集为非对称矩阵或矩形的情况。
- 无约束：表示活动数据集任何数据之间的比较是有意义的，该选项比较少用。

③"维数"选项组　该选项组用于设定尺度分析的维度。在"最大值"和"最小值"中输入 1 到 6 之间的整数，系统对该范围中的每个数字都计算出一个答案。如果在"最大值"和"最小值"中输入相等的数则可以获得单一的解。

④"度量模型"选项组　该选项组用于设定尺度度量模型，有两个选择：

- Euclidean距离：表示使用欧式距离模型，适用于任何形式的数据矩阵。
- 个别差异Euclidean距离：表示使用个别差异的Euclidean 距离模型，适用于活动数据集中含有两个或两个以上的距离矩阵。

"选项"设置

单击"选项"按钮，弹出如图17-18所示的"多维尺度：选项"对话框。

图 17-18　"多维尺度：选项"对话框

"多维尺度：选项"对话框主要用于设定输出的图表和迭代收敛标准等。

①"输出"选项组　该选项组用于设定输出的统计图，有 4 种：

- 组图：输出多维尺度分析图，该图用于观察对象之间的相似性，是多维尺度分析中的主要图表。
- 个别主题图：输出基于每个测试者的对象距离图。
- 数据矩阵：输出活动数据集中的数据矩阵。
- 模型和选项摘要：输出模型处理的摘要等信息。

②“标准”选项组　该选项组用于设定模型迭代的收敛的标准。

- S应力收敛性：该输入框用于设定迭代中S应力的最小改变量，当模型迭代的S应力的最小改变量小于该值时停止收敛。
- 最小S应力值：该输入框用于设定最小S应力值，当模型迭代的S应力值达到该最小S应力值时模型停止收敛。
- 最大迭代：该输入框用于设定模型最大迭代次数，当模型迭代到该设定次数时停止收敛。

③“将小于口的距离看做缺失值”输入框　该输入框用于对缺失值进行处理，当数据集中小于该值时，该数据就会视作做缺失值处理。

4）分析结果输出

设置完毕后，单击“确定”按钮，就可以在SPSS Statistics查看器窗口得到多维尺度分析的结果。

17.2.3 实验操作

下面将以数据文件“17-2”为例，说明多维尺度分析的具体操作过程和对结果进行说明解释。

1. 实验数据描述

数据文件“17-2”记录了5位测试者对济南市四大景点相似性的调研结果。在该调研中每个测试者对四个景点两两之间的相似性进行评分。评分的范围为1到5，其中1代表完全相似，2代表非常相似，3代表一般相似，4代表不一般相似，5代表极为不相似。本调查共抽检了五位测试者。我们将利用多维尺度分析过程，得出四个景点的相似和不相似程度，本数据文件的原始EXCEL数据文件如图17-19所示。

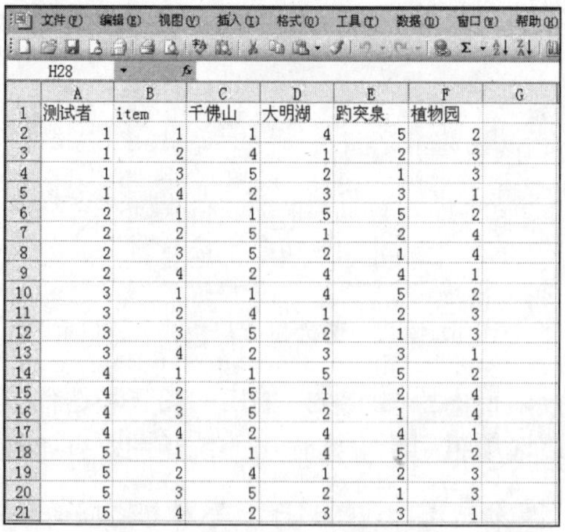

	A	B	C	D	E	F	G
1	测试者	item	千佛山	大明湖	趵突泉	植物园	
2	1	1	1	4	5	2	
3	1	2	4	1	2	3	
4	1	3	5	2	1	3	
5	1	4	2	3	3	1	
6	2	1	1	5	5	2	
7	2	2	5	1	2	4	
8	2	3	5	2	1	4	
9	2	4	2	4	4	1	
10	3	1	1	4	5	2	
11	3	2	4	1	2	3	
12	3	3	5	2	1	3	
13	3	4	2	3	3	1	
14	4	1	1	5	5	2	
15	4	2	5	1	2	4	
16	4	3	5	2	1	4	
17	4	4	2	4	4	1	
18	5	1	1	4	5	2	
19	5	2	4	1	2	3	
20	5	3	5	2	1	3	
21	5	4	2	3	3	1	

图 17-19　“17-2”数据文件原始数据

首先在SPSS变量视图中建立变量“受试者”、“item”、“千佛山”、“大明湖”、“趵突泉”和“植物园”，分别用来表示测试者的编号、景点的编号、各个景点对比评分。其中，“受试者”、“item”为名义变量，“千佛山”、“大明湖”、“趵突泉”和“植物园”为度量变量，如图17-20所示。

文件(F) 编辑(E) 视图(V) 数据(D) 转换(T) 分析(A) 图形(G) 实用程序(U) 附加内容(O) 窗口(W) 帮助

	名称	类型	宽度	小数	标签	值	缺失	列	对齐	度量标准
1	受试者	数值(N)	8	0		无	无	8	右(R)	名义
2	item	数值(N)	8	0		无	无	8	右(R)	名义
3	千佛山	数值(N)	8	0		无	无	8	右(R)	度量(S)
4	大明湖	数值(N)	8	0		无	无	8	右(R)	度量(S)
5	趵突泉	数值(N)	8	0		无	无	8	右(R)	度量(S)
6	植物园	数值(N)	8	0		无	无	8	右(R)	度量(S)
7										

图 17-20　“17-2”数据文件的变量视图

在SPSS活动数据文件的数据视图中，把相关数据输入到各个变量中。输入完毕后如图17-21所示。

文件(F) 编辑(E) 视图(V) 数据(D) 转换(T) 分析(A) 图形(G) 实用程序(U) 附加内容(O) 窗口(W) 帮助

24 :

	受试者	item	千佛山	大明湖	趵突泉	植物园	变量
1	1	1	1	4	5	2	
2	1	2	4	1	2	3	
3	1	3	5	2	1	3	
4	1	4	2	3	3	1	
5	2	1	1	5	5	2	
6	2	2	5	1	2	4	
7	2	3	5	2	1	4	
8	2	4	2	4	4	1	
9	3	1	1	4	5	2	
10	3	2	4	1	2	3	
11	3	3	5	2	1	3	
12	3	4	2	3	3	1	
13	4	1	1	5	5	2	
14	4	2	5	1	2	4	
15	4	3	5	2	1	4	

图 17-21　“17-2”数据文件的数据视图

2. 实验操作步骤

具体操作步骤如下：

Step 01 打开“17-2”数据文件，进入 SPSS Statistics 数据编辑器窗口，在菜单栏中选择“分析”|“度量”|“多维尺度（ALSCAL)”，打开“多维尺度”对话框，然后将“千佛山”、“大明湖”、“趵突泉”和“植物园”选入“变量”列表。

Step 02 单击“选项”按钮，打开“多维尺度：选项”对话框，选择“组图”复选框，单击“继续”按钮，保存设置。

Step 03 单击“确定”按钮，便可以得到多维尺度分析结果。

3. 实验结果及分析

单击“确定”按钮后，在SPSS Statistics查看器窗口的输出结果如图17-22~图17-25所示。

图17-22给出了多维尺度分析模型的迭代记录。“S-stress”列数字表示S应力值，“Improvement”列数字表示上次迭代的S应力值与本次迭代的S应力值之差，由于设置的S应力最小改变量为0.005，所以模型在第八次迭代的S应力的最小改变量小于该值时停止收敛。

图17-23给出了四个多维尺度分析对象的二维得分矩阵。每个对象的在各个维度的得分坐标提供了多维尺度分析图中的坐标。

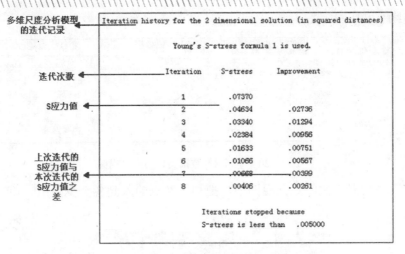

图17-22 迭代记录

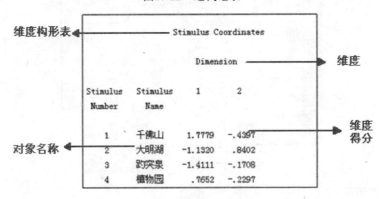

图 17-23 对象的二维得分矩阵

图17-24提供了Euclidean距离模型线性拟合的散点图，该散点图表示Euclidean距离模型与原始数据拟合是否一致。如果所有散点分布在中心线附近或之上，则表示Euclidean距离模型与原始数据拟合程度良好。从该图可以看到所有散点都在中心线附近，因此本实验的模型拟合情况较好。

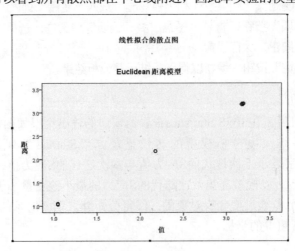

图 17-24 线性拟合的散点图

图17-25给出了多维尺度分析图，即Euclidean距离模型图。该图表在二维坐标平面上将对象或变量之间的相似性和不相似性通过距离远近的形式展现出来，是进行多维尺度分析最重要的结果图。从该图可以看到"植物园"和"千佛山"两个景点在二维图中的距离最近，由此可以判断在被调查者的观念中"植物园"和"千佛山"两个景点的相似性或者关联性最强。另外，在第一维度上，Euclidean距离将"大明湖"、"趵突泉"与"植物园"、"千佛山"区分开来，其原因在于："大明湖"、"趵突泉"都属于水景，而"植物园"、"千佛山"都属于植物类景观，可见第一维度是区分景观物理属性的维度。

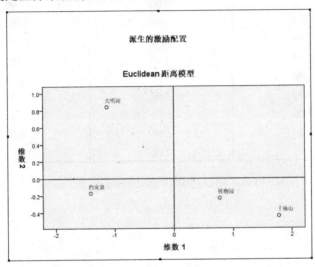

图 17-25　多维尺度分析图

上机题

	光盘:\多媒体文件\上机题教学视频\chap17.wmv
	光盘:\源文件\上机题\chap17\...

17.1 数据显示的是某地公务员考试面试中三位评委对面试者进行的评分情况（满分50分），试评价三位评委的评分者信度。相关数据如下表所示（数据路径：光盘:\源文件\上机题\chap17\习题\第十七章第一题.sav）。

A评委	B评委	C评委
35.00	32.00	25.00
40.00	36.00	30.00
37.00	31.00	28.00
30.00	30.00	24.00
38.00	35.00	31.00
42.00	40.00	32.00

（1）试计算项间的相关性矩阵及每个项之间的相关系数。

（2）试计算Cronbach's Alpha值，判断评委们的评分稳定性。

17.2 为保证语文阅卷的公平性，抽取了200名学生的作文进行复评，初评复评各等级的试卷数量如数据文件所示。试利用KAPPA指数判断两次评卷的一致性情况。"权数"表示该初评和复评得分组合情况的例数，即权重。相关数据如下表所示（数据路径：光盘:\源文件\上机题\chap17\习题\第十七章第二题.sav）。

初评得分	复评得分	权数
0.00	0.00	78.00
0.00	1.00	5.00
0.00	2.00	0.00
1.00	0.00	6.00
1.00	1.00	56.00
1.00	2.00	13.00
2.00	0.00	0.00
2.00	1.00	10.00
2.00	2.00	32.00

试利用信度分析计算 KAPPA 指数，判断两次评卷的一致性。

第18章　缺失值分析

缺失值可能会导致严重的问题。如果带有缺失值的个案与不带缺失值的个案有着根本的不同，则结果将被误导。此外，缺失的数据还可能降低所计算的统计量的精度，因为计算时的信息比原计划的信息要少。另一个问题是，很多统计过程背后的假设都基于完整的个案，而缺失值可能使所需的理论复杂化。本章将主要对缺失值分析过程进行详细的介绍。

18.1　缺失值分析简介

众所周知，在诸如收入、交通事故等问题的研究中，因为被调查者拒绝回答或者由于调查研究中的损耗，会存在一些未回答的问题。例如在一次人口调查中，15%的人没有回答收入情况，高收入者的回答率比中等收入者要低，或者在严重交通事故报告中，诸如是否使用安全带和酒精浓度等关键问题在很多个案中都没有记录，这些缺失的个案值便是缺失值。

缺失值可能会导致严重的问题。如果带有缺失值的个案与不带缺失值的个案有着根本的不同，则结果将被误导。此外，缺失的数据还可能降低所计算的统计量的精度，因为计算时的信息比原计划的信息要少。另一个问题是，很多统计过程背后的假设都基于完整的个案，而缺失值可能使所需的理论复杂化。

18.1.1　缺失值分析的表现形式

缺失值主要表现为以下 3 种：

（1）完全随机缺失（Missing Completely At Random，MCAR），表示缺失和变量的取值无关。例如，假设您在研究年龄和收入的关系，如果缺失的数据和年龄或收入数值无关，则缺失值方式为MCAR。要评估MCAR 是否为站得住脚的假设，可以通过比较回答者和未回答者的分布来评估观察数据。也可以使用单变量t-检验或Little's MCAR 多变量检验来进行更正规的评估。如果MCAR 假设为真，可以使用列表删除（listwise deletion）（完整个案分析），无须担心估计偏差，尽管可能会丧失一些有效性。如果MCAR 不成立，列表删除、均值置换等逼近方法就可能不是好的选择。

（2）随机缺失（missing at random，MAR），缺失分布中调查变量只依赖于数据组数中有记录的变量。继续上面的例子，考虑年龄全部被观察，而收入有时有缺失，如果收入缺失值仅依赖于年龄，缺失值就为MAR。

（3）非随机缺失。这是研究者最不愿意看到的情形，数据的缺失不仅和其他变量的取值有关，也和自身有关。如果收入缺失值依赖于收入值，则既不是MCAR，也不是MAR。

18.1.2　SPSS 中对缺失值的处理

SPSS 主要对 MCAR 和 MAR 两种缺失值情况进行分析。区别 MCAR 和 MAR 的含义在于：由于 MCAR 通常实际上很难遇到，应该在进行调查之前就考虑哪些重要变量可能会有非无效的未回答，还要尽量在调查中包括共变量，以便用这些变量来估算缺失值。

针对不同情况的缺失值，SPSS 操作给出了三种处理方法：

（1）删除缺失值，这种方法适用于缺失值非常少的时候，它不需要专门的步骤，通常在相应的分析对话框中的"选项"子对话框中进行设置。

（2）替换缺失值，利用"转换"菜单中的"替换缺失值"命令过程将所有的记录看成一个序列，然后采用某种指标对缺失值进行填充。

（3）缺失值分析过程，缺失值分析过程是SPSS专门针对缺失值分析而提供的模块。

18.2　SPSS的缺失值分析过程

缺失值分析过程有三个主要功能：

（1）描述缺失值的模式。通过缺失值分析的诊断报告，用户可以明确地知道缺失值所在位置及其出现的比例是多少，还可以推断缺失值是否为随机缺失等等。

（2）利用列表法、成对法、回归法、或 EM（期望最大化）法等为含缺失值的数据估计均值、标准差、协方差和相关性，成对法还可显示成对完整个案的计数。

（3）使用回归法或 EM 法用估计值填充（插补）缺失值，以此提高统计结果的可信度。

缺失数据可以是分类数据或定量数据（刻度或连续），尽管如此，SPSS只能为定量变量估计统计数据并插补缺失数据。对于每个变量，必须将未编码为系统缺失值的缺失值定义为用户缺失值。

18.2.1　在 SPSS 实现缺失值分析

下面就对如何利用SPSS系统实现缺失值分析的操作过程进行详细说明，步骤如下：

1）在菜单栏中依次选择"分析"|"缺失值分析"命令，打开如图18-1所示"缺失值分析"对话框。

2）进行相应设置

以下为"缺失值分析"对话框主界面及其相关设置的详细介绍：

①"定量变量"列表框　用以选入进行缺失值分析的定量变量。

②"分类变量"列表框　用以选入进行缺失值分析的分类变量，选入分类变量后，还可以在"最大类别"文本框中设定分类变量允许的最大分类数，超过此临界值的分类变量将不进入分析，默认值为25。

③"个案标签"文本框　用以选入标签变量用于对结果进行标识。

④"使用所有变量"按钮　单击此按钮可以自动将左侧源变量列表的所有变量选入特定的分析列

表框，数值型变量全部选入"定量变量"列表框，字符型等分类变量全部选入"分类变量"列表框。

⑤"模式"按钮　单击"缺失值分析"对话框"模式"按钮，弹出如图18-2所示"缺失值分析：模式"对话框。该对话框用于设置显示输出表格中的缺失数据模式和范围。

图18-1 　"缺失值分析"对话框

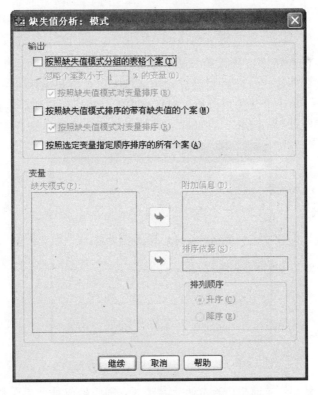

图18-2 　"缺失值分析：模式"对话框

- "输出"选项组用以选择缺失值样式表的类型，包括3个复选项，各选项含义如表18-1所示。

表 18-1　"输出"选项组内容介绍

输出内容	含义
按照缺失值模式分组的表格个案	勾选此项，则表示为每个分析变量都输出缺失值样式表，以每种模式中显示的频率被制成表格。若勾选"按照缺失值模式对变量排序"复选框，则表示对变量按模式相似性排序
按照缺失值模式排序的带有缺失值的个案	勾选此项，则表示针对每个分析变量将每一个带有缺失值或极值的个案制表。若勾选"按照缺失值模式对变量排序"复选框，则表示对变量按模式相似性排序
按照选定变量指定顺序排序的所有个案	勾选此项，则表示对每个个案进行制表且每个变量都被表示为缺失值和极值。如果没指定变量排序依据，个案将按其在数据文件中出现的顺序列出

- "变量"选项组用于设置显示分析中所含变量的附加信息。其中，"缺失模式"列表框用以显示所有选入的分析变量；"附加信息"列表框，用于从左侧列表框中选入要输出附加信息的变量，在样式表中，对于定量变量，将输出其均值，对于分类变量，将显示在每个类别中具有模式的个案数量。
- 只有当选中"输出"选项组的"按照选定变量指定顺序排序的所有个案"复选框时"排序依据"才可使用。其用于设定输出观测列表的排序变量，在"排列顺序"选项组中通过选择"升序"或"降序"单选按钮可使得个案按照指定变量的值的升序或降序列出。

在显示个别个案的表格中，极大值和极小值用"+"和"-"符号标识，系统缺失值用 S 表示，用户缺失值的第一、二、三种类型分别用 A、B 和 C 字母表示。

⑥"描述"按钮　单击"缺失值分析"对话框中的"描述"按钮，将弹出如图18-3所示的"缺失值分析：描述统计"对话框，在此设置要显示的缺失值描述统计变量。

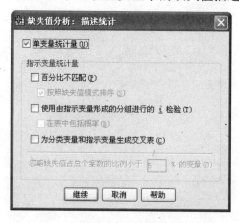

图 18-3　"缺失值分析：描述统计"对话框

- "单变量统计量"复选框：若勾选此复选框，则将输出每个变量的非缺失值的数量及缺失值的数量和百分比，对于定量（尺度）变量，还将显示均值、标准差及极高值和极低值的数量。
- "指示变量统计量"选项组：对于每个进入分析的变量，SPSS自动创建一个指示变量，用以指示单个个案的变量存在或缺失。包括3个选项：

　　◇　百分比不匹配：若选中此复选框，则表示对于每对变量，显示其中一个变量具有缺失值，另一个变量具有非缺失值的个案数百分比。表中的每个对角元素都包含单个变量具有缺失值的百分比。若选中"按照缺失值模式排序"复选框，则表示按缺失值模式进行排序。

　　◇　使用由指示变量形成的分组进行的t检验：若选中此复选框，则表示使用 Student t 统计量，比较每个定量变量的两个组的均值。该组指定一个变量存在或缺失，显示两个组的 t 统计量、自由度、缺失和非缺失值计数以及均值。通过选中"在表中包括概率"复选框，还可以在输出结果中显示任何与 t 统计量相关的双尾概率。如果分析所产生的检验超过一个，则不得将这些概率用于显著性检验；只有当计算单个检验时，此概率才适合。

　　◇　为分类变量和指示变量生成交叉表：若选中此项，则表示为每个分类变量显示一个表，对于每个类别，该表显示其他变量具有非缺失值的频率和百分比，同时显示每种类型缺失值的百分比。通过输入不同的值，可以使用"忽略缺失值占总个案数的比例小于n%的变量"选项以删除缺失值出现次数较小的变量的统计量。

　　设置完毕后，单击"继续"按钮，返回到"缺失值分析"主对话框。

　　⑦　"估计"选项组　该选项组用以选择处理缺失值的方法，以估计均值、标准差、协方差和相关性等统计量。

- 按列表：表示仅使用完整个案，若选中此项，一旦任何分析变量具有缺失值，则在计算中将忽略该个案。

- 成对：若勾选此项，表示只有当分析变量对都具有非缺失值时才使用个案。频率、均值以及标准差是针对每对分别计算的。由于忽略个案中的其他缺失值，两个变量的相关性与协方差不取决于任何其他变量的缺失值。

- EM：若勾选此项，则表示用EM迭代方法估计缺失值，每个迭代都包括一个E步骤和一个M步骤。在给定观察值和当前参数估计值的前提下，E 步骤查找"缺失"数据的条件期望值，这些期望值将替换"缺失"数据。在M步骤中，即使填写了缺失数据，也将计算参数的最大似然估计值。

- 回归：若勾选此项，则表示使用多元线性回归算法估计缺失值。此方法计算多个线性回归估计值并具有用于通过随机元素增加估计值的选项。对于每个预测值，其过程可以从一个随机选择的完整个案中添加一个残差，或者从 t 分布中添加一个随机正态偏差、一个随机偏差（通过残差均值方的平方根测量）来完成。

　　单击"估计"中的"EM"按钮，弹出如图 18-4 所示的"缺失值分析：EM"对话框。在该对话框中可以设置 EM 算法的相关参数，各选项（组）含义如下：

图 18-4　"缺失值分析：EM"对话框

- "分布"选项组：用于设置总体的分布形式，缺省情况下，选中"正态分布"单选按钮，即默认总体服从正态分布。若选中"Student's t"单选按钮，并在"自由度"文本框中输入响应自由度，则表示假设总体服从自由度为n的t分布；若选中"混合正态"单选按钮，需在"混合比例"及"标准差比"框中输入相应数值，指定两个分布的混合正态分布与混合比例的标准偏差比率。
- "最大迭代"文本框：用以指定EM法的最大迭代次数，默认值为25。
- "保存完整数据"复选框：用于保存将缺失值用EM算法替换后的数据，有两个选项：若选择"创建新数据集"单选按钮，则可以新建一个数据集，在"数据集名称"文本框中输入数据集名称；若选择"写入新数据文件"单选按钮，则可以新建一个数据文件，单击"文件"按钮指定文件路径和文件名称。

单击"回归"按钮，弹出如图 18-5 所示的"缺失值分析：回归"对话框，在此设置回归算法的参数设置。

图 18-5　"缺失值分析：回归"对话框

- "估计调节"选项组：回归方法可为回归估计添加随机分量。可以选择的随机分量有残差、正态变量、Student t 变量或无调节，如表18-2所示。

表 18-2 "估计调节"选项组内容介绍

估计调节选项	含义
残差	选择此项，则表示从要添加到回归估计的完整个案观察到的残差中，随机选择误差项
普通变量	选择此项，则表示从期望值为 0 且标准差等于回归的均方误差项平方根的分布中，随机抽取误差项
Student's t 变量	选择此项，则表示从 t(n) 分布中随机抽取误差项，并按根均方误差标度误差项
无	选择此项，则表示不添加随机误差项

- "最大预测程序数"输入框：该输入框用以指定能进入回归方程的自变量的最大个数。
- "保存完整数据"复选框：与EM对话框中类似。

在"缺失值分析"对话框中选中"EM"或"回归"后，单击"变量"按钮，弹出如图 18-6 所示的"缺失值分析：EM 的变量和回归"对话框。

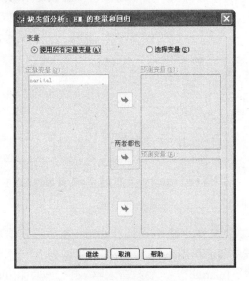

图 18-6 "缺失值分析：EM 的变量和回归"对话框

此对话框中选择指定变量的方式，有两种："使用所有定量变量"，表示使用所有定量变量；"选择变量"，表示由用户自行设置分析变量。

- "定量变量"列表框：该列表框用于显示所有可用于缺失值分析的定量变量。
- "预测变量"列表框：包括有两个列表框，上半部分的"预测变量"列表框中用以选入需要估计缺失值的因变量，下半部分的"预测变量"列表框中用以选入需要估计缺失值的自变量。
- "两者都包"按钮：单击此按钮，可以把"定量变量"列表框中选中的变量，同时选入两个"预测变量"列表框中。

单击"继续"按钮返回到"缺失值分析"主对话框。

3）输出分析结果

设置完毕后，单击"缺失值分析"对话框中的"确定"按钮，就可以在SPSS Statistics查看器窗口得到缺失值分析的结果。

18.2.2 实验操作

下面将以"18-1"数据文件为例，说明缺失值分析的具体操作过程和对输出结果进行说明解释。

1．实验数据描述

"18-1"数据文件来源于SPSS 17.0自带的数据文件"telco_missing.sav"。该数据文件是"telco.sav"数据文件的子集，但某些人口统计数据值已被缺失值替换。该假设数据文件涉及某电信公司在减少客户群中的客户流失方面的举措，每个个案对应一个单独的客户，并记录各类人口统计和服务用途信息。下面将结合本数据文件详细说明如何得到"18-1"数据文件的缺失值是否为随机缺失及其他统计量输出结果从而来认识SPSS的缺失值分析过程。

打开"18-1"数据文件，在SPSS Statistics数据编辑器窗口可以看到"18-1"数据文件中的变量描述，如图18-7所示。

	名称	类型	宽度	小数	标签	值	缺失	列	对齐	度量标准
1	tenure	数值(N)	4	0	服务月数	无	无	6	右(R)	度量(S)
2	age	数值(N)	4	0	年龄	无	无	6	右(R)	度量(S)
3	marital	数值(N)	4	0	婚姻状况	{0, 未婚}...	无	7	右(R)	名义
4	address	数值(N)	4	0	在现住址居住年...	无	无	7	右(R)	度量(S)
5	income	数值(N)	8	2	家庭收入（千）	无	无	10	右(R)	度量(S)

图 18-7　"18-1"数据文件的变量描述图

2．实验操作步骤

Step 01 打开"18-1"数据文件，进入 SPSS Statistics 数据编辑器窗口，在菜单栏中依次选择"分析"|"缺失值分析"命令，打开"缺失值分析"对话框。

Step 02 选择"婚姻状况[marital]"、"受教育水平[ed]"、"退休[retire]"及"性别[gender]"4个变量进入"分类变量"列表框；选择"服务月数[tenure]"、"年龄[age]"、"在现住址居住年数[address]"、"家庭收入（千）[income]"、"现职位工作年数[employ]"及"家庭人数[reside]"6个变量进入"定量变量"列表框，如图 18-8 所示。

Step 03 在"缺失值分析"对话框中单击"模式"按钮，弹出"缺失值分析：模式"对话框。选中"输出"选项组中的"按照缺失值模式分组的表格个案"复选框，从缺失模式列表框中选中 income、ed、retire 和 gender 四个变量进入"附加信息"列表框。其他采用默认设置，设置结果如图 18-9 所示。
设置完毕，单击"继续"按钮，回到"缺失值分析"对话框。

Step 04 单击"缺失值分析"对话框中的"描述"按钮，弹出"缺失值分析：描述统计"对话框。选中"单变量统计量"复选框及"指示变量统计量"选项组中的"使用由指示变量形成的分组进行的 t 检验"复选框和"为分类变量和指示变量生成交叉表"复选框，其他采用默认设置，设置结果如图 18-10 所示。

Step 05 "缺失值分析：EM"中的参数选用默认设置即可。

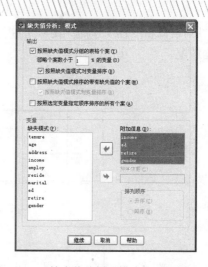

图 18-8　"缺失值分析"对话框　　　　　　图 18-9　"缺失值分析：模式"对话框

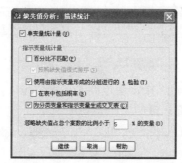

图 18-10　"缺失值分析：描述统计"对话框

3. 实验结果及分析

设置完毕后，单击"缺失值分析"对话框中的"确定"按钮，就可以在SPSS Statistics查看器窗口得到缺失值分析的结果，如图18-11~图18-19所示。

图18-11所示的"单变量统计"表给出了所有分析变量未缺失数据的频数、均值和标准差，同时给出了缺失值的个数和百分比以及极值的统计信息。通过这些信息，我们可以初步了解数据的概貌特征，以employ一栏为例，employ变量的有效数据有904个，它们的均值为11，标准差为10.113，缺失数据有96个，占数据总数的比例为9.6%，有15个极大值。

	N	均值	标准差	缺失		极值数目[a]	
				计数	百分比	低	高
tenure	968	35.56	21.268	32	3.2	0	0
age	975	41.75	12.573	25	2.5	0	0
address	850	11.47	9.965	150	15.0	0	9
income	821	71.1462	83.14424	179	17.9	0	71
employ	904	11.00	10.113	96	9.6	0	15
reside	966	2.32	1.431	34	3.4	0	33
marital	885			115	11.5		
ed	965			35	3.5		
retire	916			84	8.4		
gender	958			42	4.2		

a. 超出范围（Q1 - 1.5*IQR，Q3 + 1.5*IQR）的案例数。

图 18-11　单变量统计表

图18-12和图18-13为使用EM法进行缺失值的估计和替换后，总体数据的均值和标准差的变化情况，其中"所有值"行为原始数据的统计特征，EM行为使用EM法后总体数据的统计特征。

估计均值摘要						
	tenure	age	address	income	employ	reside
所有值	35.56	41.75	11.47	71.1462	11.00	2.32
EM	36.12	41.91	11.58	77.3941	11.22	2.29

图 18-12　估计均值摘要

估计标准差摘要						
	tenure	age	address	income	employ	reside
所有值	21.268	12.573	9.965	83.14424	10.113	1.431
EM	21.468	12.699	10.265	87.54860	10.165	1.416

图 18-13　估计标准差摘要

图18-14给出了单个方差t检验结果，通过此表，用户可以找出影响其他定量变量的变量的缺失值模式，即通过单个方差t统计量结果检验缺失值是否为完全随机缺失。由图18-14可以看出，年龄大的人倾向于不报告收入水平，当收入值缺失时，age的均值是49.73，当收入值完整时，age的均值为40.01。通过income一栏的t统计量可以看出，income的缺失将明显影响其他定量变量，这就说明income的缺失不是完全随机缺失。

单个方差 t 检验[a]							
		tenure	age	address	income	employ	reside
address	t	.4	.3	.	3.5	1.4	1.0
	df	202.2	192.5	.	313.6	191.1	199.5
	#存在	819	832	850	693	766	824
	#缺失	149	143	0	128	138	142
	均值（存在）	35.68	41.79	11.47	74.0779	11.20	2.34
	均值（缺失）	34.91	41.49		55.2734	9.86	2.21
income	t	-5.0	-8.3	-3.9	.	-5.9	3.6
	df	249.5	222.8	191.1	.	203.3	315.2
	#存在	793	801	693	821	741	792
	#缺失	175	174	157	0	163	174
	均值（存在）	33.93	40.01	10.67	71.1462	9.91	2.39
	均值（缺失）	42.97	49.73	14.97		15.93	2.02

图 18-14　单个方差 t 检验输出结果

图18-15以marital为例给出了分类变量与其他定量变量间的交叉表。该表给出了在不同婚姻情况下，各分类变量非缺失的个数和百分比，以及各种缺失值的个数和百分比，图中标识了系统缺失值的取值及在不同婚姻情况中的人中的分布情况。

marital			总计	未婚	已婚	缺失 SysMis
address	存在	计数	850	390	358	102
		百分比	85.0	85.5	83.4	88.7
	缺失	% SysMis	15.0	14.5	16.6	11.3
income	存在	计数	821	380	348	93
		百分比	82.1	83.3	81.1	80.9
	缺失	% SysMis	17.9	16.7	18.9	19.1
employ	存在	计数	904	418	387	99
		百分比	90.4	91.7	90.2	86.1
	缺失	% SysMis	9.6	8.3	9.8	13.9
retire	存在	计数	916	423	392	101
		百分比	91.6	92.8	91.4	87.8
	缺失	% SysMis	8.4	7.2	8.6	12.2

不显示少于 5% 个缺失值的指示变量。

图 18-15　分类变量和定量变量交叉表

图18-16给出了"指标模式"输出表格，就是缺失值样式表，它给出了缺失值分布的详细信息，表中用X标识了使用该模式下缺失的变量。由图可以看出，所有显示的950个个案中，9个变量值都完整的个案数有475个，缺失income值的个案有109个，同时缺失address和income值的个案有16个，表格其他数据的解释类似。

案例数	age	reside	tenure	ed	gender	retire	employ	marital	address	income	完整案例数，如果……	income
475											475	76.5853
109										X	584	.
16									X	X	687	.
87									X		562	54.4368
13		X									488	56.0000
60						X					535	77.2167
16					X						491	47.8125
17			X								492	76.2353
18				X							493	54.1111
16								X			660	
37						X	X				520	59.4595

不显示少于 1% 个（10 个或更少）案例的模式。

a. 以缺失模式排列变量。

b. 完整案例数，如果未使用该模式（用 X 标记）中缺失的变量。

c. 在各个唯一模式处的均值。

d. 在各个唯一模式处的频率分布

图 18-16　制表模式输出结果

图18-17~图18-19给出了EM算法的相关统计量，包括EM均值、协方差和相关性。从EM均值表中可知，age变量的均值为41.91，从EM协方差输出表可知age和tenture间的协方差值为135.326，从EM相关性输出表可知，age与tenture的相关系数为0.496。另外，从三个表格下方的Little的MCAR检验可知，卡方检验的显著性值明显小于0.05，因此，我们拒绝了缺失值为完全随机缺失（MCAR）的假设，这也验证了我们由图18-14所得到的结论。

EM 均值[a]

tenure	age	address	income	employ	reside
36.12	41.91	11.58	77.3941	11.22	2.29

a. Little 的 MCAR 检验:卡方 = 179.836, DF = 107, 显著性 = .000

图 18-17 EM 均值输出结果

EM 协方差[a]

	tenure	age	address	income	employ	reside
tenure	460.893					
age	135.326	161.261				
address	111.341	85.440	105.372			
income	547.182	451.109	300.533	7664.75710		
employ	113.359	86.871	48.051	525.81159	103.326	
reside	-1.107	-4.538	-3.098	-14.60886	-1.916	2.006

a. Little 的 MCAR 检验:卡方 = 179.836, DF = 107, 显著性 = .000

图 18-18 EM 协方差输出结果

EM 相关性[a]

	tenure	age	address	income	employ	reside
tenure	1					
age	.496	1				
address	.505	.655	1			
income	.291	.406	.334	1		
employ	.519	.673	.461	.591	1	
reside	-.036	-.252	-.213	-.118	-.133	1

a. Little 的 MCAR 检验:卡方 = 179.836, DF = 107, 显著性 = .000

图 18-19 EM 相关性输出结果

上机题

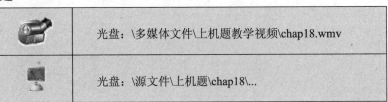

光盘:\多媒体文件\上机题教学视频\chap18.wmv

光盘:\源文件\上机题\chap18\...

如下表所示,该数据文件给出了部分国家相关指标的数值,但是数据中存在缺失值。试用有关方法分析该数据文件的缺失值是否为随机缺失。(数据路径:光盘:\源文件\上机题\chap18\习题\第十八章第一题.sav)

国家	热量摄入（大卡）	艾滋病人数（人）	艾滋病发病率（人/万人）	成年男性健康状况得分（分）	成年女性健康状况得分（分）
Afghanistan		0	0	44	14
Argentina	3113	3904	12	96	95
Armenia		2	0	100	100
Australia	3216	4727	27	100	100
Austria	3495	1150	14		

（续表）

国家	热量摄入（大卡）	艾滋病人数（人）	艾滋病发病率（人/万人）	成年男性健康状况得分（分）	成年女性健康状况得分（分）
Azerbaijan				100	100
Bahrain		13	2	55	55
Bangladesh	2021	1	0	47	22
Barbados		418	139	99	99
Belarus		10	0	100	100
Belgium		1603	16		
Bolivia	1916	87	1	85	71
Bosnia					
Botswana	2375	1415	101	32	16
Brazil	2751	49312	31	82	80

第19章 常用统计图的绘制

统计图是统计资料分析的关键组成部分，统计图形用几何图形或具体形象直观、生动的描述出统计资料的相关信息，掌握如何利用统计图形来分析问题是对数据分析者的一项基本要求。SPSS 17.0在包含更多的统计分析功能外，还提供了更强大的绘图功能。

SPSS 17.0可以绘制的图形包括条形图、线形图、面积图、箱图等各种常用图形，几乎满足了用户的所有需求。本章将结合实例详细介绍如何利用SPSS 17.0绘制统计图形。

19.1 SPSS 17.0绘图功能简介

SPSS 17.0的绘图功能十分强大，并与以前的版本有较大不同。SPSS 17.0的绘图功能主要通过"图形"菜单实现。

19.1.1 "图形"菜单

在以前的各版本中，SPSS主要提供了三种程序实现图形绘制：图形构建程序、旧对话框程序和互动程序。SPSS 17.0在前面三种绘制方法的基础上增加了一种新的程序，即图形画板模板选择程序。图形画板模板选择程序为用户提供了一个绘制图形的简易可视化界面，用户通过该程序可以在不清楚自己所要输出图形类型的基础上也能顺利完成绘图工作,并经过简单的设置便能输出令自己满意的图形。

打开要分析的数据文件，单击"图形"菜单，如图19-1所示，我们可以看到下拉菜单中有"图形构建程序"、"图形画板模板选择程序"和"旧对话框"，与以前版本不同的是，SPSS 17.0将"互动"程序归于"旧对话框"子菜单。事实上，这四种程序是并列关系，除个别图形外，SPSS 17.0可以绘制的所有常用图形均可以通过这四种方法实现。

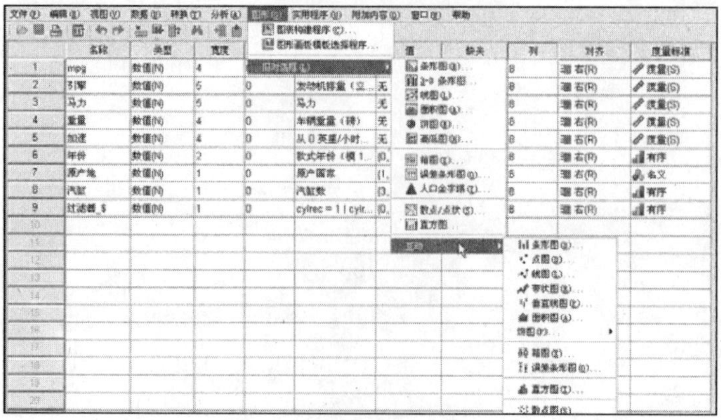

图 19-1 SPSS 17.0 的"图形"菜单

当然，统计图形除通过"图形"菜单直接实现外，部分统计图形还会伴随其他分析过程而输出，例如回归分析过程、方差分析过程等。

19.1.2 图表构建程序简介

SPSS 17.0的图形构建程序继承了以前各版本的优点，用户几乎完全可以通过鼠标拖拉过程完成图形的绘制工作。首先选择图形的类型，然后从类型库中选择自己想要输出的图形描述，通过将不同的变量名拖入对应的坐标轴，用户即可以随心所欲地绘制各种常用图形。

打开要分析的数据文件后，在菜单选项组中依次选择"图形"|"图表构建程序"命令，打开如图19-2所示的"图表构建程序"对话框。

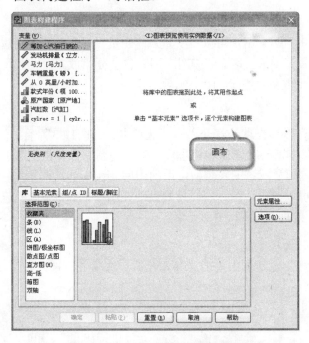

图 19-2 "图表构建程序"对话框

用户使用图表构建程序就可以根据预定义的图库图表或图表的单独部分生成图表。"图表构建程序"对话框界面主要包括以下几部分：

（1）画布

画布是"图表构建程序"对话框中生成图表的区域，见图19-2。在绘图过程中，用户可以通过用鼠标将图库图表或基本元素拖放到画布上来的方法生成图表，生成图表时，画布会显示图表的预览。

（2）轴系

轴系定义了特定坐标空间中的一个或多个轴。用户在将图库项拖到画布上时，"图表构建程序"会自动创建轴系。此外，用户也可以从"基本元素"选项卡中选择一个轴系，每个轴都包含一个用于拖放变量的轴放置区，蓝色文字表示该区域仍需要放置变量。每个图表都需要将一个变量添加到x轴放置区。

（3）图形元素

图形元素是图表中表示数据的项，这些项为条、点、线等等。

（4）"变量"列表

该列表显示了"图表构建程序"所打开的数据文件中的所有可用变量。如果在此列表中所选的变量为分类变量，则"类别"列表会显示该变量的已定义类别。同样，也可使用"类别"列表查看构成多重响应集的变量。用户还可以临时更改变量的测量级别，方法是在"变量"列表中右击该变量的名称，然后选择一个测量级别以适合作图，但这不会改变数据文件中实际的数据类型。

（5）放置区

放置区是画布上的区域，用户可以将变量从"变量"列表中拖放到这些区域中。本书在前面提到过，轴放置区是基本放置区。某些图库图表包含分组放置区，这些放置区以及面板放置区和点标签放置区也可以从"组/点 ID"选项卡添加。

（6）"库"选项卡

"图表构建程序"对话框默认打开"库"选项卡，如图19-3所示。

"选择范围"列表框包括"图表构建程序"可以绘制的各种常用图形及收藏夹，单击其中的某一图表类型，右侧即显示该图表类型可用的图库。用户可以单击选中所需图表的图片然后将其拖到画布上，也可以双击该图片同样使其反映在画布上。如果画布已显示了一个图表，则图库图表会替换该图表上的轴系和图形元素。

（7）"基本元素"选项卡

在"图表构建程序"对话框中单击"基本元素"选项卡，打开如图19-4所示"基本元素"选项卡界面。

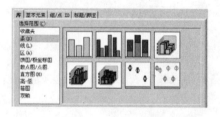

图 19-3　"库"选项卡

图 19-4　"基本元素"选项卡

基本元素包括轴和图形元素。这些元素之所以为"基本"，是因为缺少它们就无法创建图表。如果用户是第一次使用"图表构建程序"，建议改用图库图表，由于图库图表能够自动设置属性并添加功能，因此可以简化图形的创建过程。"选择轴"中列出了用户可选的5种坐标轴形式，"选择元素"中则给出了10种用户可选的图形元素。

在实际操作过程中，如果画布是空白的，通常先将一个轴系拖到画布上，然后拖动图形元素，添加图形元素类型。值得注意的是，并不是所有图形元素都可以用于特定轴系，轴系只支持相关图形元素。

（8）"组/点 ID"选项卡

在"构建图表程序"对话框中单击"组/点 ID"选项卡，可打开如图19-5所示"组/点 ID"选项卡界面。

勾选"组/点 ID"选项卡界面中的某一复选框，将会在画布中增加相应的一个放置区；同理，也可以通过单击已选择的复选框取消在画布中添加的放置区。

（9）"标题/脚注"选项卡

在"图表构建程序"对话框中单击"标题/脚注"选项卡，打开如图19-6所示"标题/脚注"选项卡界面。

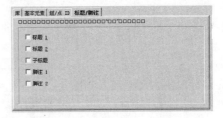

图 19-5　"组/点 ID"选项卡　　　　　　　图 19-6　"标题/脚注"选项卡

用户通过勾选"标题/脚注"选项卡界面的相应复选框，并在"元素属性"对话框中的"内容"文本框中输入相应标题名或脚注名，然后单击"应用"按钮使设置内容生效，这样便可以为输出的图形添加标题或脚注说明；同理，可以通过取消选择相应复选框移去已经设置的标题或脚注。

（10）"元素属性"按钮

在"图表构建程序"对话框中单击"元素属性"按钮，则弹出如图19-7所示"元素属性"对话框。

图 19-7　"元素属性"对话框

"编辑属性"列表框用以显示可以进行属性设置的图形元素，图19-7中显示的图形元素包括条、X-Axis1、Y-Axis1和GroupColor。每一种图形元素可以设置的属性往往是不同的，用户应按照预定目标对相应元素属性进行设置。

元素属性设置完毕后，单击"应用"按钮使设置生效。

（11）"选项"按钮

在"图表构建程序"对话框中单击"选项"按钮，弹出如图19-8所示"选项"对话框，用户可以在此设置绘图时如何处理缺失值及选用哪些图形面板等内容。

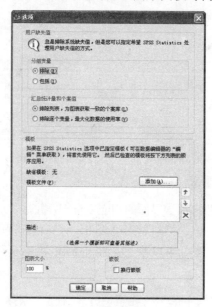

图 19-8　"选项"对话框

①"用户缺失值"选项组　该选项组用以设置缺失值的处理方式。对于系统缺失值，SPSS在绘图时将不加以统计；对于分组变量的缺失值有两种处理方式：

- 若选择"排除"，表示绘图时忽略这些用户定义缺失值；
- 若选择"包括"，则表示绘图时把它们作为一个单独的类别加以统计。

②"汇总统计量和个案值"选项组　该选项组用于设置当观测变量出现用户定义缺失值时的处理方法。

- 若选择"排除列表，为图表获取一致的个案率"，则表示绘图时直接忽略这个观测；
- 若选择"排除逐个变量，最大化数据的使用率"，则表示只有包含缺失值的变量用于当前计算和分析时才忽略这个样本。

③"模板文件"列表框　该列表框用于对绘图的模板文件进行设置。单击"添加"按钮，打开文件选择对话框，添加指定的预置模板文件。绘图时最先使用的是系统默认模板，然后会按"模板文件"列表框中显示的顺序使用，靠后显示的模板将会覆盖前面的模板效果。

④"图表大小"文本框　用以设置图形显示的大小，默认值为100%。

⑤"嵌板"选项组　该选项组用于图形列过多时的显示设置。若勾选"换行嵌板"复选框，则表示图形列过多时允许换行显示；否则图形列过多时，每行上的图形会自动缩小以显示在同

一行中。

设置完毕后，单击"确定"回到主对话框。

19.1.3 图形画板模板选择程序简介

图形画板模板选择程序为用户提供了一个绘制图形的简易可视化界面，用户通过该程序可以即使不清楚自己所要输出图形类型的情况下也能顺利完成绘图工作，并经过简单的设置便能输出令自己满意的图形。

打开要分析的数据文件后，在菜单选项组中依次选择"图形"|"图形画板模板选择程序"命令，打开如图19-9所示"图形画板模板选择程序"对话框。

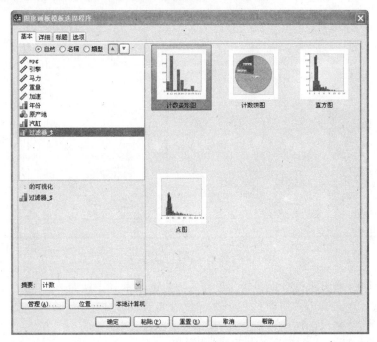

图 19-9 "图形画板模板选择程序"对话框

"图形画板模板选择程序"对话框包括四个选项卡：基本、详细、标题及选项。下面分别进行介绍：

1. "基本"选项卡

当用户不确定哪种直观表示类型最能代表要分析的数据时，可以使用"基本"选项卡，用户选择数据时，对话框会自动显示适合数据的直观表示类型子集。

（1）变量列表

变量列表将显示所打开数据文件中的所有变量。用户可以通过单击选择变量列表上方的"自然"、"名称"或"类型"单选按钮对列表中的变量进行排序。选择一个或多个变量后，对话框右侧会显示对应可用的直观表示图类型。

（2）"摘要"下拉列表

对于某些直观表示，可以选择一个摘要统计。常用的摘要统计量包括和、均值、极小值和极大值等。

（3）管理模板和样式表

单击"基本"选项卡中的"管理"按钮，将弹出如图19-10所示的"管理本地模板和样式表"对话框。

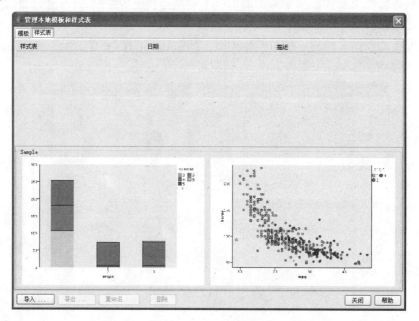

图 19-10   "管理本地模板和样式表"对话框

"模板"选项卡列出所有本地模板；"样式表"选项卡列出所有本地样式表并显示带有样本数据的示例直观表示。用户可以选择一个样式表将其样式应用到示例直观表示。

用户可以在当前激活的所有选项卡上进行以下操作：

- 导入   用于从文件系统中导入直观表示模板或样式表。导入模板或样式表使其可以用于SPSS应用程序。用户只有在导入模板或样式表后才能在应用程序中使用另一个用户发送的模板或样式表。

- 导出   用于将直观表示模板或样式表导出到文件系统中。当用户想将模板或样式表发送给另一个用户时，可以将其导出。

- 重命名   用于重命名所选的直观表示模板或样式表，但用户无法将模板名称更改为已使用的名称。

- 删除   用于删除所选的直观表示模板或样式表。删除操作无法取消，因此须谨慎进行。

（4）设置模板和样式表的位置

单击"基本"选项卡中的"位置"按钮，弹出如图19-11所示"模板和样式表"对话框。此对话框用于设置模板和样式表的保存位置，包括两个单选按钮：

- "本地计算机"单选按钮   若选择此单选按钮，则表示模板和样式表位于本地计算机上的特定文件夹中。在Windows XP 上，此文件夹是C:\Documents and Settings\<user>\ Application Data\SPSSInc\Graphboard，文件夹无法更改。

- "Predictive Enterprise Repository" 单选按钮 若选择此单选按钮，则表示模板和样式表位于 SPSS Predictive Enterprise Repository 中的用户指定文件夹中。要设置特定文件夹，单击"文件夹"按钮选择模板和样式表存储的所在文件夹。

图 19-11 "模板和样式表"对话框

2. "详细"选项卡

当用户知道自己想创建什么类型的直观表示或想将可选外观、面板或动画添加到直观表示中时，可以使用"详细"选项卡。

在"图形画板模板选择程序"对话框中单击"详细"标签，显示如图19-12所示界面。

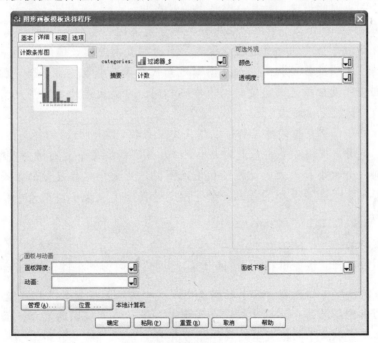

图 19-12 "详细"选项卡

（1）设置图表类型

如图19-12所示，"直方图"所在位置即为图标类型下拉列表，用户选择好图表类型后，界面将自动显示图形的直观表示类型。如果用户在"基本"选项卡上选择了一个直观表示类型，"详细"选项卡将显示该类型。

（2）图表元素简单设置

包括图表轴系和摘要统计量的设置，这些选项的功能分别介绍如下：

- "categories"下拉列表　用以选择X轴坐标变量，若在"基本"选项卡中选择三个变量，则在"详细"选项卡中将显示X、Y、Z三个下拉列表。

- "摘要"下拉列表　对于某些直观表示，用户可以选择一个摘要统计。摘要统计量包括和、均值、极小值和极大值等。

（3）"可选外观"选项组

通过"可选外观"选项组用户可以向直观表示图形添加维数，添加后的外观效果取决于直观表示类型、变量类型和图形元素类型以及统计量。值得注意的是，并非所有外观或重叠都可以用于所有直观表示类型。

- "颜色"下拉列表　当用户使用分类变量定义颜色时，系统将根据单个类别拆分直观表示图形，每一个类别一种颜色。当颜色是连续数值范围时，则颜色根据变量的值而不同。如果图形元素代表多个个案，且一个范围变量用于颜色，则颜色根据范围变量的均值而不同。

- "形状"下拉列表　当用户使用分类变量定义形状时，系统将根据变量将直观显示图形拆分成不同的形状，对每一个类别一种形状。

- "透明度"下拉列表　当用户使用分类变量定义透明度时，系统将根据单个类别拆分直观表示，每个类别一个透明度级别。当透明度是连续数值范围时，根据范围字段/变量的值透明度各不相同。如果图形元素代表多个个案，且一个范围变量用于透明度，则透明度根据范围变量的均值各不相同。在最大值处，图形元素完全透明；在最小值处，则完全不透明。

- 数据标签　任何类型的数据都可以用来定义数据标签，数据标签与图形元素相关联。

- 大小　当用户使用分类变量定义大小时，系统则根据每个类别拆分直观显示图形，每一类别一个大小。当大小是连续数值范围时，则大小根据变量的值而不同。同样如果图形元素代表多个个案，且一个范围变量用于定义大小，则大小根据范围变量的均值而不同。

（4）"面板与动画"选项组

该选项组用以选择面板变量和动画变量，经此用户可以得到个性化的图形。

- "面板跨度"下拉列表：该下拉列表用以从中选择面板变量，且只能选择分类变量。输出图形中将为每个类别生成一个图形，但是所有面板同时显示。面板对于检查直观表示是否取决于面板变量的条件非常有用。

- "动画"下拉列表：该下拉列表用以从中选择动画变量，用户可以指定分类变量或连续变量作为动画变量，若选用连续变量，则变量值将自动被拆分到范围中。动画与面板类似，输出结果从动画变量的值中创建了多个图形，但是这些图形不一起显示。

3. "标题"选项卡

在"图形画板模板选择程序"对话框中单击"标题"标签，进入"标题"选项卡界面。选择"使用定制标题"单选按钮便可以在对应文本框中设置输出图形的标题、副标题和脚注；若采用默认的"使用缺省标题"单选按钮，则不会在输出图形中添加任何标题和脚注。

4．"选项"选项卡

用户可以使用此选项卡指定在"输出浏览器"中出现的输出标签、可视化样式表和缺失值处理方法。选项卡界面如图19-13所示。

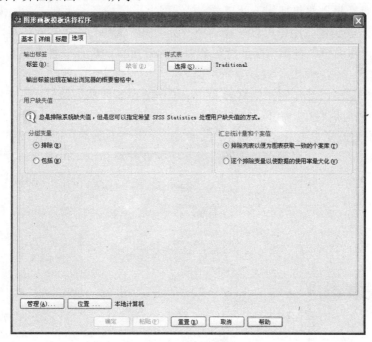

图 19-13 "选项"选项卡

（1）"输出标签"选项

该选项用以设置在"输出浏览器"的概要窗格中出现的文本，用户可以在"标签"文本框中输入想要输出的内容。缺省标签是根据变量和模板选择加以产生的，如果更改了标签，后来又希望恢复缺省标签，单击"缺省"按钮即可。

（2）"样式表"选项

用户可以单击"选择"按钮选择可视化样式表用以指定可视化的样式属性。

（3）"用户缺失值"选项组

该选项组用以设置所分析数据缺失值的处理方式，各选项组功能与前文所述一致，在此不再赘述。

19.1.4 旧对话框模式创建图形

利用旧对话框模式创建图形是利用SPSS直接生成图形的重要手段之一，它主要通过对两个对话框的设置来完成图形的绘制。与使用"图形画板模板选择程序"对话框中的"详细"选项卡类似，使用旧对话框模式创建图形一般要求用户对所要输出的图形直观表示有一个较为清醒的认识。

通过"图形"菜单的"旧对话框"子菜单可以绘制的图形种类有：条形图、三维条形图、线图、面积图、饼图、高低图、箱图、误差条形图、金字塔图、散点图和直方图等。下面本书以条形图的创建为例，简单说明如何利用旧对话框模式创建图形。

1）打开要分析的数据文件后，在菜单选项组中依次选择"图形"|"旧对话框"|"条形图"命令，打开如图19-14所示"条形图"对话框。

"条形图"对话框主要包括如下两部分。对话框上半部分显示出要创建的图形类型的各种直观表示，如对于条形图，用户可以选择的图形类型有"简单"、"复式条形图"和"堆积条形图"三种，用户应结合各种图形类的特征和自己的分析目的选择一种直观表示。为了方便下文描述，假设用户选择"摘要"直观显示。

"图表中的数据为"选项组用于选择要在图形中分析和现实的数据。为方便下文描述，假设用户选择"个案组摘要"单选按钮。

2）当用户设置好图形直观表示及显示数据后，单击"条形图"对话框中的"定义"按钮，将弹出如图 19-15 所示"定义简单条形图：个案组摘要"对话框，可在此进行图形详细设置。

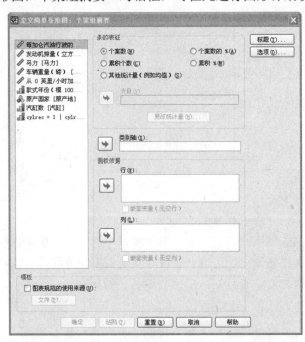

图 19-14　"条形图"对话框　　　　图 19-15　"定义简单条形图：个案组摘要"对话框

①"条的表征"选项组　该选项组用以选择输出图形要显示的摘要统计量。除对话框中显示的摘要统计量外，用户还可以更改输出的统计量，具体步骤为：选择"其他统计量"单选按钮，然后从变量列表中选择相应变量进入"变量"列表框，单击"更改统计量"按钮，从打开的对话框中选择想要输出的统计量，最后单击"继续"按钮即可完成设置。

②"类别轴"列表框　该列表框用以从变量列表中选入X轴要表示的变量。

③"面板依据"选项组　该选项组用以对要输出的面板图形进行设置，"行"和"列"输入框用以选入行或列面板变量。对于某些图表，仅可按行或按列生成面板，而对于其他图表，

则同时按行和列生成面板。

如果行或列中的变量嵌套，则可选择"嵌套变量（无空行/列）"复选框，表示仅针对每个嵌套而不是每个类别组合创建面板。如果变量的含义依赖于其他变量的值，则该变量是嵌套的。

如果未选择"嵌套变量（无空行/列）"，则变量会存在交叉，这意味着将为每个变量中的每个类别组合创建一个面板。如果变量嵌套，这会导致出现空列或空行。

④"图表规范的使用来源"复选框　用以打开图形显示模板，勾选此复选框后，可单击"文件"按钮选择相应模板。

⑤"标题"按钮　单击"标题"按钮，打开如图19-16所示"标题"对话框，用户可以在此设置输出图形的标题和脚注等。设置完毕后单击"继续"按钮，即可回到主对话框进行其他设置。

图 19-16　"标题"对话框

⑥"选项"按钮　"选项"对话框中用户可以对缺失值的处理及误差条形图等进行设置。

3）输出图形所有设置完毕后，单击主对话框中的"确定"按钮即可从SPSS Statistics查看器中输出设置好的图形。

19.1.5　互动模式创建图形

互动图形是利用SPSS中的"图形"菜单下的"旧对话框"子菜单中的"互动"命令创建的图形。互动功能的加入，提高了绘图工作的效率和精确度，因为用户可以从图形查看器中选择图形的组成元素并改变他们的属性。

通过互动模式可以创建的图形种类有：条形图、点图、线图、带状图、垂直线图、面积图、饼图、箱图、误差条形图、人口金字塔图、散点/点状图及直方图等。下面仍将以条形图的制作为例简单介绍互动模式界面及创建图形的相关操作。

打开要分析的数据文件后，在菜单选项组中依次选择"图形"|"旧对话框"|"互动"|"条形图"命令，打开如图19-17所示"创建条形图"对话框。

该对话框由五个选项卡组成："指定变量"选项卡、"条形图选项"选项卡、"误差条图"选项卡、"标题"选项卡和"选项"选项卡。

下面对这五大选项卡的界面内容及设置进行简单介绍。

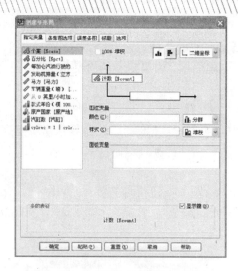

图 19-17　"创建条形图"对话框

"指定变量"选项卡

左侧的变量列表显示了所打开的数据文件的所有变量,用户可以用鼠标选中并将其拖至右侧相应列表框中。用户首先应确定坐标维数,通过单击"二维坐标"右侧下拉箭头选择需要的坐标或效果,界面将显示所选坐标示例。

从变量列表中选择相应的X轴或Y轴变量拖至图示相应列表框中,列表框将显示已选入的变量名称。

将一个类别变量指定到"颜色"或"样式"列表框中,然后从右侧下拉列表选择"分群"或"堆栈",则输出图形中类别条可以依次聚类或堆积。在堆积条中,图注变量的类别堆积在另一个条的顶部,一个段的顶部形成下一个段的基础。由于此类图强调类别的总和,所以只可以选择适合求和的函数堆积在条代表中。如果已经选择了颜色或样式堆积图注,可选择Y轴上方"100%堆积"复选框,然后由段来代表每个类别所贡献的百分比。

从变量列表中选择面板变量拖入"面板变量"列表框中,则输出图形将为变量的每个分类输出一个图形,方便类别间的比较。

若勾选"显示键"复选框,则表示在输出图形中标示出条的特征,即摘要统计量。

"条形图选项"选项卡

单击"条形图选项"选项卡,打开如图19-18所示界面。

用户可以在此选项卡中设置输出条形图中条的形状和条标签内容。

①"条基线"选项组　用户可以在此选项组中设置条形图中是否包括条基线及条基线的位置。若选择"自动"单选按钮,则通常显示没有条基线的条形图;若选择"设定"单选按钮,则可在后面的文本框中输入一定数值,条形图将只显示超过此值的条形段。

②"条标签"选项组　该选项组用于设置条标签显示的内容。勾选"计数"复选框,条标签将显示条对应的个案数;勾选"值"复选框,则条标签还将显示设置的摘要统计值,如"均值"等。

"误差条图"选项卡

单击"误差条图"选项卡,打开如图 19-19 所示界面。包括 3 个部分:

①"显示误差条图"复选框　若勾选此复选框，则表示在输出图形中显示误差条。用户可以在置信区间设置误差条显示的单位和置信区间，并通过设置"封装宽度"调整误差条的形状。

②"置信区间"选项组　用户可以在此选项组中设置误差条图显示的误差的置信度或置信区间，并设置误差条的单位，系统默认单位为"均值的置信区间"。

③"形状"选项组　用户可以在此选项组中设置输出误差条图的形状及封装宽度。

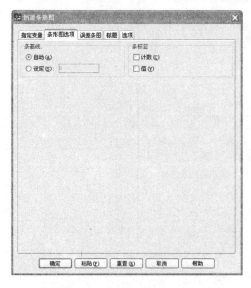

图 19-18　"条形图选项"选项卡

图 19-19　"误差条图"选项卡

"标题"选项卡

单击"标题"选项卡，打开如图19-20所示界面。用户可以在此对话框中设置输出图形的标题、子标题和题注，只要在文本框中输入相应内容即可。

图 19-20　"标题"选项卡

"选项"选项卡

单击"选项"选项卡，打开如图19-21所示界面。用户可以在"选项"选项卡中设置分类变量的顺序与刻度变量的范围，还可以设置数据区域的模板与大小。

图 19-21 "选项"选项卡

- "分类顺序"选项组：用户可以在此选项组中通过相关设置按照属性为变量排序，也可以按照另一变量的摘要函数为变量排序。用户通过在"排序"选项组中的设置，可以决定是否采用升序或降序，并可以排除不具有数据的类别。
- "尺度范围"选项组：用户可以在此选项组中通过相关设置为所有刻度变量设置最小值与最大值，或使用数据集中的默认值，也可以创建定制范围。
- "图表外观"选项组：用户可以单击"添加"按钮添加一个或多个模板文件，模板按照其出现顺序应用，若多个模板中的任何设置出现冲突，最后模板中的设置将覆盖前一模板中有冲突的设置。
- "轴"选项组：数据区域的大小由每条轴的长度决定，用户可以设置X轴和Y轴相对于默认大小的百分比。

所有设置完毕后，单击主对话框中的"确定"按钮，即可根据设置输出图形。

19.2 条形图

条形图用线条的长短或高低来表现性质相近的间断性资料的特征，适用于描绘分类变量的取值大小及比例等特点。

图19-22给出了条形图的示例，该条形图便是用图中线条的高低或长短表示不同国家的汽车平均发动机排量的。

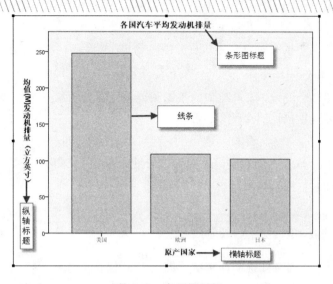

图 19-22 条形图示例

19.2.1 常用条形图

SPSS 17.0提供了9种组合绘制不同数据类型的条形图，9种组合可以由3种常用图形和3种描述模式组合而成，下面将对其分别进行说明。

1. 条形图常用的图形类型

条形图常用的图形类型有3种，分别是简单条形图、分类条形图和分段条形图。

（1）简单条形图

又称单式条形图，该条形图用单个条形对每一个类别、观测或变量做对比，用间隔的等宽条表示各类统计数据的大小，主要由两个统计量决定。通过简单条形图可以清楚地看到各类数据间的对比情况。

（2）分类条形图

又称复式条形图，适用于对两个变量交叉分类的描述。该条形图使用一组条形对指标进行对比，每个组的位置是一个变量的取值，与其紧密排列的条带是以不同颜色标记的另一个变量的取值，因此图形主要由3个变量决定。分类图形可以看作是简单条形图中的每一条带对应数据根据其他变量作的进一步分类。

（3）分段条形图

也称堆栈条形图，适用于对两个变量交叉分类的描述。该图中每个条的位置是其中一个变量取值，条的长度是要描述的统计量的值，但是条带按照另一个变量各类别所占的比例被划分为多个段，并用不同的颜色或阴影来表示各个分段。

2. 条形图的描述方法

每种条形图的图形类型分别对应3种描述方法：个案分组模式、变量分组模式和个案模式。

（1）个案分组模式

此模式将根据分组变量对所有个案进行分组，根据分组后的个案数据创建条形图。

（2）变量分组模式

此模式可以描述多个变量，简单类型的条形图能描述文件的每一个变量；复杂类型的条形图能使用另一个分类变量描述一个变量。

（3）个案模式

此模式将为分组变量中的每个观测值生成一个条形图，因此个案模式适用于对原始数据进行一定整理后形成的概括性的数据文件。

19.2.2 简单条形图的SPSS操作

下面将以“19-1”数据文件说明简单条形图的SPSS操作过程和对输出图形进行解释说明。“19-1”数据文件来源于SPSS 17.0自带的数据文件“Cars.sav”，该假设数据文件涉及各种汽车的mpg、引擎、马力、重量、加速、年份、原产地、气缸和过滤器等方面数据，每个个案对应一辆汽车。我们关心的是不同原产国家的汽车的平均发动机排量（mpg）。

1. 实验数据描述

打开“19-1”数据文件，在SPSS Statistics数据编辑器窗口可以看到“19-1”数据文件中的变量描述，如图19-23所示。

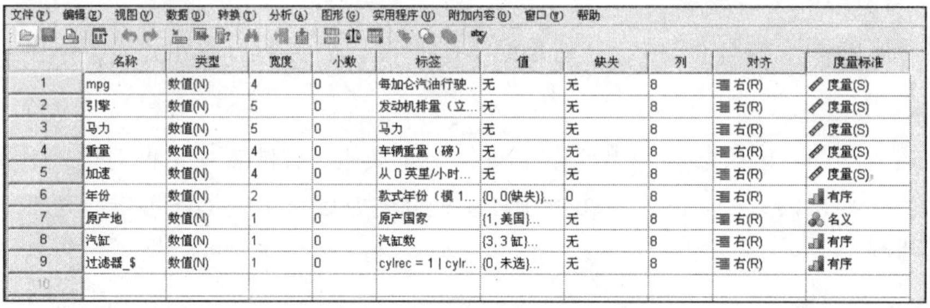

	名称	类型	宽度	小数	标签	值	缺失	列	对齐	度量标准
1	mpg	数值(N)	4	0	每加仑汽油行驶...	无	无	8	右(R)	度量(S)
2	引擎	数值(N)	5	0	发动机排量（立...	无	无	8	右(R)	度量(S)
3	马力	数值(N)	5	0	马力	无	无	8	右(R)	度量(S)
4	重量	数值(N)	4	0	车辆重量（磅）	无	无	8	右(R)	度量(S)
5	加速	数值(N)	4	0	从 0 英里/小时...	无	无	8	右(R)	度量(S)
6	年份	数值(N)	2	0	款式年份（模 1...	{0, 0(缺失)}...	0	8	右(R)	有序
7	原产地	数值(N)	1	0	原产国家	{1, 美国}...	无	8	右(R)	名义
8	汽缸	数值(N)	1	0	汽缸数	{3, 3 缸}...	无	8	右(R)	有序
9	过滤器_$	数值(N)	1	0	cylrec = 1 | cylr...	{0, 未选}...	无	8	右(R)	有序
10										

图 19-23 “19-1”数据文件的变量描述

2. 用图表构建程序绘制简单条形图

具体过程如下：

1）打开“19-1”数据文件，进入SPSS Statistics数据编辑器窗口，在菜单选项组中依次选择“图形”|“图表构建程序”命令，打开“图表构建程序”对话框。

2）在“选择范围”列表框中选择“条”，然后从右侧显示的直观表示中双击简单条形图直观表示或将其选中拖入画布中。从变量列表中选中“原产国家[原产地]”变量并拖至X轴变量放置区，选择“发动机排量（立方英寸）”拖至Y轴变量放置区。设置结果如图19-24所示。

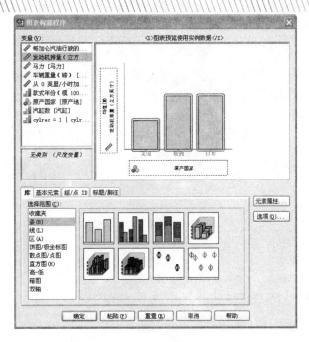

图 19-24　"图表构建程序"对话框

3）设置图形元素的属性

- 在条元素属性设置界面中，选择"均值"作为输出统计量，并选择"显示误差条形图"复选框，单击"应用"使设置生效；
- 在"元素属性"对话框中单击X-Axis1进入X轴元素属性设置界面，在"排序依据"下拉框中选择"设定"，并单击选择"仅显示数据中存在的类别"单选按钮，然后单击"应用"使设置生效；
- 在"元素属性"对话框中单击Y-Axis1进入Y轴元素属性设置界面，在"轴标签"文本框中输入"平均发动机排量"作为Y轴标签，其他采用默认设置，然后单击"应用"使设置生效。

4）在主对话框中单击"标题/脚注"标签，进入"标题/脚注"选项卡，勾选"标题1"复选框，此时在"元素属性"对话框"编辑元素"列表中增加"标题1"图形元素，在"内容"文本框中输入"各国汽车平均发动机排量"字样，最后单击"应用"按钮保存设置。

5）输出图形

所有设置完毕后，单击"图表构建程序"对话框中的"确定"按钮，即可在SPSS Statistics查看器中输出图形，如图19-25所示。

从图中可以明显看出，美国产汽车平均发动机排量远远高于欧洲和日本所产汽车，该图还反映出95%的置信度下各国生产汽车发动机排量均值的变异。

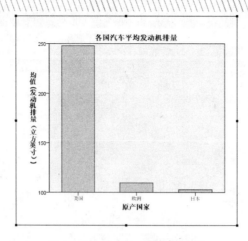

图 19-25　简单条形图输出结果

上例简要说明了简单条形图下个案分组模式的操作过程,简单条形图的变量分组和个案模式做法与此类似,故在此不再做单独介绍。

3. 用图形画板模板选择程序绘制简单条形图

本例使用的数据文件依然是"19-1"数据文件,我们将使用图形画板模板选择程序得到与图 19-25 相似的输出结果。

1）打开"19-1"数据文件,进入SPSS Statistics数据编辑器窗口,在菜单选项组中依次选择"图形"|"图形画板模板选择程序"命令,打开"图形画板模板选择程序"对话框。

2）在"基本"选项卡界面中,从变量列表中选择"原产地"和"引擎"两个变量,对话框右侧将显示可用的图形直观表示,有条形图、饼图、3D饼图、线图、面积图等,从中选择条形图直观表示 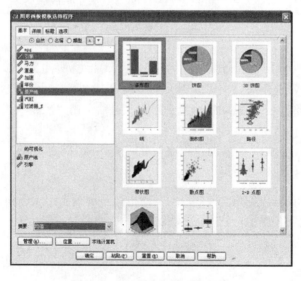,从"摘要"下拉框中选择"均值"作为输出摘要统计量。设置结果如图 19-26所示。

图 19-26　"基本"选项卡设置

3）单击"图形画板模板选择程序"对话框中的"详细"按钮，进入"详细"选项卡界面。这里采用默认设置，如图19-27所示。

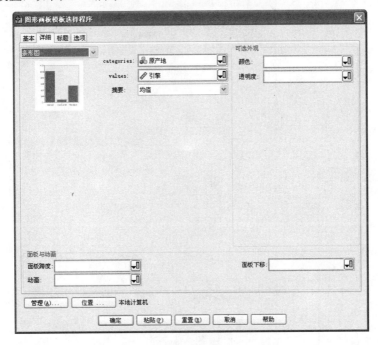

图 19-27　"详细"选项卡设置结果

4）单击"图形画板模板选择程序"对话框中的"标题"标签，进入"标题"选项卡界面，单击选择"使用定制标题"单选按钮，在"标题"文本框中输入"各国汽车平均发动机排量"。

5）单击"图形画板模板选择程序"对话框中的"选项"标签，进入"选项"选项卡界面。在"输出标签"的"标签"文本框中输入"简单条形图：引擎-原产地"字样，其他采用默认设置。

6）输出图形

所有设置结束后，单击"图形画板模板选择程序"对话框中的"确定"按钮，在SPSS Statistics查看器中即输出与图19-25相似的图形。

4. 使用旧对话框绘制简单条形图

1）打开"19-1"数据文件，进入SPSS Statistics数据编辑器窗口，在菜单选项组中依次选择"图形" | "旧对话框" | "条形图"命令，打开"条形图"对话框。选择"简单"条形图直观表示，在"图表中的数据为"选项组中选择"个案组摘要"，设置结果如图19-28所示。

该对话框包括条形图类型直观显示：简单、复式条形图和堆积条形图，也包括各种图形类型的3种模式：个案组摘要、各个变量的摘要和个案值。图形类型及其模式的介绍在19.2.1中已作详细讲解，在此不再赘述。

2）单击"条形图"中的"定义"按钮，即可进入"定义简单条形图：定义个案组摘要"对话框。从"条的表征"选项组中单击选择"其他统计量"单选按钮，并从变量列表中将"发动机排量"变量选入"变量"列表框中，系统默认表的特征为发动机排量的均值。将"原产国家"变量选入"类别轴"框中,其他采用默认设置,如图19-29所示。

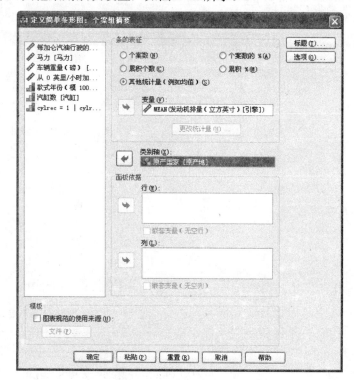

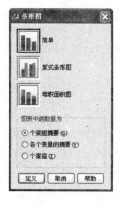

图 19-28　条形图设置　　　　　　　　　图 19-29　定义个案组摘要

该对话框界面在前文已有所介绍,现就"条的表征"选项组作详细介绍。该选项组中的选项用于定义确定条形图中条带的长度的统计量,各单选按钮含义如下:

- 个案数:若选择此单选按钮,则表示条形图的长度为分类变量值的观测数。条形图中条的长度表示频数,分类变量可以是字符型变量或数值型变量。该选项为系统默认选项。

- 个案数的%:若选择此单选按钮,则表示条形图的长度为分类变量的观测在总观测中所占的比重,即以频率作为统计量,条形图中条的长度表示的是频率。

- 累积个数:若选择此单选按钮,则表示条形图的长度为分类变量中到某一值的累积频数,即分类变量的当前值对应的个案数与以前各值对应的总个案数。

- 累积%:若选择此单选按钮,则表示条形图的长度为分类变量中到某一值的累积百分比,即条的长度表示的是累计频率。

- 其他统计量:若选择此单选按钮,则"变量"列表框被激活,选入变量后,系统默认设置对该变量的数据取均值,并作为条形图的长度。

如果想选择其他的表征,则可单击"更改统计量"按钮,打开如图 19-30 所示"统计量"对话框。

在"统计量"对话框中可以选择总体特征的描述统计量、单侧区间数据的特征描述统计量和双侧区间数据的特征描述统计量。总体特征的描述统计量设置较为简单,下面将重点介绍单侧区间的特征描述统计量和双侧区间的特征描述统计量的设置。

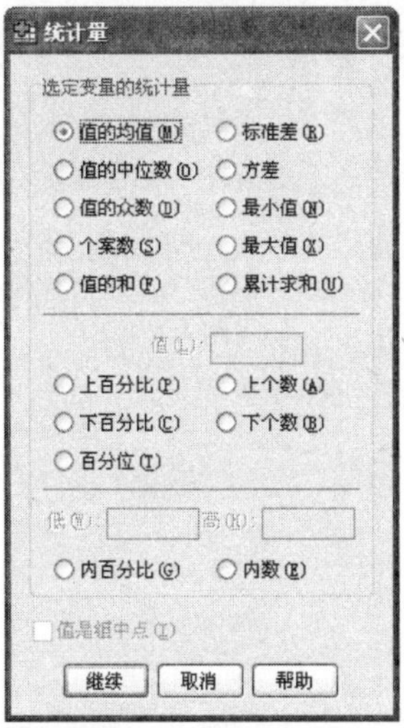

图 19-30　"统计量"对话框

- 单侧区间的特征描述统计量　"统计量"对话框中间给出了单侧区间数据特征的描述统计量，当选择该部分中的选项时，上方的"值"文本框被激活，在文本框中输入数值，表示单侧区间的内界。按照原有数据与内界的大小关系，可将所有数据划分为两个区间，即大于该值的区间和小于该值的区间，各单选按钮含义分别介绍如下：
  - ◊　若选择"上百分比"单选按钮，则以变量值大于阀值（内界）的比例作为条形的长度，"下百分比"单选按钮的含义恰好相反；
  - ◊　若选择"百分位"单选按钮，则表示以变量值的百分位数作为条形的长度；
  - ◊　若选择"上个数"单选按钮，则表示以变量值大于阀值的个数作为条形的长度，"下个数"单选按钮含义与之相反。
- 双侧区间的特征描述统计量　　"统计量"对话框下方给出了双侧区间数据特征的描述统计量。当选择该部分中的选项时，上方的"低"和"高"文本框被激活，分别用以输入区间的下限和上限。各单选按钮含义分别介绍如下：若选择"内百分比"单选按钮，则表示以变量值在该区间的比例为纵轴；选择"内数"单选按钮，则表示以变量值在指定区间的数目为条形长度。
- "值是组中点"复选框　若勾选此复选框，则表示值由中点分类。

设置完毕后，单击"继续"按钮，则可返回主对话框中进行其他设置。

3）在"定义简单条形图：个案组摘要"对话框中单击"标题"按钮，打开"标题"对话框，在"标题"选项组"第1行"文本框中输入"各国汽车平均发动机排量"字样。设置完毕后，单击"继续"按钮，返回主对话框。

4）单击"选项"按钮，打开"选项"对话框。用户可以在此对话框中设置对缺失值的处理方法、是否显示误差条形图及误差条形图的内容，图表的可用选项取决于图表的类型和数据。勾选"显示误差条形图"复选框，其他采用默认设置，如图19-31所示。

图 19-31 "选项"对话框

"选项"对话框中其他选项的介绍如下：

- "缺失值"选项组　该选项组中的选项仅在主对话框"条的表征"选项组中有多个变量时才会被激活。用户若选择"按列表排除个案"单选按钮，则表示被摘要的变量存在缺失值时会从整个图表中排除个案；若选择"按变量顺序排除个案"单选按钮，则表示可从每个计算的摘要统计量中排除单个缺失个案，不同的图表元素可能基于不同的个案组。
- "使用个案标签显示图表"复选框　若勾选此复选框，则表示在图中显示个案的标签值。此选项仅在定义散点图并在主对话框中指定了"标注个案依据"字段的变量时可用。

"显示误差条形图"复选框功能与前面章节所讲的一致，在此不再赘述。设置完毕后，单击"继续"按钮，则可返回主对话框中进行其他设置。

5）输出图形

所有设置完毕后，单击"定义简单条形图：个案组摘要"对话框中的"确定" 按钮，即可在SPSS Statistics查看器中输出图形，结果如图19-32所示。

由于旧对话框程序与互动程序的操作方法基本相同且在19.2.2节中已作简单介绍用户可以参照前文自主学习。在接下来的章节，我们将重点介绍常用的三种绘图方法：图表构建程序、图形画板模板选择程序和旧对话框模式。

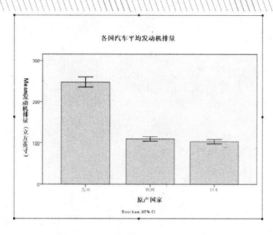

图 19-32　简单条形图输出结果

19.2.3　分类条形图的 SPSS 操作

分类条形图能够反映更多的信息，它对X轴的每个取值再按某个指标进一步细分，并作出关于所得子类别的条形图。

在本小节中，我们将继续利用"19-1"数据文件，得到不同原产国家下按气缸数分类的平均发动机排量条形图，观察原产地和汽缸数对发动机排量均值的影响。下面将详细介绍如何利用图形画板模板选择程序绘制分类条形图。

1）打开"19-1"数据文件，进入SPSS Statistics数据编辑器窗口，在菜单选项组中依次选择"图形"|"图形画板模板选择程序"命令，打开"图形画板模板选择程序"对话框。

2）在"基本"选项卡界面中，从变量列表中选择"原产国"和"引擎"两个变量，从中选择条形图直观表示，从"摘要"下拉框中选择"均值"作为输出摘要统计量。

3）单击"图形画板模板选择程序"对话框中的"详细"标签，进入"详细"选项卡界面。从"可选外观"选项组"颜色"下拉框中选择"气缸"，设置结果如图19-33所示。

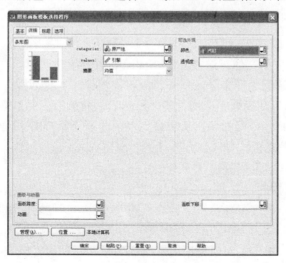

图 19-33　颜色外观设置为"汽缸"

4）在"标题"选项卡中为图标添加"各国汽车平均发动机排量"标题，其他均采用默认设置。

5）输出图形

所有设置结束后，单击主对话框中的"确定"按钮，即可在SPSS Statistics查看器中输出图形，结果如图19-34所示。

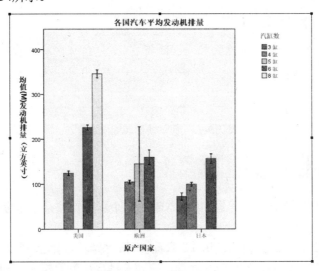

图 19-34　分类条形图输出结果

19.2.4　分段条形图的 SPSS 操作过程

分段条形图或堆积条形图与分类条形图相似，差别只是堆积条形图不把子类别分散开来做条形图，而是将其逐次堆积在Y轴方向上，以便于更好地比较总值的大小。

本小节将继续利用"19-1"数据文件，得到不同原产国家下按气缸数分类的平均发动机排量条形图，观察原产地和汽缸数对发动机排量均值的影响。

下面将详细介绍如何利用图表构建程序绘制堆积条形图，用户可以结合前文自主学习分段条形图的其他绘制方法。

1）打开"19-1"数据文件，进入SPSS Statistics数据编辑器窗口，在菜单选项组中依次选择"图形"|"图表构建程序"命令，打开"图表构建程序"对话框。

2）在"选择范围"列表框中选择"条"，然后从右侧显示的直观表示中双击分类条形图直观表示 或将其选择拖入画布中。从变量列表中选择"原产国家[原产地]"变量并拖至X轴变量放置区，选择"发动机排量（立方英寸）"拖至Y轴变量放置区，将"汽缸数"拖入"堆积"变量放置区。设置结果如图19-35所示。

3）图形元素的属性的设置方法与使用旧对话框程序绘制图形一致，在此不再赘述。为图表添加"各国不同汽缸数汽车发动机排量均值图"标题，其他均采用默认设置。

4）输出图形。

所有设置结束后，单击主对话框中的"确定"按钮，即可在SPSS Statistics查看器中输出图形，如图19-36所示。

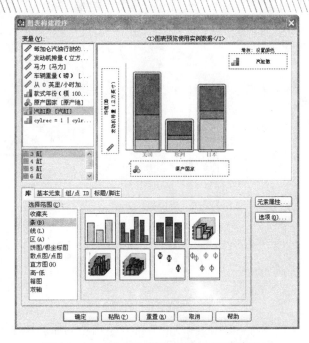

图 19-35 "图表构建程序"对话框设置结果

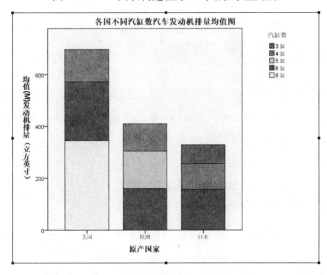

图 19-36 堆积条形图输出结果

19.3 线图

线图是用线段的升降在坐标系中表示某一变量的变化趋势或某变量随时间变化的过程的图形。线图适用于连续性资料，通常用来表示两个因素之间的关系，即当一个因素变化时，另一个因素对应的变化情况。

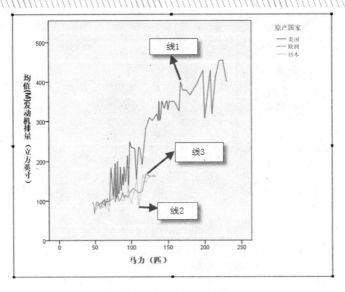

图 19-37　线图示例

图19-37给出了线图的示例，该图用线段的升降表示出不同原产国家各个马力阶段的平均发动机排量的变化过程，线1、2、3分别代表了美国、日本和欧洲生产的汽车的平均发动机排量的线性走势。

19.3.1　线图的类型

线图利用线条的延伸和波动，来反映连续性变量的变化趋势。线图可以是直线图，也可以是折线图，适用于连续性资料。描述非连续性的资料一般不使用线（形）图，而使用条形图或直线图。线图分为 3 种类型：简单线图、多重线图和垂直线图。

- 简单线图：用一条折线表示某个现象的变化趋势。
- 多重线图：用多条折线表示各种现象的变化趋势。
- 垂直线图或下降线图：用以反映某些现象。

象条形图一样，线图的每种图形类型分别对应 3 种不同的模式：个案分组模式、变量分组模式和个案模式。3 种模式的概念与条形图中一致，在此不再赘述。

综上，SPSS 17.0共提供了9种不同的线图供用户选择，最大化满足了用户的个性化和研究需求。本节实验所使用的数据文件依然是"19-1"数据文件，该数据文件描述在19.2.2节中已给出。

19.3.2　绘制简单线图

如果需要用图形来描述马力和引擎之间的关系形式，我们就可以建立二者之间的线形图。接下来本书将演示如何用图表构建程序绘制简单条形图，其他方法的绘制过程用户可参照前文自主学习。

1）打开"19-1"数据文件，进入SPSS Statistics数据编辑器窗口，在菜单选项组中依次选

择"图形"|"图表构建程序"命令，打开"图表构建程序"对话框。

2）指定变量。在"选择范围"列表框中选择"线"，然后从右侧显示的直观表示中双击简单条形图直观表示☑或将其选择拖入画布中。将变量"马力"和"发动机排量"分别拖入横轴和纵轴变量放置区内，设置结果如图19-38所示。

图19-38 "图表构建程序"对话框变量设置结果

3）同条形图一样，用户可以在"元素属性"对话框中对所有元素属性可选项进行设置。在属性设置对话框中选择"均值"作为摘要统计量；"标题/脚注"选项卡中选择"标题1"复选框，在"元素属性"对话框的"内容"文本框中输入"马力和引擎关系线形图"作为输出简单线性图的标题。设置完毕后，单击"应用"按钮使设置生效。

4）输出图形

所有设置结束后，单击主对话框中的"确定"按钮，即可在SPSS Statistics查看器中输出图形，如图19-39所示。

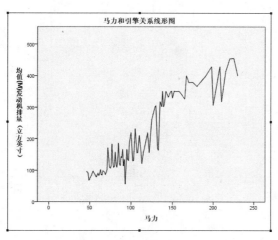

图19-39 简单线形图输出结果

由输出结果可知，尽管随着汽车马力的增大，发动机排量的变动幅度较大，但仍可以大体推断，马力与发动机排量间存在较强的正向关系。

19.3.3 绘制多重线图

多重线图在一个图里显示多条趋势图，它需要指定一个分线变量，对其每个取值分别在图里作一条曲线，以便观察和比较不同类别的样本的变化趋势。

本节继续通过"19-1"数据文件，介绍如何使用图形画板模板选择程序绘制多重线形图，以查看不同国家所产汽车的马力和引擎关系间的多重线形图。

1）打开"19-1"数据文件，进入SPSS Statistics数据编辑器窗口，在菜单选项组中依次选择"图形"|"图形画板模板选择程序"命令，打开"图形画板模板选择程序"对话框。

2）在"基本"选项卡界面中，从变量列表中选择"马力"和"引擎"两个变量，从中选择线图直观表示 ⬚ ，从"摘要"下拉框中选择"均值"作为输出摘要统计量。

3）单击"图形画板模板选择程序"对话框中的"详细"标签，进入"详细"选项卡界面。从"可选外观"选项组"颜色"下拉框中选择"原产地"。

4）在"标题"选项卡中为图表添加"不同国家马力和引擎关系多重线形图"标题，其他均采用默认设置。

5）输出图形。所有设置结束后，单击主对话框中的"确定"按钮，即可在SPSS Statistics查看器中输出图形，如图19-40所示。

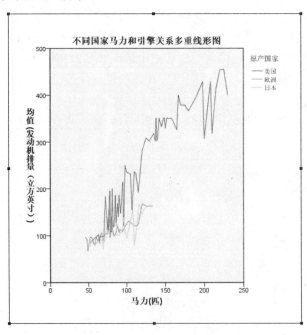

图 19-40　多重线图输出结果

19.3.4 垂直线图的绘制

垂直线图与多重线图反映的内容类似，差别只是表现的形式不同而已。垂直线图可以反映某些现象在同一时期的差距或各种数据在各分类中所占的比例。本节仍以"19-1"数据文件为例简要介绍垂直线图的绘制方法。

SPSS 17.0 提供的绘制垂直线图的程序主要是旧对话框程序和互动程序，这两种方法的操作过程极为相似，因此本节仅说明如何利用旧对话框程序绘制垂直线图，用户可以参照前文自主学习互动程序的操作过程。

1）打开"19-1"数据文件，进入SPSS Statistics数据编辑器窗口，在菜单选项组中依次选择"图形"|"旧对话框"|"线图"命令，打开"线图"对话框。选择"垂直线图"直观表示，在"图表中的数据为"选项组中选择"个案组摘要"。

2）单击"线图"中的"定义"按钮，即可进入"定义垂直线图：个案组摘要"对话框。变量的设置与多重线图的旧对话框设置一样，差别只是将"原产国家"选入"定义点"列表框。

3）在"标题"对话框中，在"标题1"文本框中输入"各国不同汽缸数汽车发动机排量均值图"作为输出图表标题，其他均采用默认设置。

4）输出图形。所有设置完毕后，单击"定义复式条形图：个案组摘要"对话框中的"确定"按钮，即可在SPSS Statistics查看器中输出图形（如图19-41所示）。

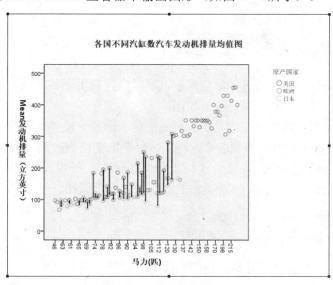

图 19-41 垂直线图输出结果

19.4 面积图

面积图与线形图反映的信息相似，经常用来描述某个汇总变量随时间或其他变量的变化过程。面积图通过面积的变化描绘连续型变量的分布形状或者变化趋势，直观上看，它相当于在线形图中用某种颜色填充线条和横轴之间的面积区域。

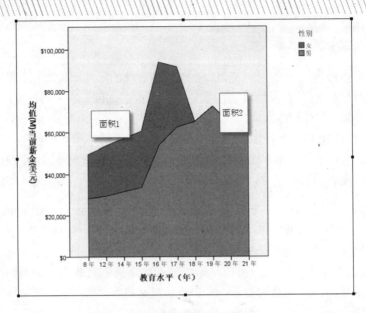

图 19-42   面积图示例

图19-42给出了堆积面积图的示例，该图用不同的颜色给出了不同性别员工当前薪金随不同教育水平的变化趋势，面积1和面积2分别代表女员工和男员工不同教育水平的当前薪金走势。

19.4.1   面积图的类型

面积图较线形图更厚实，给人印象更深刻，所以广泛应用于各领域。SPSS 17.0提供了两种基本面积图类型：简单面积图和堆积面积图。

类似于简单线形图，简单面积图是用面积的变化表示某一现象变动的趋势；堆积面积图，又称层叠面积图，使用不同颜色面积表示两种或多种现象变化的趋势。两种基本面积图类型又分别包含3种模式：个案组模式、变量分组模式和个案模式。3种模式的定义也与前面章节所描述的一致。因此，SPSS 17.0提供了6种类型的面积图供用户选择。

19.4.2   简单面积图绘制的实验操作

本节使用"19-2"数据文件介绍简单面积图绘制的SPSS操作过程。"19-2"数据文件来源于SPSS 17.0自带的"Employee data.sav"数据文件，该虚拟数据文件涉及公司所雇用员工的员工代码、性别、教育水平、雇用类别及薪金情况等。

1. 实验数据描述

打开"19-2"数据文件，在SPSS Statistics数据编辑器窗口可以看到"19-2"数据文件中的变量描述，如图19-43所示。

2. 简单面积图的 SPSS 操作过程

像条形图和线形图的绘制一样，SPSS 17.0 提供的可以用于绘制面积图的程序也有 4 种。本节仅介绍如何使用图形画板模板选择程序绘制简单面积图，用户可以参照前文自主学习简单面积图的其他绘制方法。

	名称	类型	宽度	小数	标签	值	缺失	列	对齐	度量标准
1	员工代码	数值(N)	4	0	员工代码	无	无	8	▦ 右(R)	✎ 度量(S)
2	性别	字符串	1	0	性别	{f, 女}...	无	1	▦ 左(L)	♣ 名义
3	出生日期	日期	10	0	出生日期	无	无	13	▦ 右(R)	✎ 度量(S)
4	教育水平	数值(N)	2	0	教育水平（年）	{0, 0（缺少...	0	8	▦ 右(R)	▦ 有序
5	雇佣类别	数值(N)	1	0	雇佣类别	{0, 0（缺少...	0	8	▦ 右(R)	▦ 有序
6	当前薪金	美元	8	0	当前薪金(美元)	{$0, 缺少}...	$0	8	▦ 右(R)	✎ 度量(S)
7	起始薪金	美元	8	0	起始薪金（美元）	{$0, 缺少}...	$0	8	▦ 右(R)	✎ 度量(S)
8	雇佣时间	数值(N)	2	0	雇佣时间（以月...	{0, 缺少}...	0	8	▦ 右(R)	✎ 度量(S)
9	经验	数值(N)	6	0	经验（以月计）	{0, 缺少}...	无	8	▦ 右(R)	✎ 度量(S)
10	少数民族	数值(N)	1	0	少数民族分类	{0, 否}	9	8	▦ 右(R)	▦ 有序
11										

图 19-43 "19-2" 数据文件变量描述图

1）打开 "19-2" 数据文件，进入 SPSS Statistics 数据编辑器窗口，在菜单选项组中依次选择 "图形" | "图形画板模板选择程序" 命令，打开 "图形画板模板选择程序" 对话框。

2）在 "基本" 选项卡界面中，从变量列表中选择 "教育水平" 和 "当前薪金" 两个变量，从中选择面积图直观表示▨，"摘要" 下拉框中选择 "均值" 作为摘要统计量。

3）在 "标题" 选项卡中为图标添加 "教育水平和薪金关系面积图" 标题，其他均采用默认设置。

4）输出图形。所有设置完毕后，单击 "定义复式条形图：个案组摘要" 对话框中的 "确定" 按钮，即可在 SPSS Statistics 查看器中输出如图 19-44 所示图形。

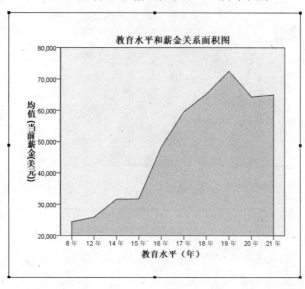

图 19-44 简单面积图输出结果

19.4.3　堆积面积图绘制的 SPSS 操作

4种程序均可用于绘制堆积面积图，绘制过程与堆积条形图和垂直线图的绘制过程相似，本节仅简单介绍如何应用"图表构建程序"绘制堆积面积图，用户可以参照前面章节学习其他3种程序在堆积面积图绘制中的使用方法。

我们仍将利用"19-2"数据文件得到不同性别的教育水平和年薪关系的堆积面积图，其操作过程具体如下：

1）打开"19-2"数据文件，进入SPSS Statistics数据编辑器窗口，在菜单选项组中依次选择"图形"|"图表构建程序"命令，打开"图表构建程序"对话框。

2）在"选择范围"列表框中选择"区"，然后从右侧显示的直观表示中双击多重线图直观表示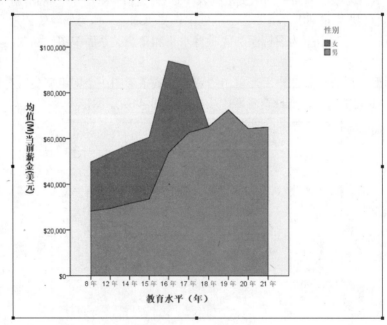或将其选择拖入画布中。从变量列表中选择"教育水平"变量并拖至X轴变量放置区，选择"当前薪金"拖至Y轴变量放置区，将"性别"拖入"堆栈：设置颜色"变量放置区。

3）所有图形元素的属性均可以在"元素属性"对话框中进行设置，设置方法与前面所述相同。在"元素属性"对话框选择"编辑属性"列表中的"区"，单击"统计量"下拉列表中的"均值"选项，设置完毕，单击"应用"按钮使设置生效，其他采用默认设置。

4）输出图形。所有设置结束后，单击主对话框中的"确定"按钮，即可在SPSS Statistics查看器中输出图形，结果如图19-45所示。

图 19-45　堆积面积图输出结果

由图可以看出，同性别前提下，受教育年限与当前薪金均值基本成正向关系；在受教育年限相同的前提下，女员工当前薪金均值明显低于男员工。

19.5 饼图

饼图又称为饼形图或圆形图，通常用来表示整体的构成部分及各部分之间的比例关系。

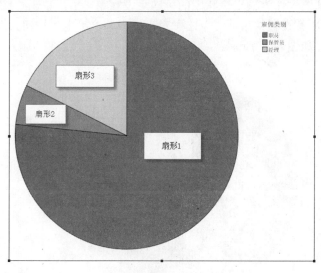

图 19-46 饼图示例

图19-46给出了饼图的示例图，该图用不同的颜色将饼图分为三部分，用扇形1、2、3代表了职员、保管员和经理在员工总数中的百分比。

19.5.1 饼图的类型

饼图用同一个圆形表示不同部分的比例情况，其中，整个圆的面积表示整体，圆中的扇形部分是按构成整体的各个部分在整体中所占比例的大小切割而成的。饼图可以直观地反映各部分与整体之间的关系及各部分之间的关系。

SPSS 17.0提供了三种不同的饼图模式，即个案分组模式、变量分组模式和个案模式。绘制饼图的程序同样有四种：图表构建程序、用图表画表模板选择程序、旧对话框程序和互动程序，各种方法操作的一般过程在19.1节已简单介绍。

19.5.2 绘制饼图的 SPSS 实验操作

我们将继续结合"19-2"数据文件来介绍饼图的绘制过程，"19-2"数据文件的变量描述在 19.19 中已经给出，在此不再赘述。本节仅介绍如何使用图表构建程序绘制饼图，其他 3 种方法用户可以参照前文自主学习。

1）打开"19-2"数据文件，进入SPSS Statistics数据编辑器窗口，在菜单选项组中依次选择"图形"|"图表构建程序"命令，打开"图表构建程序"对话框。

2）在"选择范围"列表框中选择"饼图/极坐标图"，然后从右侧显示的直观表示中双击饼图直观表示 或将其选择拖入画布中，将变量"教育水平"拖入横轴放置区内。

3）与其他图形绘制一样，可以在"元素属性"对话框中对所有元素属性可选项进行设置。在极坐标区域属性设置对话框中选择"计数"作为摘要统计量，单击"应用"按钮使设置生效。在"标题/脚注"选项卡中选择"标题1"复选框，在"元素属性"对话框的"内容"文本框中输入"教育水平饼状图"作为输出饼状图的标题，设置完毕后，单击"应用"按钮。

4）输出图形。所有设置结束后，单击主对话框中的"确定"按钮，即可在SPSS Statistics查看器中输出图形，如图19-47所示。

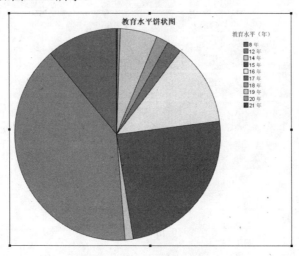

图 19-47　饼状图输出结果

由该饼状图可以明显看出，所有员工中，受过12年教育的人数最多，其次是接受15年教育的，受教育年限在16年内的员工占总员工人数的绝大多数。

19.6　直方图

直方图是用一种无间隔的直条的长短，表示连续型变量的取值分布特点的统计图形，各直条的面积表示各组段的频数，各矩形面积的总和为总频数。

没有绘制正态曲线的直方图与条形图很相似，它们的区别是，直方图的条带的长度与宽度是有意义的，而条形图则没有，直方图的意义与面积图相似。

下面我们将简单介绍如何使用图形画板模板选择程序绘制直方图，用户可以参照前文自主学习使用其他方法绘制直方图。这里使用的依然是"19-1"数据文件，该数据文件的变量描述在19.2节中已给出，在此不再赘述。

1）打开"19-1"数据文件，进入SPSS Statistics数据编辑器窗口，在菜单选项组中依次选择"图形"|"图形画板模板选择程序"命令，打开"图形画板模板选择程序"对话框。

2）在"基本"选项卡界面中，从变量列表中选择"mpg"变量，从右侧可用图形类型直观表示中选中正态曲线的直方图直观表示▨。

3）在"标题"选项卡中为图表添加"每加仑汽油行驶的英里数直方图"标题，其他均采用默认设置。

4）输出图形。所有设置完毕后，单击主对话框中的"确定"按钮，即可在SPSS Statistics查看器中输出如图19-48所示图形。

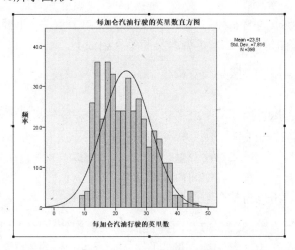

图 19-48　直方图输出结果

从图中可以看出，每加仑汽油行驶的英里数频数分布不完全符合正态分布。

19.7　散点图

散点图是以点的分布情况反映变量之间相互关系的一种统计图形，散点图适用于描绘测量数据的原始分布状况，用户可以通过点的位置判断观测值的高低、大小、变动趋势或变化范围。

图19-49给出了散点图的示例，该图用点1和点2分别代表了非少数民族和少数民族不同雇用类别员工的起始薪金。

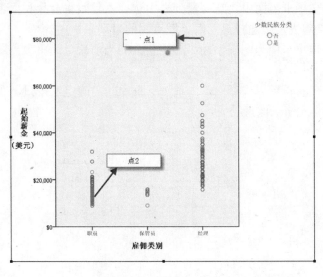

图 19-49　散点图示例

19.7.1 散点图的类型

SPSS 17.0 提供了散点图的 5 种基本类型，分别为简单散点图、重叠散点图、矩阵散点图、三维散点图和简单圆点图等，各基本类型含义简单介绍如下。

（1）简单散点图。用以对照某个变量绘制另一个变量或在一个标记变量定义的类别中绘制两个变量。

（2）重叠散点图。用以绘制两个或多个 y-x 变量对，每对都采用不同标记来表示。

（3）矩阵散点图。行和列数与所选矩阵变量个数相等，所有可能变量组合被显示（变量1对比变量2）和"翻转"（变量 2对比变量1）。

（4）三维散点图。用以在三维空间内绘制三个变量。

（5）简单圆点图。用以为某个数值变量绘制各个观察值。

同其他图形的绘制一样，SPSS 17.0 同样提供了图表构建程序、图形画板模板选择程序、旧对话框程序和互动程序 4 种方法绘制散点图。由于简单圆点图的绘制较为简单，接下来我们将使用"19-2"数据文件，说明 SPSS 17.0 绘制除简单圆点图外的 4 种散点图的具体操作方法。

19.7.2 简单散点图绘制的 SPSS 实验操作

本节仅介绍如何使用图形画板模板选择程序绘制简单散点图，其他方法用户可以自主参照前文学习。

1）打开"19-2"数据文件，进入SPSS Statistics数据编辑器窗口，在菜单选项组中依次选择"图形"|"图形画板模板选择程序"命令，打开"图形画板模板选择程序"对话框。

2）在"基本"选项卡界面中，从变量列表中选择"起始薪金"和"当前薪金"变量，从右侧可用图形类型直观表示中选择显示简单散点图的直观表示▨。

3）在"标题"选项卡中为图表添加"起始薪金与当前薪金简单散点图"标题，其他均采用默认设置。

4）输出图形。所有设置完毕后，单击主对话框中的"确定"按钮，即可在SPSS Statistics查看器中输出如图19-50所示图形。

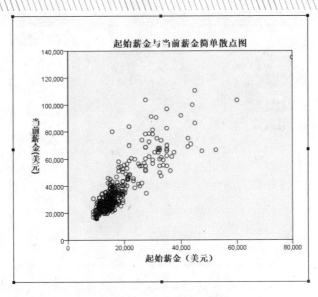

图 19-50 简单散点图输出结果

19.7.3 重叠散点图绘制的 SPSS 17.0 操作过程

重叠散点图的绘制主要通过旧对话框程序实现的，现结合"19-2"数据文件简单说明重叠散点图的绘制过程。

1）打开"19-2"数据文件，进入SPSS Statistics数据编辑器窗口，在菜单选项组中依次选择"图形"|"旧对话框" |"散点图/点图"命令，打开"散点图/点图"对话框。对话框中显示了5种可用的散点图类型，如图19-51所示。

图 19-51 "散点图/点图"对话框

因为我们想要输出的是重叠散点图，因此选择"重叠分布"直观表示。

2）单击"散点图/点图"对话框中"定义"按钮，进入"重叠散点图"对话框，在此指定变量及其他图形元素。从变量列表中将"当前薪金"变量选入变量对1和2的Y变量放置区，将"教育水平"和"雇用类别"分别拖入变量对1和2的X放置区。打开"标题"对话框，将"堆积散点图示例"输入"第1行"文本框中，单击"继续"按钮保存设置回到主对话框中。设置结果如图19-52所示。

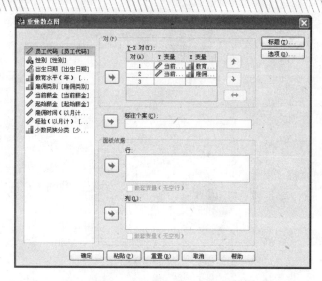

图 19-52   "重叠散点图"对话框设置结果

3）输出图形。所有设置完毕后，单击"重叠散点图"对话框中的"确定"按钮，即可在
SPSS Statistics查看器中输出图形，如图19-53所示。

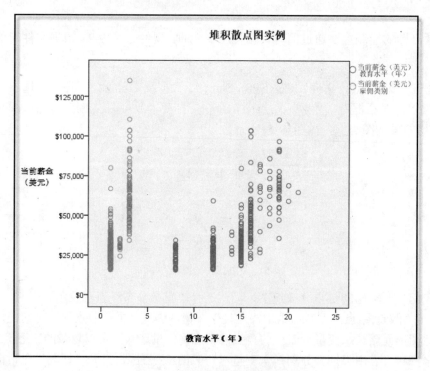

图 19-53   堆积散点图输出结果

由图可知，不同职位、不同受教育年限的员工当前薪金是有较为明显差异的。

19.7.4 矩阵散点图绘制的 SPSS 操作过程

SPSS 17.0 提供的可以绘制矩阵散点图的程序主要有图表构建程序和旧对话框程序两种，下面本书将结合"19-2"数据文件简单介绍图表构建程序的操作过程，用户可参照前文学习如何使用旧对话框绘制矩阵散点图。

1）打开"19-2"数据文件，进入SPSS Statistics数据编辑器窗口，在菜单选项组中依次选择"图形"|"图表构建程序"命令，打开"图表构建程序"对话框。

2）在"选择范围"列表框中选择"散点图/点图"，然后从右侧显示的直观表示中双击矩阵散点图直观表示圈或将其选择拖入画布中。将变量"当前薪金"、"雇用时间"和"经验"拖入散点矩阵变量放置区内，结果如图19-54所示。

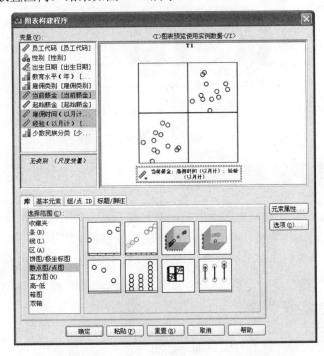

图 19-54 "图表构建程序"对话框设置结果

3）像绘制其他图形一样，用户可以在"元素属性"对话框中对所有元素属性可选项进行设置。在"标题/脚注"选项卡中选择"标题1"复选框，在"元素属性"对话框的"内容"文本框中输入"矩阵散点图示例"作为输出矩阵散点图的标题，设置完毕后，单击"应用"按钮使设置生效。

4）输出图形。所有设置结束后，单击主对话框中的"确定"按钮，即可在SPSS Statistics查看器中输出图形，结果如图19-55所示。

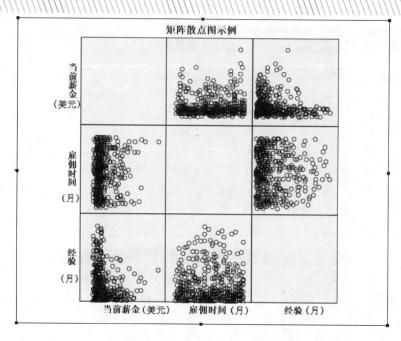

图 19-55 矩阵散点图输出结果

由图可以看出，三个变量两两之间不存在特别明显的线性关系。

19.7.5 三维散点图

三维散点图的绘制过程与简单散点图的绘制过程基本一致，相比只是增加一个 Z 轴而已。我们将以"19-2"数据文件为例，通过图表构建程序在三维散点图绘制中的应用简要说明三维散点图的绘制过程。其他程序在三维散点图的绘制过程中的应用，用户可以参照前文自主学习。

1）打开"19-2"数据文件，进入SPSS Statistics数据编辑器窗口，在菜单选项组中依次选择"图形"|"图表构建程序"命令，打开"图表构建程序"对话框。

2）在"选择范围"列表框中选择"散点图/点图"，然后从右侧显示的直观表示中双击简单直方图直观表示 或将其选择拖入画布中。将变量"起始薪金"、"当前薪金"及"教育水平"分别拖入X轴变量放置区、Y轴变量放置区及Z轴变量放置区内，如图19-56所示。

3）在"标题/脚注"选项卡中选择"标题1"复选框，在"元素属性"对话框的"内容"文本框中输入"三维散点图示例"作为输出三维散点图的标题，设置完毕后，单击"应用"按钮使设置生效。

4）输出图形。所有设置结束后，单击主对话框中的"确定"按钮，即可在SPSS Statistics查看器中输出图形，结果如图19-57所示。

图 19-56 "图表构建程序"对话框设置结果

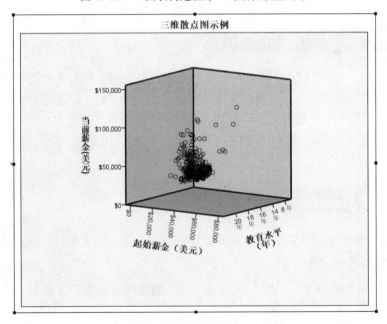

图 19-57 三维散点图输出结果

19.8 箱图

箱图又称箱丝图,是一种描述数据分布的统计图,可用于表现定量变量的5个百分位点,即2.5%、25%、50%、75%和97.5%分位数。由25%分位数~75%分位数构成图形的箱,由2.5%~25%

和75%~97.5%构成图形的两条"丝"。

图19-58为一个箱图的示例，该图中丝1至丝5分别代表了不同原产国家汽车重量的2.5%、25%、50%、75%和97.5%分位数，箱体部分由丝2至丝4的中间部分构成。

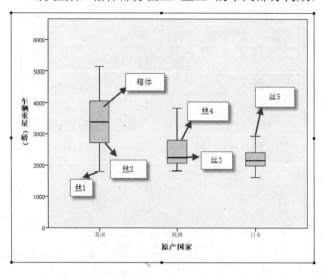

图 19-58　箱图示例

19.8.1　箱图的类型

根据用户需要，SPSS 17.0提供了两种箱图类型：简单箱形图和分类箱形图。简单箱形图用于描述单个变量数据的分布；分类箱形图又称复式箱形图，用于描述某个变量关于另一个变量数据的分布。每种基本图形类型又包括两种模式：个案组模式和变量分组模式。两种模式的含义与前面章节所述一致，在此不再赘述。因此，SPSS 17.0共提供了4种可用箱形图供用户选择。

19.8.2　简单箱形图绘制的 SPSS 操作过程

本节将继续使用"19-1"数据文件介绍如何使用图形画板模板选择程序绘制箱形图，其他方法用户可参照前文自主学习。

1）打开"19-1"数据文件，进入SPSS Statistics数据编辑器窗口，在菜单选项组中依次选择"图形"|"图形画板模板选择程序"命令，打开"图形画板模板选择程序"对话框。

2）在"基本"选项卡界面中，从变量列表中选择"重量"和"原产地"变量，从右侧可用图形类型直观表示选择显示箱形图直观表示 。

3）在"标题"选项卡中为图表添加"简单箱形图示例"标题，其他均采用默认设置。

4）输出图形。所有设置完毕后，单击主对话框中的"确定" 按钮，即可在SPSS Statistics查看器中输出如图19-59所示的图形。

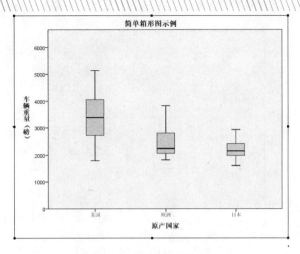

图 19-59　简单箱形图输出结果

由输出图可以明显看出，美国产的汽车重量要明显高于欧洲和日本产的汽车重量。

19.8.3　分类箱形图绘制的 SPSS 操作过程

分类箱图或复式箱形图的绘制过程与简单箱形图的绘制基本相同，只需要在原有变量基础上添加一个分类变量即可。下面使用"19-1"数据文件通过图表构建程序演示分类箱形图的绘制过程，用户可以参照前文学习其他方法的绘制过程。

1）打开"19-1"数据文件，进入SPSS Statistics数据编辑器窗口，在菜单选项组中依次选择"图形"|"图表构建程序"命令，打开"图表构建程序"对话框。

2）在"选择范围"列表框中选择"箱图"，然后从右侧显示的直观表示中双击分类箱形图直观表示 ▥▥或将其选择拖入画布中。将变量"原产国家"拖入横轴变量放置区内，将变量"车辆重量"拖入纵轴变量放置区内设置，将"汽缸数"拖入"X轴上的分群：设置颜色"变量放置区，结果如图19-60所示。

3）在"标题/脚注"选项卡中选择"标题1"复选框，在"元素属性"对话框的"内容"文本框中输入"复式箱形图示例"作为输出分类箱形图的标题，设置完毕后，单击"应用"按钮使设置生效。

4）输出图形。所有设置结束后，单击主对话框中的"确定"按钮，即可在SPSS Statistics查看器中输出图形，结果如图19-61所示。

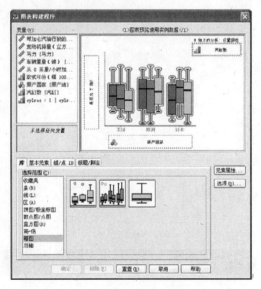

图 19-60　"图表构建程序"对话框

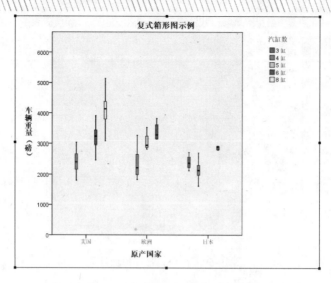

图 19-61 复式箱形图输出结果

19.9 误差条图

误差条图是一种用于描述均值、标准差、标准误和总体均值的置信区间等指标的统计图形。

图19-62所示即为误差条图，该示例图给出了男女员工当前薪金的均值及95%置信度下当前薪金的置信区间。图中，线1和线2分别代表置信区间的最小值和最大值，点给出了当前薪金的均值。

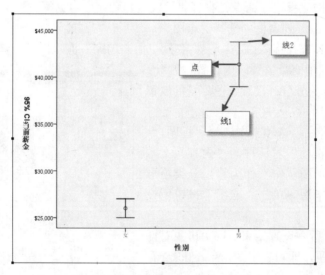

图 19-62 误差条图示例

19.9.1 误差条图的类型

误差条图是一种描述总体离散情况分布的统计图形，可以描述正态分布整体的均值、标准差及其置信区间等，利用误差条图可以观测样本的离散程度。误差条图还可以伴随着其他图形的建立过程而输出，如条形图、线图等。

误差条图包括两种基本类型，即简单误差条图和复式误差条图。每种图形类型同时包含个案组和变量组两种模式，SPSS 17.0共提供了19种误差条图形式供用户选择。

19.9.2　简单误差条图绘制的 SPSS 操作过程

SPSS 17.0 中可用于绘制误差条图的主要有旧对话框程序和互动程序两种方法，接下来我们将以"19-2"数据文件为例介绍如何使用旧对话框模式程序绘制误差条图，用户可自主学习互动程序的使用。

1）打开"19-2"数据文件，进入SPSS Statistics数据编辑器窗口，在菜单选项组中依次选择"图形" | "旧对话框" | "误差条形图"命令，打开"误差条图"对话框。选择"简单"直观表示，在"图表中的数据为"选项组中选择"个案组摘要"。

2）单击"误差条图"对话框中"定义"按钮，进入"定义简单误差条形图：个案组摘要"对话框。从变量列表中分别将"教育水平"和"当前薪金"选入"类别轴"变量放置区和"变量"列表框中。

3）打开"标题"对话框，将"简单误差条图示例"输入"第1行"文本框中作为输出图形的标题，单击"继续"按钮保存设置回到主对话框，其他采用默认设置。

4）输出图形。所有设置完毕后，单击主对话框中的"确定"按钮，即可在SPSS Statistics查看器中输出图形，如图19-63所示。

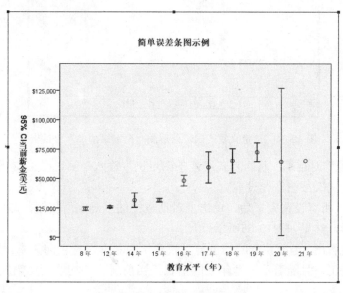

图 19-63　简单误差条图输出结果

19.9.3　复式误差条图绘制的 SPSS 操作过程

复式误差条图绘制的 SPSS 操作过程与简单误差条图绘制过程类似，下面将对其绘制过程进行简单介绍。

1）打开"19-2"数据文件，进入SPSS Statistics数据编辑器窗口，在菜单选项组中依次选择"图形"|"旧对话框"|"误差条形图"命令，打开"误差条图"对话框。这里选择"复式条形图"直观表示，在"图表中的数据为"选项组中选择"个案组摘要"。

2）单击"定义"按钮，进入"定义复式误差条形图：个案组摘要"对话框。从变量列表中将"教育水平""当前薪金"和"性别"变量分别选入"类别轴"变量放置区、"变量"和"定义聚类"列表框中。其他仍采用默认设置，设置结果如图19-64所示。

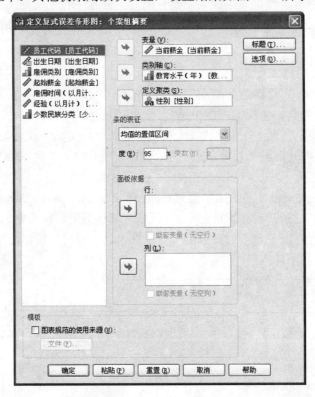

图 19-64　"定义复式误差条形图：个案组摘要"对话框

3）打开"标题"对话框，将"复式误差条图示例"输入"第1行"文本框中作为输出图形的标题，单击"继续"按钮保存设置。

4）输出图形。所有设置完毕后，单击主对话框中的"确定"按钮，即可在SPSS Statistics查看器中输出图形，结果如图19-65所示。

由图可以明显看出，当前薪金的均值与受教育年限基本保持正向关系，受教育年限大于17年的几乎全是男员工，且随着受教育年限的增长，当前薪金的均值变化幅度呈增长趋势。

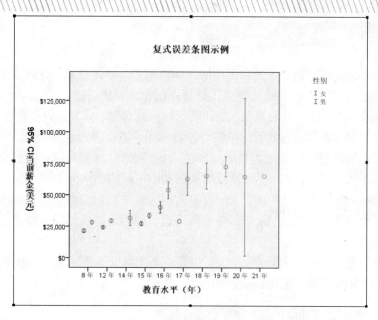

图 19-65　复式误差条图输出结果

19.10　高低图

高低图可以形象地向用户呈现出单位时间内某变量的最高值、最低值和最终值。它是专为观察股票、期货、外汇等市场波动趋势而设计的。

图19-66为高低图的示例，图中均值代表了每个交易日股票价格的平均值，最小值和最大值分别代表了每个交易日的股票的最低价格和最高价格。

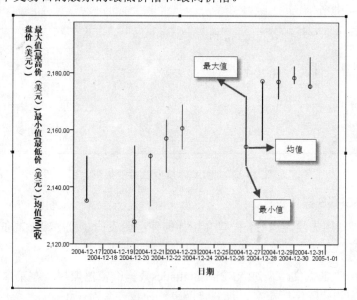

图 19-66　高低图示例

19.10.1　高低图的类型

高低图适合于描述每小时、每天和每周等时间内不断波动的资料，可以说明某些现象在短时间内的变化，也可以说明它们的长期变化趋势，例如，股票、商品价格和外汇变动等信息。

SPSS 17.0共提供了5种类型的高低图，即简单高低收盘图、分类高低收盘图、差异面积图、简单范围选项组和群集范围选项组。简单高低收盘图用小方框表示某段时间内的收盘值，小方框上下的触须表示该段时间内的最大值和最小值；分类高低收盘图利用不同的简单高低收盘图表示分类变量取不同值时对应的情况；差异面积图利用不同的曲线表示同一段时间内的两种不同情况，并且用阴影填充曲线之间的区域；简单范围选项组利用简单条形图表示简单高低极差图中最大值和最小值之间的长度；群集范围选项组用不同的简单高低极差图表示分类变量取不同值时对应的情况。

每种图形类型包含3种不同模式，即个案组模式、变量分组模式和个案模式。因此，SPSS 17.0共提供了15种可用高低图组合供用户选择。

19.10.2　高低图绘制的 SPSS 操作过程

SPSS 17.0主要提供了图表构建程序和旧对话框程序两种方法绘制高低图。本节使用"19-3"数据文件介绍各种高低图的绘制操作过程。

"19-3"数据文件来源于SPSS 17.0自带的"stocks1904.sav"数据文件，该假设数据文件涉及1904年每个股票交易日的日期、开盘价和收盘价、最低价和最高价及交易量等。

1. 实验数据描述

打开"19-3"数据文件，在SPSS Statistics数据编辑器窗口可以看到"19-3"数据文件中的变量描述，如图19-67所示。

	名称	类型	宽度	小数	标签	值	缺失	列	对齐	度量标准
1	Date	日期	11	0		无	无	9	右(R)	度量(S)
2	Open	数值(N)	11	1		无	无	8	右(R)	度量(S)
3	High	数值(N)	11	2		无	无	8	右(R)	度量(S)
4	Low	数值(N)	11	2		无	无	8	右(R)	度量(S)
5	Close	数值(N)	11	2		无	无	8	右(R)	度量(S)
6	Volume	数值(N)	11	0		无	无	8	右(R)	度量(S)
7	AdjClose	数值(N)	11	2		无	无	8	右(R)	度量(S)
8										
9										

图 19-67　"19-3"数据文件变量图

2. 高低图的 SPSS 操作过程

下面以简单高低图的绘制为例，简单介绍如何使用图表构建程序绘制高低收盘图，用户可以参照前文学习其他方法及其他种类高低图的的绘制过程。

1）打开"19-3"数据文件，进入SPSS Statistics数据编辑器窗口，在菜单选项组中依次选择"图形"|"图表构建程序"命令，打开"图表构建程序"对话框。

2）在"选择范围"列表框中选择"高-低"，然后从右侧显示的直观表示中双击简单高低图直观表示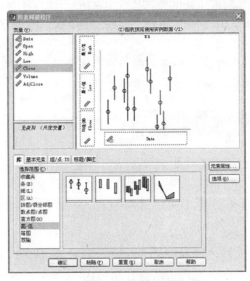或将其选择拖入画布中。将变量"Date"拖入横轴变量放置区内，将"High"、"Low"和"Close"分别拖入"高变量"、"低变量"和"关闭变量"变量放置区内，如图19-68所示。

图 19-68　设置高低图的元素

3）在"标题/脚注"选项卡中选择"标题1"复选框，在"元素属性"对话框的"内容"文本框中输入"简单高低图示例"作为输出简单高低图的标题，设置完毕后，单击"应用"按钮使设置生效。

4）输出图形。所有设置结束后，单击主对话框中的"确定"按钮，即可在SPSS Statistics查看器中输出图形，如图19-69所示。

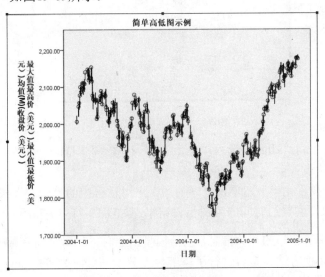

图 19-69　简单高低图输出结果

19.11 时间序列图

时间序列图是用来反映测量指标随时间的变化趋势的统计图形。利用时间序列图用户可以动态地认识事物的本质，研究几个时间序列之间的差别、认识时间序列的周期性和预测序列未来的走势等。

SPSS 17.0共提供了4种形式的时间序列图：普通序列图、自相关序列图、偏相关序列图和互相关序列图，接下来我们将结合实例分别进行讲述。

19.11.1 普通时间序列图

普通时间序列图就是对变量的观测记录按照当前顺序作图，从而反映一个或几个变量观测值随时间的变化趋势。

本节所使用的数据文件依然是"19-3"数据文件，该数据文件的相关变量描述在前面已经详细介绍，在此不再赘述。

1）打开"19-3"数据文件，进入SPSS Statistics数据编辑器窗口，在菜单选项组中依次选择"分析"|"预测"|"序列图"选项卡，打开如图19-70"序列图"主对话框。

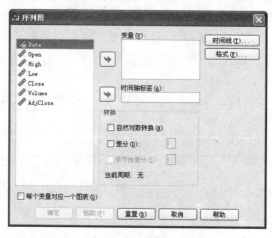

图 19-70 "序列图"主对话框

2）从变量列表中将"High"选入"变量"列表中，将"Date"选入"时间轴标签"列表中，其他均采用默认设置。

3）输出图形。设置完毕后，单击"序列图"主对话框中的"确定"按钮，就可以在SPSS Statistics查看器窗口得到普通时间序列图相关结果，如图19-71~19-73所示。

模型描述图给出了模型的相关信息，包括模型的名称，时间序列变量的个数，是否对作图变量进行了转换及转换方法、是否进行了季节性差分及差分阶数等信息。

图19-72所示为个案处理摘要表，个案处理摘要表给出了有关数据集的使用信息，由图可以看出，该时间序列共使用252个个案，没有任何缺失值。

模型描述	
模型名称	MOD_1
序列或顺序　　　1	最高价(美元)
转换	无
非季节性差分	0
季节性差分	0
季节性期间的长度	无周期性
水平轴标签	日期
干预开始	无
参考线	无
曲线下方的区域	未填充

正在应用来自 MOD_1 的模型指定。

图 19-71　模型描述

个案处理摘要		
		最高价(美元)
序列或顺序长度		252
图中的缺失值数	用户缺失	0
	系统缺失	0

图 19-72　个案处理摘要

图19-73给出了股票价格最高值随时间的变化趋势，可见，最高值在一年内波动性较大。

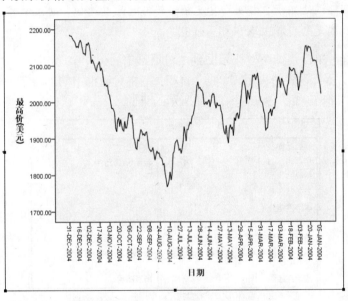

图 19-73　普通时间序列图输出结果

19.11.2　自相关序列和偏相关序列图实验操作

自相关序列和偏相关序列图分别用于描述时间序列的自相关函数和偏相关函数。

1）打开"19-3"数据文件，进入SPSS Statistics数据编辑器窗口，在菜单选项组中依次选

择"分析"|"预测"|"自相关",打开"自相关"主对话框。该对话框界面与"序列图"对话框极为相似,在此不再一一进行说明。

2)从变量列表中将"High"选入"变量"列表中,其他采用默认设置。

3)单击"自相关"主对话框中"选项"按钮,打开如图 19-74 所示的"自相关:选项"对话框,对话框中选项含义介绍如下:

图 19-74 "自相关:选项"对话框

- "最大延迟数"文本框:用户在"最大延迟数"文本框中可以输入新的数字,以定义自相关或偏相关的一个最大延迟数;
- "标准误法"选项组:该选项组用以选择计算标准误差的方法,只适用于自相关序列图。若选择"独立模型",则表示假设数据为白噪声序列;"Bartlett的近似值",适用于k-1阶的滑动平均序列。
- "在周期延迟处显示自相关"复选框:若勾选此复选框,则表示只输出延迟阶数为序列周期长度是的自相关或偏相关序列。

采用默认设置,单击"继续"按钮回到主对话框中。

4)输出图形。所有设置结束后,单击"自相关"主对话框中的"确定"按钮,即可在SPSS Statistics查看器窗口输出如图19-75~图19-80所示结果。

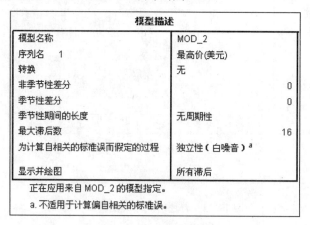

模型描述	
模型名称	MOD_2
序列名 1	最高价(美元)
转换	无
非季节性差分	0
季节性差分	0
季节性期间的长度	无周期性
最大滞后数	16
为计算自相关的标准误而假定的过程	独立性(白噪音)[a]
显示并绘图	所有滞后

正在应用来自 MOD_2 的模型指定。

a. 不适用于计算偏自相关的标准误。

图 19-75 模型描述

个案处理摘要	
	最高价(美元)
序列长度	252
缺失值数 用户缺失	0
系统缺失	0
有效值数	252
可计算的第一滞后数	251

图 19-76 个案处理摘要

模型描述图和个案处理摘要反映的信息与普通序列图的输出结果基本一致，在此不再赘述。

图19-77和图19-78分别给出了自相关系数表和自相关图，由两图可以看出，股票最高值存在明显的自相关关系，且在一个周期内自相关函数有较为明显的拖尾现象。

自相关图

序列:最高价(美元)

			Box-Ljung 统计量		
滞后	自相关	标准 误差[a]	值	df	Sig.[b]
1	.976	.063	243.157	1	.000
2	.948	.062	473.455	2	.000
3	.919	.062	690.756	3	.000
4	.890	.062	895.224	4	.000
5	.860	.062	1086.874	5	.000
6	.829	.062	1265.501	6	.000
7	.798	.062	1432.070	7	.000
8	.771	.062	1588.025	8	.000
9	.745	.062	1734.121	9	.000
10	.721	.061	1871.589	10	.000
11	.696	.061	2000.110	11	.000
12	.667	.061	2118.751	12	.000
13	.638	.061	2227.798	13	.000
14	.610	.061	2327.927	14	.000
15	.583	.061	2419.651	15	.000
16	.554	.061	2502.937	16	.000

a. 假定的基础过程是独立性（白噪音）。

b. 基于渐近卡方近似。

图 19-77 自相关系数表

图19-79和图19-80给出了偏相关系数表和偏相关图，由图19-80可以明显看出股票最高价格的偏相关函数在一个周期内有较为明显的截尾现象。

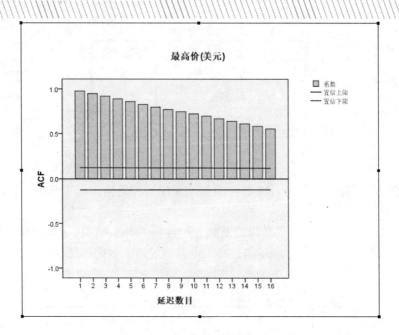

图 19-78　自相关图

偏自相关

序列:最高价(美元)

滞后	偏自相关	标准 误差
1	.976	.063
2	-.110	.063
3	-.025	.063
4	-.020	.063
5	-.030	.063
6	-.042	.063
7	.017	.063
8	.036	.063
9	-.001	.063
10	.035	.063
11	-.057	.063
12	-.087	.063
13	-.011	.063
14	.006	.063
15	-.007	.063
16	-.037	.063

图 19-79　偏相关系数图

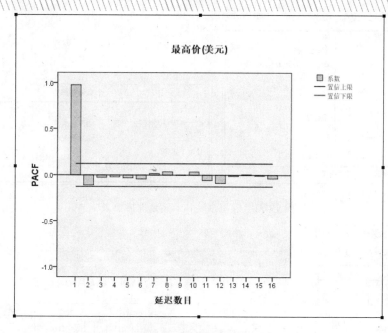

图 19-80 偏相关图

19.11.3 互相关序列图

互相关函数表示两个时间序列之间的相关系数，用于表现不同序列之间的相关关系，它只适用于时间序列数据。下面以"19-3"数据文件为例，说明绘制互相关序列图的具体过程，过程如下：

1）打开"19-3"数据文件，进入SPSS Statistics数据编辑器窗口，在菜单选项组中依次选择"分析"|"预测"|"互相关图"，打开"交叉相关性"主对话框。该对话框界面同样与"序列图"对话框极为相似。

2）从变量列表中将"High和"Low"选入"变量"列表中，其他采用默认设置。

3）单击"交叉相关性"主对话框中"选项"按钮，可打开"自相关：选项"对话框，这里的"最大延迟数"输入框与"在周期延迟出显示自相关"复选框功能与"自相关：选项"中项目一致。采用默认设置即可，单击"继续"按钮回到主对话框中。

4）输出图形。所有设置结束后，单击对话框中的"确定"按钮，即可在SPSS Statistics查看器窗口输出如图19-81和图19-82所示结果。

模型描述	
模型名称	MOD_3
序列名　1	最高价(美元)
2	最低价（美元）
转换	无
非季节性差分	0
季节性差分	0
季节性期间的长度	无周期性
滞后范围　从	-7
至	7
显示并绘图	所有滞后

正在应用来自 MOD_3 的模型指定。

个案处理摘要		
序列长度		252
由于以下原因排除的个案数	用户缺失值	0
	系统缺失值	0
有效个案数		252
差分后可计算的零阶相关数		252

图 19-81　模型描述和个案处理摘要表

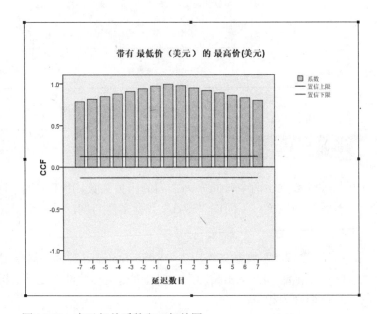

交叉相关性		
序列对:带有 最低价（美元）的最高价(美元)		
滞后	交叉相关	标准 误差[a]
-7	.786	.064
-6	.817	.064
-5	.847	.064
-4	.878	.064
-3	.909	.063
-2	.941	.063
-1	.972	.063
0	.995	.063
1	.978	.063
2	.949	.063
3	.920	.063
4	.892	.064
5	.862	.064
6	.832	.064
7	.800	.064

a. 基于以下假设：序列不具有交叉相关性，并且其中一个序列是白噪音。

图 19-82　交叉相关系数和互相关图

由图19-82可以看出，两个序列交叉相关关系显著，但在零延迟时相关性最强。

19.12　双轴线图

不同作图对象的度量单位不同或者数量级不同,通常的图形无法同时显示这些不一致的变量信息。SPSS 17.0中双轴线图就是专门用来解决这个问题的，它在一个图里给出两个纵坐标轴，分别用来刻画不同的变量。

我们将继续使用"19-3"数据文件，简单说明双轴线图的绘制过程。

具体操作过程如下：

1）打开"19-3"数据文件，进入SPSS Statistics数据编辑器窗口，在菜单选项组中依次选择"图形"|"图表构建程序"命令，打开"图表构建程序"对话框。

2）在"选择范围"列表框中选择"双轴"，然后从右侧显示的直观表示中双击双轴线直观表示□或将其选择拖入画布中。将变量"Date"拖入横轴变量放置区内，将变量"High"和"Close"分别拖入左右纵轴变量放置区内设置，结果如图19-83所示。

图 19-83 设置双轴线图元素

3）同绘制其他图形一样，可在"元素属性"对话框中对所有元素属性可选项进行设置。如在"标题/脚注"选项卡中选择"标题1"复选框，在"元素属性"对话框的"内容"文本框中输入"双轴线图示例"作为输出双轴线图的标题，设置完毕后，单击"应用"按钮使设置生效。

4）输出图形。所有设置结束后，单击主对话框中的"确定"按钮，即可在SPSS Statistics查看器中输出图形，结果如图19-84所示。

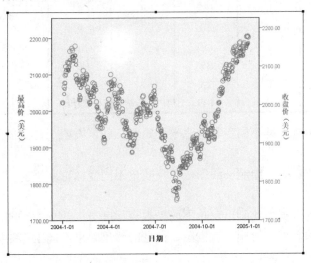

图 19-84 双轴线图输出结果

上机题

	光盘：\多媒体文件\上机题教学视频\chap19.wmv
	光盘：\源文件\上机题\chap19\...

19.1 题中数据为某工厂职工的部分基本信息，包括每个职工的年龄、性别、婚姻状况、受教育程度及收入等基本信息，另外还包括每位职工的工作年限及工作满意程度等信息，其中，性别变量中男女分别用1、2表示，按教育程度共把员工分为5类，婚姻状况中用0代表未婚、1代表已婚，其他数据含义可参考源数据文件的变量视图。（数据路径：光盘:\源文件\上机题\chap19\习题\第十九章第一题.sav）

年龄	性别	教育程度	婚姻状况	收入（千元）	收入类别	工作年限（年）	工作年限类别	工作满意程度
55	2	1	1	72	3	23	3	5
56	1	1	0	153	4	35	3	4
28	2	3	1	28	2	4	1	3
24	1	4	1	26	2	0	1	1
25	1	2	0	23	1	5	2	2
45	1	3	1	76	4	13	2	2
42	1	3	0	40	2	10	2	2
35	2	2	0	57	3	1	1	1
46	2	1	0	24	1	11	2	5
34	1	3	1	89	4	12	2	4
55	2	3	1	72	3	2	1	3
28	1	4	0	24	1	4	1	5
31	2	4	1	40	2	0	1	2
42	2	3	0	137	4	3	1	1
35	1	3	0	70	3	9	2	4
52	1	4	1	159	4	16	3	5
21	1	3	1	37	2	0	1	1
32	2	1	0	28	2	2	1	4
42	2	3	0	109	4	20	3	3

（1）倘决策者希望了解不同受教育水平已婚职工和未婚职工之间的收入差别，试用一条形图反映有关信息。

（2）利用题中的数据，绘制一线图，以反映出不同受教育水平的男职工和女职工之间的收入差异。

（3）利用题中的数据，绘制出反映不同受教育程度员工数量的饼图。

（4）利用题中的数据，绘制一散点图，使之能够反映出不同工作年限类别员工的工作满意程度。

（5）利用题中的数据，绘制出可以反映不同工作年限类别收入水平的箱图。

（6）利用题中的数据，绘制出可以反映不同工作年限类别收入水平的误差条图。

19.2 题中数据给出了2007年某股票83个交易日的交易信息表的部分信息，包括每个交易日该股票的开盘价、收盘价、最高价和最低价及每日交易量等，分别对应数据表中的"Open"、"Close"、"High"、"Low"和"Volume"变量，"Date"变量表示交易日日期。（数据路径：光盘:\源文件\上机题\chap19\习题\第十九章第二题.sav）

日期	开盘价（元）	最高价（元）	最低价（元）	收盘价（元）	交易量（手）
31-Aug-07	37.5	42.15	19.62	38.1	12989100
30-Aug-07	55.8	55.78	36.47	36.49	10076400
27-Aug-07	55	66.25	54.77	62.09	10110700
26-Aug-07	55.8	60.39	48.88	52.92	11838300
25-Aug-07	36.7	61.79	30.3	60.72	13206400
24-Aug-07	46.9	50.29	28.51	36.89	13010900
23-Aug-07	43.8	48.12	35.11	38.7	12246600
20-Aug-07	19.5	43.12	15.92	38.02	13426500
19-Aug-07	25.9	29.13	11.68	0.89	14167300
18-Aug-07	87.7	31.37	84.6	31.37	15750500
17-Aug-07	92.3	4.59	91.95	95.25	13902800
16-Aug-07	59.6	89.49	59.58	82.84	12897300
13-Aug-07	62.5	68.63	50.82	57.22	13477500
12-Aug-07	70.7	74.68	51.95	52.49	16326600

（1）试运用SPSS提供的绘图程序绘制出反映该股票每日价格最高值和最低值信息的高低图。

（2）绘制出该股票每个交易日收盘价的时间序列图，并对每日收盘价格进行自相关分析。

（3）仿照20.12例题格式，创建一双轴线图，使之同时反映出该股票每日收盘价格和交易量。

第 20 章　SPSS 综合应用案例

随着管理精确化的发展和统计分析方法的进步,定量分析在科学研究和实际的生产实践中得到了广泛的应用。计算机技术和统计软件在定量分析中扮演了重要的角色。由于SPSS具有界面友好、操作简单、功能强大、其他软件交互性好和结果易于判读等优良特点,被广泛应用于经济管理、医疗卫生、自然科学等各个领域。

随着现代科学研究和生产实践分析的发展,利用单一的统计方法进行分析已经无法满足实际需要,多种统计方法的复合式应用成为了现代定量分析技术发展的新趋势。本章选取了医学、自然科学、社会科学和经济管理中的典型问题,利用SPSS统计分析方法进行了实际分析,读者可以从中学习到问题分析的思路、软件的操作以及如何对输出结果进行分析,提高分析以及解决复杂定量分析问题的能力。

20.1　SPSS在医学中的应用

由于医学领域的特殊性,无论是新药的开发研制还是新的治疗方法的应用,都要经过长期的观测和反复的实验对比。SPSS的统计分析过程为医学领域观测和试验的结果分析和研究提供了有力的工具,在医疗、卫生统计和流行病学调查方面具有广泛的应用。SPSS常用于医学领域的统计分析过程包括方差分析、判别分析和生存分析等。

20.1.1　问题描述与案例说明

在医疗领域中对于症状的发展的早期诊断一直是一项重要的任务,大量的临床案例的积累为早期诊断的研究提供了重要的基础依据。而SPSS为分析研究这些基础性资料并得到相关的结论提供了有力的工具。

先天性巨结肠症由于其手术创伤大、输血量多和患者多为婴儿等特点,其术后感染成为了医学研究的重要领域。对术后感染情况的早期预测和诊断成为了降低手术死亡率和提高手术成功率的重要一环。本书选取北京儿童医院李龙教授的"围手术期输血与先天性巨结肠症术后感染"研究为例,讲解SPSS在医学中的应用。

20.1.2　分析目的和分析思路

本案例的分析目的是希望得出先天性巨结肠手术后是否发生感染的相关影响因素,并建立术后感染与否的预测诊断函数,以便对一个手术后婴儿的感染发生进行早期诊断。此外我们还关心手术的方式对婴儿手术后是否发生感染的影响,以便设立科学合理的手术机制,减少感染的发生。

本案例的分析思路如下,首先利用方差分析方法分析不同手术方式的结果是否存在显著差异；然后利用判别分析方法建立判别函数，利用判别函数分析影响术后感染的主要因素，并对新观测到的案例予以分类。

该研究观测了在北京儿童医院接受先天性巨结肠手术30名儿童的性别、月龄、红细胞压积、手术方式、疾病部位、手术持续时间（分钟）、手术失血量（毫升）、手术中输血次数、手术中输血量（毫升每公斤）和感染与否等信息。另外案例还观测了3名刚刚结束手术还无法确定感染结果的儿童的情况，试图利用判别分析确定的判别函数对这3名儿童的术后感染情况进行预测，该案例的原始数据（部分）如图20-1所示。

编号	性别	月龄（月）	红细胞压积（%）	手术方式	疾病部位	手术持续时间（分钟）	手术失血量（毫升）	手术中输血次数（次）	手术中输血量（毫升每公斤）	感染与否
1	男	11	56.4	环形	乙状结肠	200	40	1	10	未感染
2	男	4	32.5	Z形	直肠	215	40	1	15	未感染
3	男	10	37.8	Z形	结肠	190	40	1	14	未感染
4	男	22	37.9	吻合器	直肠	250	40	2	30	感染
5	女	7	47.8	环形	乙状结肠	145	40	1	17	未感染
6	女	6	47.4	吻合器	结肠	205	60	2	18	未感染
7	男	45	54.7	吻合器	结肠	210	40	3	21	未感染
8	男	1	98.3	吻合器	结肠	270	20	3	30	感染
9	男	1	47.0	吻合器	结肠	180	40	3	31	感染
10	男	4	31.6	吻合器	乙状结肠	180	40	1	20	未感染
11	男	15	49.7	Z形	结肠	190	40	1	10	未感染
12	男	5	31.8	吻合器	结肠	170	40	1	25	未感染
13	男	1	52.3	环形	结肠	135	30	4	36	未感染
14	男	9	46.6	Z形	结肠	245	40	1	13	感染
15	男	1	76.4	吻合器	乙状结肠	200	20	3	32	感染
16	男	144	48.1	吻合器	乙状结肠	325	40	1	7	感染
17	男	11	80.8	吻合器	乙状结肠	280	100	2	19	感染
18	男	2	56.1	吻合器	结肠	225	40	2	23	未感染
19	男	17	41.2	吻合器	结肠	225	40	1	17	感染
20	男	60	41.9	吻合器	直肠	270	40	1	11	未感染
21	男	2	52.7	吻合器	结肠	165	30	2	40	未感染
22	男	78	53.7	Z形	结肠	275	40	2	11	未感染
23	男	5	33.8	吻合器	乙状结肠	140	40	1	17	未感染
24	男	4	58.7	环形	乙状结肠	110	40	4	58	感染
25	男	6	43.3	吻合器	乙状结肠	165	40	1	9	未感染
26	男	3	45.2	环形	乙状结肠	130	10	3	33	感染
27	男	28	48.5	吻合器	乙状结肠	175	40	2	15	未感染
28	男	1	57.1	环形	结肠	140	20	2	29	未感染
29	男	8	50.2	吻合器	直肠	225	20	3	29	感染
30	男	120	55.6	吻合器	乙状结肠	230	40	1	7	未感染

图 20-1　案例原始观测数据

20.1.3　案例中使用的 SPSS 方法

1．方差分析

方差分析是一种假设检验，它把观测总变异的平方和与自由度分解为对应不同变异来源的平方和和自由度，将某种控制性因素所导致的系统性误差和其他随机性误差进行对比，从而推断各组样本之间是否存在显著性差异以分析该因素是否对总体存在显著性影响。

2．判别分析

判别分析是在分类数目已知的情况下，根据已经确定分类的对象的某些观测指标和所属类别来判断未知对象所属类别的一种统计学方法。判别分析通常会建立一个或多个判别函数，用研究对象的大量资料确定判别函数中的待定系数，并计算判别指标。对一个未确定类别的个案只要将其代入判别函数就可以判断它属于哪一类总体。常用的判别分析方法有距离判别法、费舍尔判别法和贝叶斯判别法。

20.1.4　数据文件的建立

首先在SPSS变量视图中建立变量"编号"、"性别"、"月龄"、"红细胞压积"、"手术方式"、"疾病部位"、"手术持续时间"、"手术失血量"、"手术中输血次数"、"手术中输血量"和"感染与否",分别用来表示性别、月龄、红细胞压积、手术方式、疾病部位、手术持续时间(分钟)、手术失血量(毫升)、手术中输血次数、手术中输血量(毫升每公斤)和感染与否等观测信息。其中,"疾病部位"变量中使用数值"1、2、3"分别表示"乙状结肠"、"结肠"和"直肠","手术方式"变量中也使用数值"1、2、3"来分别表示"环形"、"Z型"和"吻合器","性别"变量用"1、0"分别表示"男"和"女",感染与否也采用"1、0"表示,如图20-2所示。

	名称	类型	宽度	小数	标签	值	缺失	列	对齐	度量标准
1	编号	数值(N)	11	0		无	无	7	右(R)	度量(S)
2	性别	数值(N)	11	0		{0, 女}...	无	7	右(R)	名义
3	月龄	数值(N)	11	0		无	无	7	右(R)	度量(S)
4	红细胞压积	数值(N)	11	1		无	无	11	右(R)	度量(S)
5	手术方式	数值(N)	11	0		{1, 环形}...	无	7	右(R)	名义
6	疾病部位	数值(N)	11	0		{1, 乙状结肠...	无	7	右(R)	名义
7	手术持续时间	数值(N)	11	0		无	无	11	右(R)	度量(S)
8	手术失血量	数值(N)	11	0		无	无	11	右(R)	名义
9	手术中输血	数值(N)	11	0		无	无	11	右(R)	名义
10	手术中输血量	数值(N)	11	0		无	无	11	右(R)	度量(S)
11	感染与否	数值(N)	11	0		{0, 未感染}...	无	11	右(R)	名义

图 20-2　该案例的变量视图

在SPSS活动数据文件的数据视图中,把相关数据输入到各个变量中,输入完毕后如图20-3所示。

	编号	性别	月龄	红细胞压积	手术方式	疾病部位	手术持续时间	手术失血量	手术中输血次数	手术中输血量	感染与否
1	1	1	11	56.4	1	1	200	40	1	10	0
2	2	1	4	32.5	2	3	215	40	1	15	0
3	3	1	10	37.8	2	2	190	40	1	14	0
4	4	1	22	37.9	3	3	250	40	2	30	1
5	5	0	7	47.8	1	1	145	40	1	17	0
6	6	0	6	47.4	3	2	205	60	2	18	0
7	7	1	45	54.7	3	2	210	40	3	21	0
8	8	1	1	98.3	3	2	270	20	3	30	1
9	9	1	1	47.0	3	2	180	40	3	31	1
10	10	1	4	31.6	3	1	180	40	1	10	0
11	11	1	15	49.7	2	2	190	40	1	10	0
12	12	1	5	31.8	3	1	170	40	1	25	0
13	13	1	1	52.3	1	2	135	30	4	36	1
14	14	1	9	46.6	2	2	245	40	1	13	1
15	15	1	1	76.4	3	1	200	20	3	32	1
16	16	1	144	48.1	3	1	325	40	1	7	1
17	17	1	11	80.8	3	1	280	100	2	19	1
18	18	1	2	56.1	3	1	225	20	2	23	1

图 20-3　案例数据文件的数据视图

20.1.5　SPSS 操作步骤

实验的具体操作步骤如下:

1. 不同手术方式术后感染情况分析的操作步骤

Step 01　在菜单栏中依次选择"分析"|"比较均值"|"单因素 ANOVA"命令,打开"单因素方差分析"对话框。

Step 02　将"感染与否"选入"因变量"列表,将"手术方式"选入"因子"列表。

Step 03　单击"选项"按钮,选中"方差同质性检验"、"均值图"复选框,然后单击"继续"按钮,保存设置结果。

Step 04　单击"确定"输出结果。

2. 术后感染情况影响因素分析的操作步骤

Step 01　在菜单栏中依次选择"分析"|"分类"|"判别"命令，打开"判别分析"对话框。

Step 02　从源变量列表中选择"月龄"、"红细胞压积"、"手术方式"、"疾病部位"、"手术持续时间"、"手术失血量"、"手术中输血次数"、"手术中输血量"变量，然后单击 → 按钮将它们选入"自变量"列表中；从源变量列表中选择"感染与否"变量，单击 → 按钮将其选入"分组变量"列表中。

Step 03　单击"定义范围"按钮，弹出"判别分析：定义范围"对话框，在该对话框中输入违约变量的取值范围0~1，单击"继续"按钮。

Step 04　单击"统计量"按钮，弹出"判别分析：统计量"对话框，勾选"单变量AVONA"和"BOX'M"复选框，单击"继续"按钮。

Step 05　单击"分类"按钮，弹出"判别分析：分类"对话框，使用"协方差矩阵"选项组，选择"组内"单选按钮，单击"继续"按钮。

Step 06　单击"保存"按钮，弹出"判别分析：保存"对话框，勾选"预测组成员"复选框。

Step 07　回到主对话框，单击"确定"按钮，便可以得到一般判别分析的结果。

20.1.6　结果判读

1. 不同手术方式术后感染情况分析的结果判读

图20-4给出了方差齐性检验的结果。从该表可以得到Levene方差齐性检验的P值为0.08，大于显著水平0.05，因此基本可以认为样本数据之间的方差是齐次的。

图20-5给出了单因素方差分析的结果。从表中我们可以看出，组间平方和是0.202、组内平方和是6.765，其中组间平方和的F值为0.403，相应的概率值是0.673，大于显著水平0.05，因此我们认为不同的手术方式对是否感染没有显著的影响。

方差齐性检验

感染与否

Levene 统计量	df1	df2	显著性
2.727	2	27	.083

ANOVA

感染与否

	平方和	df	均方	F	显著性
组间	.202	2	.101	.403	.673
组内	6.765	27	.251		
总数	6.967	29			

图 20-4　方差齐性检验　　　　　　　　　图 20-5　方差分析表

2. 术后感染情况影响因素的判别分析的结果判读

图20-6给出了样本数量、有效值和剔除值的相关信息，我们可以看出所有30个样本都用于了分析，不存在缺失值。

图20-7给出了各组和所有观测的均值、标准差和加权与未加权的有效值，组统计量是对案例综合处理摘要表达分组细化。

组统计量

感染与否		有效的 N（列表状态）	
		未加权的	已加权的
未感染	月龄	19	19.000
	红细胞压积	19	19.000
	手术方式	19	19.000
	疾病部位	19	19.000
	手术持续时间	19	19.000
	手术失血量	19	19.000
	手术中输血次数	19	19.000
	手术中输血量	19	19.000
感染	月龄	11	11.000
	红细胞压积	11	11.000
	手术方式	11	11.000
	疾病部位	11	11.000
	手术持续时间	11	11.000
	手术失血量	11	11.000
	手术中输血次数	11	11.000
	手术中输血量	11	11.000
合计	月龄	30	30.000
	红细胞压积	30	30.000
	手术方式	30	30.000
	疾病部位	30	30.000
	手术持续时间	30	30.000
	手术失血量	30	30.000
	手术中输血次数	30	30.000
	手术中输血量	30	30.000

分析案例处理摘要

未加权案例		N	百分比
有效		30	100.0
排除的	缺失或越界组代码	0	.0
	至少一个缺失判别变量	0	.0
	缺失或越界组代码还有至少一个缺失判别变量	0	.0
	合计	0	.0
合计		30	100.0

图 20-6　个案综合处理摘要表　　　　　　　　图 20-7　组统计量

图20-8给出了组均值的均等性和协方差矩阵齐性的检验结果，从组均值的检验结果可以看出，除了"红细胞压积"变量外，所有的变量的伴随概率均大于0.05，因此我们不能拒绝原假设，认为他们之间的均值是相同的。

组均值的均等性的检验

	Wilks 的 Lambda	F	df1	df2	Sig.
月龄	.999	.031	1	28	.862
红细胞压积	.861	4.507	1	28	.043
手术方式	.989	.319	1	28	.577
疾病部位	.995	.138	1	28	.713
手术持续时间	.917	2.525	1	28	.123
手术失血量	1.000	.011	1	28	.918
手术中输血次数	.937	1.876	1	28	.182
手术中输血量	.923	2.326	1	28	.138

检验结果

箱的 M		75.899
F	近似。	1.351
	df1	36
	df2	1490.541
	Sig.	.081

对相等总体协方差矩阵的零假设进行检验。

图 20-8　组均值均等性和协方差矩阵检验

对协方差矩阵齐性的BOX'M检验结果表示伴随概率为0.081，大于0.05的显著性水平，故无法拒绝原假设，认为不同组之间的协方差矩阵是相同的。因此数据符合进行判别分析的前提，可以进行判别分析。

图20-9给出了Wilks的Lambda检验的结果，Wilks的Lambda检验用于检验各个判别系数是否具有统计上的显著意义。从伴随概率值来看，判别函数在10%的显著性水平下显著，因此可以接受由该判别函数创建的判别规则。

特征值

函数	特征值	方差的 %	累积 %	正则相关性
1	.802[a]	100.0	100.0	.667

a. 分析中使用了前 1 个典型判别式函数。

Wilks 的 Lambda

函数检验	Wilks 的 Lambda	卡方	df	Sig.
1	.555	14.138	8	.078

图 20-9　对判别函数的相关检验

图20-10给出了判别函数的系数和结构矩阵，标准化的判别系数给出了诊断感染的判别依据。从中可以看出，判别函数主要受"月龄"、"疾病部位"、"手术持续时间"、"手术中输血量"等变量影响。

结构矩阵

	函数
	1
红细胞压积	.448
手术持续时间	.335
手术中输血量	.322
手术中输血次数	.289
手术方式	.119
疾病部位	-.078
月龄	.037
手术失血量	-.022

判别变量和标准化典型判别式函数之间的汇聚组间相关性
按函数内相关性的绝对大小排序的变量。

标准化的典型判别式函数系数

	函数
	1
月龄	-.588
红细胞压积	-.280
手术方式	-.242
疾病部位	-.985
手术持续时间	2.067
手术失血量	-.318
手术中输血次数	-.012
手术中输血量	1.249

图 20-10　判别函数系数和结构矩阵

判别函数的具体形式如公式（20-1）所示，为线性标准判别函数。

$$f = -0.588*月龄 - 0.28红细胞压积 - 0.242手术术凡 - 0.985疾病部位$$
$$+ 2.067手术术持续时 - 0.318手术术失血$$
$$- 0.012手术术中输血次 + 1.249手术术中输血 \qquad (20-1)$$

预测的分组结果作为新的变量被保存，从中我们可以看出这各个观测病例的分组判别结果，并可以通过SPSS对未分类观测进行分类，分类被保存在"Dis_1"变量中（如图20-11所示），"1"表示感染，"0"表示未感染，这与我们在建立变量时的设置是一致的。同时，我们可以看出，系统依据判别函数对尚未观测到感染结果的3名儿童依据判别函数给出了分类结果。至此，我们通过SPSS达到了依据这些病例信息得出先天性巨结肠症术后是否发生感染的诊断系统与判断规则的目的。

	编号	性别	月龄	红细胞压积	手术方式	疾病部位	手术持续时间	手术失血量	手术中输血次数	手术中输血量	感染与否	Dis_1
13	13	1	1	52.3	1	2	135	30	4	36	0	0
14	14	1	9	46.6	2	2	245	40	4	23	1	1
15	15	1	1	78.4	3	1	200	20	3	32	1	1
16	16	1	144	48.1	3	3	325	40	1	7	1	1
17	17	1	11	80.8	3	1	280	100	2	19	1	1
18	18	1	2	56.1	3	2	225	20	2	23	0	0
19	19	1	17	41.2	3	2	225	40	1	17	1	0
20	20	1	60	41.9	3	3	270	40	1	11	0	0
21	21	1	2	52.7	3	2	165	30	4	40	0	1
22	22	1	78	53.7	2	2	275	40	2	11	0	0
23	23	1	5	30.8	3	1	140	40	1	17	0	0
24	24	1	4	58.7	1	1	110	40	4	58	1	1
25	25	1	6	43.3	3	1	165	40	1	9	0	0
26	26	1	3	45.2	1	1	190	10	3	33	1	1
27	27	1	28	48.5	3	2	175	40	2	15	1	1
28	28	1	1	57.1	1	2	140	20	2	29	0	0
29	29	1	8	50.2	3	3	225	20	3	29	1	1
30	30	1	120	55.6	2	3	230	40	1	7	0	0
31	31	1	3	39.6	3	3	195	36	2	17	1	0
32	32	1	5	43.7	3	1	215	39	1	22	1	1
33	33	0	9	43.9	2	1	145	40	1	13	1	0

图 20-11　分类的判别结果

20.2　SPSS在经济管理学科中的应用

随着我国改革开放的实践和经济理论的发展,实证方法和数据分析成为了经济研究中的重要方面。大量经验证据的分析和运用对于经济理论的发展和决策的支持都具有重要的意义。而经济实证研究离不开现代统计分析方法的运用,SPSS的统计分析过程为经济管理研究提供了有力的工具。回归分析、因子分析、聚类分析和时间序列分析等分析方法是经济管理研究中常用的分析方法。

20.2.1　案例说明与问题描述

股票价格是股票在市场上出售的价格。它的决定及其波动受制于各种经济、政治因素,并受投资心理和交易技术等的影响。概括起来,影响股票市场价格及其波动的因素,主要分为两大类,一是基本因素,另一种是技术因素。最重要的就是基本因素。所谓基本因素,是指来自股票市场以外的经济与政治因素以及其他因素,其波动和变化往往会对股票的市场价格趋势产生决定性影响。一般地说,基本因素主要包括经济性因素、政治性因素等。其中,影响股票价格的经济因素中最为重要的、公认的要数财务因素。

20.2.2　分析目的、分析思路与数据选取

本案例的研究目的是分析银行业上市公司的财务数据分析股票价格的财务影响因素,为对银行业上市公司的投资提供科学的依据。

分析思路如下,首先利用描述性分析对银行业上市公司的财务数据进行基础性描述,以便对整个行业形成直观的印象,然后利用因子分析提取对银行业上市公司股票价格影响较为明显的因素,分析银行业上市公司股价的决定因素,最后利用回归分析方法确定这些因素对股票价格的影响方向和强弱。

为利用银行业上市公司的财务数据,本案例观测了流动比率、净资产负债比率、资产固定资产比率、每股收益、净利润、增长率、股价1和公布时间等数据,所有数据均来源于WIND资讯。该案例的原始数据如图20-12所示。

A	B	C	D	E	F	G	H
公布时间	流动比率	净资产负债比率	资产固定资产比率	每股收益（元）	净利润（亿元）	增长率（%）	股价（元）
Mar-01	1.07155500	0.020515	27.041670	0.192533	17.786670	-3.942450	18.56
Jul-01	1.01810850	0.009379	113.2244400	0.130000	14.770400	48.914300	18.08
Nov-01	1.04894700	0.013580	85.340020	0.223000	14.297730	25.433100	13.85
Mar-02	1.03975850	0.013137	93.344400	0.275187	14.722630	30.732400	15.21
Jul-02	1.02159987	0.013970	88.401770	0.119867	14.103330	30.577500	13.73
Nov-02	0.98085900	0.013284	93.508980	0.185000	18.802530	14.550370	12.43
Mar-03	0.92582475	0.011709	102.080600	0.238500	14.975750	13.079100	13.09
Jul-03	0.94239800	0.011880	103.239400	0.304000	13.517950	21.894100	11.10
Nov-03	0.91839725	0.011841	103.531700	0.091500	14.449380	27.487830	11.42
Mar-04	0.87541375	0.010129	112.474600	0.172000	13.294850	19.167700	12.14
Jul-04	0.90080725	0.009532	127.203900	0.260500	12.813330	21.915000	10.43
Nov-04	0.88138200	0.009450	123.404000	0.324000	11.507800	23.686940	8.58
Mar-05	0.90988780	0.008080	128.082900	0.111800	12.959120	44.718200	10.24
Jul-05	0.86292560	0.009338	238.141300	0.190180	11.824480	37.541900	9.02
Nov-05	0.86337390	0.009430	117.573100	0.284800	11.824500	35.180820	7.55
Mar-06	0.84941680	0.010992	107.082400	0.347020	10.305200	21.158800	6.65
Jul-06	0.86368900	0.009240	105.041700	0.111060	12.003760	14.074920	6.49
Nov-06	0.85767500	0.011888	110.306100	0.184060	10.911340	10.822200	6.14
Mar-07	0.87430380	0.009964	98.115980	0.308800	11.593120	22.349920	6.12
Jul-07	0.84475000	0.010763	116.043800	0.374360	10.417980	26.093700	5.87
Nov-07	0.98825000	0.009194	97.980650	0.115800	11.394800	28.240980	6.98
Mar-08	0.77400000	0.009501	105.109500	0.245600	11.509680	64.809780	8.80
Jul-08		0.008989	156.916200	0.390000	11.789040	52.343580	8.39

图 20-12　案例的原始数据

20.2.3 案例中使用的 SPSS 方法

1．描述性分析

描述性分析主要是对数据进行基础性描述，主要用于描述变量的基本特征。SPSS中的描述性分析过程可以生成相关的描述性统计量，如：均值、方差、标准差、全距、峰度和偏度等，同时描述性分析过程还将原始数据转换为Z分值并作为变量储存，通过这些描述性统计量，我们可以对变量变化的综合特征进行全面的了解。

2．因子分析

因子分析是一种数据简化的技术。它通过研究众多变量之间的内部依赖关系，探求观测数据中的基本结构，并用少数几个独立的不可观测变量变化来表示其基本的数据结构。这几个假想变量能够反映原来众多变量的主要信息。

3．回归分析

回归分析是研究一个因变量与一个或多个自变量之间的线性或非线性关系的一种统计分析方法。回归分析通过规定因变量和自变量来确定变量之间的因果关系，建立回归模型，并根据实测数据来估计模型的各个参数，然后评价回归模型是否能够很好地拟合实测数据；并可以根据自变量作进一步预测。

20.2.4 数据文件的建立

首先在SPSS变量视图中建立变量"流动比率"、"净资产负债比率"、"资产固定资产比率"、"每股收益"、"净利润"、"增长率"、"股价1"和"公布时间"，分别用来表示流动比率、净资产负债比率、资产固定资产比率、每股收益、净利润、增长率、股价和业绩公布时间等观测信息，如图20-13所示。

	名称	类型	宽度	小数	标签	值	缺失	列	对齐	度量标准
1	公布时间	字符串	14	0		无	无	9	左(L)	名义
2	流动比率	数值(N)	10	6		无	无	13	右(R)	度量(S)
3	净资产负债比率	数值(N)	8	6		无	无	13	右(R)	度量(S)
4	资产固定资产比率	数值(N)	8	6		无	无	8	右(R)	度量(S)
5	每股收益	数值(N)	8	6		无	无	8	右(R)	度量(S)
6	净利润	数值(N)	8	6		无	无	8	右(R)	度量(S)
7	增长率	数值(N)	8	6		无	无	8	右(R)	度量(S)
8	股价1	数值(N)	8	2		无	无	8	右(R)	度量(S)

图 20-13 数据文件的变量视图

然后在SPSS活动数据文件的数据视图中，把相关数据输入到各个变量中，输入完毕后如图20-14所示。

	公布时间	流动比率	净资产负债比率	资产固定资产比率	每股收益	净利润	增长率	股价1
1	Mar-01	1.07155500	0.020515	27.041670	0.192533	17.766670	-3.942450	18.56
2	Jul-01	1.01810650	0.009379	113.224400	0.130000	14.770400	46.914300	18.86
3	Nov-01	1.04694700	0.013588	85.340020	0.223000	14.297730	25.433100	13.65
4	Mar-02	1.03975650	0.013137	93.344400	0.275167	14.722630	30.732400	15.21
5	Jul-02	1.02159967	0.013970	88.401770	0.119667	14.103330	30.577500	13.73
6	Nov-02	0.96065900	0.013284	93.589960	0.185000	16.602530	14.550370	12.43
7	Mar-03	0.92562475	0.011708	102.880600	0.236500	14.975750	13.879100	13.89
8	Jul-03	0.94239800	0.011860	103.239400	0.304000	13.517950	21.894100	11.10
9	Nov-03	0.91639725	0.011641	103.531700	0.091500	14.449380	27.487830	11.42
10	Mar-04	0.87541375	0.010129	112.474600	0.172000	13.294650	19.167780	12.14
11	Jul-04	0.90080725	0.009532	127.283900	0.260500	12.813330	21.915030	10.43
12	Nov-04	0.88136280	0.009450	133.404000	0.324000	11.507880	23.686940	8.56
13	Mar-05	0.89066780	0.008080	128.082900	0.111600	12.959120	44.718200	10.24
14	Jul-05	0.86292560	0.009338	236.141300	0.190180	11.824480	37.541900	9.02
15	Nov-05	0.86337380	0.009430	117.573100	0.284600	11.624500	35.188620	7.55
16	Mar-06	0.84941880	0.010992	107.082400	0.347020	10.305200	21.156800	6.65
17	Jul-06	0.86368900	0.010824	105.041700	0.111860	12.083760	14.874920	6.49

图 20-14　数据文件的数据视图

20.2.5　SPSS 操作步骤

1．银行业上市公司股价及财务指标的描述统计分析操作步骤

Step 01　打开数据文件，进入 SPSS Statistics 数据编辑器窗口，然后在菜单栏中依次选择变量"流动比率"、"净资产负债比率"、"资产固定资产比率"、"每股收益"、"净利润"、"增长率"、"股价 1"进入 "变量"列表。

Step 02　单击"选项"按钮进入"描述：选项"对话框，选中"最大值"、"最小值"、"平均数"、"标准差"、"均值"和"方差"，然后单击"继续"按钮，返回"描述性"对话框。

Step 03　单击"确定"按钮，输出分析结果。

2．银行业上市公司的各个财务指标的因子分析操作步骤

Step 01　打开数据文件，进入 SPSS Statistics 数据编辑器窗口，在菜单栏中依次单击"分析"｜"降维"｜"因子分析"命令，将"流动比率"、"净资产负债比率"、"资产固定资产比率"、"每股收益"、"净利润"、"增长率"、"股价 1"变量选入"变量"列表。

Step 02　单击"描述"按钮，勾选"原始分析结果"复选框和"KMO 与 Bartlett 球形度检验"复选框，单击"继续"按钮，保存设置结果。

Step 03　单击"旋转"按钮，勾选"最大方差法"复选框，其他为系统默认选择，单击"继续"按钮，保存设置结果。

Step 04　单击"得分"按钮，勾选"保存为变量"和"因子得分系数"复选框，保存设置结果。

3．银行业股票价格与主因子财务指标的回归分析

Step 01　打开数据文件，进入 SPSS Statistics 数据编辑器窗口，在菜单栏中选择 "分析"｜"回归"｜"线性"命令，打开"线性回归"对话框，然后将"股价 1"变量选入"因变量"列表，将"流动比率"和"净利润"变量选入"自变量"列表。

Step 02　单击"统计量"按钮，打开"线性回归：统计量"对话框。选中"估计"、"模型拟合度"和　"Durbin-Watson"，然后单击"继续"按钮，保存设置。

Step 03　单击"选项"按钮，打开"线性回归：选项"对话框。选中"在等式中包含常量"，然后单击"继续"按钮，保存设置。

Step 04　单击"确定"按钮，便可以得到线性回归结果。

20.2.6　结果判读

1．银行业上市公司股价及财务指标的描述统计分析

图20-15为银行业上市公司的经营状况的描述结果。

描述统计量						
	N	极小值	极大值	均值	标准差	方差
流动比率	22	.77400000	1.07155500	.9189855123	···	.006
净资产负债比率	23	.006989	.020515	.01108852	.002713630	.000
资产固定资产比率	23	27.041670	236.141300	1.11397780E2	3.58888061E1	1288.006
每股收益（元）	23	.091590	.390000	.22505857	.090158050	.008
净利润（亿元）	23	10.305200	17.766670	13.00979348	1.954010448	3.818
增长率（％）	23	-3.942450	64.609780	27.42802000	1.48509587E1	220.551
股价（元）	23	5.67	18.86	10.3439	3.97134	15.772
有效的 N（列表状态）	22					

图 20-15　银行业上市公司的经营状况的描述分析结果

由图20-15可知，在从2001到2008年的各个季度中，我国银行业上市公司股价的平均值为10.3439元，最大值与最小值之间的全距为13.19元，标准差为3.9元，可见我国银行业上市公司的股价在样本期间波动幅度较大。另外，就净利润指标看，我国银行业上市公司净利润均值为13亿元，可见在样本期间我国银行业经营状况良好。

2．银行业上市公司的各个财务指标的因子分析

图20-16给出了KMO和Bartlett的检验结果，其中KMO值越接近1表示越适合做因子分析，从该表可以得到KMO的值为0.753，表示比较适合做因子分析。Bartlett球形度检验的原假设为相关系数矩阵为单位阵，Sig值为0.000小于显著水平0.05，因此拒绝原假设表示变量之间存在相关关系，适合做因子分析。

图20-17给出了每个变量共同度的结果。该表左侧表示每个变量可以被所有因素所能解释的方差，右侧表示变量的共同度。从该表可以得到，因子分析的变量共同度都非常高，表明变量中的大部分信息均能够被因子所提取，说明因子分析的结果是有效的。

KMO 和 Bartlett 的检验		
取样足够度的 Kaiser-Meyer-Olkin 度量。		.753
Bartlett 的球形度检验	近似卡方	56.790
	df	15
	Sig.	.000

公因子方差		
	初始	提取
流动比率	1.000	.750
净资产负债比率	1.000	.870
资产固定资产比率	1.000	.611
每股收益	1.000	.784
净利润	1.000	.845
增长率	1.000	.617
提取方法：主成份分析。		

图 20-16　银行业财务指标的 KMO 和 Bartlett 的检验结果　　图 20-17　银行业财务指标的变量共同度

图20-18给出了因子贡献率的结果。该表中左侧部分为初始特征值，中间为提取主因子结果，右侧为旋转后的主因子结果。"合计"指因子的特征值，"方差的%"表示该因子的特征值占总特征值的百分比，"累积%"表示累积的百分比。其中只有前两个因子的特征值大于1，并且前三个因子的特征值之和占总特征值的74.709%，因此，提取前两个因子作为主因子。

图20-19给出了旋转后的因子载荷值，其中旋转方法是Kaiser标准化的正交旋转法。通过因子旋转，各个因子有了比较明确的含义。第一个因子与流动比率和净资产负债比率相关性最强，因此将流动比率作为对第一个因子的解释。第二个因子与净利润最为相关，因此分别将净利润作为对第二个因子的代表。

解释的总方差

成份	初始特征值			提取平方和载入			旋转平方和载入		
	合计	方差的 %	累积 %	合计	方差的 %	累积 %	合计	方差的 %	累积 %
1	3.271	54.525	54.525	3.271	54.525	54.525	3.031	50.513	50.513
2	1.208	20.126	74.651	1.208	20.126	74.651	1.448	24.137	74.651
3	.636	10.608	85.258						
4	.516	8.600	93.858						
5	.195	3.253	97.111						
6	.173	2.889	100.000						

提取方法：主成份分析。

旋转成份矩阵[a]

	成份	
	1	2
流动比率	.731	.465
净资产负债比率	.924	.127
资产固定资产比率	-.780	-.055
每股收益	.070	-.883
净利润	.693	.604
增长率	-.741	.262

提取方法：主成分分析法。
旋转法：具有 Kaiser 标准化的正交旋转法。
a. 旋转在 3 次迭代后收敛。

图 20-18　银行业财务指标的因子贡献率　　　　图 20-19　银行业财务指标的旋转后因子载荷

3．银行业股票价格与主因子财务指标的回归分析

对利用因子分析得到的主因子进行回归分析，可进一步发掘我国银行业股价与其主要财务指标的关系。

由上文的对银行业财务指标的因子分析，我们发现可以用两个主因子（流动比率、净利润）来代替解释所有六个财务指标提供的近80%的信息。因此下面将利用分析的两个主因子——流动比率、净利润两个财务指标，作为自变量对因变量银行业上市公司的平均股价进行回归。回归结果如下：

图20-20给出了评价模型的检验统计量。从该图可以得到R、R^2、调整的R^2、标准估计的误差及D-W统计量。如本实验中回归模型调整的R^2是0.924，说明回归的拟合度非常高，并且D-W为2.2，说明模型残差不存自相关。该回归模型非常优良。

模型汇总[b]

模型	R	R方	调整 R方	标准 估计的误差	Durbin-Watson
1	.924[a]	.853	.838	1.59817	2.209

a. 预测变量：(常量)，净利润，流动比率。
b. 因变量：股价1

图 20-20　银行业财务指标回归模型的评价统计量

图20-21给出了方差分析的结果。由该图可以得到回归部分的F值为55.222，相应的P值是0.000，小于显著水平0.05，因此可以判断由流动比率、净利润两个财务指标对银行业上市公司的平均股价解释能力非常显著。

Anova^b					
模型	平方和	df	均方	F	Sig.
1 回归	282.102	2	141.051	55.224	.000^a
残差	48.529	19	2.554		
总计	330.631	21			
a. 预测变量: (常量), 净利润, 流动比率。					
b. 因变量: 股价1					

图 20-21 银行业财务指标的方差分析表

图20-22给出了线性回归模型的回归系数及相应的一些统计量。从该表可以得到线性回归模型中的流动比率和净利润的系数分别为21.352和1.125，说明流动比率的小部分增加会带动银行业上市公司股价近21倍的增加，说明并证实了银行业公司的股价与银行资产的流动性高度相关的现实状况，这是因为银行资产的流动性决定了该银行的经营稳健性，是利润产生的根本前提。另外，线性回归模型中的流动比率和净利润两个指标的T值分别为2.89和3.329，相应的概率值为0.000，说明系数非常显著，这与上表方差分析的结果十分一致，即银行业股价高度受流动比率和净利润两个财务指标的影响。

系数^a					
	非标准化系数		标准系数		
模型	B	标准 误差	试用版	t	Sig.
1 (常量)	-23.800	4.486		-5.306	.000
流动比率	21.352	7.388	.413	2.890	.009
净利润	1.125	.286	.562	3.927	.001
a. 因变量: 股价1					

图 20-22 回归系数

综述，在银行业数据中，可以用两个主因子（流动比率、净利润）来代替解释所有六个财务指标提供的近80%的信息。因子分析的变量共同度都非常高，表明变量中的大部分信息均能够被因子所提取，说明因子分析的结果是有效的。

银行业股价高度受流动比率和净利润两个财务指标的影响，其中流动比率的小部分增加会带动银行业上市公司股价近21倍的增加，说明并证实了银行业公司的股价与银行资产的流动性高度相关的现实状况，这是因为银行资产的流动性决定了该银行的经营稳健性，是利润产生的根本前提。

20.3 SPSS在自然科学中的应用

空气污染问题已经成为一个日益严重的科学和社会问题，空气污染对于人们的生产生活带来了诸多的问题。对空气污染的防治和监测成为了各主要城市的一项重要工作。SPSS的非参数检验、时间序列分析和聚类分析等分析方法为空气污染的分析和监测研究提供了有效的工具。

20.3.1 案例说明与问题描述

随着经济的发展和社会的进步，环境污染问题越来越成为人们关心的问题。生态环境方面已经成为一个城市综合竞争力的重要组成部分。对城市污染问题的研究和判断对于工业布局、城市发展战略和产业政策的制定具有重要的指导意义。1997年国务院决定对重点城市进行空气质量周报，空气质量周报包括对几种主要污染物的监测状况和结果，以空气污染指数的形式报告。空气污染指数反映了一个城市的污染情况和污染的变动规律,对环保工作的开展具有重要的指导意义。

20.3.2　分析目的、分析思路及数据选取

本案例的研究目的是对全国部分主要城市的空气质量进行横向比较,分析我国当前空气污染的总体情况和地区差异,为环境政策的制定提供科学的依据;同时,对代表性城市的空气污染状况进行分析和预测,全面把握空气污染状况的发展趋势,最后对各主要城市的空气污染状况进行合理的分类,为国家环境政策的制定提供科学合理的依据。

本案例的分析思路如下,首先利用描述性统计分析的方法对各主要城市的空气质量进行横向比较,然后利用非参数检验检验各城市空气污染在年内的分布状况是否具有一致性,判断在全国范围内是否存在影响空气质量的共同因素,最后利用时间序列分析方法对其代表性城市的空气污染状况进行分析和预测。

本案例选取了兰州、大同、西安、苏州、济南、南宁、南昌和北京等城市270天的空气质量报告数据,记录了空气污染指数,另外选取了某代表性城市2301天的数据利用时间序列分析方法对代表性城市的空气污染状况进行分析和预测,所有数据均来源于环保部网站及各省市环保厅(局)的网站及相关报告。

本案例原始数据如图20-23所示。

	A 兰州	B 大同	C 西安	D 苏州	E 济南	F 北京	G 南昌	H 南宁
2	108	56.00	104.00	40.00	64.00	80.00	138.00	182.00
3	163	51.00	73.00	32.00	81.00	151.00	114.00	193.00
4	86	112.00	73.00	58.00	196.00	111.00	122.00	123.00
5	126	76.00	63.00	52.00	144.00	121.00	121.00	100.00
6	135	74.00	77.00	41.00	113.00	126.00	118.00	153.00
7	85	86.00	58.00	67.00	65.00	110.00	62.00	75.00
8	73	91.00	53.00	66.00	92.00	86.00	79.00	81.00
9	92	80.00	99.00	76.00	221.00	91.00	95.00	56.00
10	68	110.00	135.00	65.00	98.00	71.00	72.00	127.00
11	107	116.00	126.00	98.00	200.00	74.00	73.00	155.00
12	143	99.00	119.00	84.00	123.00	122.00	163.00	93.00
13	107	123.00	112.00	29.00	112.00	134.00	90.00	68.00
14	113	112.00	122.00	54.00	109.00	98.00	137.00	57.00
15	104	109.00	102.00	37.00	58.00	99.00	98.00	97.00
16	80	80.00	76.00	41.00	98.00	100.00	77.00	101.00
17	101	61.00	73.00	57.00	100.00	120.00	34.00	84.00
18	111	82.00	58.00	61.00	91.00	100.00	76.00	130.00
19	138	75.00	98.00	55.00	100.00	87.00	64.00	159.00
20	104	108.00	100.00	62.00	91.00	98.00	79.00	103.00
21	71	105.00	91.00	34.00	100.00	85.00	57.00	103.00
22	37	69.00	100.00	58.00	82.00	83.00	68.00	95.00
23	106	90.00	82.00	59.00	100.00	61.00	83.00	61.00
24	163	64.00	100.00	22.00	117.00	97.00	79.00	77.00
25	91	68.00	75.00	22.00	87.00	97.00	74.00	108.00
26	103	100.00	73.00	55.00	91.00	169.00	91.00	115.00
27	87	88.00	83.00	80.00	85.00	100.00	74.00	121.00
28	89	99.00	98.00	116.00	75.00	98.00	97.00	131.00
29	58	125.00	80.00	88.00	83.00	98.00	93.00	91.00
30	94	64.00	85.00	105.00	100.00	99.00	84.00	82.00

	A 污染指数	B
2	109.00	
3	193.00	
4	157.00	
5	98.00	
6	91.00	
7	91.00	
8	73.00	
9	89.00	
10	97.00	
11	95.00	
12	79.00	
13	101.00	
14	96.00	
15	93.00	
16	102.00	
17	104.00	
18	107.00	
19	114.00	
20	93.00	
21	99.00	
22	85.00	

图 20-23　案例原始数据

20.3.3　案例中使用的 SPSS 方法

1．描述性分析

描述性分析主要是对数据进行基础性描述,主要用于描述变量的基本特征。SPSS中的描述性分析过程可以生成相关的描述性统计量,如:均值、方差、标准差、全距、峰度和偏度等,同时描述性分析过程还将原始数据转换为Z分值并作为变量储存,通过这些描述性统计量,我们可以对变量变化的综合特征进行全面的了解。

2．非参数检验

非参数检验就是主要的方法之一。非参数检验是相对于参数检验而言的，非参数检验由于一般不涉及总体参数而针对总体的某些一般性假设而得名，又称分布自由检验。非参数检验在统计分析和实际工作中具有广泛的应用。非参数检验不需要对总体分布情况进行严格限定的统计推断方法，这类检验方法的假设前提比参数检验要少得多并且容易满足。

3．指数平滑分析

指数平滑模型是在移动平均模型基础上发展起来的一种时间序列分析预测法，其原理是任一期的指数平滑值都是本期实际观察值与前一期指数平滑值的加权平均。指数平滑模型的思想是对过去值和当前值进行加权平均、以及对当前的权数进行调整以抵消统计数值的摇摆影响，得到平滑的时间序列。指数平滑法不舍弃过去的数据，但是对过去的数据给予逐渐减弱的影响程度（权重）。

20.3.4 数据文件的建立

1．空气质量进行横向比较数据文件的建立

在SPSS变量视图中建立变量"兰州"、"大同"、"西安"、"苏州"、"济南"、"北京"、"南昌"和"南宁"，分别用来衡量各主要城市的污染指数情况，数据文件命名为"SPSS在自然科学中的应用"1"，如图20-24所示。

	名称	类型	宽度	小数	标签	值	缺失	列	对齐	度量标准
1	兰州	数值(N)	8	0		无	无	4	靠右(R)	度量(S)
2	大同	数值(N)	8	2		无	无	8	靠右(R)	度量(S)
3	西安	数值(N)	8	2		无	无	8	靠右(R)	度量(S)
4	苏州	数值(N)	8	2		无	无	8	靠右(R)	度量(S)
5	济南	数值(N)	8	2		无	无	8	靠右(R)	度量(S)
6	北京	数值(N)	8	2		无	无	8	靠右(R)	度量(S)
7	南昌	数值(N)	8	2		无	无	8	靠右(R)	度量(S)
8	南宁	数值(N)	8	2		无	无	8	靠右(R)	度量(S)

图 20-24　数据文件"SPSS在自然科学中的应用1"的变量视图

然后在SPSS活动数据文件的数据视图中，把相关数据输入到各个变量中，输入完毕后如图20-25所示。

	兰州	大同	西安	苏州	济南	北京	南昌	南宁
1	108	56.00	104.00	40.00	64.00	80.00	138.00	182.00
2	163	51.00	73.00	32.00	81.00	151.00	114.00	193.00
3	86	112.00	73.00	58.00	196.00	111.00	123.00	123.00
4	126	76.00	63.00	52.00	144.00	121.00	121.00	100.00
5	135	74.00	77.00	41.00	113.00	126.00	118.00	163.00
6	85	86.00	58.00	67.00	85.00	110.00	62.00	75.00
7	73	91.00	53.00	66.00	92.00	86.00	79.60	81.00
8	92	80.00	99.00	76.00	221.00	91.00	95.00	56.00
9	68	110.00	135.00	65.00	98.00	71.00	72.00	127.00
10	107	116.00	126.00	98.00	200.00	74.00	73.00	155.00
11	143	99.00	119.00	84.00	123.00	122.00	163.00	93.00
12	107	123.00	112.00	24.00	112.00	134.00	90.00	68.00
13	113	112.00	122.00	54.00	109.00	98.00	137.00	57.00
14	104	109.00	102.00	37.00	56.00	99.00	98.00	97.00
15	80	80.00	76.00	41.00	98.00	100.00	77.90	101.00
16	101	61.00	73.00	57.00	100.00	120.00	34.00	84.00
17	111	82.00	58.00	61.00	91.00	100.00	76.00	130.00
18	130	75.00	98.00	55.00	100.00	87.00	64.00	153.00

图 20-25　数据文件"SPSS在自然科学中的应用1"的数据视图

2．各城市空气污染在年内的分布状况是否具有一致性的数据文件建立

在SPSS变量视图中建立变量“污染情况”和“城市”，分别用来衡量各主要城市的污染指数情况。其中，“城市”变量使用“1~8”分别表示“兰州”、“大同”、“西安”、“苏州”、“济南”、“北京”、“南昌”和“南宁”，数据文件命名为“SPSS在自然科学中的应用2”，如图20-26所示。

文件(F) 编辑(E) 视图(V) 数据(D) 转换(T) 分析(A) 图形(G) 实用程序(U) 附加内容(O) 窗口(W) 帮助

	名称	类型	宽度	小数	标签	值	缺失	列	对齐	度量标准
1	空气污染指数	数值(N)	11	0		无	无	11	右(R)	度量(S)
2	城市	数值(N)	11	0		无	无	11	右(R)	度量(S)

图 20-26　数据文件“SPSS 在自然科学中的应用 2”的变量视图

然后在SPSS活动数据文件的数据视图中，把相关数据输入到各个变量中，输入完毕后如图20-27所示。

文件(F) 编辑(E) 视图(V) 数据(D) 转换(T) 分析(A) 图形(G) 实用程序(U) 附加内容(O) 窗口(W) 帮助

25 :

	空气污染指数	城市	变量	变量	变量	变量	变量
1	108	1					
2	163	1					
3	86	1					
4	126	1					
5	135	1					
6	85	1					
7	73	1					
8	92	1					
9	68	1					
10	107	1					
11	143	1					

图 20-27　数据文件“SPSS 在自然科学中的应用 2”的数据视图

3．代表性城市空气质量预测的数据文件的建立

在SPSS变量视图中建立变量“污染指数”，用来衡量代表性城市的五年的污染指数情况，数据文件命名为“SPSS在自然科学中的应用3”，如图20-28所示。

文件(F) 编辑(E) 视图(V) 数据(D) 转换(T) 分析(A) 图形(G) 实用程序(U) 附加内容(O) 窗口(W) 帮助

	名称	类型	宽度	小数	标签	值	缺失	列	对齐	度量标准
1	污染指数	数值(N)	3	2		无	无	8	右(R)	度量(S)
2										

图 20-28　数据文件“SPSS 在自然科学中的应用 3”的变量视图

然后在SPSS活动数据文件的数据视图中，把相关数据输入到各个变量中，输入完毕后如图20-29所示（部分）。

	污染指数	变量
1	109.00	
2	193.00	
3	157.00	
4	98.00	
5	91.00	
6	91.00	
7	73.00	
8	89.00	
9	97.00	
10	95.00	
11	79.00	
12	101.00	
13	96.00	
14	93.00	
15	102.00	
16	104.00	
17	107.00	
18	114.00	
19	93.00	
20	99.00	

图 20-29　数据文件"SPSS 在自然科学中的应用 3"的数据视图

20.3.5　SPSS 操作步骤

1. 各主要城市空气污染指数的描述性横向比较操作步骤

Step 01 打开数据文件"SPSS 在自然科学中的应用 1",进入 SPSS Statistics 数据编辑器窗口,然后在菜单栏中依次选择"分析"|"描述统计"|"描述"命令,打开"描述"对话框。

Step 02 将"兰州"、"大同"、"西安"、"苏州"、"济南"、"南宁"、"南昌"和"北京"选入"变量"列表。

Step 03 单击"选项"按钮进入"描述:选项"对话框,选中"最大值"、"最小值"、"平均数"、"标准差"、"峰度"和"偏度",然后单击"继续"按钮,返回"描述性"对话框。

Step 04 单击"确定"按钮,输出显示结果

2. 各主要城市空气污染指数年内的分布状况是否具有一致性的检验操作步骤

Step 01 打开数据文件"SPSS 在自然科学中的应用 2",在菜单栏中依次选择"分析"|"非参数检验"|"K 个独立样本"命令,打开"多个独立样本检验"对话框。

Step 02 从源变量列表中选择"空气污染指数"变量,单击 按钮使之进入检验变量列表;选择"城市"变量,单击 按钮使之进入分组变量列表;单击 "定义范围"按钮,弹出"多独立样本:定义组"对话框,输入组标记值的取值范围。

Step 03 单击"选项"按钮,打开"多独立样本检验:选项"对话框,勾选"描述性"、"四分位数"复选项,单击"继续"。

Step 04 单击"确定",输出检验结果。

3. 代表性城市空气质量预测的指数平滑操作

Step 01 打开数据文件"SPSS 在自然科学中的应用 3",进入 SPSS Statistics 数据编辑器窗口,在菜单栏中选择"数据"|"定义日期"命令,打开"定义日期"对话框,在"个案

为"列表框中选择"年份、月份",然后在"第一个个案为"选项组中的"日"文本
框中输入数据开始的具体日为 1,然后单击"确定",完成时间变量的定义。

Step 02 在菜单栏中选择"分析"|"预测"|"创建模型"命令,打开"时间序列建模器"对
话框,将"污染指数"变量选入"因变量"列表中,在"方法"下拉列表框中选择
"指数平滑模型"。

Step 03 单击"条件"按钮,打开"时间序列建模器:指数平滑条件"对话框,选中"简单
非季节性",单击"继续"按钮,保存设置。

Step 04 单击"统计量"选项卡,选择"参数估计"复选框,然后单击"继续"按钮,保存
设置。

Step 05 单击"确定"按钮,便可以得到指数平滑模型建模的结果。

20.3.6 结果判读

1. 各主要城市空气污染指数的描述性横向比较

图20-30给出了描述性分析的主要结果。从该图可以得到各个变量的个数、最大值、最小
值等统计量。从描述性统计结果我们可以看出,兰州的空气污染情况最为严重,平均空气污染
指数达到了中度污染的水平,苏州的空气质量最佳,平均空气污染指数处于良好状态,此外苏
州的每天的空气污染状况较为稳定。

描述统计量										
	N	极小值	极大值	均值	标准差	方差	偏度		峰度	
	统计量	统计量	统计量	统计量	统计量	统计量	统计量	标准误	统计量	标准误
兰州	269	18	500	165.59	114.471	13103.600	1.655	.149	1.860	.296
大同	269	10.00	500.00	119.4833	66.56932	4431.475	2.977	.149	12.054	.296
西安	269	.00	345.00	84.2900	25.15010	632.528	4.198	.149	43.223	.296
苏州	269	22.00	159.00	69.9963	22.42841	503.034	.679	.149	.752	.296
济南	269	55.00	238.00	96.6468	28.13410	791.528	1.754	.149	4.584	.296
北京	269	33.00	293.00	94.1673	32.69040	1068.662	1.750	.149	5.395	.296
南昌	269	34.00	350.00	98.6877	41.34591	1709.484	2.285	.149	8.735	.296
南宁	269	28.00	500.00	98.8216	66.05768	4363.617	4.362	.149	22.149	.296
有效的 N(列表状态)	269									

图 20-30　描述性统计量表

2. 各主要城市空气污染指数年内的分布状况是否具有一致性的检验

图20-31给出了两个变量的"样本数"、"均值"、"标准差"、"极小值"和"极大值"
等描述性统计量,从描述性统计量表中,我们对全国的空气污染状况可以有一个全局的认识。

图20-32给出了Kruskal-Wallis H检验相关的检验统计量。从表中可以看出,P值为0.000,
小于显著性水平。故拒绝原假设,认为八个代表性城市的空气污染情况存在显著差异。

描述性统计量						百分位		
	N	均值	标准差	极小值	极大值	第 25 个	第 50 个(中位数)	第 75 个
空气污染指数	2152	103.46	63.543	0	500	72.00	88.00	111.00
城市	2152	4.50	2.292	1	8	2.25	4.50	6.75

图 20-31　描述性统计量

检验统计量[a,b]	
	空气污染指数
卡方	412.391
df	7
渐近显著性	.000
a. Kruskal Wallis 检验	
b. 分组变量: 城市	

图 20-32　检验统计量

3. 代表性城市空气质量预测的指数平滑

图20-33给出了模型的基本描述。从该图可以看出，所建立的指数平滑模型的因变量标签是"污染指数"，模型名称为"模型_1"，模型的类型为简单非季节性。

模型描述			
			模型类型
模型 ID	污染指数	模型_1	简单

图 20-33　模型描述表

图20-34给出了模型的八个拟合优度指标，包括这些指标的均值、最小值、最大值以及百分位数。其中，平稳的R方值为0.15，而R方值为0.234，这是由于因变量数据为季节性数据，因此平稳的R方更具有代表性。从两个R方值来看，该指数平滑模型的拟合情况比较良好。

					模型拟合						
					百分位						
拟合统计量	均值	SE	最小值	最大值	5	10	25	50	75	90	95
平稳的 R 方	.139	.	.139	.139	.139	.139	.139	.139	.139	.139	.139
R方	.263	.	.263	.263	.263	.263	.263	.263	.263	.263	.263
RMSE	31.509	.	31.509	31.509	31.509	31.509	31.509	31.509	31.509	31.509	31.509
MAPE	18.735	.	18.735	18.735	18.735	18.735	18.735	18.735	18.735	18.735	18.735
MaxAPE	256.286	.	256.286	256.286	256.286	256.286	256.286	256.286	256.286	256.286	256.286
MAE	18.340	.	18.340	18.340	18.340	18.340	18.340	18.340	18.340	18.340	18.340
MaxAE	380.376	.	380.376	380.376	380.376	380.376	380.376	380.376	380.376	380.376	380.376
正态化的 BIC	6.904	.	6.904	6.904	6.904	6.904	6.904	6.904	6.904	6.904	6.904

图 20-34　模型拟合表

图20-35给出了模型的拟合统计量和Ljung-BoxQ统计量。平稳的R方值为0.139，与模型拟合图中的平稳的R方一致。Ljung-BoxQ统计量值为311.819，显著水平为0.000，因此拒绝残差序列为独立序列的原假设，说明模型拟合后的残差序列是存在自相关的，因此建议采用ARIMA模型继续拟合。

模型统计量						
		模型拟合统计量	Ljung-Box Q(18)			
模型	预测变量数	平稳的 R 方	统计量	DF	Sig.	离群值数
污染指数-模型_1	0	.139	311.626	17	.000	0

图 20-35　模型统计量表

图20-36给出了指数平滑法模型参数估计值列表。从该图可以看到本实验拟合的指数平滑模型的水平Alpha值为0.38，P值为0.00，不仅作用很大而且非常显著。

指数平滑法模型参数					
模型			估计	SE	t	Sig.
污染指数-模型_1	无转换	Alpha (水平)	.380	.016	23.412	.000

图 20-36　参数估计值

图20-37给出了污染指数平滑模型的拟合图和观测值。污染指数序列整体上成波动状态，拟合值和观测值曲线在整个区间中几乎重合，因此可以说明指数平滑模型对污染指数的拟合情况非常良好。通过指数平滑模型的拟合图我们可以发现，该城市的污染指数出现过三次剧烈波动，并且总体上的波动较为剧烈，但是最近波动相对平缓，说明了污染控制政策开始发挥效力。

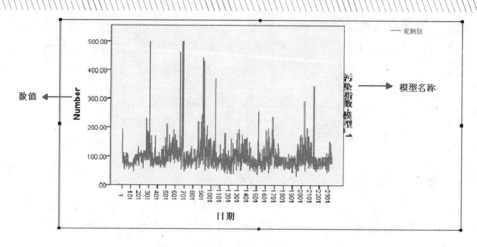

图 20-37　指数平滑模型的拟合图

20.4　SPSS在社会科学中的应用

随着管理精细化和分析技术的发展，社会科学中的定量研究越来越受到重视，定量分析的结果已成为决策的重要依据和参考。科学准确的分析结果离不开现代统计分析方法的运用，SPSS的统计分析过程为为社会科学的定量研究提供了一种方便的实现方式。描述性统计分析、回归分析、因子分析和聚类分析分析等分析方法是经济管理研究中常用的分析方法。

20.4.1　案例说明与问题描述

物质生产始终是人类社会生存发展的基础，直接创造财富的制造业依然是国民经济最重要的支柱产业。高度发达的制造业和先进的制造技术成为衡量一个国家综合经济实力和科技水平的重要标志，是一个国家在竞争激烈的国际市场获胜的关键因素。新型国际分工下，随着发达国家的制造业结构向高级化和柔性化升级，其生产环节开始大规模的向国外转移。中国制造业依靠其强大的劳动力优势和广阔的国内市场，成为世界制造业转移的主要目的地。对各制造业行业发展的影响因素研究成为一个重要的课题，它对于制造业行业的发展战略和国家产业政策的制定都具有重要的参考价值。

20.4.2　分析目的、分析思路及数据选取

本案例的研究目的是对影响制造业中不同行业的影响因素进行分析，为各制造业行业的发展战略提供科学的依据；同时对制造业行业进行合理的分类，为国家产业政策的制定提供科学合理的依据。

本案例的分析思路如下，首先利用因子分析提取对制造业行业竞争力影响较为明显的因素，分析它们对制造业行业竞争力的影响，然后利用聚类分析方法按照各种影响行业在这些影响因素维度上的取值对制造业行业划分类型，为分行业产业政策的制定提供科学合理的依据。

本案例选取了我国四十个行业2007年工业增加值率、总资产贡献率、资产负债率、工业成本

费用利润率、流动资产周转率、流动资产周转率、企业单位数、企业总产值、工业增加值、资产总计、流动资产总计、流动资产年平均余额、固定资产原值、固定资产净值年平均余额、负债合计、流动负债合计、所有者权益、 产品销售收入、产品销售成本、产品销售税金及附加、本年应缴增值税、利润总额和从业人员年平均人数的观测数据作为衡量制造业竞争力的初始指标，数据来源于《中国统计年鉴》和各行业的统计年鉴。本案例的原始数据如图20-38所示。

A 行业	B 工业增加值率（%）	C 总资产贡献率（%）	D 资产负债率（%）	E 工业成本费用利润率（%）	F 流动资产周转率	G 产品销售（%）	H 企业单位数（家）	I 工业总产值（亿元）
专用设备制造业	51.04	14.67	61.15	12.49	2.01	98.08	7,537.00	9,201.83
造纸及纸制品业	77.72	46.50	38.63	77.79	3.98	99.53	184.00	8,300.05
有色金属冶炼及压延	43.59	26.89	48.32	21.25	2.45	97.52	2,899.00	2,130.61
有色金属矿采选业	42.53	31.83	47.91	24.39	2.80	97.43	2,183.00	2,288.75
印刷业和记录媒介的	37.88	21.46	50.58	9.68	3.32	97.84	3,004.00	1,365.63
饮料制造业	29.78	28.16	57.07	4.72	6.68	98.63	24.00	10.97
仪器仪表及文化、办	26.53	16.08	56.80	5.64	3.99	97.93	18,140.00	17,496.08
医药制造业	30.66	15.84	52.80	7.39	2.82	97.51	6,644.00	6,070.96
烟草制品业	37.06	19.19	53.30	10.33	2.16	97.65	4,422.00	5,082.34
橡胶制品业	77.29	69.91	24.74	38.83	1.62	100.41	150.00	3,776.23
文教体育用品制造业	26.23	11.21	60.12	4.46	2.64	97.81	27,914.00	18,733.31
通用设备制造业	29.80	14.14	55.22	5.20	2.78	97.42	14,770.00	7,600.38
通信设备、计算机及	28.73	16.47	56.62	5.51	3.11	97.74	7,452.00	5,153.49
塑料制品业	29.27	17.17	53.26	6.23	3.50	97.49	7,852.00	3,520.54
水的生产和供应业	26.67	11.61	55.76	4.97	2.69	97.73	4,110.00	2,424.94
食品制造业	27.56	11.97	58.81	6.71	2.49	98.43	8,376.00	6,325.45
石油加工、炼焦及核	32.68	11.71	51.46	8.36	1.94	97.70	5,083.00	2,117.57
石油和天然气开采业	26.42	9.85	53.52	3.82	2.57	97.48	4,087.00	2,098.79
燃气生产和供应业	17.35	13.53	56.58	1.25	4.86	99.41	2,149.00	17,850.88
其他采矿业	27.39	14.05	55.25	7.53	2.74	97.78	22,981.00	26,798.80
皮革、毛皮、羽毛	35.94	14.59	48.83	10.93	1.84	94.37	5,748.00	6,361.90
农副食品加工业	19.64	9.19	60.83	4.26	2.65	97.23	1,556.00	4,120.80
木材加工及木、竹、	27.70	12.20	58.47	5.62	2.72	98.26	3,695.00	3,462.41
煤炭开采和洗选业	26.32	11.63	56.19	5.47	2.44	97.83	15,376.00	8,120.41
金属制品业	31.17	14.24	56.77	7.56	2.61	97.67	24,278.00	15,559.44
交通运输设备制造业	26.73	13.70	60.96	6.42	3.03	99.12	7,161.00	33,703.01
家具制造业	24.83	17.94	58.42	7.15	3.39	98.43	6,701.00	18,031.86
化学原料及化学制品	26.30	12.76	58.89	5.12	2.54	97.97	18,008.00	11,447.08

图 20-38　案例原始数据

20.4.3　案例中使用的 SPSS 方法

1．因子分析

因子分析是一种数据简化的技术。它通过研究众多变量之间的内部依赖关系，探求观测数据中的基本结构，并用少数几个独立的不可观测变量变化来表示其基本的数据结构。这几个假想变量能够反映原来众多变量的主要信息。

2．聚类分析

聚类分析是根据研究对象的特征按照一定标准对研究对象进行分类的一种分析方法，它使组内的数据对象具有最高的相似度，而组间具有较大的差异性。聚类分析可以在没有先验分类的情况下通过观察对数据进行分类，聚类分析在科学研究和实际的生产实践中都具有广泛的应用。

20.4.4　数据文件的建立

在SPSS变量视图中建立变量"行业"、"工业增加值率"、"总资产贡献率"、"资产负债率"、"工业成本费用利润率"、"流动资产周转率"、"流动资产周转率"、"企业单位数"、"企业总产值"、"工业增加值"、"资产总计"、"流动资产总计"、"流动资产年平均余额"、"固定资产原值"、"固定资产净值年平均余额"、"负债合计"、"流动负债合计"、"所有者权益"、 "产品销售收入"、"产品销售成本"、"产品销售税金及附加"、"本年应缴增值税"、"利润总额"和"从业人员年平均人数"，分别用来衡量不同行业发展的各种因素，如图20-39所示。

图 20-39　数据文件的变量视图

在SPSS活动数据文件的数据视图中，把相关数据输入到各个变量中，输入完毕后如图20-40所示。

图 20-40　数据文件的数据视图

20.4.5　SPSS 操作步骤

1．制造业各行业发展影响因素的因子分析操作步骤

Step 01　打开数据文件，进入 SPSS Statistics 数据编辑器窗口，在菜单栏中依次单击"工业增加值率"、"总资产贡献率"、"资产负债率"、"工业成本费用利润率"、"流动资产周转率"、"流动资产周转率"、"企业单位数"、"企业总产值"、"工业增加值"、"资产总计"、"流动资产总计"、"流动资产年平均余额"、"固定资产原值"、"固定资产净

值年平均余额"、"负债合计"、"流动负债合计"、"所有者权益"、"产品销售收入"、"产品销售成本"、"产品销售税金及附加"、"本年应缴增值税"、"利润总额"和"从业人员年平均人数"

Step 02 单击"描述"按钮，勾选"原始分析结果"复选框和"KMO与Bartlett球形度检验"复选框，单击"继续"按钮，保存设置结果。

Step 03 单击"旋转"按钮，勾选"最大方差法"复选框，其他为系统默认选择，单击"继续"按钮，保存设置结果。

Step 04 单击"得分"按钮，勾选"保存为变量"和"因子得分系数"复选框，单击"继续"按钮回到主对话框。

2. 制造业各行业不同类型的聚类分析操作步骤

Step 01 在菜单栏中依次选择"分析"|"分类"|"系统聚类"命令，弹出"系统聚类分析"对话框。

Step 02 从源变量列表中选择因子得分变量"FAC1-1"、"FAC2-1"和"FAC3-1"变量，然后单击 按钮将它们选入 "变量"列表中；从源变量列表中选择"行业"变量，单击 按钮将其选入"个案标记依据"列表中。

Step 03 在"分群"选项组内选择"个案"单选按钮。

Step 04 单击"统计量"按钮，弹出 "系统聚类分析：图"对话框，勾选"树状图"单选按钮。

Step 05 单击"确定"按钮，输出分层聚类分析的结果

20.4.6　结果判读

1. 制造业各行业发展影响因素的因子分析

图20-41给出了KMO和Bartlett的检验结果，其中KMO值越接近1表示越适合做因子分析，从该表可以得到KMO的值为0.783，表示比较适合做因子分析。Bartlett球形度检验的原假设为相关系数矩阵为单位阵，Sig值为0.000小于显著水平0.05，因此拒绝原假设表示变量之间存在相关关系，适合做因子分析。

KMO 和 Bartlett 的检验		
取样足够度的 Kaiser-Meyer-Olkin 度量。		.783
Bartlett 的球形度检验	近似卡方	4660.021
	df	253
	Sig.	.000

图 20-41　行业发展影响因素的 KMO 和 Bartlett 的检验结果

图20-42给出了每个变量共同度的结果。该表左侧表示每个变量可以被所有因素所能解释的方差，右侧表示变量的共同度。从该表可以得到，因子分析的变量共同度都非常高，表明变量中的大部分信息均能够被因子所提取，说明因子分析的结果是有效的。

图20-43给出了因子贡献率的结果。其中只有前两个因子的特征值大于1，并且前三个因子的特征值之和占总特征值的94.087%，因此，提取前三个因子作为主因子。

公因子方差

	初始	提取
工业增加值率	1.000	.915
总资产贡献率	1.000	.868
资产负债率	1.000	.851
工业成本费用利润率	1.000	.813
流动资产周转率	1.000	.769
产品销售率	1.000	.590
企业单位数	1.000	.981
工业总产值	1.000	.997
工业增加值	1.000	.999
资产总计	1.000	.997
流动资产总计	1.000	.996
流动资产年平均余额	1.000	.996
固定资产原值	1.000	.978
固定资产净值年平均余额	1.000	.976
负债合计	1.000	.996
流动负债合计	1.000	.999
所有者权益	1.000	.997
产品销售收入	1.000	.997
产品销售成本	1.000	.997
产品销售税金及附加	1.000	.949
利润总额	1.000	.992
本年应缴增值税	1.000	.997
从业人员年平均人数	1.000	.990

提取方法：主成份分析。

图 20-42　行业发展影响因素的变量共同度

解释的总方差

成份	初始特征值			提取平方和载入			旋转平方和载入		
	合计	方差的 %	累积 %	合计	方差的 %	累积 %	合计	方差的 %	累积 %
1	16.773	72.927	72.927	16.773	72.927	72.927	16.755	72.849	72.849
2	3.563	15.493	88.419	3.563	15.493	88.419	3.543	15.405	88.254
3	1.304	5.668	94.087	1.304	5.668	94.087	1.342	5.833	94.087
4	.682	2.964	97.051						
5	.345	1.498	98.550						
6	.147	.639	99.189						
7	.101	.438	99.626						
8	.049	.211	99.838						
9	.017	.073	99.911						
10	.013	.057	99.968						
11	.003	.014	99.983						
12	.002	.008	99.991						
13	.001	.005	99.996						
14	.001	.003	99.999						
15	.000	.001	100.000						
16	5.235E-5	.000	100.000						
17	2.399E-5	.000	100.000						
18	1.306E-5	5.680E-5	100.000						
19	6.835E-6	2.972E-5	100.000						
20	1.722E-6	7.488E-6	100.000						
21	9.779E-7	4.252E-6	100.000						
22	5.485E-7	2.385E-6	100.000						
23	2.411E-9	1.048E-8	100.000						

提取方法：主成份分析。

图 20-43　行业发展影响因素的因子贡献率

图20-44给出了旋转后的因子载荷值，其中旋转方法是Kaiser标准化的正交旋转法。通过因子旋转，各个因子有了比较明确的含义。我们可以看出第一个因子与"企业单位数"、"企业总产值"、"工业增加值"、"资产总计"、"流动资产总计"、"流动资产年平均余额"、"固定资产原值"、"固定资产净值年平均余额"、"负债合计"、"流动负债合计"、"所

有者权益"、"产品销售收入"、"产品销售成本"、"产品销售税金及附加"、"本年应缴增值税"、"利润总额"和"从业人员年平均人数"相关性较强，因此将第一个因子成为资产因子；第二个因子与"工业增加值率"、"总资产贡献率"、"资产负债率"、"工业成本费用利润率"相关，因此将第二个因子命名为效率因子；第三个因子与"流动资产周转率"和"产品销售率"有关，因此将第三个因子命名为流动性因子。

各因子得分也作为新变量被保存，如图20-45所示，为下一步的聚类分析打好了基础。

旋转成份矩阵^a

	成份		
	1	2	3
工业增加值率	-.028	.954	-.063
总资产贡献率	-.030	.901	.236
资产负债率	.063	-.916	.095
工业成本费用利润率	-.005	.895	.110
流动资产周转率	-.038	-.113	.869
产品销售率	.053	.303	.704
企业单位数	.987	-.062	-.049
工业总产值	.997	-.054	.006
工业增加值	.999	-.011	.004
资产总计	.998	-.041	.011
流动资产总计	.996	-.053	-.022
流动资产年平均余额	.996	-.052	-.022
固定资产原值	.988	-.016	.047
固定资产净值年平均余额	.986	-.031	.042
负债合计	.997	-.053	.011
流动负债合计	.998	-.058	-.006
所有者权益	.997	-.024	.011
产品销售收入	.997	-.054	.008
产品销售成本	.996	-.067	.011
产品销售税金及附加	.951	.210	.024
利润总额	.995	.041	.014
本年应缴增值税	.998	7.511E-5	.020
从业人员年平均人数	.993	-.055	-.038

提取方法：主成分分析法。
旋转法：具有 Kaiser 标准化的正交旋转法。
a. 旋转在 4 次迭代后收敛。

FAC1_1	FAC2_1	FAC3_1
-0.07813	0.27303	-0.56684
-0.01596	3.61598	1.36891
-0.25706	0.96721	-0.56352
-0.25846	1.09143	-0.30597
-0.29336	0.34283	0.19657
-0.35089	-0.30936	3.14185
-0.13627	-0.40462	0.83483
-0.23437	-0.04096	-0.27431
-0.21127	0.29355	-0.65755
-0.03589	4.22930	0.08239
-0.04896	-0.55823	-0.15347
-0.20819	-0.23594	-0.33188
-0.25688	-0.27168	0.12117
-0.27752	-0.14500	0.21176
-0.29268	-0.36192	-0.21772
-0.22019	-0.37119	0.04917
-0.27271	0.07199	-0.86761
-0.29548	-0.33795	-0.43574
-0.15007	-0.72887	2.22079
0.07088	-0.22556	-0.13967
-0.20130	0.22789	-2.61942
-0.28422	-0.79856	-0.36127
-0.27686	-0.39805	0.11565
-0.20256	-0.35232	-0.33575

图 20-44　行业发展影响因素的旋转后因子载荷　　　图 20-45　因子得分

2．制造业各行业不同类型的聚类分析

图20-46给出了该聚类分析的冰柱图。图20-47则给出其树形图。

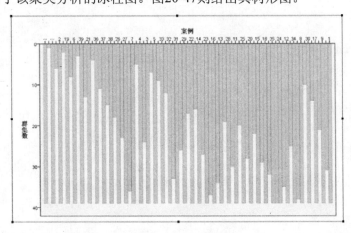

图 20-46　分层聚类分析的冰柱图

分层聚类分析的冰柱图给出了各类之间的距离，从最后一行向前我们可以依次看出不同的聚类数量下的分类方式。

*＊＊系统聚类分析＊＊＊
使用组间平均距离法绘制的树形图

聚类集团之间的距离

```
           案例        0       5      10      15      20      25
           标签     Num  +---------+---------+---------+---------+---------+

      煤炭开采和洗选业    24   -+
      非金属矿物制品业    35   -+
      通用设备制造业      12   -+
      石油和天然气开采业  18   -+
      水的生产和供应业    15   -+
      医药制造业          8   -+
      废弃资源和废旧材料  34   -+
      其他采矿业          20   -+
      金属制品业          25   -+
      文教体育用品制造业  11   -+
      化学原料及化学制品  28   -+
      食品制造业          16   -+
      木材加工及木、竹、  23   -+
      通信设备、计算机及  13   -+
      塑料制品业          14   -+
      黑色金属矿采选      31   -+
      工艺品及其他制造业  32   -+
      化学纤维制造业      29   -+
      农副食品加工业      22   -+
      工业企业            33   -+
      专用设备制造业       1   -+
      烟草制品业           9   -+-+
      石油加工、炼焦及核  17   -+ |
      黑色金属冶炼及压延  30   -+ |
      印刷业和记录媒介的   5   -+ |
      有色金属冶炼及压延   3   -+-+
      有色金属矿采选业     4   -+ |
      仪器仪表及文化、办   7   -+ +---+
      家具制造业          27   -+ |   |
      交通运输设备制造业  26   -+ |   |
      纺织服装、鞋、帽制  38   -+ |   +---+
      纺织业              37   -+-+ |   |
      非金属矿采选业      36   -+   | +-----------+
      皮革、毛皮、羽毛    21   -+-----+ |           |
      电气机械及器材制造  39   -+         |   +------------------------+
```

饮料制造业	6	-+---------+				
燃气生产和供应业	19	-+				
造纸及纸制品业	2	---+------------------+				
橡胶制品业	10	---+				
电力、热力的生产和	40	---+				

图 20-47 聚类分析树形图

聚类分析树形图给出了聚类每一次合并的情况，整个图如图一棵躺倒的树，树形图也因此得名。

结合聚类分析树形图，建议分为五类：电力热力的生产和销售一类；造纸和纸制品业、橡胶制品业归为一类；非金属矿采选业、电气机械及器材制造与皮革、毛皮、羽毛归为一类；饮料制造业归为一类；其余行业归为一类。通过聚类分析我们可以清楚地区分各个行业竞争力影响因素的差异。

上机题

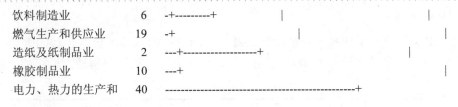

	光盘：\多媒体文件\上机题教学视频\chap20.wmv
	光盘：\源文件\上机题\chap20\...

20.1 某机构通过网络和上市公司数据库等途径搜集我国服装业上市公司的股票价格；为上市公司财务报表呈现的财务信息与股票价格的关系，搜集上市公司的流动比率、净资产负债比率、资产固定资产比率、每股收益、净利润、增长率等财务指标。部分数据如下表所示：

股票编号	流动比率	负债比率	资产比例	每股收益
1	0.96065900	0.013284	93.588960	0.185000
2	0.92562475	0.011708	102.880600	0.236500
3	0.94239800	0.011860	103.239400	0.304000
4	0.91639725	0.011641	103.531700	0.091500
5	0.87541375	0.010129	112.474600	0.172000
6	0.90080725	0.009532	127.283900	0.260500
7	0.88136280	0.009450	133.404000	0.324000
8	0.89066780	0.008080	128.082900	0.111600
9	0.86292560	0.009338	236.141300	0.190180
10	0.86337380	0.009430	117.573100	0.284600
11	0.84941880	0.010992	107.082400	0.347020
12	0.86368900	0.010824	105.041700	0.111860
13	0.85767500	0.011688	110.306100	0.184860
14	0.87430380	0.009964	98.115880	0.306600
15	0.88475000	0.010763	116.043800	0.374360

（1）将"流动比率"、"净资产负债比率"、"资产固定资产比率"、"每股收益"、"净利润"、"增长率"等财务指标进行因子分析，提取主因子同时计算各个因子得分。

（2）利用因子分析得到的主因子对其进行回归分析，进一步发掘我国服装业股价与其主要财务指标的关系。

20.2　本题目给出了1996年一季度到2008年二季度我国房地产价格指数的数据，其中以1996年一季度为基期，并设定为100。试用时间序列等方法分析我国房地产价格的走势。部分数据如下表所示。

季度	房地产价格指数
1996Q1	100
1996Q2	96.60489
1996Q3	87.77722
1996Q4	95.31348
1997Q1	122.3734
1997Q2	103.9335
1997Q3	119.8608
1997Q4	105.4707
1998Q1	115.6328
1998Q2	123.0282
1998Q3	110.156
1998Q4	106.1271
1999Q1	113.4815
1999Q2	121.8994
1999Q3	114.5574

（1）将房地产价格指数在 SPSS 中定义为时间序列，时间频率为"年，季度"。

（2）采用指数平滑的方法分析拟合钢铁产量的稳定长期的走势。

（3）绘制指数平滑模型的拟合图和观测值图表。

（4）采用ARIMA模型分析拟合房地产价格指数的走势，并绘制ARIMA模型的拟合图和观测值图表。

20.3　在现代经济周期理论中，固定资产投资周期是影响宏观经济周期波动的一个直接的、物质性的主导因素。本题目搜集了我国从1978年到2007年我国国民生产总值和固定资产投资总额的数据。部分数据如下表所示。

年份	国民生产总值（十亿）	固定资产投资（十亿）
1978	225.45	41.87
1979	249.851	60.92354
1980	276.3765	66.19678
1981	322.0911	73.9777
1982	364.07	78.26888
1983	413.5162	86.7446
1984	515.1107	124.1364
1985	554.5721	158.3782
1986	578.8222	174.0094
1987	643.3237	214.6864

（续表）

年份	国民生产总值（十亿）	固定资产投资（十亿）
1988	678.6035	224.5416
1989	649.8945	153.4606
1990	756.7301	168.0821
1991	864.2196	209.9379
1992	981.9088	268.8869

（1）将两个变量在SPSS中定义为时间序列，时间频率为"年"。

（2）采用ARIMA模型分析拟合我国固定资产投资的走势，并绘制ARIMA模型的拟合图和观测值图表。

（3）对我国固定资产投资和国民生产总值进行回归分析，探讨两者之间的定量影响关系。

20.4 为了对少年的体质状况进行科学的监测和分析，研究者随机抽取485名中小学生，观测了脉搏、身高、体重、坐高、胸围等身体指标和立定跳远、小球掷远、体前屈、10米往返跑和双脚连续跳等体质指标（原始数据来自于《SPSS统计与分析》（清华大学出版社，2009）一书，作者进行了相应的补充和订正），数据如下表所示（部分）。

脉搏（次/分钟）	身高（厘米）	体重（千克）	坐高（厘米）	胸围（厘米）
100	106.1	16.3	59.8	50.5
88	109.8	15.4	62.1	54.0
82	118.0	19.9	66.5	50.5
88	115.0	23.1	63.5	58.0
96	115.4	18.8	63.8	54.0
96	116.8	21.0	64.7	52.5
99	103.6	17.2	58.0	53.0
100	109.5	17.3	62.5	52.0
92	111.0	18.9	61.2	56.0
86	120.5	21.0	60.5	55.0
94	107.2	17.4	60.2	56.0
78	104.2	14.0	58.9	50.5
104	99.0	15.6	57.0	54.5
88	115.0	21.4	64.0	55.0
102	100.5	15.2	58.7	49.0
92	113.7	18.7	65.2	51.5
112	107.4	16.7	60.3	52.5
104	113.1	19.0	63.2	55.0
110	112.2	18.6	64.4	56.0

立定跳远	小球掷远	体前屈	往返跑	连续跳
141	14.2	10.7	6.2	4.7
121	9.5	7.6	6.5	4.8
111	16.5	13.6	5.9	5.2
130	15.0	6.5	6.2	5.6

立定跳远	小球掷远	体前屈	往返跑	连续跳
110	14.0	5.0	6.7	5.8
90	7.0	8.8	6.6	5.9
75	4.0	10.0	7.3	6.1
108	7.0	15.0	6.5	7.1
71	4.5	4.5	8.4	8.1
115	9.3	8.9	6.2	8.8
90	17.0	4.2	6.5	9.7
89	6.0	13.4	7.5	6.1
88	11.0	12.1	7.2	11.4
58	6.0	4.0	6.5	4.6
80	10.0	1.7	6.9	7.7
92	5.5	12.6	7.8	11.1
84	8.0	7.0	7.0	4.1
80	5.0	5.0	7.5	5.0
108	5.0	15.6	5.9	5.1

（1）试分析代表性身体指标和体质指标的相关性。

（2）试将学生分为四类，作为对学生体质观察的代表性样本。